Guareschi in BUR

GUARESCHI

MONDO PICCOLO
L'anno di don Camillo
con 46 disegni dell'autore

BUR
rizzoli

Proprietà letteraria riservata
© 1986 RCS Rizzoli Libri S.p.A., Milano
© 1996 R.C.S. Libri & Grandi Opere S.p.A., Milano
© 1997 RCS Libri S.p.A., Milano

ISBN 978-88-17-20204-6

Prima edizione Rizzoli 1986
Prima edizione BUR 1996
Undicesima edizione BUR Narrativa aprile 2011

Per conoscere il mondo BUR visita il sito **www.bur.eu**

L'anno di don Camillo

Inverno

IL DONO MANCATO

Il Natale si avvicinava galoppando a spron battuto e, anche quell'anno, la moglie del Tarocci andò a dare una mano al fratello che aveva un laboratorio di pasticceria in città. E, prima di partire, disse al marito:

— Ricordati di domani sera.

— Domani sera? — domandò il Tarocci. — E cos'è domani sera?

— Santa Lucia! — esclamò la donna. — Te l'avrò ripetuto cinquanta volte tra ieri e oggi e già non ti ricordi più.

— Mi ricordo, invece, anche troppo. Però sono stupidaggini che sarebbe bene eliminare. Non bisogna mettere della confusione in testa ai ragazzi.

— Gigino ha sei anni appena e, per il momento, lo si deve lasciare tranquillo. Ogni cosa a suo tempo. Non mi fare questo dispetto perché non te lo perdonerei mai!

Il Tarocci si strinse nelle spalle:

— Va bene. Parti tranquilla. Penso io a tutto.

La donna se ne andò rassicurata, ma il Tarocci, l'indomani mattina, aveva dimenticato ogni cosa.

Certamente nel corso della giornata, se avesse avuto occasione di passare davanti ai negozi di chincaglieria e alle bancarelle dei giocattoli, se ne sarebbe ricordato. Ma quello fu un venerdì particolarmente laborioso per lo stato maggiore di Peppone perché era arrivato un pezzo grosso della federazione e il Tarocci dovette rimanere fino a sera tarda alla Casa del Popolo.

Luogo nel quale si trattano questioni che non hanno niente a che vedere coi Santi in genere e con Santa Lucia in particolare.

In quanto a Gigino, il Tarocci non aveva nessuna preoccupazione: la vecchia Rosa, che veniva a fargli le faccende di casa quando rimaneva solo, avrebbe pensato a tutto come al solito.

Uscito dalla Casa del Popolo, il Tarocci, assieme a Peppone e al resto della banda, andò a mangiare un boccone all'osteria del Molinetto e qui rimase a discutere fino a mezzanotte.

Quando rincasò era stanco morto e, appena si fu infilato nel letto, si addormentò.

Si risvegliò l'indomani mattina alle otto e, vestitosi in gran fretta, scappò subito via perché era sabato e guai se uno che tratta mangimi e foraggi non si trova in piazza di buon'ora nei giorni di mercato. Fece appena in tempo a intravvedere Gigino che, aiutato dalla vecchia, stava preparandosi per andare a scuola, e a gridargli:

— Fai il bravo!

Non si poté accorgere che Gigino era diverso dal solito.

Gigino si era svegliato presto, quella mattina: alle cinque era saltato giù dal letto e, arrivato alla finestra della cucina che dava sull'orto, l'aveva aperta per ritirare le scarpe che la sera, prima di andare a letto, aveva messe sul davanzale dopo averle ripulite con gran cura. Ma le scarpe erano vuote, e il sacchettino coi crostini di pane e la crusca, che Gigino aveva avuto cura di collocare vicino alle scarpe per l'asinello di Santa Lucia, stava ancora lì intatto. Questo significava che Santa Lucia aveva dimenticato Gigino.

La vecchia Rosa, mezzo rimbambita dagli anni, non teneva più dietro al calendario da un gran pezzo: non aveva parlato quindi di Santa Lucia con Gigino, e Gigino s'era tenuto in corpo tutto il suo gran dispiacere.

Ma arrivato davanti alla scuola aveva trovato i ragazzini in pieno fermento. Ognuno diceva quello che gli aveva portato Santa Lucia e mostrava le caramelle, i mentini, o le cioccolatine prelevate a titolo di anticipo dalle scarpette zeppe di regali.

Gigino resistette fin che poté, ma in classe crollò e incominciò a singhiozzare.

La maestra si avvicinò all'infelice e gli domandò cosa gli succedesse: Gigino si limitò a scuotere il capo per significare che non gli era successo niente, ma qualcuno spiegò ad alta voce il mistero:

— Piange perché Santa Lucia non gli ha portato niente.

Gigino era il bambino più tranquillo e più diligente della scuola. Era un bambino che pareva scappato fuori dal sillabario e bastava che la maestra lo guardasse perché Gigino diventasse immobile come una statuina di gesso. Tratteneva perfino il

respiro se la maestra lo guardava: e adesso, vedendolo singhiozzare perché Santa Lucia non gli aveva
portato niente, la maestra sentiva una voglia matta
di mettersi a piangere anche lei.

Non seppe cosa dirgli per consolarlo, lo lasciò
tranquillo e, quando la lezione finì, lo tenne lì seduto nel suo banco fin che gli altri non se ne furono
andati. Poi lo chiamò e gli diede un pacchetto di
cioccolatini.

Gigino fece segno di no con la testa.

— Perché? — gli domandò con dolcezza la
maestra.

— Voglio i miei — rispose sottovoce.

Davanti a un bambino di sei anni o poco più
che non fa una questione di cioccolatini ma una
questione di principio, c'è poco da discutere. La
maestra che era una ragazza giovane si sentì profondamente intimidita e rimise il pacchettino nel
cassetto della cattedra.

Gigino, quando fu sulla strada, vide che i bambini erano ancora fermi a chiacchierare poco più
avanti: allora prese la via dei campi e si incamminò
lentamente. Faceva freddo e la terra era indurita
dal gelo: Gigino proseguì per un bel pezzo poi, arrivato a una capannuccia di melicacci, si sedette
sulla paglia umida a pensare.

Il Tarocci fece il mercato e verso l'una e mezzo
del pomeriggio rincasò.

La vecchia Rosa gli spiegò che il bambino non
era ancora tornato da scuola, mentre gli altri erano
tornati tutti. La cosa non era naturale.

Allora il Tarocci prese la bicicletta e corse alla

scuola, ma trovò tutto chiuso. Bussò e si affacciò la bidella.

— Sapete niente del mio Gigino?

— È uscito con gli altri — spiegò la donna. — Però ha svoltato per la carrareccia prima del ponte e ha preso la scorciatoia dei campi.

Il Tarocci lasciò la bicicletta alla bidella e prese anche lui la scorciatoia, ma non trovò Gigino. Arrivò a casa per vedere se nel frattempo fosse tornato, ma Gigino non s'era ancora visto.

Rifece la strada percorsa chiamando a gran voce il bambino ma nessuno gli rispose. Finalmente, quando il Padreterno volle, trovò Gigino addormentato sulla paglia umida, dentro la capannuccia di melicacci.

Il Tarocci era imbestialito e, tirato su il bambino ancora addormentato, lo svegliò con due sberle.

Poi, siccome il bambino rimaneva lì tremando di freddo e di paura, lo agguantò per un'orecchia e se lo trascinò dietro.

Dopo una ventina di passi, il Tarocci smise di maltrattarlo e lo lasciò in pace fino a casa.

— Due ore, mi hai fatto cercare! — lo rimproverò aspro quando furono in casa. — Perché invece di venire a casa diritto, ti sei andato a perdere in mezzo ai campi? Perché non sei tornato assieme agli altri?

— Gli altri avevano tutti la roba e io no — sussurrò il bambino.

— Che roba?

— La roba di Santa Lucia — spiegò il bambino.

Al Tarocci venne un mezzo colpo: Santa Lucia! La raccomandazione della moglie... Ma anziché placarsi a quel pensiero, venne preso da un'ira furibonda:

— Ma che Santa Lucia! — urlò. — Sono tutte stupidaggini. Santa Lucia non c'è.

— C'è — replicò Gigino. — Tutti gli altri hanno trovato i regali nella scarpa.

— Non è vero! — gridò il Tarocci.

— È vero — affermò Gigino. — Ho visto io la roba.

Per un bambino di sei anni niente può esserci che riesca a demolire questa ferrea costruzione logica.

— Tutta colpa di quella cretina di tua madre! — commentò a denti stretti il Tarocci. — Ad ogni modo sia la prima e l'ultima volta che, invece di venire a casa subito, ti fermi a gironzolare.

Gigino sospirò:

— Io sono sempre stato buono: perché Santa Lucia non mi ha portato niente? A tutti ha portato il regalo. Soltanto a me no. Cos'ho fatto di male?

Il Tarocci scrollò le spalle:

— E chi lo sa? Bisogna vedere come ti sei comportato a scuola!

— La signorina, quando ha saputo che Santa Lucia non mi aveva portato niente, mi voleva dare lei i cioccolatini. Vuol dire che mi sono comportato bene.

— Se la maestra ti voleva dare i cioccolatini, dovevi prenderli! — affermò il Tarocci.

— No: io voglio la roba mia — spiegò il bambino. — Quella dentro la scarpa.

Il Tarocci smise di mangiare:

— Che storie sono queste? Dentro la scarpa o fuori dalla scarpa non è la stessa cosa?

— No. Io sono sempre stato buono e Santa Lucia mi deve portare il regalo nella scarpa.

Il Tarocci ci pensò su un momentino e si accorse facilmente che con un bambino di sei anni la tattica da usare doveva essere un'altra.

— Hai ragione — rispose allora con calma. — Il fatto è che tu sei stato buono ma Santa Lucia non ti ha portato un bel niente, neanche una caramella. Questo significa che Santa Lucia ce l'ha con te, soltanto con te.

Il bambino lo guardò sbalordito:

— Con me? E perché?

— Si vede che non le sei simpatico. O magari è vero quello che tutti dicono: Santa Lucia non esiste.

— E i bambini che hanno avuto i regali?

— Credono che sia stata Santa Lucia e invece chi sa mai chi è stato. E poi tu non devi guardare gli altri, devi sempre guardare te stesso. Sei stato buono?

— Sì.

— Hai pregato Santa Lucia di portarti il regalo?

— Sì, tutte le sere.

— Ti ha portato il regalo Santa Lucia?

— No.

— C'è poco da dire, caro mio: i fatti sono fatti. Per te Santa Lucia non esiste.

Gigino non trovò nel suo piccolo cervello niente da obiettare. Gli dispiaceva che Santa Lucia non esistesse, per lui, ma non sapeva come rimediare al disastro.

— E allora, per avere il regalo chi bisogna pregare? — domandò con voce piena d'ansia.

Al Tarocci era venuta in mente una storia che

aveva letto o sentito da qualche parte, e s'era rego-
lato in modo da attirare nella trappola il bambino.

— Secondo me bisognerebbe pregare Stalin —
rispose.

— Stalin? — si informò il bambino. — È un
santo?

— È uno che fa delle cose straordinarie —
spiegò il Tarocci. — Tu stasera devi pregare Stalin
di portarti il regalo perché sei stato buono. Se Stalin ti porta il regalo vuol dire che esiste per te,
mentre se Santa Lucia non ti ha portato niente, significa che per te non esiste.

Il bambino si rasserenò.

— Bisogna mettere il sacchetto di crusca per
l'asinello, vicino alle scarpe?

— No — rispose avventatamente il Tarocci. —
Stalin viene da un posto dove agli asini danno da
mangiare bene e non c'è bisogno di mantenerli con
l'elemosina.

Quando si accorse di aver detto una stupidaggine era troppo tardi: comunque Gigino non notò
l'involontario deviazionismo paterno.

— Come si fa a pregare Stalin? — domandò
Gigino. — Bisogna inginocchiarsi e poi fare il segno della Croce?

— Non occorre — spiegò il Tarocci imbarazzato. — Basta dire tre volte: «Stalin sono stato bravo
portami il regalo». E Stalin ti porta il regalo.

Il bambino obiettò:

— Quando si prega Dio o i Santi bisogna fare
il segno della Croce e inginocchiarsi.

— Fai come credi — concluse il Tarocci. —
L'importante è che tu non dica niente a nessuno.

— Metterò anche la crusca — disse Gigino. —

Può darsi che l'asino abbia fame anche se ha mangiato a casa sua.

Il Tarocci lasciò il bambino e se ne andò per i fatti suoi. Verso sera, pochi minuti prima che chiudessero le botteghe, comprò un trenino a molla, un pacchetto di caramelle, uno di cioccolatine e una scatoletta di matite colorate. Si ficcò tutto nelle tasche della giacca e, invece di andare a casa, si fermò a mangiare al Molinetto.

Finito di mangiare, si mise a giocare con Peppone e soci e così venne la mezzanotte.

Uscì assieme a Peppone:

— Capo, sono stanco morto — gli spiegò. — Ma ho dovuto rimaner fuori fino a tardi per essere sicuro di trovare il bambino addormentato.

E, cammin facendo, spiegò a Peppone tutta la storia e il trucchetto combinato per democratizzare Santa Lucia.

— Capo — concluse — non è stata una idea in gamba?

— Certo — borbottò Peppone.

— Bisogna agire senza sentimentalismi — continuò il Tarocci. — Alle donne si può dar retta fino a un certo punto. Dopo, occorre intervenire decisi. Incominciamo a snebbiare pian piano i cervelli. Incominciamo a sloggiare i Santi dall'animo dei nostri bambini mettendo al loro posto qualcosa di più sostanzioso. Incominciamo a sfatare le leggende. Non ti pare?

Peppone tentennò gravemente il testone:

— Giusto come concetto. Ma tu, facendo quel che hai pensato di fare stasera, mentre distruggi la leggenda di Santa Lucia, ne crei un'altra. Secondo me tu dovevi spiegare al tuo bambino che, invece di pregare i Santi che non esistono, basta scrivere a Stalin che esiste, e Stalin per posta manda il regalo. Trasportare tutta la faccenda dal piano del soprannaturale al piano della realtà.

— Certamente — replicò il Tarocci — però bisogna fare le cose per gradi. Il bambino non sa scrivere lettere, non riesce a rinunciare al fascino della favola. Intanto contentiamoci del primo passo: Santa Lucia molla la scarpa e la occupa Stalin. E il bambino impara che, a pregare Santa Lucia, non si ottiene niente, mentre a pregare Stalin si ottiene qualcosa. Non ho ragione?

— Hai ragione — riconobbe francamente Peppone.

Erano oramai arrivati alla casa del Tarocci.

— Stai qui un momento a far la guardia — disse il Tarocci a bassa voce — intanto che io entro nell'orto e metto la roba dentro le scarpe che sono sul davanzale della cucina.

Peppone fece il palo e, poco dopo, il Tarocci fu di ritorno.

— Fatto?

— Tutto a posto. Fregata Santa Lucia.

Peppone se ne andò e il Tarocci entrò cautamente in casa. Il bambino dormiva nella sua camerina e aveva un dolce sorriso sulle labbra.

Il Tarocci si spogliò in fretta e si infilò nel letto perché aveva lavorato parecchio quel giorno.

Ma il sonno non veniva.

"Capita sempre così quando si è troppo stanchi" pensò. Poi gli venne in mente la faccenda dello scherzetto a Santa Lucia: dal punto di vista della propaganda era un colpo magnifico. Gli avrebbe procurato qualche noia con la moglie. Ma con le mogli, a un bel momento, si può cambiare tattica e si può usare la maniera forte. Alla fine, egli lavorava per il bene del figlio. I figli non devono avere il cervello ingombro di stupidaggini. Comunque l'affare era concluso e non doveva più ripensarci.

Si rigirò nel letto. Aveva dato due sberle da uomo a un bambino di sei anni. E poi, a momenti, gli stracciava un'orecchia. Ma la colpa era di quella stupida di sua moglie che aveva combinato il guaio. D'ora in poi il bambino lo avrebbe educato lui: soltanto lui.

Gli venne voglia di alzarsi per andare a vedere il bambino.

"Bisogna che controlli se gli ho fatto male. Bisogna che mi spicci, però; di sicuro il bambino si sveglia presto perché ha la smania della scarpa."

Non riusciva a decidersi a saltar giù.

Un po' per via del freddo. Un po' perché aveva paura del buio.

Era una cosa ridicola ma il buio gli faceva senso, quella notte.

Forse aveva mangiato troppo, al Molinetto.

Ad un tratto riuscì a scendere dal letto: le gambe non volevano muoversi e faceva una fatica matta a camminare. Come se avesse le ossa di piombo. Traversò lentamente la stanza, raggiunse il corridoio, aperse la porta della stanzetta del bambino: ma il letto era vuoto, e la finestra spalancata.

Il Tarocci scavalcò penosamente il davanzale e si trovò nell'orto. Passò la siepe e si trascinò ansimando per i campi. Arrivò alla capannuccia di melicacci e Gigino era là, addormentato sulla paglia umida.

Allora lo tirò su e incominciò a schiaffeggiarlo.

E continuò a schiaffeggiarlo anche quando la mano gli faceva male. E voleva smettere di picchiarlo ma non ci riusciva.

Si trovò sdraiato nel suo letto col braccio destro malamente piegato sotto il corpo e con la fronte piena di sudore.

Suonarono delle ore al campanile e le contò: quattro!

Balzò giù dal letto con disperazione: bisognava raggiungere il davanzale della cucina prima che Gigino si svegliasse. Bisognava togliere il trenino e tutta l'altra roba che aveva messo dentro le scarpette. Faticò a orizzontarsi e, quando ci riuscì, era troppo tardi e nel piccolo corridoio si incontrò con Gigino che tornava dalla cucina.

Il Tarocci si sentì pieno di disperazione ma subito gli si risollevò il cuore:

— Neanche Stalin mi ha portato niente! — esclamò Gigino scoppiando a piangere. — Niente; nemmeno una caramella!

Il Tarocci lo agguantò e lo ficcò nel letto grande.

— Adesso dormi e poi domattina mettiamo a posto tutto.

Piombò nel sonno e ne aveva bisogno davvero.

Era una cupa domenica di dicembre, piena di nebbia fredda. Il Tarocci si svegliò verso le sette e trovò Gigino già bell'e vestito.

Il Tarocci non gli diede retta fin che non fu pronto anche lui. Poi si occupò del bambino.

— E allora? Proprio niente hai trovato nelle scarpe? — si informò.

— Niente — rispose con gli occhi pieni di lagrime il bambino.

— Questo significa che, a pregare Stalin, non si ottiene niente — spiegò il Tarocci.

— Ma neanche a pregare Santa Lucia! — si dolse Gigino. — E allora come si fa?

Il Tarocci gli mise il cappottino, lo sciarpone e gli calcò in testa la berretta. Poi si intabarrò e uscì.

— Vieni che sistemiamo tutto — disse prendendo per mano il bambino.

Il paese era ancora deserto e silenzioso, immerso in quella nebbia marcia.

A un bel momento il Tarocci si fermò:

— Gigino, io ti aspetto qui: tu vai in chiesa e dì a Gesù Bambino: «Santa Lucia si è dimenticata di me e io sono sempre stato bravo. Faccio rapporto».

— Devo parlare anche di quell'altro?... Come si chiama?...

— Niente, parla soltanto di Santa Lucia. Tutto andrà a posto. In questi casi Gesù Bambino porta direttamente lui la roba a Natale.

Il bambino scappò di corsa e il Tarocci lo aspettò addossato a un pilastro del portico.

Gigino dopo una decina di minuti riemerse dalla nebbia.

— Hai detto così come ti ho spiegato? — si informò il Tarocci.

— Sì, papà.

— Cosa ti ha risposto?

— Che ci pensa lui.

— Bene — borbottò tranquillo il Tarocci prendendo per mano il bambino e rimorchiandoselo a casa.

E gli pareva tutto naturalissimo; e non gli passò

nemmeno per l'anticamera del cervello che fosse almeno curioso, se non strano, il fatto che Gesù Bambino avesse risposto a Gigino: «Ci penso io».

E non si domandò neppure come mai, pur avendo, lui stesso, il Tarocci, con le sue mani, riempite le scarpe di Gigino coi regali di Stalin, Gigino avesse poi trovato le scarpe completamente vuote.

Non si domandò mai neppure che fine avessero fatto il trenino e le altre cose. Al Tarocci importava soltanto che Gigino avesse trovato le scarpe vuote e che Natale fosse lì a due passi. Il Bambino avrebbe rimesso a posto tutto: il Tarocci ne era sicurissimo.

A onor del vero non ci fu niente di miracoloso nella scomparsa dei doni di Stalin: perché Peppone, dopo averli cavati fuori dalle scarpe di Gigino, li era andati a buttare nel fiume borbottando:

«Non è un buon servizio che faccio al compagno Stalin».

Poi, quando l'acqua del grande fiume ebbe ingoiato tutta la merce, si consolò dicendo tra sé:

"Dio ti vede, Stalin no".

Si accorse troppo tardi d'essere caduto come un pesce nella trappola degli slogan della propaganda clerico-americana.

E se ne dolse.

Ma fino a un certo punto.

LA LUCE CHE NON SI SPEGNE

Peppone non era rimasto per niente soddisfatto quando aveva letto sul suo giornale la lettera con la quale un famoso deputato spiegava come, non riuscendo più a conciliare i propri doveri di cattolico con quelli di militante comunista, si vedeva costretto a dimettersi dal Partito.

A Peppone non era piaciuta la lettera e meno ancora era piaciuto il comunicato della segreteria del Partito che accompagnava la pubblicazione della lettera.

Lo trovava un po' troppo generico, e questo lo preoccupò.

Ma si trattava di una preoccupazione quanto mai ingiustificata perché, al momento opportuno, doveva saltar fuori qualcosa di anche troppo specifico.

E questo saltò fuori alcuni giorni prima del Natale.

Le dimissioni non erano state accettate e il deputato famoso era stato espulso dal Partito «per indegnità e per tradimento».

— Questo taglia la testa al toro — osservò il Lungo quando ebbe letto il comunicato. — O con noi o contro di noi.

Peppone non era ancora convinto:

— Siamo sempre sulle generali! — esclamò. — Invece qui c'era bisogno di precisare delle direttive riguardo ai rapporti fra Chiesa e Partito.

Il Lungo scosse il capo:

— Capo, tutto è chiarissimo. Mentre il Partito non ha mai detto: «Chi segue la dottrina cattolica non può essere dei nostri», la Chiesa dice: «Chi segue la dottrina marxista non può essere dei nostri e viene scomunicato». Il Partito ti lascia libero di essere cattolico. La Chiesa ti proibisce di essere comunista. Il torto marcio è dalla parte della Chiesa. E che la Chiesa si sia messa contro la legge te lo dimostra il fatto che la Giustizia condanna quei preti che in chiesa dicono: «Chi vota per i comunisti incorre nella scomunica». Stando così le cose nessun dubbio è possibile: il compagno che cede alle minacce dei preti e dà le dimissioni dal Partito, si mette contro la legalità diventando un traditore della causa della legalità e dimostrandosi indegno di appartenere al Partito che ha per missione appunto la difesa della legalità. Quindi la direttiva che salta fuori automaticamente dal comunicato di oggi non può essere che questa: intensificare la vigilanza e aumentare gli sforzi che già facciamo per sottrarre i compagni dalla malefica influenza dei preti.

Peppone tentennò la testa:

— Siamo sempre sulle generali: la questione specifica è quella di sapere cosa dovremmo fare per mettere in atto la direttiva qui, nel nostro paese. Mica possiamo eliminare il prete.

— Non sarebbe una brutta idea — affermò cupo il Lungo che era un *duro*. — Comunque non risolveremmo niente perché, eliminato il prete, ne manderebbero subito un altro peggio di questo.

— Difficile trovare un prete peggio di don Camillo — borbottò Peppone.

— È invece la cosa più naturale — spiegò il Lungo. — I preti sono tutti uno peggio dell'altro.

Discussero a lungo sulla linea di condotta da tenere e alla fine il Lungo, che aveva appena finito il corso di preparazione politica in città, disse:

— Mettiamoci subito al lavoro incominciando lo smantellamento della roccaforte sentimentale dei preti.

Poi il Lungo spiegò il suo concetto:

— La roccaforte sentimentale dei preti è il Natale. Quando viene il Natale tutti sono disposti a concedere qualcosa ai preti. Non occorre andare in chiesa: il semplice fatto di mangiare meglio del solito è una concessione che si fa ai preti, che hanno inventato il Natale. A Natale anche i più forti e i più duri cascano nella trappola del sentimento: il ragazzino che dice la poesia e mette la letterina sotto il piatto, il Presepe, le cartoline d'auguri, la neve, gli angioletti, l'organo della chiesa nella notte, i ricordi di fanciullezza, insomma è tutta una messa in scena che riesce a farci dimenticare la realtà a vantaggio della favola. Bisogna reagire e passare al contrattacco!

Peppone allargò le braccia:

— Va bene, ma non possiamo pretendere di costringere la gente a modificare le loro usanze.

— Si può però incominciare il lavoro costringendo noi stessi a non cascare più nella trappola. Per disintossicare le masse bisogna, prima di tutto, disintossicare noi stessi. Io ho già incominciato.

Peppone, il Bigio, il Brusco, lo Smilzo e gli altri dello stato maggiore guardarono preoccupati il Lungo.

Il Lungo era il custode della Casa del Popolo: abitava con la moglie e col figlio in tre stanzette del primo piano e la sua vita privata non poteva essere più trasparente per i frequentatori della Casa del Popolo.

— Chiunque lo voglia potrà controllare che in casa mia da quest'anno è stato eliminato il Natale — spiegò il Lungo. — Tutto dovrà funzionare come gli altri giorni. Se lo volete, anche nelle vostre case sarà la stessa cosa.

Il Bigio sospirò:

— Difficile farlo capire alle donne.

— No — replicò il Lungo che evidentemente si era preparato sull'argomento. — Il difficile è convincere se stessi. Una volta che uno sia riuscito a convincere se stesso, gli riuscirà facilissimo convincere gli altri. Naturalmente, per convincere se stessi, bisogna avere delle idee chiare.

Peppone intervenne:

— Le idee chiare le abbiamo — esclamò — e le faremo venire anche agli altri. Il Lungo ha ragione: tutti incomincino fin da questo momento il lavoro di persuasione dei compagni. Lavorare con garbo senza forzare mai la mano. Specialmente quando si tratta di compagni che abbiano dei vecchi in casa. Democratizzando il Natale noi daremo il primo duro colpo alla roccaforte sentimentale dei preti.

Peppone si era entusiasmato, e l'idea del Lungo gli piaceva sempre di più. Quando tornò a casa si diede subito allo smantellamento della roccaforte sentimentale della moglie:

— Da quest'anno, Natale non deve esistere più — disse Peppone e la moglie gli domandò se fosse ubriaco di vino o di liquori.

Ma Peppone le dimostrò di avere il cervello pieno di fumi ben più tossici e la donna allargò le braccia:

— Sta bene, niente Natale. E per la Pasqua?

— Ogni frutto ha la sua stagione — rispose Peppone. — Incominciamo a cancellare il Natale dal calendario.

Peppone si buttò come un dannato nella sua impresa di snatalizzazione e fece davvero del buon lavoro. La moglie tentò un paio di volte di mitigare la sua decisione, ma visto che ciò serviva soltanto ad aggravare la situazione, si arrese.

E, la sera della Vigilia, Peppone rincasando trovò che tutto era nella più squallida normalità.

La tavola con la solita tovaglia macchiata, la solita minestra nel lardo e il solito odore di frittata con le cipolle.

L'ora era stata addirittura anticipata:

— Alle otto tutti a letto — avvertì con voce dura Peppone. — E mettersi a dormire senza far baccano.

Si rivolse al ragazzino più piccolo, quello di sette anni:

— Specialmente tu!

Mangiò in silenzio la sua minestra e, quand'ebbe finito, fece per togliere la fondina, ma si accorse appena in tempo che, sotto la fondina, era celato il tradimento.

Si sentiva addosso gli occhi spalancati del ragazzino piccolo e strinse i denti. Rimise giù la fondina che aveva appena sollevata.

Bevette un bicchiere di vino e, buttato il tovagliolo sulla tavola, si alzò.

— Non mangi la frittata? — gli domandò stupita la moglie.

— No! — rispose cupo Peppone. — Non ho più fame. E poi ho da fare.

Uscì rapidamente e, buttatosi il tabarro fin sotto gli occhi, camminò a grandi passi per le strade deserte.

Nelle altre case la gente stava per mettersi a tavola: Peppone pensò con orgoglio allo squallore della tavola dalla quale s'era appena alzato.

L'appuntamento alla Casa del Popolo era per le otto: Peppone arrivò un quarto d'ora prima e, trovato tutto spento al pianterreno, salì al primo piano dal Lungo.

Trovò il Lungo, sua moglie e il loro ragazzino ancora a tavola: una tavola malinconica, da giorno feriale.

— Tutto bene? — si informò il Lungo versando un bicchiere di vino a Peppone.

— Perfetto — rispose Peppone. — Mia moglie ha funzionato come doveva ma c'è stato un caso di deviazionismo.

Peppone ridacchiò, poi, appressata la bocca all'orecchio del Lungo, spiegò a bassa voce:

— Il piccolino era riuscito a mettermi la letterina sotto il piatto.

— Come te la sei cavata? — chiese il Lungo.

— Me ne sono accorto quando stavo per tirar via la fondina vuota. Allora mi sono alzato e sono uscito. Ci ho rimesso la frittata.

Il Lungo rise.

— Io ho un ragazzino soltanto e mia moglie è riuscita a sorvegliarlo facilmente. E poi io gli avevo spiegato con bel garbo come stanno le faccende. È un ragazzino che capisce.

Oramai anche gli altri dovevano essere arrivati: Peppone e il Lungo scesero.

— Non aspettarmi perché verrò su tardi — disse il Lungo alla moglie.

— Andiamo a letto subito — rispose la donna. — Anche il ragazzino ha sonno.

Trovarono al pianterreno lo Smilzo e il Bigio:

— Mi pare che potremmo subito incominciare il giro — spiegò Peppone. — Si fa una piccola ispezione in tutte le case di quelli che si sono impegnati a fare come s'era stabilito. Vediamo un po' chi sgarra.

Il Brusco abitava in una piccola casa isolata, fuori paese: quando Peppone, il Lungo e gli altri due arrivarono, trovarono tutto spento.

Il Brusco venne ad aprire mezzo svestito:

— Ho litigato con le donne — confessò molto triste il Brusco. — Alla fine siamo andati tutti a letto senza mangiare. Mi dispiace un po' per mia moglie che non sta tanto bene.

Il Lungo intervenne:

— Le cose si fanno o non si fanno. Se si fanno non bisogna poi rimpiangere niente.

— Non rimpiango niente — precisò il Brusco.
— Ma se mia moglie ha la febbre io non posso esserne contento. Comunque l'importante è che tutto sia stato fatto com'era stabilito.

L'ispezione continuò: Peppone, il Lungo, il Bigio e lo Smilzo dovettero andare a bussare ad altre dieci porte, perché il primo esperimento di disintossicazione sentimentale era stato ristretto alla cerchia dei fedelissimi: dappertutto trovarono case già buie o gente che leggiucchiava il giornale seduta davanti ai resti di una tristissima cena.

L'ultima casa visitata era stata quella del Falchetto, che stava in fondo al paese, di là dall'argine, verso il fiume: quando la campana rintoccò per chiamare i fedeli alla Messa di mezzanotte, Peppone e gli altri tre si trovarono a camminare lentamente sulla strada dell'argine.

— Possiamo veramente essere soddisfatti del risultato — affermò il Lungo. — Ed è molto importante che l'esperimento sia riuscito perché l'idea è già passata nel campo della realizzazione pratica. Quando si vuole demolire un muro l'importante è cavare il primo mattone.

Erano arrivati alla chiavica vecchia e si sedettero sulla spalletta del ponte.

— È una cosa straordinaria — disse Peppone.
— È bastato il semplice fatto di considerare questa sera come una sera qualsiasi, per darmi l'idea che il Natale non sia mai esistito.

— Questo dimostra che, se uno non riesce a liberarsi dai sentimentalismi, non potrà mai capire quali sono le cose vere e quali le false.

Lo Smilzo accese una sigaretta.
— Certo che è una strana faccenda — osservò.

— Uno aspetta il Natale come se si trattasse di chissà che cosa ed ecco che, improvvisamente, si accorge che il Natale è un giorno preciso identico a tutti gli altri. Ci si resta male.

— L'anno venturo non proverai nessuna delusione — affermò il Lungo — perché oramai che ti sei accorto di che cosa si tratta, non lo aspetterai più come l'hai aspettato quest'anno. L'essenziale, in queste illusioni sentimentali, è di rompere la catena.

Ripresero a camminare lentamente verso il paese: era ormai vicina la mezzanotte e la piazza era deserta perché chi voleva assistere alla Messa era già entrato in chiesa.

Arrivati in vista della Casa del Popolo, Peppone esclamò:

— Cosa succede lassù?

Tutti levarono gli occhi e videro che una delle finestrelle del solaio era illuminata. Poi la luce si spense per riaccendersi di lì a poco. E la storia si ripeté per parecchie volte.

Il Lungo si preoccupò:

— La chiave del solaio è nascosta in un posto che conosco soltanto io. E poi nessuno di casa mia è mai salito lassù.

Lasciarono il Bigio di guardia al pianterreno e salirono in punta di piedi. La porta del solaio era socchiusa e, ogni tanto, la fessura si illuminava fiocamente.

C'era qualcuno evidentemente e cercava chi sa mai cosa.

Peppone, il Lungo e lo Smilzo rimasero in agguato trattenendo il respiro: poi, quando al vicino campanile incominciarono a battere i primi tocchi della mezzanotte, si infilarono dentro la porta del solaio e si addossarono al muro.

Al dodicesimo rintocco, la luce si accese e non si spense più.

Una piccola luce, una lampadina a pila che illuminava l'interno di una minuscola capanna sistemata su una cassa.

E in piedi davanti alla cassa, stava il ragazzino del Lungo.

Rimase lì a guardare per una diecina di minuti e ci sarebbe rimasto ancora se il Bigio non avesse fatto un po' di fracasso giù al pianterreno dove era rimasto di guardia. Allora il ragazzino scappò via, passando davanti, senza vederli, a Peppone e agli altri due nascosti nell'ombra a lato della porta.

Scomparso il ragazzino, i tre uomini intabarrati uscirono dall'ombra e andarono a fermarsi davanti alla capannuccia sistemata sulla cassa.

— Pensa se questo lo venisse a sapere don Camillo — borbottò Peppone. — Il Presepe clandestino, i cristiani riportati al periodo delle catacombe... Figuriamoci che pacchia sarebbe.

Il Lungo era cupo.

— Da piccolino gli hanno riempito il cervello di queste favole — sussurrò. — Non è possibile cambiare una mentalità da un momento all'altro... Però vorrei sapere chi gli ha dato quella roba.

Peppone si chinò a guardare il Presepino:

— Nessuno — spiegò. Sono statuine di terra cruda pitturata. Se le è fatte da solo. E sono anche belle parecchio. Mica stupido il ragazzino.

Il Lungo rimirò in silenzio le statuette del Presepino, poi con una sberla le spazzò via mandandole a sbriciolarsi contro il muro.

Ma la lampadina rimase accesa nella capannuccia deserta e devastata.

La gente usciva dalla chiesa e riempiva di allegre voci la piazza: Peppone si riscosse dallo stupore nel quale il gesto del Lungo l'aveva fatto piombare e raggiunse in fretta la porta, seguito dallo Smilzo, mentre il Lungo rimaneva là a guardare con occhi attoniti quella luce che non si spegneva.

DA NATALE...

Peppone, uscito dalla Casa del Popolo disinteressandosi completamente del Bigio che lo aspettava sul portone, si avviò in fretta verso casa tagliando fuori la piazza per non incontrarsi con la gente che tornava dalla Messa di mezzanotte.

Lo Smilzo lo seguì disciplinatamente ma non ne ricavò nessuna soddisfazione perché, arrivato a destinazione, Peppone gli sbatté la porta in faccia e lo piantò lì senza neanche dirgli bai.

Peppone era stanco morto e, spogliatosi in gran furia, si andò a infilare subito tra le lenzuola.

— Sei tu? — gli domandò la moglie.

— Certo! — borbottò Peppone — chi vuoi che sia?

— Non si sa mai — replicò la donna. — Adesso coi nuovi princìpi che hai tirato fuori, non ci sarebbe niente di strano se tu mi facessi trovare nel letto, al posto tuo, qualche funzionario del tuo Partito.

Guardò la tovaglia sporca, gli avanzi della frittata.

Ripensò alla tavola delle altre Vigilie di Natale.

Ripensò agli altri Natali: al Natale di quand'era ragazzo. Gli vennero in mente sua madre e suo padre.

D'improvviso si ricordò del Natale del 1944: quello lo aveva passato in montagna, dentro una tana da bestie, col pericolo di essere ammazzato a raffiche di mitra da un momento all'altro ed era stato un Natale tremendo. Però meno angoscioso di questo perché l'aveva passato pensando disperatamente ai dolci e sereni Natali di pace e quel pensiero gli aveva scaldato il cuore.

Adesso egli non correva nessun pericolo, tutto funzionava nel modo più tranquillo, sua moglie e i suoi ragazzi stavano lì, sicuri, a pochi metri da lui e, appressandosi alla porta della loro stanza, avrebbe potuto udirne il respiro: ma il cuore gli rimaneva pieno di gelo perché pensava che quella tavola, a mezzogiorno, sarebbe stata la identica, malinconica tavola della sera prima.

"Il Natale è tutto qui" concluse tra sé. "Una questione di tovaglie, di bicchieri, di capponi, di torrone e di agnolotti."

Ma poi ripensò al ragazzino del Lungo che s'era fatto il Presepe clandestino nella soffitta della Casa del Popolo e la conclusione non lo convinse più. Tanto più che neppure la lettera e la poesia del piccolino erano faccende mangerecce.

Albeggiava e Peppone, avvoltosi nel tabarro, uscì di casa e si avviò verso la Casa del Popolo. Il Lungo era già alzato e stava spazzando il salone delle adunanze; venne ad aprire a Peppone che si stupì:

— Al lavoro a quest'ora?

— Sono le sette — spiegò il Lungo. — Nei giorni feriali si incomincia alle otto ma oggi è un giorno più che feriale e bisogna incominciare prima.

Peppone andò a sedersi alla scrivania del suo ufficio: doveva guardare tutta la posta del giorno prima e si mise subito all'opera. Si trattava di una diecina di lettere di normale amministrazione e, pochi minuti dopo, Peppone aveva già preso visione di ogni cosa.

— Niente di importante, capo? — domandò il Lungo affacciandosi.

— Niente — rispose Peppone. — Sbrigale tu.

Il Lungo raccolse le lettere e se ne andò ma, poco dopo, si ripresentò molto eccitato con un foglietto tra le mani.

— Capo — disse il Lungo — questa è molto importante. Ti deve essere sfuggita.

Peppone, presa la lettera che il Lungo gli porgeva, le diede una occhiata e la restituì.

— L'avevo vista — spiegò. — Niente di straordinario.

— Ma parla di tesseramento e bisogna che tu risponda subito. È un affare tuo personale.

— Dopo — borbottò Peppone. — Oggi è Natale.

Il Lungo lo guardò in un certo modo e a Peppone non piacque il fatto di essere guardato a quel modo.

Si alzò e piantatosi davanti al Lungo esclamò:

— Oggi è Natale: hai capito?

Il Lungo scosse il capo e poi rispose:

— No, non ho capito.

— Adesso te lo spiego — disse a denti stretti Peppone pitturandogli sulla faccia una sberla da esposizione campionaria.

Il Lungo ebbe il torto di non afferrare subito il concetto e, siccome era un pezzo di satanasso più alto ancora di Peppone, cercò di restituire la sventola ricevuta.

Peppone, allora, gli si buttò addosso come una divisione corazzata e, dopo averlo scaraventato a gambe all'aria, gli cambiò i connotati del sedere a furia di pedate.

Poi, quand'ebbe finita la lavorazione, agguantò il Lungo per il petto e gli domandò:

— Hai capito cosa ho detto?

— Ho capito — borbottò cupo il Lungo. — Oggi è Natale.

— E adesso vai su in solaio e rimetti a posto quella roba prima che qualcuno la veda. Non hai pensato che, se si sapesse quello che è successo stanotte lassù, ne salterebbe fuori una speculazione spaventosa contro di noi?

— Ci ho già pensato — rispose il Lungo. — Ho già rimesso a posto ogni cosa.

Preceduto dal Lungo, Peppone salì in soffitta a controllare: effettivamente il Presepino pareva non fosse stato neppur toccato. Peppone lo stette a guardare per qualche minuto poi borbottò:

— Alla fine cosa c'è di male se a qualcuno fa piacere di credere che, circa duemila anni fa, in una certa stalla, sia nato un figlio di falegname, che poi ha predicato l'uguaglianza di tutti gli uomini, ha difeso i miseri dai potenti e poi è stato crocefisso dai nemici della giustizia e della libertà?

Il Lungo tentennò la grossa testa.

— Di male niente: ma la gente crede che questo figlio di falegname sia addirittura Dio. Ecco il brutto!

— Brutto? — esclamò Peppone. — Bellissimo, invece. Perché il fatto che Dio abbia scelto per padre un falegname e non un borghese, sta a significare che Dio è democratico.

Il Lungo sospirò:

— Peccato che in questa faccenda ci siano di mezzo i preti. Potrebbe diventare una cosa nostra.

— Ecco il punto! — affermò Peppone. — Bisogna sempre agire con molta calma e non fare confusioni. Dio è una cosa, i preti sono un'altra cosa. Il pericolo non è rappresentato dall'esistenza di Dio ma dall'esistenza dei preti. Quindi non bisogna eliminare Dio ma bisogna eliminare i preti. È la stessa questione della ricchezza e dei ricchi: non bisogna eliminare la ricchezza ma eliminare i ricchi e dividere la ricchezza tra i poveri.

Il Lungo, che aveva appena finito il corso di preparazione politica, tentennò ancora la testa:

— Sì, ma la questione base è un'altra: Dio non esiste, l'hanno inventato i preti. Esistono soltanto le cose che noi possiamo vedere e toccare. Le cose che hanno una consistenza materiale. Il resto è fantasia.

Peppone non parve eccessivamente preoccupato dalla comunicazione del Lungo e rispose:

— Se uno nasce cieco, come fa a credere che esista il colore verde o il colore rosso dato che non lo può né vedere né toccare? Ora metti il caso che

43

tutti incomincino a nascere ciechi: fra cento anni nessuno potrà più credere all'esistenza dei colori perché nessuno li potrà più vedere. Però i colori esisteranno ugualmente nella realtà materiale. Non può darsi che Dio esista realmente e che noi siamo, rispetto a lui, come il cieco nato che, sulla base del suo ragionamento, non può ammettere che esistano i colori?

Il Lungo rimase molto perplesso.

— Comunque — tagliò corto Peppone — la questione non riveste carattere di particolare urgenza e la soluzione del problema può essere rimandata.

Peppone si avviò verso casa ed ecco che, alla svolta del Borghetto, si trovò davanti don Camillo.

— Sua Eminenza grigia desidera? — si informò cupo Peppone.

— Volevo farle gli auguri di buon Natale, buona fine e buon principio d'anno — rispose con garbo don Camillo.

— A me? — ridacchiò Peppone. — A uno scomunicato? Questa sì che è coerenza!

Don Camillo allargò le braccia:

— È la stessa coerenza del medico che, riconoscendo affetto da morbo infettivo una persona, impedisce a questa persona di praticare la gente sana, però cura il malato. Bisogna odiare il male ma amare il malato.

Peppone si mise a sghignazzare:

— Straordinario! Ci scannereste tutti e parlate d'amore!

— Saremmo ben disgraziati e stolti e pazzi medici di anime se, per distruggere il morbo, noi volessimo eliminare gli infelici che hanno l'animo contagiato dal morbo. Noi li curiamo amorosamente per farli guarire.

— Capito: vorreste applicarci la cura di cui parlavate l'altro giorno in piazza! — replicò Peppone.

— Non si trattava di te né della gente come te — spiegò calmo don Camillo. — Nel tifo petecchiale, tanto per dirne una, gli elementi da considerare per debellare il morbo sono tre: il tifo petecchiale, cioè il male in sé, il veicolo del tifo petecchiale, cioè il pidocchio, e l'infelice affetto da tifo petecchiale. Per debellare il male occorre curare il malato ed eliminare il pidocchio. Stolto chi volesse curare il pidocchio, pazzo chi intendesse trasformare il pidocchio in qualcosa che non fosse veicolo di tifo petecchiale. Peppone, tu non sei il pidocchio, tu sei il malato.

— Io sto benissimo e il malato siete voi, reverendo — rispose Peppone. — Malato nel cervello.

— I miei auguri vengono dal cuore, non dal cervello — spiegò don Camillo. — Li puoi accettare tranquillamente.

Peppone scosse il capo:

— Cuore, cervello, milza o fegato, non ha importanza. Sarebbe come dire: «Accetta tranquillamente questa pallottola di fucile '91: non te la manda il percussore con punta ma è un gentile omaggio del mirino».

Don Camillo allargò le braccia:

— Dio avrà pietà di te.

— Può anche darsi: ma di voi non avrà pietà di sicuro e il giorno della riscossa non vi eviterà di sventolare, appeso per il collo, alla corda di quest'asta. La vedete?

Don Camillo la vedeva sì, quell'asta di bandiera piantata sul davanti del balcone della Casa del Popolo. La vedeva anche troppo perché la Casa del Popolo era nel lato destro della piazza, e guardando dalla finestra del suo tinello don Camillo non mancava mai di notare quella dannata asta che si stagliava contro il cielo libero, e che portava provocatoriamente al posto della lancia il luccicante emblema della falce e del martello. Quell'asta, e particolarmente il suo coronamento, gli rovinava tutto il panorama.

— Non sarò un po' pesante per quel palo? — domandò don Camillo. — Non sarebbe meglio che ti facessi prestare una forca dai tuoi amici di Praga? O sono cose riservate a voi compagni?

Peppone non rispose: gli volse le spalle e se ne andò.

Arrivato davanti a casa chiamò fuori la moglie:

— Io torno verso l'una — disse. — Vedi di arrangiarti e di preparare tutto come se fosse un Natale normale.

— Già fatto — borbottò la donna. — Stai fresco che io aspettavo il tuo contrordine. Puoi tornare a mezzogiorno in punto.

Entrando poco dopo il mezzogiorno nella grande cucina, Peppone ritrovò l'aria del Natale dei tempi passati e gli sembrò di essere uscito come da un incubo.

Trovò la lettera del piccolino sotto il piatto, e gli parve di un interesse eccezionale. Poi si preparò ad ascoltare con tutta l'attenzione possibile la poesia: ma la poesia non accennava a saltar fuori.

Peppone pensò che sarebbe arrivata alla fine del desinare e si mise a mangiare tranquillamente.

Ma, anche alla fine del desinare, il piccolino non dimostrò la minima intenzione di levarsi in piedi sulla sedia per declamare dei versi.

Peppone fece un cenno interrogativo alla moglie e la donna rispose stringendosi nelle spalle.

Poi la donna si alzò e andò a parlottare col piccolino.

— Niente da fare — comunicò a Peppone. — Non la vuol dire.

Peppone aveva però pronto il colpo segreto; cavò fuori di tasca un pacchetto di cioccolatini e annunciò ad alta voce:

— Se c'è uno che, adesso, mi dice una bella poesia, io gli dò tutta questa roba.

Il piccolino sbirciò preoccupato il pacchettino poi scosse il capo.

La moglie di Peppone andò a parlottare ancora col piccolino poi riferì al marito:

— Non la vuol dire.

Allora Peppone perdette la pazienza:

— Se non vuoi dire la poesia significa che non la sai! — disse al piccolino.

— La so invece — rispose il bambino. — Però non si può più dire.

— E perché? — gridò Peppone.

— Perché adesso non conta più — spiegò il piccolino — adesso il Bambino è già nato e la poesia parla del Bambino che deve nascere questa notte.

Peppone si fece portare dalla moglie il quadernetto con la poesia; effettivamente la poesiola era tutta protesa nel futuro: a mezzanotte la capanna di Betlemme si illuminerà e il miracolo si ripeterà, e il Bambino nascerà e arriveranno i pastorelli e via discorrendo.

— Una poesia non è un annuncio del giornale — spiegò Peppone. — Anche se la dici oggi la poesia ha lo stesso valore.

— Non è vero. — insisté il piccolino. — Se il Bambino è nato ieri sera non si può dire che nascerà stanotte.

La madre provò a insistere ma il piccolino non mollò:

— È testardo come te — esclamò alla fine la donna rivolta a Peppone.

Nel pomeriggio Peppone portò a spasso il piccolino e, quando furono lontani dal paese, fece l'ultimo tentativo:

— Adesso che siamo soli me la dici la poesia?

— No — rispose il piccolino.

— Qui nessuno ti sente!

— Ma il Bambino Gesù lo sa — sussurrò il piccolino.

Questa era la più bella poesia che il piccolino potesse dire, e Peppone lo capì.

... A SAN SILVESTRO

Passarono i giorni che dovevano passare e arrivò la notte di San Silvestro. Anche al paese, come un po' dappertutto, era ancora viva l'usanza di ammazzare l'anno.

Allo scoccare della mezzanotte, la gente scaricava schioppettate contro il cielo e, per qualche minuto, pareva il finimondo.

A don Camillo questa faccenda non era mai piaciuta per mille ragioni e mai aveva consumato una cartuccia per sparare alle nuvole: però, quella volta, anche a lui venne una voglia matta di ammazzare l'anno e così, pochi istanti prima della mezzanotte, aprì la finestra del tinello e aspettò che l'orologio del campanile desse il segnale.

La luce del tinello era spenta ma il fuoco fiammeggiava nel camino e Ful, che aveva buoni occhi, appena scorse il fucile tra le mani di don Camillo, entrò in agitazione.

— Stai tranquillo — gli spiegò sottovoce don

Camillo — non è roba per te. Questo non è un fucile da caccia, è il vecchio arnese che io tengo per ricordo in solaio. Si tratta di ammazzare l'anno e la doppietta non serve.

La piazza era deserta, e il lampione che stava davanti alla Casa del Popolo illuminava nitidamente l'asta della bandiera:

« La si vede anche di notte! » borbottò don Camillo. « Pare una cosa studiata per farmi rabbia! »

Scoccò il primo dei dodici rintocchi e immediatamente incominciò la sparatoria.

Don Camillo si appoggiò al davanzale della finestra, e lasciò partire un colpo anche lui. Un colpo solo perché si trattava di cosa simbolica e quel che conta nelle cose simboliche è il gesto in sé.

Faceva freddo: don Camillo richiuse accuratamente la finestra, e riposto il fucile contro la cassapanca, accese la luce e si sedette davanti al fuoco.

Allora si accorse che Ful non c'era e lo chiamò: ma il cane, evidentemente eccitato da tutto quel crepitìo di schioppettate, aveva infilato la porta ed era uscito.

Don Camillo non se ne preoccupò: come era uscito sarebbe rientrato. E difatti, poco dopo, si sentì cigolare la porta, ma non era Ful.

Era invece Peppone che spiegò amabilmente:

— Scusate reverendo, ma ho trovato aperta la porta e sono venuto a farvi visita.

— Grazie figliolo: fa piacere vedere che qualcuno si ricorda di noi.

Peppone si sedette vicino a don Camillo.

— Reverendo, bisogna proprio riconoscere che,

nella realtà, succedono dei fatti che la fantasia si rifiuta di pensare.

— È successo qualcosa di brutto? — si preoccupò don Camillo.

— Niente di brutto: un curioso scherzo del caso. Figuratevi che, durante la sparatoria di poco fa, qualcuno ha tirato un colpo in aria e la pallottola, invece di perdersi chi sa dove, è andata a sbattere nell'asta della nostra bandiera troncandola in cima, proprio nel punto dove l'emblema d'ottone si infila nel legno. Non è un bel caso?

Don Camillo allargò le braccia:

— Bellissimo — convenne.

— Ma non è tutto — continuò Peppone. — Perché il trofeo, nel cadere, quasi finiva in testa al Lungo che stava entrando. E il Lungo, credendo che gli avessero tirato in testa qualcosa apposta, è corso dentro a dare l'allarme e noi siamo usciti ma non abbiamo trovato niente per terra. Però guardando in su, ci siamo accorti che il trofeo dell'asta mancava e, esaminando poi l'asta, ci siamo accorti che un colpo di fucile l'aveva troncata appena sotto il trofeo. Non è un caso strano? Chi può aver raccolto e portato via il trofeo se la piazza era deserta?

Don Camillo si strinse nelle spalle:

— Con rispetto parlando, non capisco a chi possano interessare cianfrusaglie di quel genere.

Già da qualche minuto Ful era rientrato e si era messo fra don Camillo e Peppone e stava lì ad aspettare immobile come una statua.

E, fra i denti, reggeva il trofeo d'ottone con la falce e il martello. Si stancò e lasciò cadere l'arnese sul pavimento.

Don Camillo raccolse il trofeo, lo rigirò studiandolo da tutte le parti poi scosse il capo:

— Lamierino d'ottone; da lontano pareva più consistente: se ti interessa portatelo pure a casa.

Peppone guardò il trofeo luccicante che don Camillo gli porgeva poi riprese a guardare le fiamme del focolare.

Don Camillo buttò il trofeo tra le bracia ardenti e Peppone strinse i denti ma non si mosse.

Il trofeo si arrossò rapidamente e lo stagno delle saldature si sciolse, le strisce di lamierino si contorsero come serpentelli.

— Se l'inferno non fosse una invenzione di noi preti... — sussurrò don Camillo.

— L'inferno non è un'invenzione dei preti — borbottò Peppone. — I preti sono un'invenzione dell'inferno.

Don Camillo attizzò il fuoco e Peppone andò alla finestra. Attraverso i vetri si vedeva, illuminata dal lampione, l'asta decapitata.

— Quanti colpi? — domandò Peppone senza voltarsi.

— Uno — rispose senza alzar la testa don Camillo.

— Americano con cannocchiale?

— Novantuno normale.

Peppone tornò a sedersi davanti al fuoco.

— Il novantuno è sempre una bell'arma — borbottò guardando la fiamma.

— Le armi sono tutte brutte — sussurrò don Camillo.

Peppone si alzò e si avviò verso la porta.

— Buon anno — borbottò Peppone uscendo.

— Grazie altrettanto — rispose don Camillo.

— Non ho detto a voi — disse rude Peppone. — Ho detto a Ful.

Fulmine, detto Ful, sentendosi tirato in ballo, rimase accucciato davanti al fuoco ma agitò la coda per significare che gradiva il gentile pensiero.

NEVE

Venne giù un metro di neve ed erano trent'anni che, da quelle parti, non si vedeva uno sfacelo simile.

La neve lasciò che tutti se ne andassero a letto e, alle undici di notte, incominciò a cadere fitta fitta sicché, la mattina seguente, il primo che uscì di casa si trovò dentro la fiocca fino a mezza gamba.

E continuava a nevicare.

A mezzogiorno nevicava ancora e pareva che non dovesse smettere più. Allora, siccome il traffico del paese minacciava di risultare completamente bloccato, il sindaco diede ordine che uscissero ugualmente gli spartineve per sgomberare le strade principali del borgo e quelle di accesso al paese.

Fu un guaio serio perché soltanto i trattori pesanti muniti di catene o cingolati riuscirono a combinare qualcosa, col bel risultato che quando — sbloccato il paese — passarono allo sgombero della provinciale e delle strade comunali, trovarono settanta centimetri di neve da sgomberare e più d'un trattore pesante dovette rinunciare all'impresa.

Nevicò tutto il santo giorno, senza un minuto secondo di sosta, e, levatosi verso sera un vento cane, la neve incominciò ad accumularsi in modo preoccupante sui punti battuti. E nei tetti delle case, lungo la gronda delle falde sottovento, la neve tirò su delle muraglie alte anche due metri e più.

Sul tardi, vedendo che la nevicata, anziché diminuire, aumentava d'intensità, Peppone, radunato il Consiglio comunale, prospettò la situazione e propose la mobilitazione di tutte le braccia disponibili.

— Bisogna che le squadre di spalatori lavorino tutta la notte e sbarazzino il paese della neve che è caduta e che si ammonticchia ai muri fiancheggianti le strade. Se non la togliamo, non potremo più, domattina, far passare per le strade gli spartineve.

Tutti, anche i consiglieri d'opposizione, si trovarono d'accordo, e fu indetta la mobilitazione generale.

Il Brusco ebbe il comando delle operazioni:

— Va bene, capo, ho capito tutto. Troveremo braccia, badili, pale e carrettini. Una volta allargate le strade, trasporteremo la neve con gli autocarri. Però dove?

Peppone lo guardò stupito:

— Dove vuoi! A me interessa che tu la porti via dalle strade. Fila e cerca di non fare domande stupide.

Continuava a nevicare e il lavoro di sgombero era duro. Tuttavia fino alla mezzanotte proseguì senza particolari inciampi. A mezzanotte, però, il Brusco fece interrompere le operazioni e corse a sbatacchiare con un palo le gelosie della finestra della camera da letto di Peppone.

— Capo — spiegò il Brusco quando Peppone socchiuse le imposte — siamo nei guai. Vieni giù ad aprirmi.

Peppone lanciò una bestemmia:

— E se vengo giù ad aprirti non siete più nei guai?

— Ci siamo ugualmente: però possiamo parlare e cercare un rimedio.

Peppone scese e fece entrare il Brusco.

— Capo — disse il Brusco — non sappiamo più dove buttare la neve.

— Con tutta la campagna che c'è intorno al paese, non sapete più dove buttare la neve? — urlò Peppone.

— La campagna può servire soltanto se uno riesce ad arrivarci. I camion non ce la fanno a passare per le strade, come vuoi che riescano a passare per delle carrarecce?

Peppone pestò un gran pugno sulla tavola di cucina:

— E la strada che porta al ponte sullo Stivone non è forse praticabile? Non ho forse dato ordine di mantenerla sgombera ad ogni costo? C'è forse qualche porco traditore che, invece di fare il suo dovere, fa del sabotaggio?

— No, capo, la strada è sgombra: lo Smilzo la sta tenendo pulita come se dovesse servire per un ballo.

— E allora fai viaggiare i camion sulla strada e fai buttare la neve giù dal ponte dello Stivone.

Il Brusco allargò le braccia:

— È esattamente quello che abbiamo fatto fino

a questo momento. Però, adesso non si può più continuare. Lo Stivone è in secca e, se noi lo blocchiamo completamente con neve bagnata e compressa che poi diventa un macigno di ghiaccio, corriamo il rischio di far straripare il torrente, il giorno in cui d'improvviso si metta a fare il matto e porti giù un diluvio d'acqua. Come minimo corriamo il rischio di abbattere i piloni del ponte.

Il Brusco aveva un miliardo di ragioni e Peppone dovette riconoscerlo.

Scartata l'idea di buttar la neve dentro il Canalaccio non rimaneva che una via d'uscita:

— Brusco — disse Peppone — se non puoi portare la neve fuori dal paese, trovale un posticino in paese.

— In paese?— si stupì il Brusco. — In paese, eccettuata la piazza, non esiste altro posto nel quale si possa fare un deposito di neve. Togliere la neve dalle strade per ingombrare la piazza non mi pare una trovata molto brillante.

— Brusco, sia ben chiaro questo: la piazza ha una funzione precisa e necessaria e non deve essere ingombrata. La piazza deve essere lasciata completamente libera. E, dicendo completamente libera, io voglio alludere alla piazza propriamente detta. A quella, cioè, che serve a tutti indistintamente i cittadini e nella quale, per esempio, ogni partito politico democratico può tenere, mettiamo, un comizio senza che nessuno venga a dargli fastidio. Mi sono spiegato?

Il Brusco allargò le braccia:

— Capo, posso dirti che non capisco?

— No! Ti ordino di capire!

Il Brusco non seppe più cosa obiettare e se ne andò.

Sotto la neve che continuava a venir giù sempre più fitta, i lavori di sgombero ripresero.

E, rispettando la piazza propriamente detta, si trovò il posto nel quale accumulare la neve senza farla uscire dal paese.

Alle sei della mattina seguente, la neve non aveva ancora smesso di venir giù e don Camillo, aprendo la porta della canonica per andare in chiesa a dire la prima Messa, si trovò davanti una specie d'inferno bianco.

— Gesù! — esclamò — ma questo è il neviluvio universale!

In verità c'era da sgomentarsi perché, così a occhio e croce, parve a don Camillo che la neve avesse raggiunto almeno i cinque metri di altezza. E non sbagliava. Sbagliava, invece, pensando che tutto il paese fosse sepolto sotto una coltre di neve alta cinque metri.

Perché la neve era alta cinque metri soltanto sul sagrato. Nel resto della piazza e nelle strade del borgo, di neve ce n'era, sì e no, una decina di centimetri.

I manigoldi che, durante la notte, avevano stivato la neve nell'ampio spiazzo del sagrato, avevano lasciato, lungo il marciapiedi della canonica, un passaggio sufficiente per chi volesse recarsi in chiesa. Don Camillo, una volta che si fu reso conto della reale situazione, andò in chiesa a celebrare la Messa ma, prima di incominciare, si scusò col Cristo dell'altar maggiore:

— Gesù, perdonate se commetterò qualche sbaglio: ho la testa piena di confusione. Sarà forse effetto della neve. Troppa neve, per il mio temperamento.

— Don Camillo — rispose il Cristo — ciò che Dio manda agli uomini non è mai né troppo né poco. Dio manda agli uomini soltanto ciò che è giusto Egli mandi.

— Non mi sono spiegato, Signore — replicò don Camillo. — Non mi riferisco alla neve che Dio ha mandato su queste terre, ma a quella che qualche senza-Dio ha accumulato, stanotte, sul sagrato. È una questione che riguarda l'amministrazione comunale, non l'amministrazione divina.

— Ogni cosa a suo tempo, don Camillo — lo ammonì il Cristo. — Qui tu devi pensare soltanto alle cose che riguardano l'amministrazione divina. Qui tu sei davanti al tuo Dio, non al tuo sindaco.

Terminata la Messa, don Camillo attese fremendo che arrivassero le nove.

Alle nove partì dalla canonica e puntò deciso sul palazzo comunale.

Il sindaco non era ancora arrivato e così, quando dieci minuti dopo Peppone comparve, non riuscì neppure a entrare perché don Camillo lo bloccò sotto il portico.

— Chiedo un immediato sopralluogo di tutto il Consiglio comunale! — esclamò perentorio don Camillo.

Peppone lo guardò con aria vivamente interessata poi rispose:

— Lei faccia un esposto regolare precisando le ragioni che la inducono a ritenere necessario il sopralluogo dell'intero Consiglio comunale. Indichi con esattezza anche il luogo del sopralluogo.

— Se è necessario un esposto, lo farò non al Comune ma al maresciallo dei Carabinieri — replicò duro don Camillo. — Se non vuole che io le combini un guaio grosso, raduni il Consiglio e venga a trovarmi in canonica. Le dò mezz'ora di tempo.

Don Camillo ritornò di corsa a casa e, mezz'ora dopo, arrivarono Peppone, il Brusco, il Bigio, lo Smilzo.

— Il resto del Consiglio non l'ho potuto radunare perché è bloccato dalla neve — spiegò con evidente sarcasmo Peppone. — Le basta questo o vuole attendere il disgelo?

Don Camillo stava sulla porta della canonica. Indicò la montagna di neve che, a un metro di distanza dalla porta, levava il suo ripido fianco verso il cielo:

— Signor sindaco e signori consiglieri — disse don Camillo — volete spiegarmi cos'è quella roba?

I quattro scatenati si volsero, guardarono il muro di neve. Lo Smilzo con l'unghia del dito indice della mano destra provò a grattare la superficie gelata.

— Mi pare neve — spiegò ai compagni che approvarono tentennando la zucca.

— E potrei sapere come mai tutta questa neve è arrivata qui? — s'informò don Camillo cordialmente.

Peppone era stufo del giochetto e rispose con tono poco garbato:

— È arrivata qui perché qualcuno ce l'ha portata. E l'hanno portata qui perché non la si poteva portare fuori dal paese. È un caso di forza maggiore e lo si è fatto nell'interesse della cittadinanza.

— Capisco — replicò don Camillo. — Però bisogna tener presente che parte della cittadinanza ha, fra i suoi interessi, anche quello di venire in chiesa.

— E chi glielo impedisce? — ridacchiò Peppone. — Non hanno forse lasciato il passaggio per i fedeli?

— Ah — rispose don Camillo. — Il passaggio per i fedeli sarebbe forse questa fessura qui fra il muro e il ghiacciaio?

Peppone sbuffò:

— Per i quattro gatti che vengono in chiesa è un passaggio anche troppo grande!

— Se ragioniamo così — osservò don Camillo — potremmo obiettare che il mucchio di neve lo potevate fare davanti alla Casa del Popolo perché i gatti che frequentano la Casa del Popolo non sono quattro bensì tre.

— La Casa del Popolo non c'entra! — esclamò Peppone seccato. — Il mucchio lo si è fatto qui perché il resto della piazza serve a tutta la cittadinanza. Il Comune ha fatto quello che doveva fare. Per il resto si arrangino i frontisti!

Don Camillo tirò il fiato lungo poi precisò:

— Signor sindaco, qui di frontisti ce ne sono due soli: io per il lato della canonica e il Padreterno per il lato della chiesa.

— Sono affari che non ci riguardano — rispose Peppone. — Vedete di mettervi d'accordo fra voi due e, se la neve vi dà noia, portatela via.

Don Camillo, udendo quella grossolana bestemmia, diventò smorto ma ebbe la forza di dominarsi:

— Sta bene, signor sindaco: ne parlerò con l'altro Frontista. Però, se il suo Partito le ha permesso di trattenere presso di sé un briciolo di cervello e di coscienza, provi a ripensare all'infamia che lei ha detto. E tenga presente che difficilmente lei potrà mettere, fra l'animaccia sua e le fiamme dell'inferno, una montagna di neve come questa. Anche se, assieme all'animaccia sua, ci saranno le anime nere dei qui presenti suoi compagni di banda.

Una vecchia bargniffa avanzava camminando cautamente fra il muro della canonica e la parete di neve gelata.

— Questa storia la racconti a quella là — esclamò ridendo Peppone. — Forse le farà molta impressione.

Passata la vecchia che continuò la sua difficile strada verso la chiesa, Peppone e soci salutarono con una gran scappellata don Camillo e se ne andarono in fila indiana verso la piazza.

Don Camillo rimase a guardare per qualche istante. Poi, mentre si accingeva a rientrare in canonica, un gran vociare si levò dalla piazza.

La neve, sbattuta dal vento, s'era accumulata sulla falda sottovento delle case che circondavano la piazza. E, sotto il peso, il tetto d'una delle case s'era sfondato.

Strano, perché si trattava della costruzione più recente di tutte. Una solida costruzione eseguita con criteri moderni e curata amorosamente in tutti i particolari perché era la Casa del Popolo.

Il guaio non era piccolo perché s'era schiantata la catena della capriata che sorreggeva il colmareccio, e travame e tegole e neve si erano abbattuti d'un colpo solo sul solaio, sfondandolo.

Sotto era l'abitazione del custode della Casa del Popolo, il Lungo, che viveva in tre stanzette del primo piano con la moglie e il ragazzino.

Quando don Camillo arrivò, ansimando per la corsa, davanti alla casa sinistrata già il Lungo, la moglie e il figliolo erano stati cavati fuori miracolosamente incolumi da sotto quella specie di franavalanga.

E già i "tecnici" avevano avuto modo di individuare la causa del crollo: i due travi montanti della capriata non avevano per catena un'altra trave ma un solido tondo di ferro applicato a regola d'arte.

Ed era proprio quella solida asta di ferro che si era spezzata.

Don Camillo chiese ragguagli:

— Che tratta aveva la catena?

— Dodici metri.

— E che sezione aveva il tondo di ferro?

— Cinque centimetri.

— Cinque centimetri e si è rotto? Non lo credo neanche se lo vedo.

Don Camillo scosse energicamente il capo e continuò:

— Non è possibile. Fosse anche venti metri di tratta, un tondo di ferro di cinque centimetri di sezione non può assolutamente rompersi. Neanche se fosse solo di tre centimetri.

— Tutto è possibile quando il Padreterno si mette contro la povera gente per rovinarla! — disse una voce piena d'ira. E si trattava, naturalmente, di Peppone.

— Lei sbaglia, signor sindaco — precisò con voce tranquilla don Camillo. — Il Padreterno non si mette mai contro la povera gente. Su mille case di poveretti è caduta questa stessa neve e l'unico tetto che si è sfondato è proprio questo. Che è il più nuovo, il più solido e il meno povero.

— Ah! — ridacchiò lo Smilzo. — Abbiamo capito: il reverendo vuol dire che il Padreterno, sfondando questo tetto, ha voluto dimostrare che chi si mette contro il Vaticano...

— No — lo interruppe don Camillo. — Il Padreterno non l'ha sfondato lui questo tetto. E non ha inteso dimostrare niente. Chi ha sfondato il tetto è stata la neve. Soltanto la neve, che, col suo peso, ha spezzato la catena della capriata.

— E allora, reverendo — gridò Peppone — se il peso della neve ha spezzato il tondo di ferro, come mai voi, poco fa, avete sentenziato che è impossibile spezzare un tondo di cinque centimetri di diametro?

Don Camillo sorrise tranquillo:

— Non cambio certamente idea: è impossibile che il peso della neve spezzi una verga di ferro di cinque centimetri di diametro. Se la verga si spezza significa che era già spezzata.

— Sabotaggio, allora! — urlò Peppone. — Sabotaggio!

— No, signor sindaco.

— Vendetta del Padreterno, allora! — incalzò Peppone.

— No, signor sindaco. Il Padreterno non ha vendette da fare. Il Padreterno è un Giudice perfetto, non un vendicatore. Il Padreterno, fissate le leggi della statica e della coesione, non si è mai interessato di capriate, di catene eccetera. Capriate, catene eccetera sono di stretta competenza degli ingegneri, dei carpentieri e dei fabbri.

— E delle maledizioni che i maligni ci scagliano contro perché, non sapendo dove metter la neve, la accumuliamo davanti alla loro casa! — urlò Peppone.

— È inutile che tu tenti di buttare la cosa in politica e nel soprannaturale, Peppone — lo ammonì gentilmente don Camillo. — Dio non è un maligno. E non è un maligno neppure il parroco. Il ferro si è spezzato perché aveva un difetto. Ecco tutto. La neve sul sagrato non c'entra. C'entra la neve che era sul tetto della vostra casa. Non voglio sfruttare la disgrazia a fini propagandistici: né io, né tanto meno l'altro Frontista, abbiamo bisogno di simili mezzucci.

Don Camillo se ne andò, poi, quand'ebbe fatto una diecina di passi, si fermò e si volse:

— A proposito, signor sindaco — disse ad alta voce — per quanto riguarda la neve, vorrei darle un suggerimento, se permette.

Peppone si staccò dal gruppo e si appressò sospettoso a don Camillo.

— Nella verga di ferro — gli disse sottovoce don Camillo — c'era un difetto: la saldatura eseguita da un fabbro presuntuoso e balordo per unire un pezzo di tondo di otto metri a un pezzo di quattro metri e farne una catena di dodici metri. Un fabbro balordo che non sa bollire il ferro perché non è fabbro, ma meccanico. Un fabbro malcreato che ha avuto la fortuna di trovarsi davanti non un prete maligno ma un prete pieno di carità cristiana. E così non ha fatto, poco fa, davanti alla gente, la figuraccia schifosa che meritava.

— Io... — tentò di protestare Peppone. Ma don Camillo lo interruppe:

— Tu, come fabbro, sei un asino e non sai bollire il ferro! Cosa ti dicevo, due anni fa, quando tu stavi appiccicando i due pezzi di quella catena?

Peppone strinse i denti:

— Cedo al ricatto: domani incomincerò a far portare via la neve dal sagrato.

— No — rispose don Camillo. — Tu la devi lasciare lì sul sagrato fino a quando non se ne sia andata da sola. O la lasci così o spiffero tutto. Addio, meccanico!

Don Camillo disse mec-ca-ni-co, scandendo e sorridendo.

Poi accese il mezzo toscano e, fumando, navigò verso il crepaccio del Monte Bianco.

LA PARTITA

Apparve lo Smilzo che fungeva da postino aggiunto per il recapito degli espressi e dei telegrammi e, arrivato davanti alla panchina sulla quale don Camillo stava seduto a godersi il sole e a leggere il giornale, frenò alla Mao Tse Tung.

In verità il sistema di arrestare la bicicletta schizzando giù dalla sella per di dietro e tirando contemporaneamente in su il manubrio in modo da far impennare il velocipede come fosse un cavallo, fino a pochi anni prima era denominato in paese «frenata alla Texas»: ma poi, per evidenti ragioni politiche, l'Occidente borghese e conservatore aveva dovuto cedere all'Oriente proletario e rivoluzionario.

Don Camillo levò gli occhi e guardò con diffidenza quel putiferio in arrivo.

— Abita qui un certo Gesù Cristo? — domandò lo Smilzo traendo una lettera dalla borsa che portava a tracolla.

— Qui abita uno che è capace di prenderti a pedate — rispose con semplicità don Camillo.

— Voi dovete rispettare i servizi pubblici nell'esercizio della loro funzione — replicò lo Smilzo. — L'indirizzo dell'espresso è «*Gesù Cristo - Casa parrocchiale*»: se il destinatario non risulta presente io scrivo sulla busta «*Sconosciuto alla casa parrocchiale*», e buona notte suonatori.

Don Camillo agguantò la lettera ed effettivamente l'indirizzo era quello che aveva detto lo Smilzo.

— E allora, reverendo, la ritirate o no?

— La ritiro: mi servirà per fare un esposto contro le Poste che si prestano a secondare le iniziative sacrileghe degli imbecilli.

— Le Poste fanno il loro dovere: la casa parrocchiale esiste e questo basta. Le Poste non sono obbligate a sapere chi c'è e chi non c'è dentro la casa parrocchiale. Ognuno tiene in casa chi vuole. Il nome non conta: può anche darsi che si tratti di uno pseudonimo.

Don Camillo si chinò con indifferenza, ma lo Smilzo non gli lasciò neppure il tempo di arrivare con la mano alla scarpa e si portò fulmineo fuori tiro.

La penna sacrilega che aveva scritto l'indirizzo aveva pure aggiunto sottolineando: «*Riservata personale*», e don Camillo andò a deporre tutta la sua indignazione ai piedi del Cristo Crocifisso.

— Gesù — esclamò — perché non mi dite il nome del disgraziato che ha osato tanto? Perché non mi date la possibilità di andarlo a prendere per il colletto e di fargli mangiare questa lettera?

— Don Camillo — rispose sorridendo il Cristo

— bisogna rispettare il segreto epistolare. Non possiamo contravvenire ai princìpi della Costituzione.

— Gesù — disse con impeto don Camillo — dovremo dunque permettere a questi sciagurati di bestemmiare per iscritto oltreché a voce?

— Chi ti dice che quella sia la lettera di un bestemmiatore? Non potrebbe essere la lettera di un semplice? Di un povero pazzo? Leggi la lettera, prima di condannare chi l'ha scritta.

Don Camillo allargò le braccia e lacerò la busta cavandone un foglietto scritto a stampatello, che lesse rapidamente.

— E allora, don Camillo? Hai trovato tutto l'orrore che pensavi?

— No, Signore: si tratta di un povero pazzo, meritevole soltanto di pietà.

Don Camillo ficcò foglietto e busta in tasca accingendosi a uscire, ma il Cristo lo fermò:

— E cosa vorrebbe da me questo povero pazzo?

— Niente, in definitiva. Frasi sconclusionate, senza un costrutto, senza una logica.

— Capisco, don Camillo: ma non bisogna essere così superficiali quando si tratta delle espressioni d'una mente turbata. Esiste anche una logica dell'illogico e, se si riesce a scoprirla, ciò può essere utile per identificare di che ordine sia il turbamento.

— È un turbamento generico — si affrettò a rispondere don Camillo. — Non si riesce assolutamente a capire cosa voglia dire.

— Leggi, don Camillo.

Don Camillo si strinse nelle spalle e, tratto di tasca il foglietto, lesse ad alta voce: «*Gesù, Vi prego di illuminare la mente di un certo parroco in modo da fargli capire che egli adesso sta esagerando nel suo attivismo politico e che, se continuerà di questo passo, probabilmente inciamperà con la schiena contro qualche palo di gaggìa, perché se uno fa il prete per vocazione va bene, ma se lo fa per provocazione allora la cosa cambia. Firmato: Un amico della democrazia ».*

— Di quale sacerdote parlerà? — domandò il Cristo quando la lettura fu finita.

— Non ne ho un'idea — rispose don Camillo.

— Conosci nessun sacerdote che esageri nel suo attivismo politico?

— Gesù, io viaggio ben poco. I parroci dei dintorni son tutti gente calma, equilibrata...

— E tu, don Camillo?

— Gesù, si parlava di parroci dei dintorni: io sono il parroco del paese. Se la lettera avesse voluto alludere a me avrebbe detto «*il parroco*» non «*un certo parroco*». Come giustamente mi avete fatto notare, esiste nelle illogiche espressioni di un pazzo una logica dell'illogico e io appunto cerco di ragionare secondo questa particolare logica.

— Don Camillo! — sospirò il Cristo. — Perché cerchi di nascondere la verità al tuo Dio? Perché non dici che quel parroco sei tu?

— Gesù, voi dunque prestereste fede alle accuse di un anonimo?

— No, don Camillo: presterei volentieri fede alle tue accuse.

Don Camillo scosse il capo:

— Gesù, le elezioni si avvicinano, la battaglia politica è importante e io debbo essere solidale col parroco del paese. Non posso mettermi contro di lui, diventare anche io un suo accusatore. Posso indurlo a essere più cauto.

— Per evitargli di inciampare contro i pali di gaggìa?

— No, Signore: io non penso alla salvezza della mia schiena, penso alla salvezza della mia anima.

Don Camillo andò a meditare in canonica e così, il giorno dopo, accadde che lo Smilzo entrò nell'ufficio di Peppone e gli mise una lettera sulla scrivania.

— Capo, cosa facciamo di questa porcheria d'espresso?

Peppone non si scompose: prese atto che, sulla busta, figurava l'indirizzo «*Signor Stalin - Casa del Popolo*», poi l'aperse, e cavatone un foglietto scritto a stampatello, lesse: «*Signor Stalin, vogliate compiacervi di comunicare al Vostro dipendente qualificatosi "amico della democrazia" che la sua interessante lettera verrà fotograficamente riprodotta dalla locale stampa reazionaria. Vivi ringraziamenti. Firmato: "Un certo parroco"*».

Peppone diventò rosso per la rabbia, ma lo Smilzo gli disse assennatamente:

— Capo, ti conviene incassare e lasciarlo perdere. Si è messo le spalle al coperto.

— Al coperto dai pali di gaggìa! — urlò pestando una zampata sulla scrivania. — Ma posso sempre far perdere le tracce spennellandolo con un palo di gelso, d'olmo o di pioppo!

— Figurati, capo: hai mille possibilità di spazzolarlo senza comprometterti con l'indizio della gaggìa. La botanica è dalla parte del popolo!

Il can-can suscitato dalla pubblicazione della lettera fu grosso, e non si trovò uno che non accusasse i rossi dell'impresa epistolare. Allora Peppone, per parare la botta, decise di adottare una politica distensiva e fece organizzare il «*Primo Grande Torneo Scopistico della Pace*».

In quei paesi là, dove d'inverno la nebbia densa e pesante isola la gente dal resto del mondo, la scopa, più che un giuoco, è una necessità e un torneo di scopa, anche se organizzato all'ombra delle ali della colomba di Stalin, non poteva ottenere che un gran successo. Fu scelta come sede degli incontri l'osteria del Molinetto, e la faccenda incominciò a marciare a tutta birra.

Alla sera, l'osteria del Molinetto era piena di gente d'ogni idea e d'ogni condizione e gli incontri si facevano sempre più appassionanti perché le schiappe venivano via via eliminate per lasciare il campo ai campioni. E rapidamente si arrivò alla serata decisiva e all'incontro fra i due campionissimi.

Don Camillo ragguagliò il Cristo sulla situazione.

— Questa sera si saprà chi è il più bravo giocatore di scopa del paese — spiegò don Camillo. — La gente è tutta in agitazione perché anche qui è successo come in tutte le altre cose di questo paese. Il giuoco della scopa è slittato dentro la politica e non mi meraviglierei che volasse qualche sberla.

— E perché mai, don Camillo?

— Gesù, la politica ha il dannato potere di cambiare lentamente i connotati di tutte le vicende e così, dopo alcune settimane, un torneo di scopa è diventato un duello fra il campione del popolo e il campione della reazione. I due ultimi giocatori rimasti in campo sono l'agrario Filotti e Peppone: se vince Filotti trionfa la reazione, se vince Peppone trionfa il proletariato.

— È una stoltezza — rispose il Cristo. — Quali interessi sono legati a quel giuoco?

— Interessi di prestigio. Balordaggini, certamente, ma che in politica hanno il loro valore. Comunque ormai la nostra sconfitta è sicura.

Don Camillo credette necessario precisare il suo pensiero:

— Dico nostra per significare sconfitta degli avversari dei rossi. D'altra parte era naturale che finisse così. Peppone non ha dovuto combattere col più forte. Filotti è un eccellente giocatore ma non il migliore della parte avversa. Inoltre Peppone è un filibustiere e non ci mette niente a fare con le carte qualche giochetto speciale.

Don Camillo si strinse nelle spalle:

— Parlare di *giustizia* in una faccenduola frivola e spregevole quale può essere una bagatella di carte da giuoco sarebbe quasi una bestemmia. Ma, se fosse lecito parlarne, si potrebbe osservare che non è giusto che la vittoria tocchi a chi non la merita.

Il Cristo intervenne:

— Non ti angustiare, don Camillo: tu stesso hai onestamente riconosciuto che si tratta di frivolezze di nessun peso. Tanto più che tutti questi giuochi da taverna sono diseducativi pur se vengono giocati per semplice trastullo. Il giuoco di carte è vizio, come vizio è ogni cosa che funzioni semplicemente da perditempo.

Don Camillo si inchinò:

— Non c'è nessun dubbio — affermò. — Pur-tuttavia, se fosse lecito fare una graduatoria fra queste pratiche viziose, direi che la scopa è il giuo-co meno disonesto di tutti, in quanto in esso vale soprattutto il ragionamento. È una non inutile gin-nastica mentale praticata pure da persone laboriose e da gente timorata di Dio.

Don Camillo spiegò le sostanziali differenze esistenti tra il giuoco della scopa e gli altri giuochi. Fece degli esempi pratici, illustrò la recondita bel-lezza di certe azioni serenamente meditate proprie dell'accorto giocatore di scopa. Mise molto calore nella sua perorazione, tanto che il Cristo fu indotto al sorriso:

— Don Camillo, tu ne parli come un appassio-nato.

— No, come un semplice buon conoscitore del giuoco — precisò don Camillo. — Un modestissi-mo giocatore che, però, sarebbe in grado di appicci-care al muro non uno ma tre Pepponi... D'altra parte non è neppure pensabile che un sacerdote si mescoli ai giocatori di carte in un'osteria, anche se sia spinto dal nobile intento di non permettere a un senza-Dio di gloriarsi d'una immeritata vittoria.

— Certamente — approvò il Cristo. — Il piede d'un sacerdote non deve mai varcare la soglia d'una taverna quando si tratti semplicemente di immi-schiarsi in miserabili faccenduole di giuoco. Il sa-cerdote è al servizio del Re dei cieli, non al servizio del re di picche o di fiori.

Oramai era tardi e don Camillo si allontanò per andare a letto. Intanto all'osteria del Molinet-to, zeppa come un uovo, si stava concludendo l'ulti-ma battaglia.

Peppone era in piena forma e pareva che, al posto del cervello, avesse una macchina calcolatrice.

L'azione finale gli procurò un applauso colossale: Filotti abbandonò le carte sul tavolo e chiese un bicchiere di vino bianco.

— Beviamoci sopra — borbottò. — Non mi resta niente altro da fare.

Peppone era vincitore: i rossi parevano diventati matti per la contentezza e incominciarono a urlare che volevano il discorso. E, nel silenzio generale, Peppone prese la parola:

— Compagni! In tutte le battaglie, in quelle del lavoro come in quelle del dopolavoro, la vittoria finale non può essere che del popolo lavoratore! Questo trionfale torneo combattuto sotto l'ègida...

All'ègida frenò perché qualcuno bussava alle ante della finestra che dava sulla strada.

Lo Smilzo tolse prudentemente il rampone e apparve dietro l'inferriata la faccia di don Camillo.

Il silenzio diventò quasi drammatico.

— Cosa volete? — domandò minaccioso Peppone.

— Giocare — rispose don Camillo.

— Giocare? E con chi?

— Con chi non ha paura di giocare con me.

Peppone lo guardò con commiserazione.

— Io non ho paura di nessuno. Ad ogni modo il torneo è finito. Se volevate giocare dovevate iscrivervi.

— Mi sono iscritto — spiegò don Camillo. — Guardate la lista e troverete che uno si è iscritto sotto lo pseudonimo di « Il calmo ».

— Non significa niente — replicò Peppone. —

Chiunque può venire qui a dire di essere «*Il calmo*».

— No: perché «*Il calmo*» è l'anagramma di Camillo. E Camillo sono io.

— Non c'è anagramma che tenga: qui non si fa del latino, qui si fa a chi è più in gamba.

Don Camillo spiegò cosa significasse anagramma e Peppone, spuntando le lettere, controllò: «*Il calmo*» e Camillo erano la stessa faccenda.

— Se il signor sindaco ha paura di fare una figura da cioccolatino posso anche andarmene — avvertì don Camillo.

— Entrate! — gridò Peppone.

— Non posso — replicò don Camillo. — Io resto qui e gioco da qui. Il davanzale ci farà da tavola.

Peppone si avvicinò alla finestra:

— Forse è meglio: così vi sentirete più sicuro.

Don Camillo abbrancò con le mani due sbarre dell'inferriata e le piegò in fuori.

— È più comodo — spiegò. — Comunque, se ti dà fastidio l'aria, puoi richiudere.

— Mi dà fastidio — affermò cupo Peppone e, abbrancate le due sbarre, le raddrizzò.

La gente non aveva mai visto uno spettacolo così formidabile e tratteneva il fiato come quando gli acrobati al circo equestre fanno l'esercizio difficile al rullo del tamburo.

Peppone prese un mazzo di carte e lo pose sul davanzale.

— Questo vi va? — domandò Peppone a don Camillo.

— Nuovo e ancora impacchettato o non se ne fa

niente — disse don Camillo. — Fidarsi è bene, non fidarsi è meglio.

Lo Smilzo portò un mazzo di carte nuovissimo, ancora sigillato nella busta di cellophane.

Peppone lo studiò attentamente poi lo porse a don Camillo:

— Per me va bene, vedete voi.

Don Camillo raccolse con due dita il mazzo, lo rigirò poi lo riconsegnò a Peppone.

— Per me va bene. Aprilo, mescolalo tu e cerca di non fare scherzi con le mani.

Peppone strinse i denti. Lacerò l'involucro, mescolò le carte, le depose sul davanzale.

— Il torneo è finito e l'ho vinto io — disse Peppone. — La Coppa va al Partito e nessuno gliela toglierà. Ma, per interessare la partita e per darle un significato morale, io mi gioco il mio schioppo. E voi?

Si udì un mormorìo: la doppietta di Peppone era il fucile più bello della regione ed era la cosa che Peppone amava più di tutte. Avrebbe ceduto una gamba piuttosto che rinunciare al suo fucile da caccia. Tutti aspettarono che don Camillo rispondesse a tono. E don Camillo non deluse:

— E io mi gioco Ful — annunciò.

Ful era il cane più straordinario dell'universo e don Camillo lo aveva caro come un occhio.

La partita incominciò e fu qualcosa di ciclopico: se gli eroi di Omero avessero giocato a scopa si sarebbero comportati come don Camillo e Peppone. Lottarono a denti stretti fino all'ultimo: ma, all'ultimo, don Camillo vinse. Nessuno ebbe il coraggio di applaudire, nemmeno di aprir bocca.

Don Camillo si toccò il cappello:

— Grazie del divertimento e buona sera. I debiti di giuoco si pagano entro le ventiquattro ore — disse andandosene.

Don Camillo non entrò in chiesa e s'infilò lesto in canonica: ma la voce del Cristo lo raggiunse.

— A quest'ora, don Camillo?

— Sono andato a dare un'occhiata alla finale del torneo. Ma non ho messo piede nell'osteria: sono rimasto alla finestra. Come avevo facilmente previsto, il torneo l'ha vinto Peppone.

— Sono successi dei guai?

— Niente: il giuoco, in definitiva, è andato come doveva andare e tutti hanno riconosciuto che era giusto avesse vinto il più forte.

— Don Camillo, questo giuoco della scopa mi interessa — disse il Cristo. — A quanto mi pare di aver capito da te, per giocare a scopa ci vuole un mazzo di carte nuovo, ancora nel suo involucro originale.

— È più prudente, specialmente se si sa di giocare con gente lesta di mano e che, appartenendo a una combriccola che è d'accordo con l'oste, cerca di mettere in tavola carte segnate.

— Giusto. Allora si prende un mazzo di carte nuovo: il primo giocatore lo guarda, e lo passa al secondo che, con mossa abile, se lo fa scivolare in tasca restituendo un altro identico mazzo di carte nuovissimo, ma preventivamente segnato da minuscoli solchi fatti con l'unghia e poi riavvolto accuratamente nell'involucro originale. Si fa così?

— No — rispose don Camillo.

— E allora cos'è che hai in tasca?

Don Camillo cavò di tasca un mazzo nuovissimo di carte e lo depose sul tavolo.

— Non riesco a capire come sia finito qui — balbettò.

— È finito lì perché ce l'hai messo quando Peppone te l'ha dato e tu gli hai restituito l'altro che avevi in tasca.

— Evidentemente devo aver fatto un po' di confusione — sussurrò don Camillo.

— Sì, hai confuso il lecito con l'illecito e hai voluto rendere ancor più immorale una bagattella immorale per sua natura. Hai perso, don Camillo.

Don Camillo trasse di saccoccia il fazzolettone per asciugarsi il sudore della fronte, quando entrò Peppone.

Cavò di sotto il tabarro il suo famoso fucile e glielo porse.

— I debiti di giuoco si pagano subito — disse.

— Però, se non siete l'ultimo dei barabba, la rivincita me la dovete dare.

Guardò il mazzo di carte sul tavolo:

— Viene proprio a fagiolo: è nuovo, ancora da spacchettare e non ci saranno trucchi. Apritelo e mescolate.

Si sedettero al tavolo. Don Camillo tolse l'involucro di cellophane, mescolò le carte.

La partita incominciò e fu omerica come quella di poco prima. Ma questa volta la vittoria toccò a Peppone.

— Si fa la bella? — domandò Peppone.

Don Camillo non rispose perché era intento a giocherellare col mazzo di carte.

— Ah — disse a un tratto — tu il settebello lo segni con questo tratto qui?

Peppone incassò magnificamente. Cavò di tasca un mazzo di carte, lo fece passare fino a quando non trovò il settebello:

— Già! Voi, invece, lo segnate con queste due righette?

Don Camillo raccolse il mazzo di Peppone e lo buttò sulle bracia del caminetto. Peppone fece lo stesso col mazzo di don Camillo. La fiamma divampò.

— Siamo pari — disse Peppone alzandosi.

— No — rispose con tristezza don Camillo. — Ho perso io.

E c'era tanto dolore nella sua voce che Peppone si preoccupò:

— Reverendo, non facciamo tragedie. Lo si sa: davanti al settebello non si ragiona. E allora lo si segna per di dietro. Vuol dire che io vi presterò il mio fucile e voi mi presterete il vostro cane, qualche volta.

Peppone se ne andò e don Camillo rimase solo, a guardare le carte consumarsi nel fuoco.

— Don Camillo, t'avevo detto che tu sei al servizio del Re dei cieli, non del re di picche o del re di fiori — ammonì la voce del Cristo.

— Gesù — si scusò umilmente don Camillo. — Si giocava con le carte a bastoni, denari, coppe e spade...

— Don Camillo, vergogna!

Don Camillo allargò le braccia e, levando gli occhi al cielo, esclamò:

— Gesù, capisco il mio torto, ma avete sentito quello che ha detto anche lui: davanti al settebello non si ragiona!...

Il Cristo sospirò:

— Chi ti salverà dai tizzoni dell'inferno, don Camillo?

Don Camillo non rispose perché doveva essere solidale col parroco del paese e il Cristo lo sapeva e lasciò che don Camillo cercasse con calma la risposta tra le bracia del caminetto.

Che la cercasse e la trovasse.

LITIGARE È NECESSARIO

Fra i rossi di Peppone, il Biasca era il più tremendo riguardo alla religione e ai preti.

Tanto tremendo che, quando incominciò la storia della distensione, Peppone fu costretto a chiamarlo all'ordine:

— È inutile — gli disse — che tu venga qui in cooperativa a dar spettacolo. Se hai la luna di traverso, vatti a sfogare da un'altra parte.

— E dove? — domandò il Biasca. — Al circolo delle Acli o al caffè degli agrari?

— Non è mica necessario bestemmiare in pubblico — replicò Peppone. — A casa tua puoi bestemmiare fin che vuoi.

— A casa mia! — urlò il Biasca. — Con quella disgraziata là! E come faccio?

— Come hai sempre fatto. Da che ti conosco io, t'ho sempre sentito litigare e bestemmiare con tua moglie: oramai deve averci fatto il callo.

Lo Smilzo, che stava riordinando delle schede, sghignazzò:

— L'anno scorso, quando sono andato a casa sua con la trebbiatrice, è arrivato Lolini per controllare i sacchi e, appena lo ha visto, lui ne ha sparata una così grossa che il vecchio ha fatto dietro front, è saltato sulla bicicletta e pedalava che pareva Bartali.

— Altri tempi — borbottò il Biasca. — Adesso non posso più: è malata e, appena mi sente alzare la voce, le viene la febbre. Se ne approfitta, quella disgraziata, e, il momento in cui non resisto più, scappo da casa per venirmi a sfogare un po' qui, in cooperativa. Io non so: i padroni bisogna lasciarli stare per via della legalità, i clericali bisogna lasciarli stare per via della democrazia, il Padreterno bisogna lasciarlo stare per via della distensione: a cosa è servito rischiare la pelle in montagna e poi scannarsi per fare propaganda, organizzare scioperi, vendere giornali, cacciare quattrini eccetera se poi il Partito ti nega perfino la consolazione di tirare una bestemmia?

Il Biasca era profondamente depresso e a Peppone fece pena: — Il Partito non ti proibisce di bestemmiare — precisò. — Qui è soltanto questione di maturità politica: bisogna avere la sensibilità di capire che, in un momento come questo, non si sparano bestemmie che fanno crepare i vetri delle finestre a tre chilometri di distanza. La cooperativa è un esercizio pubblico dove entra chi vuole; per di più, è proprio sulla piazza: se non vuoi fare il gioco degli avversari, bestemmia a bassa voce!

— Io ho un solo avversario! — affermò cupo il Biasca. — Quello lassù, e perché senta, bisogna urlare.

Il Biasca non si fece più vedere in paese: la Celestina peggiorava di giorno in giorno e non c'era da fidarsi a lasciarla sola nemmeno un minuto.

Il Biasca era un omaccio sui quarantacinque, sano e gagliardo come una rovere, il podere che conduceva a mezzadria era piccolo e, con la neve sui campi, doveva badare soltanto alle poche bestie della stalla: se a un bel momento fu costretto a prendere un aiuto, non fu per il fatto del poco dormire o del mangiucchiare alla bell'e meglio, ma perché, non potendo sfogarsi, si sentiva gonfio e pesante da non riuscire più a muoversi.

Ventitré anni prima, conosciuta la Celestina a un ballo, il Biasca aveva stabilito con la certezza più assoluta: «Quella è esattamente la donna che non fa per me».

Lui rustico e massiccio, lei graziosa e snella. Lui impulsivo e violento, lei calma e misurata. Lui mangiapreti, lei religiosa.

Non si appagò, naturalmente, della prima impressione, ma studiò la ragazza con grande attenzione e, dopo tre anni, concluse: «Non avevo sbagliato: è proprio il contrario della donna adatta a me».

Essendo un uomo spiccio, glielo disse senza tanti complimenti, lei gli rispose a tono e, così, il primo loro litigio avvenne appena iniziato il viaggio di nozze.

Adesso, dopo aver litigato per vent'anni filati, senza un giorno di sosta, ecco la situazione: il Biasca gonfio da scoppiare seduto vicino al letto dove la Celestina giaceva immobile, più smorta delle lenzuola.

"Divertiti pure" pensò il Biasca. "Appena guarisci, accomodiamo i conti."

Lei aprì gli occhi e lo guardò:

— Voglio il prete — sussurrò.

L'avrebbe stritolata, ma riuscì a controllarsi. Scese, disse in fretta al famiglio d'andare a chiamare il parroco, poi, non curandosi della neve e della fredda aria della sera, corse attraverso i campi fino all'argine dello Stivone e lì si sfogò, e la sua voce fece crepitare i rametti gelati dei pioppi.

Tornò a casa un'ora dopo: don Camillo era già venuto e poi tornato alla base e la Celestina, vedendo il Biasca, ebbe la spudoratezza di socchiudere le palpebre e di sorridere.

Morì all'alba ed ebbe il funerale che aveva voluto, col prete, la benedizione e tutto il resto: ma il Biasca non si mosse da casa. Rimase chiuso in granaio e, dall'abbaino, seguì il trasporto: vide il breve corteo allontanarsi per la strada del Martinetto e sparire dietro la svolta. Poi lo vide riapparire sulla strada dell'argine e il prete e la croce parevano pitturati con l'inchiostro di Cina sul cielo bigio. Poi sentì le campane che suonavano a morto e si ritrasse:

«È l'ultimo dispetto che mi fai!» gridò con rabbia.

Invece, non fu l'ultimo.

Accadde una settimana dopo. Venuta la sera, il Biasca stava chiudendo la porta della stalla quando entrò nell'aia un ciclista, ed era don Camillo.

Il Biasca si volse di scatto:

— Non erano giusti i quattrini che vi ho mandato? — domandò aggressivo.

— No: crescevano cinquecento lire. Te le ho riportate.

— Tenetevele!

— Nella mia bottega non si accettano mance — replicò don Camillo. — Se mi fai un po' di luce regoliamo i conti.

Il Biasca si avviò senza rispondere verso la porta di casa e don Camillo lo seguì. Nel camino della cucina ardeva un bel fuoco e don Camillo, toltisi tabarro e cappello, si sedette a scaldarsi.

— Per cacciar fuori cinquecento lire — ruggì il Biasca — è proprio necessaria tutta questa messa in scena?

— Ho le mani fredde — spiegò don Camillo con calma. — E poi, dobbiamo parlare.

— Io e voi non abbiamo niente da dirci! — esclamò l'omaccio.

Don Camillo accese il suo mezzo toscano, tirò un paio di boccate, poi scosse tristemente il capo:

— Povera Celestina — disse. — Che vita deve aver passato con uno zulù come te!

— Voi impicciatevi dei fatti vostri e badate a come parlate! — urlò inviperito il Biasca. — So io quali erano i rapporti con mia moglie!

— Lo sanno tutti — rispose don Camillo. — Tutti ti sentivano urlare quando la maltrattavi. Povera Celestina, lei così gentile, buona, umile, sottomessa: mai che si lamentasse, mai che protestasse, mai che alzasse la voce...

Il Biasca balzò in piedi:

— Si capisce! — sbraitò. — Siccome sentivano urlare me, lo zulù, la bestia, ero io! La gente non sentiva quello che diceva lei. Lei era furba: aveva imparato dai preti a parlare a bassa voce e a fare la faccia della Madonnina! Io sono il mascalzone: io che mi sono sempre scannato per dare tutto a lei, per fare tutto quello che voleva lei.

Il Biasca era furibondo: corse su per la scaletta di legno che dalla cucina portava al primo piano e, di lì a poco, riapparve con una bracciata di roba che buttò sulla tavola:

— Ecco — disse mostrando a don Camillo delle mutande, delle camicie e delle maglie: — guardate voi, se riuscite a trovare un bottone che sia saldo e che non stia per distaccarsi! Mille volte gliel'ho detto. Un milione di volte: tutto inutile. E se un poveraccio poi, trovandosi con le mutande in fondo ai pantaloni, si mette a urlare, è una bestia, un selvaggio, un farabutto. E questi calzoni, gli unici buoni che ho: sono presentabili con queste macchie? E il mio vino? Perché il vino che piace a me deve essere sempre mescolato con quello balordo? Perché un uomo che lavora come un mulo non deve avere il diritto, la sera, di tirarsi su con un bicchiere di vino schietto?

Don Camillo spalancò le braccia:

— Come poteva badare a tutto, poveretta, con la malattia che aveva addosso?

— E perché — replicò il Biasca — voleva fare tutto lei? Quante volte le ho detto di farsi aiutare? Le negavo forse i quattrini? Ma se, da quindici anni, io non ho mai visto neanche una lira! La malattia, la malattia! Cosa potevo fare di più? L'ho mandata dagli specialisti, le ho comprato tutte le specialità dell'universo, roba che costava l'iradiddio.

Si avvicinò alla credenza, tirò un cassetto e ne trasse un quadernetto dalla copertina consunta:

— Lo teneva in ordine lei perché a me non interessava niente e l'ho guardato soltanto ieri. Ecco qui, mese per mese, quello che io ho speso, per specialità estere, in quindici anni: venticinquemila lire in media al mese. Guardate, ha scritto lei anche il totale: quattro milioni e trecentottantamila lire. Io non rinfaccio niente, non rimpiango niente: io dico soltanto che prima di decretare che un uomo è una bestia, bisogna vedere come stanno le cose! E così, dopo avermi fatto impazzire per tutta la vita, lei adesso mi fa passare anche per un mascalzone che la torturava! Se fossi sicuro di trovarla per poterle dire tutto quello che ho qui nel gozzo, ci starei a crepare subito!

Don Camillo scosse la testa:

— Coi princìpi che hai, non la rivedrai mai più — spiegò. — Perché lei, adesso, è su, mentre tu, morendo, andrai a finire giù.

Il Biasca sghignazzò.

— Reverendo, avete sbagliato indirizzo! Io non sono mica un ragazzino della scuola di dottrina. Sapete cosa c'è, di là?...

Si soffiò sul palmo della mano aperta:

— Zero via zero zero!

— E se invece ci fosse qualcosa? — insinuò don Camillo. — E se quello in cui credono e hanno creduto miliardi e miliardi di persone fosse vero?

Il Biasca parve non dargli retta. Andò a cavar fuori dalla credenza una bottiglia di vino e riempì due bicchieri.

Si sedette alla tavola e mandò giù una sorsata:

— Ecco — urlò inviperito. — Assaggiatelo e poi ditemi se non è una mascalzonata rovinare del vino buono in questo modo! Assaggiatelo.

Don Camillo assaggiò il vino: il Biasca aveva ragione, mille volte ragione: — Le donne — spiegò — certe cose non le capiscono. In compenso ne capiscono certe altre più importanti.

Cavò di tasca una busta gialla sigillata e la porse al Biasca.

— Che roba è? — domandò l'uomo sospettoso.

— La scrittura la conosci e, se riesci a leggere, lì c'è scritto: «*A don Camillo perché la consegni a mio marito Adelmo Biasca*».

Mentre il Biasca, con un coltellino, apriva lentamente la busta, don Camillo cercò di fare il punto della situazione:

«Signore» disse «quella busta me l'ha affidata la Celestina, poco prima di morire. Aveva la mente lucida come cristallo. "Reverendo" mi spiegò "questa roba la dovete dare a mio marito, se vedrete che cambia indirizzo e si mette in regola con Dio." Io, allora, le domandai: "E se non cambia?". E lei mi rispose senza esitare: "Cambierà!"... Signore, lei me lo ha detto in modo così sicuro che io, stasera, non ho esitato a consegnare al Biasca la busta... È stata imprudenza, la mia?».

«Don Camillo» rispose il Cristo «molti confondono l'imprudenza con la fede...»

Il Biasca, aperta la busta, ne aveva tratto alcuni libriccini che ora andava sfogliando.

— Reverendo — balbettò alla fine spingendo i libretti davanti a don Camillo. — Questi sono libretti di deposito vincolato, intestati al mio nome... Io non ho mai depositato denaro in banca!

— La Celestina lo ha fatto per te, evidentemente.

— E dove ha preso i quattrini? — domandò il Biasca.

— Lei mi ha incaricato di spiegarti che, quindici anni fa, quando le è scoppiata la malattia, gli specialisti le avevano spiegato che non c'erano probabilità di guarigione. Tu le davi, ogni mese, i quattrini per le medicine svizzere e lei li depositava in banca, dal primo all'ultimo centesimo come potrai controllare sul quaderno. Con gli interessi composti, c'è quanto basta per comprarti il podere. Il Lolini, pur di liberarsi di un mezzadro come te, è disposto a svendere. La Celestina è del parere...

— La Celestina! — urlò il Biasca pestando un pugno sulla tavola. — Io mi scanno per procurarle i quattrini per curarsi e lei non si cura e mette i quattrini in banca! Eccola cos'era la Celestina!... Me ne infischio, io, del podere di Lolini. Cosa me ne faccio, del podere di Lolini, adesso che lei è morta e io sono solo come un cane?... Perché non si è curata?...

Don Camillo allargò le braccia:

— Le avevano assicurato che era condannata irrimediabilmente... Inoltre, io ti posso dire soltanto quello che lei ha detto a me. La Celestina vuole che tu compri il podere.

— No! — gridò il Biasca. — Quindici anni di sacrifici buttati via!

— Non buttati via.

— A che cosa sono serviti allora?

— A mantenere viva, in te, la speranza che la Celestina guarisse — disse don Camillo.

— Stupidaggini! — ruggì il Biasca. — Le solite stupidaggini che aveva lei! Roba da romanzo. Cosa me ne faccio della speranza, adesso che lei se ne è andata e m'ha piantato qui come un cretino?

Il Biasca si asciugò il sudore che gli bagnava la fronte.

— Non va bene gridare — borbottò riprendendo il dominio dei suoi nervi. — La gente dice che il mascalzone sono io. La gente sente soltanto la mia voce perché, mentre io urlo, lei tace.

Invece non era vero: la Celestina non taceva ma parlava con voce sommessa e, se don Camillo non l'udì, la dovette udire il Biasca. Infatti, il Biasca se ne stette zitto a testa bassa per un bel pezzetto, poi d'improvviso si riscosse e urlò come l'avessero morsicato.

— Sì, sì! Il podere, Lolini, le Messe, il funerale col prete, il Paradiso, l'Inferno, il Purgatorio, il Limbo dei Santi Padri, il Padreterno, il Giudizio Universale! Sì, sì! Tutto quello che vuoi purché stai zitta, una buona volta!...

Agguantò il bicchiere e buttò giù il vino in un sol sorso. Poi storse la bocca e ruggì, pestando un gran pugno sulla tavola: — Mille volte, un milione di volte, gliel'ho detto! Ma lei, dura! Dura come qui!

Don Camillo s'alzò, depose davanti al Biasca un foglio da cinquecento, si rimise tabarro e cappello e si avviò senza far rumore.

Il Biasca irrigidito e coi pugni stretti era immobile: probabilmente stava ascoltando quel che gli andava dicendo la Celestina e don Camillo non voleva essere lì quando sarebbe venuta la replica.

Adesso che il Biasca e la Celestina erano riusciti a ritrovarsi, se la vedessero fra loro. Fra moglie e marito, non mettere il dito.

MARTELLI

L'aria si andava scaldando sempre di più perché le vacanze politiche erano finite e i rossi avevano ricominciato con la polemica aggressiva, ma don Camillo si manteneva quanto mai sereno e tranquillo.

Però, il giorno in cui lesse sul giornale murale della Casa del Popolo il commento che Peppone aveva fatto all'ultimo discorso del Papa, don Camillo perdette la calma e, dal pulpito, disse liberamente tutto quello che pensava di Peppone e della sua banda di scatenati.

In verità, non doveva pensarne troppo bene perché Peppone, appena gli ebbero riferito il sermone di don Camillo, balzò fuori dalla Casa del Popolo e marciò sulla canonica col fermo e preciso intento di « far fuori una buona volta quel maledetto prete ».

Ma in canonica non trovò nessun prete da far fuori per la semplice ragione che don Camillo se ne stava in chiesa, sullo stesso pulpito dal quale poco prima aveva tuonato contro i senza-Dio, e, armato di un grosso martello e d'uno scalpello, si dava da fare per praticare un buco nella colonna di pietra cui era appoggiato il pergamo.

Durante il suo veemente sermone, don Camillo s'era agitato parecchio e aveva avvertito più d'una volta nel vecchio legno del pergamo degli scricchiolii preoccupanti: così, adesso s'arrabattava a scavare la sede per una solida zanca di ferro che, murata nella colonna e poi avvitata al parapetto del pulpito, avrebbe eliminato il pericolo di un crollo.

Peppone bussò furiosamente alla porta della canonica e, non ottenendo alcuna risposta, stava per tornarsene alla base, ma lo smartellamento che veniva dalla chiesa gli fece mutar parere.

La porta della chiesa era chiusa, chiusa era la porticina del campanile. Però la finestrella della cappelletta di Sant'Antonio Abate era aperta: Peppone, girando attorno alla chiesa, se ne accorse e, tirata su una piletta di mattoni e sassi, andò a curiosare a quella finestrella.

Il pulpito era dall'altra parte della navata centrale, proprio di faccia alla cappelletta di Sant'Antonio Abate, e Peppone vide subito chi fosse lo smartellatore notturno e l'ira gli tornò ancor più rabbiosa di prima.

— Reverendo, state tirando giù la chiesa?

Don Camillo si volse di scatto e, aiutato dalla luce del cero che ardeva davanti all'immagine di Sant'Antonio Abate, riconobbe Peppone.

— Io no: qualcun altro tenta di tirar giù la chiesa — rispose don Camillo. — Però non c'è niente da fare. Costruzione solida.

— Non fidatevi troppo — ammonì Peppone. — Solida che sia, non riuscirà mai a coprire le spalle dei disonesti che vi si nascondono per insultare i galantuomini.

— Giustissimo — replicò don Camillo. — Niente salverà il disonesto che insulta il galantuomo, però qui dentro non ci sono disonesti.

— Ci siete voi! — gridò Peppone. — E valete per cento disonesti!

Don Camillo strinse i denti e resistette. Ma l'altro, oramai, era lanciato ed esagerò.

— Voi, pretaccio falso e vigliacco! — urlò Peppone.

Allora don Camillo perdette il controllo, e trovandosi tra le mani il grosso martello lo scagliò contro la finestrella.

La mira era terribilmente esatta ma Dio volle che un colpo di vento facesse oscillare una lampada portandola a interferire nella traiettoria del proiettile. Il martello frantumò la lampada e, deviando, andò a spegnere la sua furia omicida contro il muro della cappelletta di Sant'Antonio, a venti centimetri dallo spigolo destro della finestrella.

Peppone scomparve e don Camillo rimase sul pergamo immobile, coi denti stretti e tutti i nervi tesi.

Poi si riscosse e scese andandosi a confidare col Cristo dell'altar maggiore.

— Gesù — disse ansimando — avete visto! Mi ha provocato, mi ha insultato. La colpa non è mia.

Il Cristo non rispose.

— Gesù — disse ancora don Camillo — egli mi ha ingiuriato qui, in chiesa...

Ma il Cristo rimase muto.

Don Camillo si alzò e prese a camminare pieno d'agitazione in su e in giù. E ogni tanto si volgeva sgomento perché sentiva due occhi fissarlo. Andò a controllare la porta grande della chiesa e la porticina del campanile: erano chiuse col catenaccio. Guardò dappertutto, dentro i confessionali, dietro le colonne.

Non trovò niente di niente: ma don Camillo era sicuro che qualcuno stava in chiesa e lo spiava.

Si asciugò il sudore che gli allagava la faccia.

— Gesù — ansimò — aiutatemi... Qualcuno mi guarda... Qualcuno è qui, e io non lo vedo ma c'è perché io sento i suoi occhi...

Si volse di scatto perché gli pareva di sentire sulla nuca l'alito dello sconosciuto. Non trovò che l'aria deserta della chiesa semibuia ma ciò non lo rassicurò.

Aperse il cancelletto e passò oltre la balaustra rifugiandosi sui gradini dell'altare.

— Gesù — gridò con voce piena d'angoscia. — Proteggetemi!... Ho paura!

Tenendo le spalle addossate all'altare, girò lentamente lo sguardo attorno e, ad un tratto, ebbe un sussulto:

— Gli occhi!

Gli occhi dello sconosciuto erano là, annidati nell'ombra della cappelletta di Sant'Antonio Abate. Erano là e lo fissavano.

Non aveva mai visto due occhi così.

Il sangue gli si gelò, poi, d'improvviso, gli riprese a circolare bollente e tumultuoso nelle vene: don Camillo strinse i pugni e prese ad avanzare lento e implacabile verso quegli occhi.

Poi, quando fu davanti alla cappelletta di Sant'Antonio Abate, protese le mani in avanti, pronto ad artigliare con le dita lo sconosciuto nascosto nell'ombra.

Avanzò un passo, due passi, tre passi: e, quando gli parve che lo sconosciuto fosse lì, a pochi centimetri da lui, si avventò.

Ma le sue unghie graffiarono il muro.

E gli occhi continuarono a fissarlo.

Don Camillo agguantò di sopra l'altare il cero acceso e lo avvicinò agli occhi allucinanti.

In fondo non c'era niente di misterioso: il martello, scagliato da don Camillo e poi deviato dalla lampada fatta oscillare dalla Divina Provvidenza, aveva pestato un gran colpo contro il muro e una larga patacca d'intonaco era caduta.

Ed era venuto alla luce un pezzetto dell'affresco che, *temporibus illis*, decorava la cappelletta e che era stato coperto con nuovo intonaco quando chi sa mai qual parroco aveva deciso di aprire una finestrella nel muro della cappelletta.

Don Camillo con l'unghia staccò altri pezzi d'intonaco allargando quella finestrella aperta dal martello su secoli passati e apparve il viso di color bruno e il ghigno beffardo di un demonio.

Una ingenua rappresentazione dell'inferno? Una ingenua raffigurazione della tentazione?

Don Camillo non era in grado di tentare nessuna indagine: lo interessavano soltanto quei diabolici occhi che continuavano a fissarlo.

Muovendo il piede, sentì qualcosa e, chinatosi, scoperse sul pavimento in mezzo ai calcinacci, proprio sotto la figura del demonio, il martello maledetto.

L'orologio del campanile suonò le ventidue.

"Tardi!" pensò don Camillo.

Poi pensò:

"Non è mai troppo presto per umiliarsi" e uscì dalla chiesa.

Camminò rapidamente nella notte: oramai tutte le finestre delle case erano spente. Ma quella dell'officina di Peppone era ancora illuminata.

Don Camillo si appressò e si abbrancò con le mani all'inferriata. Anche le imposte a vetri erano aperte e si sentiva l'ansimare di Peppone intento a piegare a martellate una spranga rovente.

— Mi dispiace — disse don Camillo.

Peppone ebbe un sussulto, ma si riprese subito e continuò a battere la sua spranga senza levare il capo.

— Mi hai colto all'improvviso — continuò don Camillo. — Avevo i nervi tesi... Quando me ne sono accorto, il martello era già partito.

Peppone ghignò:

— Voi avete un'intelligenza a scoppio ritardato, reverendo. Vi accorgete delle vostre mascalzonate soltanto quando le avete dette o fatte.

— È già qualcosa riconoscere di aver sbagliato — affermò cauto don Camillo. — È la prova che uno è fondamentalmente onesto. Disonesto è chi non riconosce mai il suo errore.

Peppone era furibondo e pestava con rabbia martellate sulla innocente verga di ferro oramai divenuta bigia.

— Ricominciamo? — ruggì.

— No — rispose don Camillo. — Sono qui per finirla, invece. Tanto è vero che ti domando scusa del gesto inqualificabile commesso contro di te.

— Le vostre scuse ipocrite di pretaccio falso e

vigliacco me le metto qui! — gridò Peppone batten-
dosi la mano in fondo alla schiena.

— Giusto — replicò don Camillo. — È lì il posto dove i disgraziati come te tengono le cose più
sacre.

Peppone non resse e il martello partì.

Partì con una precisione diabolica verso la faccia di don Camillo, ma la Divina Provvidenza volle
che la traiettoria del proiettile passasse proprio nel
mezzo d'una delle sottili sbarre di ferro dell'inferriata.

La sbarra sotto il colpo tremendo si incurvò e il
martello cadde sul pavimento dell'officina.

Don Camillo guardò sbalordito la sbarra defor-
mata e, quando poté ingranare la marcia, partì a
tutta birra.

Arrivò col carburatore ingolfato:

— Gesù — disse inginocchiandosi davanti al
Cristo Crocifisso. — Siamo pari: un martello a
uno.

— Una stoltezza più una stoltezza fanno due
stoltezze — rispose il Cristo.

Ma quella pur semplice addizione risultava
un'operazione troppo difficile per don Camillo che
aveva una febbre da carro armato.

— Gesù — balbettò — troppa paura per un
povero prete solo.

Fu, quella, la peggior notte che don Camillo
potesse passare: un incubo continuo a base di martelli che partivano sibilando e di martelli che sibilando tornavano. Dal buco dell'intonaco della cappelletta era uscito il diavolo dagli occhi tremendi e,

dietro di lui, continuavano a uscire diavoli e diavoli. E sul manico di ogni martello che andava o tornava sibilando per l'aria stava a cavalcioni un diavolo. Don Camillo continuò a schivare martelli fin che poté, poi la stanchezza lo prese e i martelli in arrivo gli finivano tutti in testa: toch! toch! toch!...

Soltanto verso le sei del mattino il via vai di martelli volanti cessò nel cervello di don Camillo. Cessò perché don Camillo si svegliò.

Aveva la testa così rintronata per i tremendi colpi ricevuti, che non riusciva a pensare alle azioni che stava compiendo. Riprese il controllo di se stesso soltanto quando si trovò davanti all'altare, per la Messa mattutina.

Celebrò la Messa più eroica della sua vita e il buon Dio dovette tenerne conto perché alla fine gli diede la forza di reggersi ancora in piedi.

Don Camillo, rimasto solo e deposti i paramenti, andò a ispezionare la cappelletta di Sant'Antonio Abate: gli occhi maledetti erano ancora là sul muro e il martello maledetto era ancora lì, fra i calcinacci, ai piedi del muro.

— Il delinquente torna sul luogo del delitto! — disse qualcuno.

Don Camillo si volse e incontrò lo sguardo di Peppone.

— Ricominciamo? — domandò con voce stanca don Camillo.

Peppone fece cenno di no e cadde a sedere su una panca.

Pareva uno straccio: aveva gli occhi pesti, i capelli incollati sulla fronte e ansimava.

— Non ce la faccio più — disse. — Arrangiatevi voi.

Don Camillo si accorse che Peppone, con uno sforzo enorme, stava porgendogli qualcosa avvolto in un giornale. E, quand'ebbe tra le mani l'oggetto, gli parve che pesasse una tonnellata.

Tolse la carta. Era una cornice tutta di ferro battuto, a volute e a foglie, e racchiudeva, anziché un quadro, una lastra di rame in mezzo alla quale era assicurato, con due legature di filo d'ottone, un grosso martello.

Un cartiglio di rame portava una dicitura bulinata:

« *A S. Antonio Abate per grazia ricevuta facendomi sbagliare la mira* ».

— Il martello è quello là — spiegò Peppone.

Don Camillo guardò il martello.

— La cornice è fatta col ferro dell'inferriata — spiegò ancora Peppone.

Don Camillo guardò le volute di ferro battuto.

— L'ho lavorata col martello famoso — concluse Peppone.

Peppone parve non aver più nulla da comunicare. Invece dimenticava qualcosa. Se ne rammentò e si frugò in tasca cavandone un grosso chiodo fucinato che porse a don Camillo.

Don Camillo entrò nella cappelletta di Sant'Antonio, raccolse il martello maledetto che giaceva sul pavimento fra i calcinacci e, deposto il quadro votivo blindato ai piedi dell'altarino, prese a piantare il chiodo nel muro.

Non aveva la forza sufficiente per scegliere con un criterio artistico il posto più adatto. Piantò il chiodo lì, dove gli capitò. E smartellò un bel pezzo.

Poi tirò su il quadro e l'appese. Ma, siccome il filo d'ottone che assicurava alla lastra di rame il martello di Peppone lo permetteva, don Camillo legò vicino al martello di Peppone il suo martello.

Peppone considerò a lungo la faccenda, poi, quand'ebbe capito il significato della cosa, scosse il capo e disse con voce indignata ma stanca:

— Sfruttatore delle fatiche del proletariato...

Don Camillo ugualmente stanco replicò:

— La mia parte di lavoro ce l'ho messa anche io!

— Se sapeste cosa ho faticato a lavorare con la febbre tutta la notte! — esclamò Peppone.

— Se sapessi quante martellate mi sono pestato adesso sulle dita per piantare quel chiodo! — affermò don Camillo.

E mostrò la mano sinistra che non era più una mano ma il sanguinoso bilancio d'una strage.

— Mi fa piacere tanto! — si rallegrò languidamente Peppone.

— Anche a me — disse con voce lontana don Camillo.

Poi guardò il quadretto votivo blindato e si stupì di non vedere più gli occhi del demonio.

E questo accadeva perché don Camillo, senza volere, aveva piantato il chiodo proprio quattro dita sopra la fronte del Satanasso venuto a galla dagli abissi del tempo che fu, risvegliato da una dannatissima martellata.

— Gesù — disse don Camillo quando, il giorno dopo, ebbe ricuperate le forze e la speranza — vi ringrazio d'avermi aiutato.

— Ringrazia Sant'Antonio Abate — rispose il Cristo. — È lui che protegge le bestie.

Don Camillo levò gli occhi angosciato.

— Gesù, così mi giudicate adesso?

— No, don Camillo, adesso non ti giudico così. Ma chi ha lanciato il martello non sei stato tu, è stata la bestia irragionevole. Ed è la bestia che Sant'Antonio ha protetto.

Don Camillo chinò il capo.

— Però — borbottò — non sono stato soltanto io a lanciare martelli... Anche lui...

— Non ha importanza, don Camillo: un cavallo più un cavallo fa due cavalli.

Don Camillo, aiutandosi con le dita, fece la prova dell'addizione poi scosse il capo.

— Gesù, il conto dei due cavalli non torna perché io sono un asino.

E don Camillo era così convinto, ma così sinceramente convinto di quello che diceva, da indurre il Cristo ad avere pietà di lui.

PIOVE

La stagione continuava a fare la stramaledetta: due o tre giorni di sole, poi, quando la terra principiava a riasciugarsi, giù acqua.

Aveva incominciato a piovere ai primi di luglio dell'anno precedente: nel momento in cui il grano aveva maggior bisogno di sole, ecco la pioggia.

Danneggiato il raccolto del grano, la pioggia continuò implacabile e assassinò l'uva. Poi assassinò la semina e quando, dopo Natale, smise di piovere, venne giù tanta di quella neve che mai s'era visto un flagello così.

Squagliatasi a fatica la neve, riecco la pioggia.

I contadini erano neri per la gran rabbia: il frumento ingialliva invece di rinverdire, parecchi coltivatori avevano dovuto restituire il seme delle bietole allo zuccherificio.

Non si poteva andar per i campi né con le macchine né con le bestie.

I canali di scolo erano gonfi fino all'orlo e la terra, fradicia, diventava pantano.

E, dappertutto, si imprecava contro la pioggia.

Quel martedì era giorno di mercato: pioveva, naturalmente, ma fittavoli e mezzadri gremivano i portici del borgo. Tanto, non avevano un accidente da fare, a casa.

E tutti parlavano della pioggia e ognuno raccontava quello che non aveva potuto fare ancora, nel podere, a causa della pioggia.

E più d'uno esprimeva ad alta voce la sua meraviglia per lo strano contegno del Padreterno:

— Io non capisco perché il Padreterno ce l'abbia tanto con noi agricoltori!

Peppone, che stava uscendo dal caffè dei Portici assieme allo Smilzo, agguantò al volo questa battuta e replicò pronto:

— Il Padreterno non c'entra, cara la mia brava gente. Il Padreterno fa quello che deve fare. Non prendetevela con lui, ma con i disgraziati che gli stanno buttando all'aria tutto il creato.

Peppone sapeva lavorare bene in piazza. Coglieva la battuta giusta per intervenire e aveva l'occhio acuto che scopriva subito il tipo adatto per funzionare, suo malgrado, da "spalla".

E, anche quella volta, l'uomo se ne stava lì, a due passi, proprio in prima fila. E si trattava di Giròla, uno dei più vecchi contadini della zona.

— Giròla — esclamò Peppone rivolgendosi all'ometto — ditemi un po': nei vostri novantasette anni di vita avete mai visto un finimondo come questo?

Il Giròla scosse il capo:

— No: ho visto degli uragani, ho visto delle inondazioni, ho visto di tutto, ma era roba di giorni, magari di qualche settimana. Uno squilibrio che durasse degli anni di seguito non l'ho mai visto.

— E, secondo voi, da che cosa dipende? — incalzò Peppone.

Il Giròla si strinse nelle spalle:

— Chi lo sa? — borbottò.

— No, Giròla, non rispondete così! — gridò Peppone accalorandosi. — Voi lo sapete e l'avete detto più d'una volta. Potete ripeterlo ancora tranquillamente perché nessuno oggi avrà il coraggio di farvi star zitto dicendovi che sono favole, che piove quando Dio vuole e non quando lo vogliono gli uomini.

Peppone trasse di tasca un giornale e lo spalancò:

— Adesso non è più soltanto il vecchio Giròla che lo dice: adesso lo dice anche la scienza!

Peppone mostrò la testata del giornale alla folla perché vedesse che non si trattava del *suo* giornale ma di un giornale indipendente, noto per pencolare verso destra:

— Qui è la scienza mondiale che parla! — continuò Peppone. — La quale scienza mondiale spiega che la gente ha centomila ragioni di essere preoccupata dopo lo scoppio della famosa bomba H americana. Perché i signori americani hanno perso il controllo dell'energia atomica e così non si sa più dove andremo a finire. Chi vuol conoscere i tremendi danni che l'ultima bomba americana ha prodotto fino a seicento chilometri di distanza, si comperi il giornale e si legga l'articolo. Io, tanto per dare una soddisfazione a Giròla, vi dico semplicemente che un gruppo di grandi scienzati svizzeri ha fatto degli studi profondi e ha stabilito che l'equilibrio della terra è minacciato dalle atomiche. Ecco qui: «*Le esplosioni atomiche creano delle violente correnti nelle zone superiori dell'atmosfera, in direzione del Polo Nord. Queste correnti determinano dei centri di condensazione che, giunti al Polo Nord, vi si abbattono sotto forma di neve e di ghiaccio. Da queste precipitazioni atmosferiche artificiose potrebbe risultare uno squilibrio del nostro pianeta. Il Polo Nord è oggi più pesante del Polo Sud del diciotto per cento*». Mi spiego?

Peppone levò il capo dal giornale e si guardò attorno trionfante. Ma la sua legittima soddisfazione fu amareggiata nell'accorgersi che al gruppo di ascoltatori si era, nel frattempo, venuto ad aggiungere un individuo che non gli garbava proprio per niente.

Peppone rituffò il viso tra le pagine del giornale continuando:

— E allora, cosa comporta questo squilibrio polare? Non ve lo dirò io che ho fatto soltanto la terza elementare e non conosco il latino: ve lo dice nientemeno che il più grande scienzato olandese. Ecco qui: «*Il dottor Schneider, direttore dei laboratori chimici di Leverkusen in Olanda, ha precisato che le particole radioattive lanciate nell'atmosfera dalle esplosioni agiscono come dei nuclei di condensazione determinando la pioggia e la neve*». Altro che prendersela col Padreterno se viene giù una gamba di neve o se continua a piovere degli anni di seguito: prendetevela con gli americani!

Don Camillo era intanto arrivato in primissima fila e così i primi occhi che Peppone incontrò levando il capo dal giornale furono quelli appunto di don Camillo.

Quegli occhi gli diedero fastidio e, diventato di colpo aggressivo, Peppone aggiunse con tono sarcastico:

— Non prendetevela col Padreterno, prendetevela con gli americani. A meno che il qui presente signor reverendo, per un riguardo all'America, non preferisca che ve la prendiate col Padreterno.

— No davvero! — esclamò don Camillo. — Dio non ha niente a che vedere con le follie umane. Dio ha concesso agli uomini un cervello per ragionare, non per sragionare. Non con Dio dobbiamo prendercela, ma con noi stessi.

— Reverendo — replicò Peppone — siamo precisi. Qui si tratta delle criminali stupidaggini commesse non da noi, o dall'umanità, ma dall'America. Qui si parla della bomba H.

Don Camillo tentennò il capo:

— Debbo onestamente riconoscere che lei ha ragione, signor sindaco. La cosa è troppo seria, adesso, perché si possa nascondere la verità a scopi di propaganda politica. Bisogna avere il coraggio di essere sinceri, e dire chiaro e tondo che i responsabili dei terribili guai presenti e futuri dipendenti dagli esperimenti atomici sono esclusivamente gli americani. Perché, come ha onestamente ammesso il signor sindaco poco fa, la bomba atomica ce l'hanno soltanto gli americani.

Peppone parlò prima di aver pensato a quel che gli conveniva dire o non dire.

— Balle, reverendo. La bomba atomica ce l'hanno anche i russi e cento volte più potente di quella americana. È inutile che cerchiate di cambiare le carte in tavola.

Don Camillo scosse mestamente il capo:

— Il male è più grosso di quanto non pensassi, signor sindaco. Allora, per essere giusti, bisognerà dire a questa gente che, se continua a piovere, non se la devono prendere col Padreterno, bensì con gli americani e coi russi.

La gente ridacchiò e Peppone strinse i denti.

— I russi — esclamò — non ne hanno nessuna colpa. I russi sono stati costretti a scoprire anche loro la bomba atomica per difendersi dalle minacce degli americani che la bomba atomica l'avevano già. La colpa è di chi l'ha inventata!

Don Camillo allargò le braccia:

— Signor sindaco — disse — se io le sparassi una schioppettata, lei a chi darebbe la colpa? A me oppure a quello che ha inventato la polvere da sparo?

— E se la schioppettata gliela sparassi io — gridò Peppone — lei a chi darebbe la colpa? A me o al campanaro di Torricella?

— Né al campanaro di Torricella né a lei — spiegò calmo don Camillo. — Darei la colpa a coloro che le hanno insegnato a negare Dio e a sparare contro i poveri preti indifesi.

—Nessuno mi ha insegnato a negare Dio e a sparare contro i preti! — urlò Peppone.

— Si vede allora che i suoi maestri sono ancora indietro nello svolgimento del programma scolastico. Ma vedrà che glielo insegneranno. L'hanno insegnato a tutti i loro scolari.

Lo Smilzo si fece avanti:

— Capo — disse a Peppone — alla scuola di partito ci hanno insegnato a non secondare il gioco dei provocatori di mestiere. Lascialo perdere.

Ma Peppone aveva finalmente trovato il rampino e non mollò:

— Non bisogna assecondare il gioco dei provocatori di mestiere — esclamò. — Ma il signor reverendo non è un professionista, è un semplice provocatore dilettante. E allora, siccome si è meritato una lezioncina, noi gliela diamo.

Peppone aveva riacquistato la calma e si rivolse sorridendo a don Camillo:

— Allora, reverendo, lei dice che la responsabilità dei guai atomici è tanto degli americani quanto dei russi, perché l'atomica ce l'hanno tutt'e due. Però vuol spiegarmi, il reverendo, perché mai l'opinione pubblica si è allarmata proprio adesso, proprio soltanto dopo lo scoppio della bomba H americana? Perché soltanto adesso si sono formate le commissioni di scienziati e di politici di tutto il mondo per protestare contro i pericoli atomici? Forse perché continua a piovere da dieci mesi e noi non possiamo seminare le bietole?

— Non saprei, signor sindaco.

— Glielo spiego io, reverendo. L'opinione pubblica e la scienza di tutto il mondo sono intervenute perché è successo un fatto impressionante. L'esplosione dell'ultima atomica americana ha dimostrato che gli americani hanno perso il controllo dell'energia atomica. E adesso fanno scoppiare le bombe senza sapere cosa succederà. Questo non lo dice il sottoscritto, lo dice la scienza mondiale. E allora io domando: chi è che, per anni, si è battuto giorno e notte per stabilire il controllo reciproco dell'energia atomica? La Russia o l'America? È stata la Russia, caro signor reverendo, e la colpa del disastro è dell'America che ha perso il controllo dell'energia atomica, mentre la Russia non l'ha perso.

Don Camillo parve colpito duramente dalla logica di Peppone.

— Signor sindaco — rispose alla fine — non posso darle torto. Lei allora ammette che la bomba atomica americana ha raggiunto una potenza superiore di quella raggiunta dalla atomica russa.

— Non lo dico neanche per sogno! — urlò Peppone. — I russi hanno un'atomica più potente di quella americana. Però non hanno perso il controllo, come gli americani. Tra il fatto di ottenere un effetto per caso e il fatto di ottenere un effetto per calcolo, c'è una bella differenza.

Don Camillo dondolò la testa poi disse:

— Signor sindaco, le va di continuare la discussione con le mani?

— Con le mani, coi piedi, col mitra, con un cannone, con tutto quello che vuole lei! — urlò Peppone. — Se lei crede...

— Non mi fraintenda. Ha smesso di piovere e possiamo andare a fare un giochetto che divertirà anche questa brava gente.

In mezzo alla piazza c'erano ancora i residui della sagra: un tiro a segno, una giostra e uno di quegli arnesi per misurare la forza con la mazza.

Si pesta una mazzata in un certo posto e, a seconda della potenza del colpo, un grosso percussore di ferro sale più o meno lungo un'alta asta verticale, sulla quale sono segnate le varie quote, da zero a mille.

Quando il percussore arriva al mille suona un campanello e chi ha raggiunto il mille prende un premio.

Arrivato a piè della macchina don Camillo disse:

— Io sono l'America e lei, signor sindaco, è la Russia. Le va?

La gente aveva fatto cerchio e ascoltava in silenzio.

— Mi va — borbottò sospettoso Peppone.

— Il blocco di ferro che sale lungo l'asta è l'energia atomica. Mi spiego?

— Si spiega.

— Io sono l'America e, siccome ho perso il controllo dell'energia atomica, sparo alla cieca. Non so dove arrivo. Lei che è la Russia e ha ancora il controllo spara a ragion veduta e vede dove arriva.

Don Camillo cavò di tasca il suo enorme fazzolettone e si fece bendare.

— Lascio scoperto un momentino qui sotto per vedere dove devo picchiare — spiegò.

Poi si fece dare una mazza. E un'altra mazza prese Peppone.

— Si incomincia? — domandò don Camillo.

— Avanti — rispose Peppone.

Don Camillo si piantò ben saldo sulle gambe, poi levò la mazza e sparò il colpo.

Il blocchetto di ferro salì fino a seicento.

Allora sparò una mazzata Peppone e il blocchetto arrivò a settecento.

Il secondo colpo di don Camillo fece salire il blocchetto a ottocentodieci.

Peppone segnò novecento.

Don Camillo novecento.

Peppone sparò una mazzata balorda e segnò ottocentocinquanta.

— La Russia perde quota! — ridacchiò un maledetto reazionario alle spalle di Peppone.

In quel preciso istante don Camillo segnava no-
vecentodieci.

Allora Peppone ce la mise tutta: strinse i denti e sparò una mazzata capace di spaccare un'incudine.

Il blocchetto di ferro partì verso l'alto come la
« V 2 » e, superata quota mille, andò a smorzare la
sua furia nel pulsante del campanello elettrico.

Sentendo trillare il campanello, don Camillo
mollò la mazza e si tolse il fazzoletto.

— È successo a lei — disse — ma poteva succedere anche a me di arrivarci per primo. Comunque, adesso che abbiamo raggiunto il limite massimo e abbiamo fatto scoppiare il mondo, possiamo
andare a berci un bicchiere.

Peppone rimase perplesso un momentino poi
esclamò:

— No, caro reverendo, il paragone non funziona! Ho ragione io e la colpa è sua: perché se noi ci
mettessimo d'accordo per controllare la forza atomica non arriveremmo nessuno dei due al limite
massimo.

— Già — replicò don Camillo — se noi però
sapessimo quale è il limite massimo. E se, invece di
essere a mille, il limite massimo fosse a settecento-
quindici, o a seicentotré? Lo sanno gli scienzati
americani e russi quale è il limite massimo di sop-
portazione della pazienza divina?

S'era rimesso a piovere e la gente, dopo aver as-
sistito allo spettacolo della fine del mondo, aveva
cercato riparo sotto i portici.

Don Camillo e Peppone erano rimasti soli, vicino alla macchina atomica.

— Al diavolo le bombe — borbottò don Camillo.

— La colpa è del Padreterno che ha messo al mondo americani e russi — replicò Peppone di malumore.

— Non bestemmiare, compagno — lo ammonì don Camillo severo. — L'umanità ha un conto lungo da pagare. L'azienda deve sopportare il peso della cattiva amministrazione delle gestioni precedenti. Noi siamo arrivati tardi, ecco tutto.

— Allora: bestia l'ultimo! — muggì Peppone.

— Ma no, compagno: bestia chi non si è saputo guadagnare un buon posto nell'altra vita. Quella eterna.

Peppone si tirò su il bavero:

— E intanto che aspettiamo l'altra vita, piove!

LA LEGGE DEL '68

A Torricella, la piena aveva danneggiato il ponte sul Canaletto e Peppone, caricato sullo «Sputnik» lo Smilzo, andò a dare un'occhiata agli operai che stavano eseguendo i lavori di riparazione. Si fermò più del previsto e, ritornando al borgo, prese la scorciatoia della Stradaccia.

Nonostante il gran fango trovato nella viottola, tutto funzionò bene per i primi cinquecento metri ma, appena passata l'aia del Gheffi, lo «Sputnik» s'impantanò fino alla sala.

Per cavar fuori la macchina, fu necessario l'aiuto del trattore cingolato del Gheffi e l'operazione non risultò delle più semplici tanto è vero che, alla fine, Peppone e lo Smilzo si ritrovarono impiastricciati di fango fino ai capelli.

—Ecco — spiegò allora il Gheffi — ogni volta che viene l'inverno, succede esattamente così: da qui allo sbocco sulla provinciale la Stradaccia risulta impraticabile e chi non lo sa resta in trappola. E ogni anno, noi della Stradaccia presentiamo al sindaco un esposto per spiegare come stanno le cose. L'esposto di quest'anno è qui bell'e pronto: se lo prende lei, mi evita il fastidio di portarlo, domani, in Comune.

Peppone respinse la busta gialla che il Gheffi gli porgeva:

— Mi sentiranno! — ruggì risalendo sullo «Sputnik».

Lo sentirono, la sera stessa, in Consiglio e, quand'ebbe finito di schiamazzare, gli dimostrarono che tutto era già stato predisposto, da un sacco di tempo, circa la sistemazione della Stradaccia: mancavano semplicemente i quattrini occorrenti per materiali e mano d'opera.

Per fare una cosa appena decente — vale a dire una massicciata di almeno quaranta centimetri di spessore — la spesa superava i due milioni.

— In un bilancio strangolato come il nostro — concluse il Brusco che era il ministro dei lavori pubblici — due milioni non sono nespole.

— Li troveremo! — stabilì Peppone.

— Dove? — s'informò Piletti, unico rappresentante d'opposizione.

— È un particolare di secondaria importanza che, per il momento, non ci interessa — rispose Peppone.

In seguito risultò che quel particolare non era poi così secondario come pareva perché, a quindici giorni di distanza, non si riusciva ancora a capire da quale parte potessero saltar fuori quei benedetti quattrini: per fortuna il vecchio Timossi, per quanto avesse passato gli ottantacinque, possedeva ancora una memoria di ferro.

Accadde così che, un pomeriggio, Peppone, lo Smilzo, il Bigio e il Brusco, appartatisi per fare quattro chiacchiere nella saletta del camino all'osteria del Molinetto, vennero a parlare del problema della Stradaccia e, a un bel momento, il vecchio Timossi che dormicchiava davanti al fuoco saltò su:

— Una volta — borbottò — con la legge del '68 si sistemava tutto.

— Nel '68 voi dovevate ancora nascere — ridacchiò lo Smilzo. — Sarà difficile che possiate ricordarvi.

— Cosa c'entra? — replicò il vecchio Timossi. — Anche tu dovevi ancora nascere quando è venuta fuori la legge del servizio militare obbligatorio, eppure ti ricordi che, appena ti è arrivata la cartolina del distretto, hai dovuto andare soldato. La legge del '68 ha funzionato fino al 1915, è finita con lo scoppio della guerra e, nel 1912, quando hanno aperto la Stradaccia, ci ho sbadilato anch'io. La Stradaccia non è costata una lira al Comune. La legge del '68 era spiccia perché teneva conto della terra che uno possedeva e le giornate di lavoro da fare gratis per opere pubbliche straordinarie venivano calcolate in base alla proprietà. E chi aveva bestie da tiro e carri doveva metterli a disposizione del Comune. Se a uno non gli andava di sbadilare, invece di prestazioni d'opera dava il corrispondente in quattrini e il Comune pensava a sostituirlo con un bracciante. Anticamente c'erano tante cose che non funzionavano, ma ce n'erano anche tante altre che funzionavano meglio di adesso.

Il vecchio sospirò e tolta su dal fuoco una bracia la ficcò nel fornello della pipa.

— Avete detto '68? — domandò Peppone.

— Legge del 1868 — rispose il Timossi. — L'ho visto stampato cento volte nei manifesti del sindaco. E poi, se vuoi levarti la curiosità, guarda nei libri del Comune.

Dieci minuti dopo, Peppone bloccava il segretario comunale e gli ordinava:

— Voglio sapere tutto sulla legge del 1868. Lasci perdere il resto e veda di presentarmi, entro due giorni, una relazione completa e documentata.

Il segretario ci impiegò una settimana per ripescare, nelle soffitte del Municipio, tutto quanto si riferiva alla legge del '68, e un'altra settimana impiegò per ordinare i documenti e riassumerne il contenuto ma, presentando il ragguardevole malloppo al sindaco, era sicuro d'aver fatto un buon lavoro.

— Non manca niente — spiegò a Peppone — c'è il testo della legge, le delibere dei lavori da eseguire, le liste dei precettati con la distinta delle prestazioni, le relazioni sui lavori eseguiti, le ore effettive prestate dai precettati o le somme da essi pagate in commutazione delle prestazioni.

Peppone impiegò tre giorni a studiare il fascicolo e, alla fine, chiamò il segretario comunale e gli comunicò:

— Sarebbe un lavoro perfetto se non mancassero le notizie riguardanti l'abrogazione della legge.

— Mancano semplicemente perché la legge non è mai stata abrogata — rispose il segretario. — Con lo scoppio della prima guerra mondiale, la legge è stata accantonata ed è andata in disuso.

— Controlli la raccolta della *Gazzetta Ufficiale!* — ruggì Peppone.

— Non è completa — rispose il segretario. —

E poi, per essere sicuri, bisognerebbe informarsi a Roma. Posso scrivere.

Peppone tolse di tasca il portafogli e ne cavò del danaro che porse al segretario:

— Vada a Roma! — gli intimò. — Questi quattrini le debbono bastare perché pago io, di tasca mia, e non posso darle un centesimo di più. E non parli con nessuno della faccenda. È un affare che interessa soltanto me e lei.

Il segretario era un ometto che sentiva mancarsi il fiato ogni volta che Peppone alzava la voce: si fece consegnare dalla moglie tanto pane, salame e formaggio equivalenti alla sua spettanza viveri per tre giorni e partì. Tornò con una sete maledetta, ma poté consegnare a Peppone una busta contenente il responso ufficiale riguardante la legge del '68 e quarantacinque lire di resto.

Leggendo il documento, Peppone si lasciò sfuggire un ruggito vittorioso.

Lo stato maggiore si riunì la sera stessa in seduta segreta. Peppone espose rapidamente la situazione concludendo:

— L'ultima volta che il Comune ha applicato la legge del '68 è stato nel 1914. Nel 1914 l'amministrazione comunale era socialista e, quindi, democratica com'è quella d'oggi, i proprietari erano dei porci maledetti come quelli d'oggi: niente è cambiato anche se qualche signore, fortunatamente, è morto o è andato in rovina, perché, disgraziatamente, altri signori hanno preso il suo posto. Si tratta semplicemente di aggiornare la lista dei precettati del 1914 e fissare, secondo le nuove tariffe sindacali, l'equivalente in danaro delle prestazioni. Non c'è bisogno di discutere la cosa in Consiglio:

non ci sono novità. Noi facciamo semplicemente il nostro dovere di far rispettare le vigenti leggi. E ringrazino il loro Dio se non li obblighiamo a pagare gli arretrati dal 1914 a oggi.

Don Camillo stava ripulendo il giardinetto della canonica e lo Smilzo lo colse di sorpresa.

— Pare che la cuccagna sia finita — borbottò lo Smilzo porgendogli un foglio e una matita. — Firmare con nome e cognome per esteso e in modo leggibile il talloncino di ricevuta e restituirlo, dopo averlo staccato secondo la linea punteggiata.

Don Camillo prese il foglio, lo sbirciò e poi disse:

— Che roba è questa?

— Non è roba — spiegò lo Smilzo. —È una vigente legge in base alla quale la signoria vostra deve presentarsi il giorno 15, alle ore otto, alla sede comunale con carriola, badile, piccone e vanga per prestazioni di mano d'opera stabilite in giornate tre di lavoro. Se in seminario hanno insegnato alla signoria vostra che il lavoro è peccato mortale, la signoria vostra può fruire della commutazione versando l'equivalente delle tre giornate come specificato nel foglio precetto.

Don Camillo restituì con malgarbo il foglio.

— È roba che non mi riguarda — stabilì.

— Siccome è intestata al suo nome e cognome — rispose lo Smilzo — la riguarda. Quindi la signoria vostra firma la ricevuta, si tiene il foglio e poi si rivolge all'ufficio reclami. Anche i cittadini stranieri sono tenuti a rispettare le leggi del Paese che li ospita, e il Vaticano è un comune Stato estero che non fa eccezione alla regola.

Per comprendere il tono insolitamente spavaldo dello Smilzo, bisognerà probabilmente precisare che fra lo Smilzo e don Camillo c'era la robusta cancellata che separava il giardinetto dalla strada e che lo Smilzo badava a tenersi il più lontano possibile dalle sbarre della cancellata.

Per maggior prudenza egli concluse il suo discorso dicendo:

— Inoltre tenga presente che mentre lei è lì in qualità di privato arciprete, io sono qui in qualità di pubblico ufficiale nell'esercizio delle sue funzioni.

Don Camillo firmò il talloncino di ricevuta e, mentre lo Smilzo, saltato sulla bicicletta, tagliava la corda, uscì sulla strada e marciò deciso verso il Municipio.

Lo ricevette Peppone in persona e, non appena don Camillo gli ebbe buttato davanti il precetto, tolse dal cassetto un foglio a stampa e glielo porse sorridendo:

— Questo è il testo della legge, reverendo. Lo tenga pure: se lo studi con suo comodo. Mi rendo conto della sua sorpresa ma lei lo sa meglio di me: *Dura Lex, sed Lex*. In altre parole: la legge dura anche quando non viene applicata.

Don Camillo non si formalizzò sulla libertà della traduzione: rispose che conosceva la legge per averne letto, poco prima, il testo affisso all'albo, ma che, in essa, non si parlava di arcipreti.

— E difatti — spiegò con garbo Peppone — l'arciprete non c'entra. L'intimazione che lei ha ricevuto riguarda l'attuale proprietario del podere

« La Torretta » di ettari venti. Nell'ultima lista di precettati, quella del 1914, il proprietario del podere « La Torretta » era tassato per tre giornate lavorative. Alla sua morte, avvenuta nel 1930, il podere veniva regalato alla chiesa e trasformato in beneficio parrocchiale. Naturalmente, la parrocchia ha dovuto accettarlo non solo per gli utili ma anche per gli oneri. Così, mentre lei incassa i quattrini dell'affittuario, deve anche pagare le imposte. Questa è una delle imposte.

— Il podere — replicò don Camillo — non è stato lasciato a me personalmente, ma alla chiesa: lei deve rivolgersi alla Curia.

— Affari suoi, reverendo: noi sappiamo che il podere è beneficio parrocchiale e ci rivolgiamo al parroco. Che, poi, i quattrini li snoccioli il parroco oppure il Vescovo a noi non importa. Ci interessa che qualcuno paghi entro il termine fissato. Se, entro il 14 sera, lei non paga, noi passiamo la somma da lei dovuta più la multa e gli interessi di mora nella cartella delle imposte.

— E così, per tenere in piedi la baracca — ghignò don Camillo — voi siete costretti a tirare in ballo una legge che da mezzo secolo non viene applicata.

— E lei, allora? — replicò Peppone. — Lei, per tenere in piedi la sua baracca, non è, forse, costretto a invocare quei dieci Comandamenti ai quali nessuno ha mai ubbidito? Il disuso non giustifica l'abuso. Se è scritto nei Comandamenti che non bisogna rubare e tutti, invece, rubano, dovremo concludere che il settimo Comandamento è da considerare abrogato? La mia legge risale al 1868? E la sua non risale forse ai tempi di Noè?

— Mosè — precisò don Camillo.

— Se non è zuppa è pan bagnato — affermò Peppone. — Sono tutt'e due salvati dalle acque. Comunque, se ha deciso di pagare subito, può versare a me e io le rilascerò la ricevuta intestata a lei, al Vescovo o anche al Papa. Le confesso, reverendo, che l'idea di vedere, finalmente, un prete cacciar fuori quattrini, invece di prenderne, mi eccita.

Don Camillo serrò i denti:

— Compagno — disse — se tutti fossero come me, quella legge tu potresti usarla per accenderci la pipa.

— Fortunatamente tutti gli altri sono meglio di voi, reverendo — replicò Peppone — e quella legge ve la dovrete sciroppare. E snocciolerete anche voi le vostre lirette. In attesa di pagare il conto finale, si capisce.

Don Camillo andò a sfogarsi col Cristo dell'altar maggiore e il Cristo lo lasciò parlare a lungo, poi gli rispose:

— Don Camillo, perché ti arrovelli? Non è forse stabilito che bisogna dare a Dio ciò che è di Dio e a Cesare ciò che è di Cesare?

— Sì, Signore: ma non è stabilito che si debba dare a Peppone ciò che è di Cesare.

— In questo caso, Peppone rappresenta Cesare.

— No, Signore: rappresenta Cesare fin che si tratta di dargli il danaro dell'imposta, ma rappresenta soltanto Peppone quando si tratta di dargli una soddisfazione personale. È giusto che io tolga quel danaro ai miei poveri per dare prestigio a lui e al suo dannato Partito?

— È giusto che quella strada venga assestata, don Camillo. Perché, mentre tu cammini agevolmente all'asciutto, il prossimo tuo deve diguazzare nel fango e rovinare in esso i suoi strumenti di lavoro? Non è giusto che tu aiuti il tuo prossimo sottraendo danaro ai poveri. È giusto che tu aiuti pagando di tasca tua.

— Signore — gemette don Camillo volgendo al cielo gli occhi stupiti — e come posso pagare di tasca mia se non ho un centesimo?

— Don Camillo, io possedevo ancor meno di te perché non avevo neppure le tasche, eppure ho pagato di tasca mia.

— Pagherò — rispose don Camillo chinando il capo.

La mattina del giorno 15 Peppone era al lavoro nel suo ufficio al Municipio perché si dovevano tirare le somme dell'operazione «legge del '68», per dare inizio immediatamente ai lavori della Stradaccia.

Dei trecento possidenti sparsi nelle otto frazioni e "precettati", solo due non avevano inviato i quattrini: i due milioni necessari alla sistemazione della Stradaccia erano ampiamente superati, ma Peppone non si lasciò trasportare dalla generale euforia:

— Devono pagare tutti senza eccezioni! — urlò. — Applicate tutte le multe che potete e mettete l'importo nella loro cartella delle imposte.

— Va bene — borbottò il Brusco. — Per uno

solo dei due. Per l'altro, credo che non ci sia niente da fare.

— Non la scapperà fosse il Padreterno! — gridò Peppone.

— Vedi un po' tu — rispose il Brusco indicandogli la finestra che dava sulla piazza.

Peppone andò a dare un'occhiata e rimase senza fiato.

Erano le otto meno dieci minuti e, nel bel mezzo della piazza, stava don Camillo, ritto a braccia conserte. Vicino a lui c'era una carriola con piccone, vanga, badile, stivaloni di gomma, un fiasco di vino e la "schiaccetta" del desinare.

Naturalmente attorno al perimetro della piazza c'era il paese al completo, venuto lì a godersi lo spettacolo.

— Canchero! — rantolò Peppone tornando a sedere.

— Capo — intervenne lo Smilzo — se vuoi, scendo e lo faccio sgomberare.

— Bell'affare! — disse il Brusco. — Lui è a posto perfettamente col foglio di precetto ed è anche in anticipo sull'orario.

— La legge non obbliga a commutare le prestazioni — aggiunse il Bigio. — Lui è ancora più in ordine di quelli che pagano, perché presta la sua opera di persona.

Peppone pestò un gran pugno sulla scrivania:

— Bene! — urlò. — Alle otto in punto tu, Brusco, lo prendi in carico, lo mandi alla Stradaccia e lo fai sbadilare per tre giorni!

Il Brusco che stava spiando dalla finestra si volse:

— Capo, credo che non potrai sistemare, con la cartella delle imposte, neppure l'altro — disse.

Peppone fu, con un balzo, alla finestra e, stavolta, gli venne quasi un colpo. L'altra intimazione rimasta senza riscontro riguardava il grosso podere detto «Palazzone» condotto da un affittuario, e la cui proprietaria, la contessa Dosetti, era stata tassata per dodici giornate di lavoro più un mezzo di trasporto con traino.

Adesso, nel bel mezzo della piazza, c'era un trattore con rimorchio guidato da una ragazza in tuta e, sul rimorchio, stavano ritte altre tre persone in tuta: una formosa e bella signora sui quarant'anni, un signore della stessa età e un signorino sui vent'anni. La trattorista era la figlia dei conti Dosetti, la signora e il signore erano i conti Dosetti e il giovanotto era il figlio dei conti Dosetti.

La corona di gente attorno alla piazza si era ancora infittita. Il Brusco scosse il testone:

— Capo — disse — io do le dimissioni da assessore, da membro del Partito, da capomastro, se occorre, ma con quella banda non ci vado.

Peppone gli fece cenno di seguirlo e scese al piano.

Erano le ore otto meno tre minuti. Uscito dal palazzo municipale, Peppone, seguito dallo stato maggiore al completo, raggiunse il centro della piazza.

— Voi chi rappresentate? — domandò fermandosi davanti a don Camillo.

— Podere «La Torretta» — rispose don Camillo presentando il foglio di precetto. — Tre giornate di lavoro con carriola e attrezzi.

Mentre il Brusco prendeva nota su un libretto, Peppone ispezionò la carriola.

— E questo arnese, a cosa servirebbe? — s'informò indicando il breviario che don Camillo aveva posato sulla tuta.

— A pregare per l'animaccia tua — gli rispose a mezza bocca don Camillo.

Peppone passò all'altro reparto.

— Voi chi rappresentate?

— Podere «Palazzone» — rispose dall'alto la contessa. — Dodici giornate complessive di lavoro da liquidare in tre giorni essendo quattro gli elementi. Più carro trasporto trainato.

— Il conducente è annesso al trattore — replicò Peppone — e il suo lavoro non può essere conteggiato assieme a quello degli altri tre elementi.

— Giusto — replicò la contessa. — La ragazza viene con noi e il trattore lo guidi chi vuole.

— La ragazza non è valida agli effetti delle prestazioni d'opera — affermò Peppone. Neanche lei.

— Non vedo il perché — ribatté la contessa. — Siamo entrambe maggiorenni, di sana e robusta costituzione, e la legge del '68 parla di generiche «giornate di lavoro» senza specificare che debbano essere di lavoro maschile o femminile.

— Non sono ammesse le donne nei lavori stradali — stabilì Peppone.

— E perché? — protestò la contessa con voce squillante. — Se nella libera e civile Unione Sovietica che lei rappresenta, le donne lavorano come manovali da muratori, come minatori, come spazzini, come macchinisti, come fabbri ferrai, perché si nega a noi questa parità di diritti nei riguardi dell'uomo?

Dalla folla si levò una sghignazzata.

— Raggiungete il posto di lavoro! — ordinò

Peppone. — La ragazza rimanga alla guida del trattore, il rappresentante del podere «Torretta» salga sul rimorchio assieme ai suoi arnesi.

Quando don Camillo si fu issato sul carro, il trattore si mosse e, uscendo dalla piazza, fendette lentamente la folla.

Il rimorchio era rosso, con sovrasponde, e la bella donna e l'uomo dal viso aperto e il giovanotto dai lineamenti fini e il prete ritti in piedi appoggiati alle sponde e la folla che copriva il trattore e, magari, anche quel maledetto cielo bigio facevano ricordare certe stampe della rivoluzione francese con la lugubre carretta dei condannati alla ghigliottina.

— Certo — borbottò il preoccupato Smilzo — quando scoppierà il pasticcio finale, sarà una cosa tremenda.

— Crepa! — ruggì Peppone buttandosi dentro alla cabina dello «Sputnik».

Quando il trattore arrivò all'imbocco della Stradaccia, Peppone e il Brusco erano già lì da dieci minuti.

La prima a saltar giù fu la contessa che, piantatasi davanti a Peppone, gli disse:

—Siamo ai suoi ordini. Disponga.

— Il trattore non serve più — replicò a muso duro Peppone. — Il lavoro verrà fatto con mezzi meccanici. Ritorni pure a casa sua assieme agli altri. Le prestazioni stabilite per il podere «Palazzone» saranno considerate come effettuate.

— Peccato — si dolse la contessa — un po' di movimento ci avrebbe fatto bene.

— Non dubiti — replicò Peppone. — Per l'avvenire non mancheranno le occasioni.

Don Camillo, che aveva già scaricato carriola e arnesi, vedendo gli altri risalire, domandò:

— Vado anch'io?

— No — rispose cupo Peppone. — Lei rimane!

Il trattore, invertita la marcia, si avviò, e l'ultimo particolare che notò Peppone fu lo smagliante sorriso della contessa.

— Se crede che lo abbia fatto per i suoi begli occhi, sbaglia di grosso — borbottò Peppone.

— Figurati — gli rispose il Brusco. — Gli occhi sono forse la cosa meno interessante che porta addosso...

Arrivò don Camillo spingendo la carriola.

— Il lavoro va fatto in tre tempi — spiegò Peppone. — Vanga o piccone a seconda della durezza del fondo. Poi: badile per caricare il materiale rimosso sulla carriola. Terzo: trasporto del materiale in quel punto là, dove la ruspa lo verrà a ritirare.

Mentre don Camillo indossava la tuta e calzava gli stivaloni di gomma, Peppone disse al Brusco di prendere la macchina e di tornare in Comune per concludere il piano dei lavori.

— Vieni a riprendermi a mezzogiorno — spiegò alla fine.

Rimase solo e, vedendo don Camillo spicconare e poi sbadilare e poi spingere la carriola carica di fango e terriccio, si pentì d'aver detto al Brusco di venirlo a prendere a mezzogiorno.

Don Camillo lavorava calmo, tenace, metodico, senza parlare, e Peppone lo rimirava come uno spettacolo.

Alla fine non poté resistere:

— Più vi guardo e più mi convinco che varrebbe la pena di fare la rivoluzione soltanto per vedere i preti lavorare.

Don Camillo non rispose e Peppone non lo perse d'occhio un solo minuto.

A mezzogiorno in punto arrivò il Brusco:

— Torna in paese e portami qualcosa da mangiare.

Mangiarono in silenzio, uno di fronte all'altro, seduti ai due margini opposti della strada.

Al momento preciso, don Camillo riprese il lavoro e continuò fino a compiere le sue otto ore.

In quell'istante riapparve il Brusco:

— Porta gli attrezzi del reverendo dal Gheffi, poi carica il reverendo e conducilo alla canonica. Domattina, alle sette e quaranta, lo vai a riprendere e, se è ancora vivo, lo riporti qui — stabilì Peppone.

Don Camillo scosse il capo:

— Il signor sindaco non conosce i preti, evidentemente — ridacchiò. — Egli non sa che, se mi pagasse il lavoro come straordinario, a doppia tariffa, io farei altre otto ore come ridere.

— Vi prendo in parola! — gridò eccitato Peppone. — Brusco, tu fila e porta da mangiare, da bere e delle lanterne. Avverti quelli dell'ambulanza di tenersi pronti.

Dopo un'ora, don Camillo, fatto il pieno, riprendeva il lavoro. Di lì a poco bisognò accendere le lanterne perché era inverno e la sera cadeva presto. Il cielo era coperto e il freddo non era tale da far gelare il fango: don Camillo spicconava, sbadilava e scarriolava come se fosse azionato da un motore Diesel.

In realtà, la fatica, col passar del tempo, gli diventava sempre più pesante. A un certo punto incominciò a girargli la testa e dovette fermarsi.

— Se non ce la fate più potete smettere — lo avvertì Peppone.

— Riserva il tuo buon cuore per le contesse — gli rispose don Camillo, rimettendosi a spicconare.

Alle dieci di notte, don Camillo non aveva più niente che non gli dolesse e pareva che, da un momento all'altro, le braccia gli si dovessero schiantare. Ma non mollò.

La sfida durò ancora mezz'ora, poi il più debole dei due cedette:

— Basta! — urlò Peppone. — Debito pagato. Domani avrete la ricevuta.

— Per me è indifferente — rispose don Camillo che a malapena riusciva a reggersi in piedi.

— Salite in macchina e piantatela! — ordinò Peppone.

— Non si disturbi, signor sindaco, posso tornare a piedi. Debbo riportare al Gheffi il suo badile: al mio si era rotto il manico e me n'ha prestato uno dei suoi.

S'incamminò traballando, ma Peppone gli strappò l'arnese di mano:

— Faccio un salto io — disse. — Voi intanto rimettetevi in divisa da prete. Avete già recitata abbastanza la parte del lavoratore.

— Gesù — disse don Camillo al Cristo Crocifisso — eccomi qua. Come vedete, anch'io sono riuscito a pagare di tasca mia anche senza avere un soldo in tasca.

— T'è andata bene: a te, almeno, hanno fatto

uno sconto — rispose sorridendo il Cristo. — Comunque, ognuno paghi secondo la tasca sua. Ora puoi andare a letto contento, don Camillo, perché, senza togliere niente ai tuoi poveri, hai dato a Cesare ciò che spettava a Cesare.

— In un certo senso — aggiunse don Camillo — ho dato anche a Peppone ciò che spettava a Peppone.

Esatta considerazione perché Peppone, tornato dall'aia del Gheffi e trovata, al posto dello «Sputnik», la carriola di don Camillo, stava ora viaggiando, *pedibus calcantibus*, verso il paese spingendo la carriola.

Erano le ore 23 e tutto andava bene.

Primavera

LA STRADA DEL BENE

D'improvviso l'aria si scaldò. Succedeva sempre così da quelle parti: per mesi e mesi tutto filava liscio come un olio e pareva che dovesse durare in eterno. Ed ecco che, di botto, Peppone andava su di pressione e incominciavano i guai.

Peppone era stato chiamato dai capi di città e, al suo ritorno, aveva una grinta che segnava tempesta. Evidentemente gli avevano dato la carica per la campagna elettorale: riprendeva la solfa di cinque anni prima.

Il primo comizio venne preparato con cura e, il pomeriggio del sabato, la piazza era zeppa di rossi piovuti da tutte le parti.

Don Camillo capitò in mezzo a quella baraonda proprio per un caso disgraziato: doveva ritirare un sacco di farina di granturco a Castelletto e, così, aveva attaccato alla pistoiese il suo vecchio brocco. Il quale brocco si chiamava Peppo: anche questo era un caso, perché don Camillo gli aveva appiccicato quel nome senza la minima intenzione allusiva e — come andava dicendo in giro — adesso gli dispiaceva se, a causa del dialetto che non permetteva di far distinzione fra *Pepò* cavallo e *Pepò* Peppone, si potesse pensare a Dio sa mai quali mire nascoste.

Spiegava che aveva provato cento volte a cambiar nome alla bestia, ma che il cavallo, se non lo si chiamava *Pepò*, non si muoveva.

— Bisognerebbe che il signor sindaco cambiasse nome lui — concludeva ogni volta don Camillo.

Don Camillo, dunque, attaccò il brocco alla pistoiese, buttò sullo schienale la regolamentare pelle di pecora e poi uscì dal cortile della canonica con la onesta intenzione di traversare la piazza e imboccare la strada per Castelletto.

Ma si trovò davanti una marea di gente che, quando don Camillo diceva «Permesso?», si voltava a guardare con l'espressione di uno che pensa: "Chi è questo stramaledetto che pretenderebbe di farmi spostare?".

E poi, immediatamente, apparve lo Smilzo che funzionava da servizio d'ordine.

— Alt — disse lo Smilzo.

— Devo andare a Castelletto — spiegò don Camillo. — Se mi sai indicare come posso arrivarci senza attraversare la piazza...

— Aspettate che il comizio sia finito e poi passerete! — replicò categorico lo Smilzo.

Don Camillo allargò le braccia e se ne stette buono buono a fumare il suo mezzo toscano nell'attesa che gli dessero via libera.

Peppone prese la parola: si capiva benissimo che aveva visto don Camillo bloccato là in mezzo e che non voleva lasciarsi scappare l'occasione di fargli intendere che aria tirasse.

— Anche se qualche reazionario con le orecchie foderate di prosciutto non se ne è accorto, è più che mai vicino il momento della riscossa proletaria! Molti si illudono vedendo che il proletariato per un certo periodo non si agita e non fa baccano. Il proletariato è come un cannone che spara non per il gusto di sparare, ma soltanto quando ha individuato l'obiettivo da battere. Sentirete presto il rombo del cannone! La cosiddetta classe dirigente che sfrutta e tiranneggia il proletariato sta per finire il suo comodo giuoco. La classe dirigente è il popolo che lavora e produce, e che deve avere il posto che gli spetta...

Peppone continuò per un bel pezzo su questo tono, e a un certo momento, urlò:

— Nessuno potrà mai fermare la marcia trionfale dell'idea proletaria: nessuno. Neanche se sa pensare in americano e parlare in latino! Chi ha buon orecchio intenda!

Tutti si volsero sogghignando verso don Camillo e don Camillo domandò ad alta voce rivolto verso la tribuna:

— Dice a me?

— No, parlo al suo cavallo che ha orecchie migliori e intende meglio! — esclamò Peppone.

Don Camillo ritornò a disinteressarsi di ogni cosa dopo aver osservato:

— È logico, fra cavalli ci si capisce...

Dopo Peppone prese la parola qualcun altro e allora don Camillo, vedendo che la faccenda minacciava di non finire più, rimise in moto Peppo e tornò nel cortile della canonica.

Passato un quarto d'ora, i discorsi erano finiti,

ma la gente rimase a chiacchierare in piazza e Peppone e il suo stato maggiore tenevano un supplemento di comizio all'ombra del palco.

Ed ecco riapparire don Camillo: però non aveva più il biroccino ma una carretta a sponda alta e, fra le stanghe, non c'era il cavallo, bensì don Camillo. Il cavallo stava sul barroccio e portava attorno al collo un grande fazzoletto rosso.

La gente rimase a rimirare a bocca spalancata quello spettacolo e don Camillo, sempre trascinando il suo barroccio, incominciò l'attraversamento della piazza. Arrivato davanti al palco, si fermò e si sedette su una stanga della carretta, cavando di saccoccia il fazzoletto per asciugarsi il sudore.

Incontrò lo sguardo di Peppone:

— Vede? — spiegò sbuffando don Camillo — quale potenza ha la propaganda quando è fatta bene come la fa lei? Dopo aver sentito il suo discorso, il cavallo, che ha buone orecchie, non ne ha più voluto sapere di tirare il barroccio: «Adesso tocca a noi!» ha detto il cavallo. E così mi sono dovuto mettere io fra le stanghe. Bisogna proprio convincersi che il mondo va fatalmente a sinistra.

Peppone avanzò di qualche passo e si piantò davanti a don Camillo, coi pugni piantati sui fianchi e la faccia feroce.

— Proprio così — disse sorridendo don Camillo. — Il guaio è che, adesso, per me è difficile capire dove voglia andare il cavallo.

Peppone si buttò il cappello all'indietro:

— Cosicché per lei i proletari sono delle bestie! — disse con voce cupa.

— Non saprei — rispose don Camillo. — Provi a domandarlo al cavallo che ha orecchie migliori delle mie e capisce più di me.

Per fortuna, in quel momento arrivò il maresciallo dei Carabinieri e non successe quel che stava per succedere. Vedendo don Camillo combinato in quel modo, il maresciallo rimase senza fiato.

— Che pasticcio è questo? — domandò il maresciallo.

— Niente — rispose don Camillo rimettendosi fra le stanghe e facendo manovra per ritornare al cortile della canonica. — È la rivoluzione proletaria che, salita sul barroccio e preso il posto della vecchia classe dirigente, guida il Paese verso radiose mete.

Rimesso nella stalla il cavallo, don Camillo andò a dare un'occhiatina in chiesa e, passando davanti all'altar maggiore, udì la voce del Cristo Crocifisso:

— Don Camillo, perché hai fatto quella stramberia?

— Non è una stramberia — rispose don Camillo — ma un apologo figurato, per dimostrare la balordaggine della tesi di Peppone.

— È un apologo che non quadra; tu, così facendo, hai esasperato ancor di più l'animo di quella gente. Tu hai provocato quella gente.

— No — affermò don Camillo. — Il provocato sono io. È stato Peppone a tirare in ballo la faccenda del cavallo. Egli ha detto che non parlava a me ma al cavallo che sa intendere meglio di me. E allora io sulla carretta ho messo il cavallo, e ho preso il suo posto fra le stanghe.

— Meriteresti di rimanerci, don Camillo. Tu non rappresenti la fazione opposta a quella di Peppone: tu devi rappresentare la saggezza che interviene fra le due fazioni opposte e le riconduce al rispetto della Legge eterna. Se tu ti metti sotto la bandiera d'una fazione, come potrai mostrare le tavole della Legge eterna agli uomini dell'altra fazione e dire: «Queste sono le Leggi di Dio»? Essi ti risponderanno: «No: sono le leggi della fazione a noi nemica!».

Don Camillo allargò le braccia:

— Gesù, le fazioni sono due: quella di Cristo e quella dell'anticristo. Io non posso starmene in mezzo fra le due, ma debbo combattere nelle file di Cristo.

— Don Camillo: tu bestemmi facendo del tuo Dio il capo di un partito. Tu bestemmi doppiamente sia perché poni la sorte di Dio alla mercé del risultato finale della lotta fra due fazioni, sia perché ritieni che il tuo Dio possa schierarsi a favore d'una fazione e contro un'altra fazione. Nei confronti della legge creata dagli uomini, esistono uomini ossequienti alla legge, uomini violatori della legge e uomini che tutelano la legge. Ma l'uomo giusto non dice: io sono con la legge quindi debbo militare nelle file dei tutori della legge. L'uomo giusto è semplicemente con la legge e vigila sulla integrità della legge per evitare che i tutori della legge tutelino la legge con atti contrari alla legge. Esiste la Legge divina ed esistono uomini che operano contro la Legge divina e uomini che combattono in nome del trionfo della Legge divina. Ma il tuo posto è fuori dalle fazioni, di guardia alla Legge divina affinché nessuno possa toccarla, affinché essa conservi la sua integrità; e pura, immacolata, splendente, possa essere mostrata come supremo monito ai contendenti dell'una e dell'altra parte.

Don Camillo sollevò gli occhi al cielo.

— Gesù, cosa posso fare, allora? Rimanere fermo mentre gli altri camminano?

— Cammina, don Camillo: cammina diritto per la strada del Signore. E se troverai che altri cammina per la tua stessa strada, rallegrati nel più profondo del cuore. E se, ad un tratto, ti trovi solo perché gli altri che camminavano al tuo fianco sono usciti dalla strada del Signore per prendere una scorciatoia, rattristati, ma rimani nella strada del Signore. Richiamali a gran voce, implorali di rientrare nella via giusta, ma non uscire dalla strada del Signore. Mai, don Camillo, mai! Non ti spinga il fatto di vedere che la scorciatoia presa da chi camminava con te si ricongiunge poco dopo con la strada del Signore e abbrevia il cammino. La strada del Signore *non ha scorciatoie*. Chi, pur per un istante, esce dalla strada del Bene, cammina nelle vie del Male. Se sempre camminerai per la strada del Bene, tu sarai la voce che richiamerà sulla retta via i viandanti che ne sono usciti.

Don Camillo chinò il capo.

— Gesù — sussurrò — fate che io mai perda l'orientamento.

— Se sempre terrai l'occhio fisso al Segno che indica il culmine del monte là dove termina la terrena via del Bene e dove incomincia la via dei Cieli, non sbaglierai mai, don Camillo. Se questo Segno tu, ad un tratto, non vedi più, significa che sei fuori strada perché chi cammina nella via giusta ad ogni istante vede quel Segno. Rientra nella via giusta e rivedrai quel Segno. *In hoc signo vinces.*

— Vinceremo — sussurrò don Camillo con umiltà.

L'aria continuò a scaldarsi perché la storia del proletariato-Peppo trascinato dalla pseudo-classedirigente-don-Camillo aveva avuto un grande successo nel paese e nei dintorni. Ma don Camillo voleva rimanere nella strada giusta e perciò, pur soffrendo pene d'inferno, rifiutò a se stesso il permesso di uscir di casa e di immischiarsi nella faccenda.

Ma un giorno non resistette più, e fu quando accadde il pasticcio della lapide.

La lapide l'avevano murata in via Castelletto, allo sbocco nella piazza grande, nel 1942, e, da allora, via Castelletto aveva cambiato nome, in quanto sulla lapide stava scritto:

Via
LUIGI BRAMBELLI
Medaglia d'Oro
caduto eroicamente
sul fronte russo

Questo Luigi Brambelli era l'unico figliolo della vedova Brambelli, la Desolina del Crocilone. Quando Luigi Brambelli cadde combattendo in Russia, lasciò un bambinello d'un paio d'anni e la moglie sulle spalle della Desolina. Due spalle buone, perché la Desolina aveva sempre lavorato sodo nella sua vita. La Desolina andava di rado in paese e, ogni volta che ci andava, prendeva la strada più lunga, quella di Castelletto, perché lo scopo principale del viaggio era quello di passare davanti alla lapide che ricordava il nome del suo ragazzo.

Intanto il ragazzino cresceva e incominciò anche lui ad andare a scuola in paese. La Desolina aspettò che finisse la prima classe poi, un giorno, lo accompagnò davanti alla lapide e gli ordinò:

— Leggi.

Il ragazzino, compitando, lesse ad alta voce

quel che stava inciso sul rettangoletto di marmo.

— Ecco — gli spiegò allora la Desolina. — Quello è tuo padre.

La cosa rimase molto impressa nella mente del ragazzino. E il ragazzino tornò da solo e spesso, davanti alla lapide, sempre rileggendo quel che stava inciso sul marmo.

Poi, quando riprese la scuola, adottò sistematicamente la strada del Castelletto, così passava in via Luigi Brambelli due volte al giorno.

Cosa ci passasse per fare non si sa: roba da ragazzi. Comunque ci passava prima a piedi e poi, quando fu arrivato in quarta classe, in bicicletta.

E, un mezzogiorno, il ragazzino rincasò molto triste e, siccome sua madre e la Desolina insistevano per sapere cosa gli fosse successo, si mise a piangere e spiegò che la targa stradale col nome del papà non c'era più.

La Desolina arrotolò il grembiale legandolo alla cintura e andò in paese a controllare. Il ragazzino aveva ragione: al posto della lapide col nome di Luigi Brambelli ne era stata murata un'altra.

Corse su in Comune e il segretario si limitò ad allargare le braccia:

— È stata una decisione del Consiglio: ecco qui il verbale. Hanno cambiato anche altri nomi di strade e piazze. Non so niente di più.

La Desolina non insistette: tornò a casa, si mise il vestito della festa e partì per la città. Ritornò a notte fatta con un grosso involucro legato al manubrio.

La Desolina era una donna spiccia, di quelle abituate a far di tutto: la mattina seguente, col suo fagotto sotto il braccio, si avviò verso il paese accompagnata dal ragazzino.

In paese trovò in prestito una scaletta, l'appoggiò al muro sotto la lapide e, tirati fuori di saccoccia un martello e uno scalpello, salì sulla scaletta e si mise tranquillamente a scalzare l'intonaco attorno alla targa nuova.

Dopo pochi minuti, arrivava il capoguardia urlando: ma la Desolina non aveva la minima intenzione di scendere. Si formò attorno alla scaletta un gran cerchio di gente, poi subito apparve Peppone.

— Si può sapere cosa state facendo? — gridò Peppone.

— Tiro via questa lapide e ci metto quella di mio figlio — rispose la Desolina. — Sono andata in città a farla rifare.

Il ragazzino, ai piedi della scala, stava di guardia alla lapide che aveva tolto dall'imballo e appoggiata al muro.

— Venite giù e smettetela di fare stupidaggini! — gridò Peppone.

La Desolina si volse verso Peppone:

— Non faccio stupidaggini — rispose. — Il nome di mio figlio era qui e deve ritornare al suo posto. Una stupidaggine l'ha fatta chi ha cambiato la lapide.

— È una decisione del Consiglio — replicò Peppone. — È il Consiglio che ha stabilito di cambiarla.

— E perché? Cos'ha fatto di male mio figlio?

Peppone si strinse nelle spalle.

— Per favore, venite giù e lasciate perdere — disse. — Voi siete sua madre e a una madre si perdona tutto: però voi sapete benissimo chi era vostro figlio.

— Mio figlio è uno che è morto in guerra.

— Sì, è morto in guerra — replicò Peppone.

144

— Però è stato anche uno di quegli scalmanati che l'hanno voluta la guerra. Ce lo ricordiamo.

— Mio figlio era un ragazzo quando è andato a fare il fantaccino in Russia. E la guerra non l'ha voluta lui. Era un ragazzo come centomila altri e, come centomila altri, ha combattuto e ha fatto onore al suo Paese.

Peppone fece un gesto d'impazienza.

— Onore! Onore una guerra persa! Una guerra sbagliata!

— Mio figlio la guerra l'ha vinta. Non si dà la Medaglia d'Oro a uno che perde. Voi l'avete persa, la guerra, non mio figlio. E ha combattuto una guerra giusta, tanto è vero che il Re gli ha dato la medaglia. I Re non danno medaglie se un soldato non è nel giusto.

— I Re giusti! — esclamò Peppone. — Il guaio è che quello era un Re sbagliato, tanto è vero che adesso non c'è più perché l'hanno cacciato via.

— Però l'Italia è sempre quella. Non è cambiata.

— È cambiata sì! — gridò Peppone. — Per fortuna è cambiata. Adesso è finita la frenesia guerrafondaia e si fanno le cose ragionando, non sragionando.

La Desolina guardò la lapide ancora fissata al muro.

— Ma chi sarebbe questo Gramsci che ha preso il posto di mio figlio? In che guerra è morto se mio figlio è caduto in quella sbagliata?

— In quella giusta! Nella guerra che il popolo combatte per la libertà e il progresso — gridò Peppone. — Per la libertà, per il progresso e per la pace!

— Non me ne intendo — replicò la Desolina.

— Io so che questo Gramsci non è un nome di qui.

— Gramsci è un nome mondiale, universale! — gridò Peppone — e in tutta l'Italia non c'è città o paese che non gli abbia dedicato una via o una piazza.

— E non ne aveva abbastanza? — protestò la Desolina. — Proprio al mio ragazzo doveva venire a portar via il posto?

Peppone tirò il fiato lungo perché doveva dire una roba grossa, poi sentenziò:

— È triste per voi, ma è così. È la nemesi storica, cara la mia brava donna. È l'ordine che subentra al disordine. È la storia vera che si sostituisce alla storia falsa.

La Desolina non seppe cosa rispondere. Sospirò, allargò le braccia e disse con voce piena di angoscia:

— E allora, se tutto è cambiato, il mio ragazzo è come se fosse morto cadendo giù dal fienile. Una disgrazia. Ma, almeno, quelli che muoiono cadendo dal fienile, li seppelliscono qui. Mio figlio è rimasto chi sa dove: qui c'era soltanto il suo nome. Adesso è proprio perso del tutto.

Il ragazzino non aveva fiatato: con la sua lapide stretta fra le braccia aveva continuato a guardare Peppone. E Peppone se li era sentiti, quegli occhi, addosso da un pezzo: ma ora li vedeva. Occhi senza lagrime ma pieni di orrore. Gli occhi del figlio che guarda colui che gli ha ammazzato il padre.

Peppone fece fatica a distaccare lo sguardo da quegli occhi. Ci riuscì e guardò in su e dal muro, dalla targa di marmo, sopra la scaletta, la voce gelida del Partito gli ordinava: «Obbedisci!».

Don Camillo si fece avanti:

— Desolina, siate ragionevole. Non potete

mettervi contro la legge. Le leggi non si possono discutere, si obbediscono.

La donna discese e andò a restituire la scaletta.

Don Camillo si avviò dopo aver fatto un cenno al ragazzino che lo seguì stringendo sempre la sua lapide fra le braccia.

Passando davanti a Peppone, il ragazzino guardò in su per un istante.

Arrivato alla porta della canonica, don Camillo si fermò e si volse.

— Adesso vai a scuola che è tardi, lascia tutto qui, poi a mezzogiorno torna qui.

Il ragazzo consegnò a don Camillo la lapide e se ne andò. E don Camillo rimase sull'uscio, con la targa di marmo fra le mani.

— Gesù — sussurrò dopo lunga meditazione — non so se adesso io continuerò per la strada del Bene o scivolerò per quella del Male. Perdonatemi se sbaglio, ma debbo trovare un'altra strada.

E la strada era lì, tra il fianco della canonica e il fianco della chiesa: una stradetta lunga sì e no otto o nove metri. Una stradetta che, finito il rustico della canonica, diventava un viottolo e si perdeva in mezzo ai campi. Una stradetta in disuso, tant'è vero che don Camillo l'aveva chiusa con un cancello di ferro.

Don Camillo entrò in canonica a cercare gli arnesi e la scaletta. Appoggiò la scaletta al muro della canonica e, trovato il punto dove il muro era meno gibboso, prese le misure e con martello e scalpello forò i quattro buchi.

Adesso però veniva il difficile perché occorrevano il cemento e le quattro graffe di ferro.

Ridiscese e si trovò davanti Peppone.

Vi porto tutto io fra dieci minuti — borbottò Peppone.

Don Camillo non aveva chiesto niente, ma non si stupì che qualcuno sapesse quel che egli aveva solo pensato.

Peppone tornò di lì a poco con le quattro graffe e un cartoccio di cemento rapido.

Lo Smilzo rimase dieci metri indietro, in posizione strategica a badare che non arrivasse gente.

Peppone salì sulla scaletta e murò la targa di marmo.

Lo Smilzo fischiò e Peppone fece appena in tempo ad agguantare la scaletta e a portarla nell'andito della canonica.

Don Camillo era già nella saletta che aveva una finestra proprio sotto la lapide. I telai a vetri erano socchiusi e dalla fessura don Camillo stava curiosando per vedere chi arrivasse.

Peppone andò a sbirciare anche lui per sentire come si commentasse la novità.

Arrivò in bicicletta il ragazzino. Giunto davanti alla porta, fece per entrare ma qualcosa attirò la sua attenzione perché si spostò fin sotto la finestra e guardò in su.

Vide la lapide e sorrise.

— Ciao, papà — disse.

Poi saltò sulla bicicletta e, infilato il cancello e la viottola, scomparve tra i campi.

Via Luigi Brambelli era ufficialmente inaugurata.

Si trattava di una viottola di origine poderale che da almeno vent'anni nessuno adoperava più. Ma portava al Crocilone accorciando di mezzo chilometro buono la strada. E il Crocilone era un piccolo borgo isolato nel quale l'apparizione di una motocicletta o d'un furgoncino rappresentava una novità sensazionale. Perciò Peppone disse una tremenda stupidaggine quando comunicò a don Camillo: — Questa scorciatoia può servire per decongestionare il traffico della strada del Crocilone. Manderò un paio di uomini a sistemarla un po'.

— Io oggi stesso faccio cavare il cancello — aggiunse don Camillo.

Don Camillo pensò che la strada del Bene poteva magari chiamarsi, in un certo punto, *Via Luigi Brambelli* e su di essa egli, magari, poteva trovarsi a camminare per un certo tempo a fianco di Peppone. Sorrise.

Peppone interpretò male quel sorriso e avviandosi per uscire esclamò:

— Il proletariato non è un cavallo che non sa dove deve andare. Il proletariato è fatto di uomini che conoscono perfettamente la loro meta.

— Lo dirò a Peppo — rispose calmo don Camillo. — Così darà le dimissioni da proletariato e ritornerà a fare il cavallo.

— Bene — replicò duramente Peppone. — Se poi voi ritornaste a fare il prete sarebbe ancora meglio.

— Già fatto — spiegò calmo don Camillo. — Dio sia con te e ti illumini, compagno sindaco, cosicché un giorno, concluso il nostro cammino terreno, possiamo ritrovarci fianco a fianco all'inizio della strada che conduce verso l'eternità.

Il tono della voce di don Camillo era così umile e sommesso che Peppone si stupì:

— Roba da matti! — borbottò. — Stai a vedere che, adesso, diventa cristiano anche l'arciprete!

IL CAMION DI TROIA

Incominciò a piovere un sabato mattina e continuò a piovere per sette giorni filati.

Non s'era mai visto un aprile così maledetto: i canali si gonfiarono e, ben presto, l'acqua tracimò, o ruppe gli arginelli, o scavò grotte sotto la muratura delle chiuse e coperse le strade basse e migliaia di biolche di terra coltivata.

Il diluvio finì improvvisamente verso il mezzogiorno di sabato: il vento spazzò via le nubi, e il sole, come per un miracolo, riapparve caldo e sfolgorante, nel cielo pulito.

Da un pezzo don Camillo doveva andare, per affari suoi, oltre il fiume e, quel sabato, com'ebbe finito di desinare, montò in bicicletta e partì.

Il fiume era cresciuto parecchio e l'acqua fangosa scorreva rapida, ma il guardiano tranquillizzò don Camillo che, superato l'argine, s'era fermato esitante all'imboccatura del ponte di barche:

— Qui, nessun pericolo: il livello continua a

calare. Il pericolo è lassù, reverendo. Ho paura che, se non si spiccia, si bagnerà.

In pochi minuti, il cielo aveva cambiato completamente fisionomia e andava coprendosi di nuvoloni minacciosi: don Camillo risalì in sella e continuò la sua strada.

In quel punto il grande fiume si allarga e pare un pezzo di mare, il ponte è lungo e, a doverci passare sopra quando l'acqua è alta, fa una certa impressione; ma don Camillo si preoccupava soprattutto di un grosso autocarro che lo incalzava e che, a giudicare dal putiferio combinato dalle ruote sull'assito del ponte, doveva essere pilotato da uno stramaledetto pieno di fretta.

Don Camillo pigiò forte sui pedali ma, arrivato nel bel mezzo del ponte, non avrebbe mai voluto averlo fatto. Riuscì a bloccare il biciclo appena in tempo fermandosi a una spanna dal crepaccio che gli si era aperto improvvisamente davanti e che andava allargandosi rapidamente. Sotto la spinta dell'acqua limacciosa, l'ancoraggio di qualche barcone aveva ceduto e il ponte stava troncandosi.

Lasciò cadere la bicicletta sull'assito e levò gli occhi al cielo per ringraziare il Padreterno, ma uno stridore improvviso di freni, accompagnato dal putiferio che possono combinare un clacson e un camionista imbestialito, gli fecero fare un balzo.

L'autocarro si fermò a pochi centimetri dalla bicicletta e schizzò fuori dalla cabina un grosso arnese che, gesticolando e ruggendo, marciò su don Camillo.

Il grosso arnese fece poca strada perché si accorse subito di quanto aveva indotto don Camillo a bloccare il biciclo e, allora, rimase lì allocchito a rimirare l'acqua fangosa che ribolliva a poco più d'un metro dalle ruote anteriori dell'autocarro.

Un ormeggio tirò l'altro: l'acqua aveva ormai tagliato il ponte e bisognava spicciarsi a tornare indietro. Ma quando don Camillo si chinò per tirar su la bicicletta e il camionista si volse per raggiungere la cabina, era troppo tardi. S'udì uno schianto di travi spezzate e, poco dopo, i barconi di cemento che reggevano il pezzo di tavolato sul quale stavano don Camillo e il camion si staccarono dal resto del ponte.

Fu questione di secondi: trascinato dalla corrente, lo zatterone si staccò dal ponte e percorse una decina di metri prima che don Camillo e il camionista si rendessero conto di quel che stava succedendo.

— E adesso — gemette angosciato il camionista — cosa si fa?

— Se il signor sindaco non dispone della marcia in alto — rispose don Camillo — non vedo che cosa possa fare.

— Ma qualcosa bisognerà pur fare — gridò disperato Peppone. — Sono appena due mesi che ho comperato quel camion e mi sono indebitato fino agli occhi!

Don Camillo si strinse nelle spalle:

— Provi a raccomandarsi l'anima al ministro sovietico della marina — suggerì.

Peppone non rispose: gli volse la schiena e andò a chiudersi nella cabina dell'autocarro.

Lo zatterone navigava bene: il tavolato poggiava su sei gagliarde chiatte di cemento e, siccome la Divina Provvidenza aveva fatto fermare il camion nel bel mezzo del tavolato, il carico risultava giustamente equilibrato. Non c'era di che preoccuparsi esageratamente, anche perché l'autocarro trasportava mercanzia di gran volume ma di poco peso. Fieno non imballato ma sfuso e coperto da un gran telone impermeabile. La pioggia aveva ripreso a cadere violenta e don Camillo pensò di ripararsi sotto il fianco sinistro del camion: questo l'induceva ad ammettere che la situazione era meno tranquillizzante di quanto l'avesse giudicata.

Le chiatte non erano sei ma due gruppi di tre: quindi non si doveva parlare di un tavolato unico, bensì di due tavolati ognuno dei quali poggiava su travi che tenevano uniti tre barconi. E i due elementi di ponte erano agganciati assieme con graffe di ferro piantate all'estremità delle travi esterne.

Queste graffe s'erano sconficcate e, lentamente, i due mezzi pontoni andavano allontanandosi. Adesso distavano già mezzo metro e, siccome le ruote anteriori del camion poggiavano su uno dei due tavolati e quelle posteriori sull'altro, l'autocarro correva il rischio, una volta allargatasi la frattura, di finire dentro l'acqua.

Non c'era da perdere tempo in chiacchiere: don Camillo spalancò la portiera della cabina e, agguantato per una gamba Peppone, lo tirò giù: — Compagno — gli spiegò indicandogli la fessura che andava allargandosi sotto il camion — o riunifichi la base o finisci nell'acqua con tutti i viveri di conforto per i tuoi attivisti d'assalto.

Peppone diventò smorto: con un balzo si portò dietro al camion e, sacramentando come un dannato, allentò le funi che tenevano teso il telone impermeabile; cavati gli spinotti, abbassò la sponda ribaltabile. Ma non venne giù fieno, venne giù gente.

Sbucarono fuori lo Smilzo, il Brusco, il Lungo e le altre peggiori facce della banda di Peppone per un totale di venti attivisti d'assalto.

Si capiva che non trovavano la situazione molto soddisfacente, però non fecero confusione e rimasero in attesa di ordini.

Disgraziatamente Peppone, cavata la ciurma di sotto il fieno, non sapeva che altro fare e don Camillo dovette intervenire:

— Blocca le ruote anteriori e fai marcia indietro! — urlò don Camillo.

Allora tutti capirono, strapparono travi e assi e graffe dal pontone e imbrigliarono le ruote anteriori del camion in modo che non potessero più muoversi. Poi Peppone avviò il motore, innestò la retromarcia e, dosando con garbo frizione e acceleratore e sudando adeguatamente, riuscì a far accostare i due tronconi di ponte. Gli altri li agganciarono con graffe e funi e così avvenne la riunificazione della base.

Mentre la ciurma si arrabattava a saldare la frattura, don Camillo non poté evitare di ficcare la testa dentro il buco nero aperto dalla sponda ribaltata.

Si trattava d'un lavoro ben fatto: sul cassone del camion era stata costruita una robusta gabbia di legno; sopra e tutt'attorno alla gabbia, era poi stato sistemato il fieno, coperto a sua volta dal telone impermeabile. L'accesso alla gabbia imbottita di fieno era dietro e la sponda ribaltabile funzionava da porta.

— Il camion di Troia! — esclamò don Camillo cavando la testa dalla gabbia.

E, siccome Peppone era lì, ritenne giusto aggiungere:

— Mi dispiace. Se avessi saputo che mercanzia portavi, non t'avrei avvertito. Un'occasione come questa non mi capiterà mai più. Peccato.

Peppone non rispose e don Camillo continuò:

— Peccato davvero: il capobanda con tutto lo stato maggiore e la squadra di assalto. Andavate a svaligiare qualche banca?

— Andavamo a sostenere i diritti dei lavoratori di Viarana — rispose Peppone.

— Nascosti sotto il fieno?

— Tutto serve quando si tratta di giocare la polizia. La dimostrazione dei mezzadri di Viarana è stata proibita e la Celere sorveglia tutte le strade che portano a Viarana. Bisognava trovarsi là senza farci notare.

Lo zatterone continuava a navigare nell'acqua fangosa, sotto la pioggia scrosciante: gli uomini ritornarono dentro la loro gabbia riparata dal telone cerato dopo aver aperto un finestrino nella coltre di fieno per non perdere d'occhio la situazione.

Peppone ritornò nella cabina e don Camillo lo seguì.

— Se il Padreterno non ci aiuta, qui ci scappa un disastro — borbottò Peppone dopo un lungo silenzio.

— Vi ha già aiutati anche troppo — replicò don Camillo.

— Voi non sapete cosa costa un Fiat 82 nuovo di trinca —affermò Peppone. — Se il Padreterno me lo fa riportare a casa sano e salvo, giuro che...

— Che cosa?

— Lo so io.

In quell'istante scoppiò un gran putiferio: la banda era uscita dalla gabbia e si sbracciava rivolta verso l'argine, sul quale una piccola folla urlava gesticolando.

La voce era corsa rapidamente per i paesi lungo le rive del fiume e i soccorsi non potevano tardare.

Peppone si riscosse:

— Gettate il carico! — ordinò saltando giù dalla cabina.

In dieci minuti il cassone del camion si svuotò e i frantumi della gabbia presero la via del fiume assieme al fieno.

— Adesso il reverendo potrà raccontare ciò che crede — spiegò alla fine Peppone. — Le prove sono distrutte e potremo sempre rispondergli che è matto.

Don Camillo tentennò il capo e volse gli occhi al cielo:

— Gesù — disse ad alta voce — questa è la riconoscenza per il servizio che gli ho reso.

— Il servizio che ci avete reso non vi dà il diritto di renderci ridicoli davanti alla gente — replicò Peppone.

Un rimorchiatore si staccò dalla riva e, quand'ebbe finalmente raggiunto lo zatterone, gli si affiancò. Gli uomini del rimorchiatore tentarono di agganciare con un cavo lo zatterone ma dovettero rinunciare per il timore di spezzarlo in due.

— Intanto salviamo le gente — disse alla fine il comandante del rimorchiatore. — Poi, se si potrà, si cercherà di salvare il camion.

Gli uomini della banda salirono senza farsi

pregare sul rimorchiatore ma, venuto il suo turno, Peppone scosse la testa:

— Io rimango. Il camion è mio e non lo abbandono.

Peppone lo conoscevano tutti, lungo il fiume, e sapevano che nessuno sarebbe mai riuscito a fargli cambiare idea.

— Va bene — gli risposero.

Don Camillo, che era già sul rimorchiatore, saltò sullo zatterone e quelli del rimorchiatore gli domandarono se fosse diventato matto.

— Rimango anche io. La bicicletta è mia e non l'abbandono — spiegò.

— Non preoccupatevi della bicicletta: quella si salva di sicuro — insisté il comandante del rimorchiatore.

— Mi preme che si salvi anche l'anima di quel disgraziato — replicò don Camillo. — Metti il caso che succeda il guaio e che lui si penta *in extremis* dei suoi delitti: il mio dovere è di spedirlo di là con tutte le carte in regola.

Il rimorchiatore s'allontanò e lo zatterone continuò a navigare.

Peppone, seduto sul tavolato a prua, guardava muto davanti a sé.

— Là c'è l'isola — borbottò ad un tratto. — Se i barconi la toccano, il ponte si spacca e il camion è finito.

— Pensa alla pelle — gli rispose don Camillo. — Di camion continuano a farne ancora.

— Ma io, di debiti, non ne posso più fare.

L'isola in mezzo al grande fiume era sommersa completamente: emergeva soltanto la cima di qualche ciuffo di giunchi e lo zatterone puntava diritto proprio su quei giunchi. Peppone vedeva i giunchi avvicinarsi e li guardava con occhi sbarrati, mordendosi le mani.

Oramai la sorte dello zatterone pareva decisa ma, a pochi metri, capitò in un risucchio che gli fece mutar direzione spingendolo verso riva.

L'ostacolo era superato.

— Il Padreterno mi ha aiutato — ansimò Peppone asciugandosi la fronte bagnata di sudore.

— Di sicuro non lo ha fatto per te, ma per un riguardo alla Fiat — precisò don Camillo asciugandosi anche lui la fronte fradicia di sudor freddo.

La sera incominciò a cadere e lo zatterone continuò a navigare sul filo della corrente. Poi, d'improvviso, parve cambiare idea e accostò decisamente verso riva, rimanendo lì a gingillarsi in un giochetto complicato di correnti e di risucchi.

E lì lo raggiunsero più tardi tre rimorchiatori e poterono agganciarlo in modo da impedirgli di spaccarsi.

Incominciò il viaggio controcorrente e soltanto a notte fatta lo zatterone raggiunse il suo approdo normale.

Il fiume era calato e la corrente diminuiva continuamente di forza: ma fu necessario lavorare duramente fino alle tre del mattino per ancorare lo zatterone e riunirlo ai due tronconi di ponte. Allo scopo di aiutare Peppone a togliersi dai piedi col suo dannato camion, lo zatterone fu riagganciato in modo che avesse la prua dove prima aveva la poppa.

Così, quando tutto fu pronto e le ruote furono liberate, Peppone risalì in cabina, avviò il motore e partì.

Intanto don Camillo, ripresa la sua bicicletta, aveva raggiunto la strada sull'argine e pedalava verso il borgo.

Il camion di Peppone teneva un'andatura da cristiano e, quando lo sorpassò, don Camillo accostò a sinistra e s'attaccò.

Dietro il camion c'era tanto di cartello che avvertiva: «*Vietato farsi trainare*», ma Peppone lasciò perdere.

LADRI DI BICICLETTE

Peppone che, durante tutto il giro d'ispezione aveva funzionato contemporaneamente da sindaco e da autista, fermò la macchina davanti a una casipola col solo pianterreno e si volse al signore secco, occhialuto e distinto che gli sedeva al fianco.

— Questa, signor Provveditore, è la scuola di Castorta. L'ultima in tutto e per tutto.

Il Provveditore guardò la casipola poi rispose:

— Lo vedo.

— Il peggio è quello che non si vede — borbottò assai accigliato Peppone.

Il Provveditore si volse verso il signore piuttosto vecchio e corpulento che occupava assieme a un giovanotto i due posti posteriori della 1100:

— C'è qualcosa di speciale, direttore?

— La titolare è quella Diva Canetti che, dopo la liberazione, fu allontanata per un anno dall'insegnamento e poi riammessa non essendo risultato niente a suo carico.

Peppone scosse il capo e sogghignò:

— Niente!

Il Provveditore domandò al direttore didattico come stesse esattamente la faccenda e il direttore allargò le braccia.

— L'inchiesta è stata condotta regolarmente. Abilitata all'insegnamento nel 1929 col massimo dei voti e lode, la Diva Canetti ha insegnato ininterrottamente dal 1930 all'aprile del 1945 nelle scuole del capoluogo dimostrando indubbia competenza e grandissimo zelo...

— Specialmente quando ha sposato il vicepodestà! — esclamò Peppone aggressivo.

— Il fatto di aver sposato un vicepodestà — obiettò con garbo il direttore — non può essere considerato un reato.

— Dio li fa e poi li accompagna! — sentenziò Peppone. — Ogni simile sposa il suo simile. Comunque la commissione d'inchiesta avrebbe potuto almeno trasferire la Canetti, dare almeno questa soddisfazione alla popolazione.

— Signor sindaco — protestò il direttore — la Canetti è stata trasferita!

— Bisognava trasferirla in Calabria, non spostarla dal capoluogo a una frazione lontana sì e no sei chilometri! — disse Peppone.

— Lei sa meglio di me come stavano le cose — si giustificò il direttore. — Aveva un bambino di sei anni, il marito non ancora tornato dalla prigionia in India...

— Lasciamo perdere! — esclamò Peppone.

— Non lasceremo perdere un bel niente — affermò categorico il Provveditore. — Se lei, signor sindaco, ha di che lagnarsi mi presenti un esposto dettagliato.

— Non occorre — spiegò Peppone scendendo.

— Vedrà lei stesso che razza di tipetto è la maestra di Castorta.

Castorta era la più piccola delle sette frazioni del Comune e una sola insegnante era più che sufficiente ad amministrare l'istruzione pubblica elementare lavorando con la prima e la seconda classe la mattina, e con la terza e la quarta il dopopranzo. La signora Canetti si portava, la mattina, da casa, qualcosa da mangiare a mezzogiorno, il che semplificava molto la faccenda. Quando quel pomeriggio il Provveditore entrò nella scuola di Castorta seguito dal sindaco e dagli altri due, erano di turno terza e quarta e ogni cosa pareva si stesse svolgendo regolarmente.

Vedendo comparire qualcosa di straordinariamente importante come il Provveditore agli studi, la maestra impallidì. Ma quand'ebbe udito il motivo della visita, riacquistò la sua calma:

— La prima preoccupazione del regime democratico — spiegò gravemente il Provveditore — è quella di potenziare la scuola adeguandola ai tempi. Il paese manca di edifici scolastici e degli edifici scolastici esistenti più d'uno è insufficiente. Sulla base della sua personale esperienza, mi dica dunque quale è l'esatta situazione di questo edificio scolastico.

La maestra allargò le braccia:

— Manca tutto — rispose.

Peppone sussultò perché si sentiva tirato in ballo:

— La scuola è quello che è — esclamò. — Però

bisogna riconoscere che il Comune fa quello che può. L'edificio è stato riparato e ripulito, il gabinetto di decenza è stato rinnovato con apparecchiatura igienica moderna e la scuola è anche stata dotata di apparecchio radio!

La maestra fece cenno di sì:

— Esatto — disse. — Peccato che la radio non possa funzionare perché manca la luce elettrica e che l'apparecchiatura igienica non possa funzionare perché mancano il serbatoio dell'acqua e la pompa per riempire il serbatoio.

Il tono della maestra aveva una leggera sfumatura sarcastica e questo fece perdere la calma a Peppone:

— Se in vent'anni il fascismo non è stato capace di mettere la luce e l'acqua e nessuno ha mai avuto il coraggio di lamentarsi — gridò Peppone — adesso non è il caso di gridare allo scandalo, se in quattro anni, e dopo avere rilevato il fallimento d'una nazione sconfitta, non siamo riusciti a metterle noi!

La maestra non si impressionò:

— Il signor Provveditore mi ha domandato quale sia la situazione qui, e io mi sono limitata a rispondere alla sua domanda.

Peppone, oramai, aveva ingranato la quarta e, vedendo quell'omaccio così sconvolto, il Provveditore non se la sentì d'intervenire.

— C'è modo e modo di rispondere alle domande! — gridò Peppone. — Il fatto è che lei, allora, non aveva tempo di accorgersi se l'acqua o la luce mancavano, perché era tutta indaffarata a preparare i nuovi virgulti della stirpe littoria!

La maestra allargò le braccia.

— Ho svolto i programmi che lo Stato mi ha dato da svolgere. Io mi sono limitata a servire disciplinatamente lo Stato, come disciplinatamente lo servo ora.

— C'è modo e modo di servire lo Stato, cara signora! — ridacchiò Peppone. — Altre maestre si sono comportate, allora, ben diversamente da lei.

— C'è un solo modo di servire lo Stato — replicò seccamente la maestra. — Se altre maestre l'hanno servito diversamente, l'hanno servito male, e probabilmente lo serviranno male anche adesso.

Il Provveditore fece udire la sua voce imperiosa:

— Signora, limiti le sue risposte allo strettamente necessario! Le ho domandato quale sia l'esatta situazione in questa scuola.

— Manca tutto — disse la maestra.

— Non esageri per amor di polemica! — ribatté aspro il Provveditore. — Dica con esattezza quello che manca.

— Glielo dico io, signor Provveditore — esclamò Peppone con voce piena di ironia. La signora sente soprattutto la mancanza dei due ritratti che stavano lì, appesi al muro sopra la cattedra, dove adesso si vedono soltanto i segni dei quadri, a destra e a sinistra del Crocifisso.

La maestra sorrise:

— L'importante è che sia rimasto il Crocifisso — spiegò. — Se lo togliessero ne sentirei tanto la mancanza che me ne andrei anch'io.

Il Provveditore si irritò: era un Provveditore *politico* e aveva idee che, fino ad un certo punto, andavano d'accordo con quelle di Peppone.

— Signora! — ordinò perentorio — risponda

alle mie domande ed enumeri le cose di cui questo edificio scolastico manca.

— Manca la luce elettrica, manca il funzionamento dei servizi igienici, la cubatura dell'aula è insufficiente, il riscaldamento non è adeguato all'ampiezza dei locali, i banchi sono rotti, la lavagna è quasi inservibile. Non c'è biblioteca, non ci sono carte geografiche...

— Di quanti locali si compone l'edificio?

— L'aula e un corridoio che serve da spogliatoio, in fondo al quale, con una parete, son state ricavate la legnaia e il gabinetto.

— Non esiste la possibilità di creare nell'edificio un alloggio per l'insegnante?

— Nossignore — rispose la maestra. — Anche la bidella abita a quasi un chilometro da qui.

Mentre il giovanotto e il direttore didattico prendevano nota, il Provveditore si avviò verso il fondo dell'aula:

— Andiamo a vedere come stanno esattamente le cose — disse. Ma un ragazzo scivolò fuori dal suo banco e infilò rapidamente la porta che dava sul corridoio.

Il Provveditore credette che il ragazzo, obbedendo a qualche cenno della maestra, si fosse precipitato per aprirgli la porta, ma quando, arrivato nel corridoio, vide che il ragazzo, con un fagotto tra le braccia, stava precipitosamente raggiungendo l'usciolo che portava nella legnaia, si insospettì:

— Dove corre quello là? Ehi tu!

Ma il ragazzo era già dentro la legnaia e aveva chiuso l'usciolo col catenaccio.

Il Provveditore agguantò la maniglia e la scosse inutilmente.

Allora si volse indignato:

— Signora, vuol dirmi cosa sta succedendo? Cosa è andato a nascondere quel ragazzo?

La maestra si appressò all'usciolo:

— Gino — disse con calma — apri pure, sono io.

La porticina si aperse e il ragazzo era lì davanti, voltato di spalle per non mostrare il suo fagotto. Peppone lo agguantò per la collottola e lo tirò fuori. Il fagotto conteneva un bambino di cinque o sei mesi e questa parve a tutti la cosa più straordinaria del mondo.

— Che roba è? — gridò sbalordito il Provveditore.

— È mio fratello — rispose a testa bassa il ragazzo.

Allora la maestra intervenne e, tolto il bambino dalle braccia dello scolaro, lo andò a deporre dentro un cestone da uva che stava in un angolo del corridoio, vicino alla porta di comunicazione con l'aula scolastica.

— È mio figlio — spiegò la maestra risollevandosi.

— Suo figlio? — gridò il Provveditore. — E come mai si trova qui?

— Mio marito è da due mesi in città dove ha trovato un posticino, l'altro bambino sta con la nonna in paese. Io la mattina porto con me il piccolino e lo riporto la sera. Così sto tranquilla e poi posso allattarlo.

Il Provveditore guardò il direttore e Peppone, poi si volse verso la maestra.

— Lei lo allatta qui?

— Nossignore: quando lo sento piangere vengo

qui, lo tolgo dalla cesta e lo vado ad allattare in legnaia.

— Magnifico! — ridacchiò il Provveditore. — Chi sa che festa per i ragazzi quando lei li lascia soli! Figuriamoci che cosa combineranno!

— Non si muovono e non fiatano. Sono ragazzi di campagna bene educati e, se non rispettassero in me la maestra, rispetterebbero in me la madre.

Il Provveditore si strinse nelle spalle:

— Capisco, capisco, mi rendo conto. Però potrebbe lasciare il bambino a qualcuno, in paese.

— Non starei tranquilla.

— Ma ha sua madre! Lo lasci a lei.

— E chi lo allatta?

— Lo nutra artificialmente. La massima parte dei bambini viene oggi nutrita artificialmente.

— Se una madre lo può, ha il dovere di allattare il suo bambino. Altrimenti il Padreterno non avrebbe costruito le donne come le ha costruite.

Il Provveditore si trovò imbarazzato e cambiò indirizzo alla sua irritazione. Si rivolse al ragazzo che stava ancora lì, davanti alla porta della legnaia, e disse con voce gelida:

— La cosa da tenere maggiormente in considerazione in tutta la faccenda è il contegno di questo ragazzo. Ciò dà una idea di quale sia l'educazione morale che gli è stata impartita. Non c'è niente di criminoso nel fatto che una insegnante porti suo figlio a scuola per allattarlo, però ciò che ha fatto quello scolaro ha un solo nome: *omertà!*

Peppone che aveva spento già da un pezzo il motore non capì bene il tono ed equivocò malamente sul significato della parola *omertà.*

— Sicuro! — esclamò — uno che si comporta

così si comporta veramente da uomo! È una cosa
che fa venire in mente l'episodio di Garrone quando dice: «Sono stato me!». Bravo ragazzo!

Il Provveditore guardò sotto sotto il direttore
poi disse in fretta «buongiorno» e si avviò verso l'u-
scita. Traversando l'aula, vide i bambini zitti e immobili come fossero di sasso e quel silenzio e quel-
l'immobilità gli sembrarono insopportabili.

Peppone riaccompagnò il Provveditore e gli altri due fino al treno e, tornando in paese, ripassò
davanti alla scuola di Castorta. Era già passata
d'un bel pezzo l'ora dell'uscita ma i ragazzi erano
tutti lì davanti alla porta come se aspettassero
qualcuno.

Peppone fermò la macchina: uscì dalla scuola
la donnetta che fungeva da bidella e, passando davanti a Peppone, allargò le braccia:

— Sporco mondo, signor sindaco!

— Cosa succede?

— Mentre la maestra era impegnata col Provveditore, un farabutto le ha rubato la bicicletta che
era dietro la scuola, sotto il portichetto.

Poco dopo uscì la maestra col bambino in braccio:

— Signora — le disse Peppone quando la maestra passò a fianco dell'automobile — ho saputo
della bicicletta. Salga, la riporto in paese io.

— No, grazie, preferisco andare a piedi — rispose la maestra con voce dura.

E continuò la sua strada ma i ragazzini la seguirono e, dopo un po', uno d'essi riuscì a portarle
via il bambino e se lo prese in braccio.

Poi il bambino, dopo cento metri — la tratta fra

due pali del telegrafo — passò a un altro ragazzino, e da questo a un terzo e così via.

Dopo due chilometri la maestra intervenne e, ricuperato il bambino, ordinò che se ne andassero subito a casa.

Ma nessuno mollò e tutti e trenta la seguirono fino a quando non apparvero le prime case del paese.

Allora fecero dietro-front e parte dei ragazzini continuò per la strada e parte prese la scorciatoia dei campi.

Il giorno dopo a Castorta la gente aveva già raccolto metà dei quattrini per comprare una bicicletta nuova alla maestra. Ma la maestra lo seppe e volle parlare con le mamme dei ragazzi:

— Quello che avete pensato di fare è bellissimo e io ve ne sono grata — spiegò alle donnette la maestra. — Però vi prego di disfare tutto perché io non posso nel modo più assoluto permettere una cosa di questo genere. Ho denunciato il furto: se dovrò riavere la bicicletta, questa dovrà essere soltanto la mia.

Sapevano tutti che era inutile insistere con la signora Canetti. Le donnette fecero intervenire don Celestino, il parroco di Castorta, ma anche a don Celestino la maestra rispose come alle donne.

— Se accettassi la bicicletta — concluse — guasterei la bellezza del loro gesto. Se dovrò riavere la bicicletta, questa può essere soltanto la mia che mi hanno rubato. O questa o niente.

Era venuta a piedi col bambino in braccio. Ritornò in paese a piedi col bambino in braccio e sola perché aveva minacciato terribili guai ai bambini se l'avessero ancora seguita. E sempre fu così, nei giorni seguenti: ed era una cosa che faceva rabbia e commozione insieme.

Don Camillo, incontrandola la terza volta, provò con garbo a far capire la ragione alla maestra. Le disse che, alla fine, lei stava comportandosi in modo contrario a ogni logica elementare:

— Se lei non la vuole in regalo, la accetti in prestito, la bicicletta. O la prenda a nolo se non vuole avere obbligazioni.

— O la mia o niente — rispose la maestra. — Intanto vado a piedi. Chi me l'ha rubata mi vedrà pur qualche volta e tutto questo servirà. Anche se non me la restituirà non ha importanza. Importa che egli senta vergogna di quanto ha fatto.

Peppone, ogni volta che incontrava la maestra, si imbestialiva e, se avesse potuto prendere a scapaccioni la donna, l'avrebbe fatto con lo stesso entusiasmo col quale avrebbe rotto le ossa al ladro della dannata bicicletta.

Un giorno non poté più resistere e, recatosi da don Camillo, disse che bisognava trovare il modo di far finire quella storia.

Don Camillo era dell'identico parere e ci aveva già pensato:

— Sappiamo dai dati che io mi son fatto dare dal maresciallo che la bicicletta rubata era una Stucchi nera, reticella verde, e col numero di matricola P 34468. Troviamo i soldi, compriamo una bicicletta uguale, tu rifai il numero di matricola e al resto penso io.

I soldi furono presto trovati perché li misero metà Peppone e metà don Camillo. Ma, quando ebbero la bicicletta, a don Camillo venne uno scrupolo.

— Se non le restituiamo la *sua* bicicletta, quella non la guarda neanche. Bisogna fare in modo di truccarla perfettamente. I dati della denuncia non bastano. Occorre trovarne degli altri.

I ragazzi di quarta erano dodici: Peppone, un pomeriggio di domenica, andò a raccoglierli tutti col camioncino a Castorta e li portò in canonica. Qui trovarono don Camillo che fece loro un discorso molto serio:

— La cosa è grave e chi parla è un traditore. Noi abbiamo dei sospetti sul furto della bicicletta della vostra maestra. Abbiamo, insomma, trovato un tizio che ha una bicicletta che ci pare quella rubata. Ma prima di denunciarlo bisogna essere ben sicuri per non far del male a un galantuomo. Siamo riusciti ad avere la bicicletta sospetta. Adesso lui è fuori paese e c'è il tempo per guardarla. Voi sareste in grado di riconoscerla?

— Sì — risposero i ragazzi.

Allora con molta cautela passarono tutti nella stanza vicina e qui c'era la Stucchi nuova comprata da Peppone e don Camillo.

— Guardate un po': è questa? — domandò don Camillo ai ragazzini.

— La marca è la stessa e anche il colore — risposero i ragazzi. — Però non è quella della maestra.

— Guardatela bene, pezzo per pezzo, prima di parlare! — esclamò don Camillo.

La studiarono pezzo per pezzo.

— Intanto il numero non è questo, ma P 34468 — disse il primo dei ragazzi.

— E poi qui c'era una ammaccatura e qui mancava la vernice — aggiunse il secondo.

Peppone segnò col gesso i punti indicati:

— Dobbiamo raccogliere tutti i particolari e ricordarli perfettamente — spiegò. Così, quando ci capita quella buona, andiamo a colpo sicuro. E poi?

— La reticella era rotta qui, qui e qui. E qui era unta — affermò il terzo.

Gli altri nove fecero le loro osservazioni:

— Il fanale era di marca Lux 34 A e la dinamo era di marca Lux D extra.

— Aveva una gomma Pirelli dietro e una Michelin davanti.

— Questa pedivella aveva tutti i denti smangiati da una parte...

— Il campanello era di marca TCI con la bandiera.

— Il carter faceva "crick!", quando il pedale toccava qui.

— Le manopole erano nere e mancava una vitina in questa, e questa era sbeccata.

— Quando si andava senza mani, tirava molto a destra e bisognava stare piegati.

— Il freno davanti era stato saldato qui...

— Il manubrio era pelato qui, qui e qui...

Poi cominciò il secondo giro di particolari, e di tutti Peppone prendeva nota. Alla fine i dodici ragazzi tacquero.

— Allora siamo sicuri che non c'era più niente di speciale?

I ragazzi si guardarono un po' imbarazzati. Poi il più grande rispose:

— No, niente.

Si capiva che diceva una bugia e don Camillo insistette: che parlassero, raccontassero tutto. Serviva per ritrovare la bicicletta della maestra, perbacco.

I ragazzi si guardarono tra di loro, poi uno balbettò:

— C'è ancora qualcosa ma non si può dire: è un segreto.

Don Camillo ce la mise tutta e dovette continuare un bel pezzo perché i dodici ragazzi erano duri come la ghisa. Alla fine, dopo essersi consultati, il più grande disse titubante:

— C'era il segreto con la parola magica: « RAS 3 ».

Peppone e don Camillo si guardarono.

— Qui sulla forcella di dietro, in questo punto, c'era il lucchetto e per aprirlo bisognava far girare i quattro dischi fin che veniva fuori la parola « RAS 3 ». Il lucchetto era marca Sicur mod. 5.

Prima che Peppone riportasse a casa i ragazzi, don Camillo li ammonì:

— Guai a chi dice una parola. Se uno di voi parla tutto è rovinato.

I ragazzi si sputarono nella palma della mano destra e si picchiarono con la palma aperta la fronte:

— È il giuramento della quarta — spiegò uno.

— Nel giuramento della terza si mettono le dita in croce, così, e si bacia tre volte la croce delle dita.

— Bene — affermò don Camillo — possiamo essere sicuri.

Peppone lavorò in officina ore e ore con lima, cacciavite, tela smeriglio, sabbia. Rifece il numero di matricola, ricostruì ammaccature, sfregature e saldature. Buttò all'aria una tonnellata di rottami per trovare di che mettere assieme una dinamo, un fanale, un lucchetto e un campanello del tipo descritto.

— Domani mattina facciamo la prova del nove — sospirò don Camillo uscendo dall'officina a notte fatta e avviandosi verso la canonica.

— Se non va bene la spacco a martellate — borbottò Peppone.

Nel ritorno don Camillo, per aggiustarsi il mantello sulle spalle, mollò un momentino il manubrio. La bicicletta tirava maledettamente a destra e, quando se ne accorse, don Camillo era già per terra. Fu una consolazione. Tutto quadrava.

Risalito in sella sentì che il pedale faceva "crick!" quando arrivava al punto stabilito e anche questa era una bella consolazione.

Verso mezzogiorno Peppone andò a pescare a Castorta il più vecchio dei dodici di quarta e lo portò in canonica.

— Guarda un po': è questa? — gli domandò mentre don Camillo sollevava la tenda che copriva la Stucchi truccata.

Il ragazzo spalancò gli occhi:

— Sì! Sì! — disse con voce agitatissima.

Don Camillo gli fece fare il giuramento della quarta classe e anche quello della terza.

— Non devi parlare con nessuno. Neanche con gli altri. Né ora né mai.

— Non parlerò — disse il ragazzo — facendo anche il giuramento della seconda.

Don Camillo, arrivato davanti alla palazzina dei carabinieri, fermò il biciclo e scese di sella avvicinandosi al maresciallo che stava prendendo il fresco.

In quel momento, per puro caso, arrivò anche Peppone sul camioncino.

— Il signor sindaco giunge a proposito — esclamò lietamente don Camillo — così mi riporta a casa in macchina. Sempreché non ci siano ordini in contrario da parte del Politburò.

La frecciata del Politburò era *extra* accordi e rappresentava una delle solite provocazioni di don Camillo. Comunque Peppone incassò e rispose:

— Ma non è in bicicletta?

— Sì e no — spiegò don Camillo. — Questa è la bicicletta della Canetti: chi l'ha rubata si è pentito e me l'ha fatta trovare in canonica. Ecco qui signor maresciallo. Guardi un po' se tutto combina.

Il maresciallo squadrò attentamente la bicicletta, poi entrò facendo cenno ai due di seguirlo.

— Non c'è dubbio — affermò — è proprio quella rubata alla signora Canetti. Basta confrontarla con questa qui che ho trovato stamattina appoggiata alla porta assieme a un biglietto di spiegazioni: «Restituire alla Canetti».

Don Camillo e Peppone guardarono sbalorditi la bicicletta appoggiata contro la scrivania.

Era identica alla loro. Spaventosamente precisa.

Don Camillo si asciugò la fronte bagnata di sudore.

— Penso agli occhi di quei ragazzi — sussurrò a Peppone.

— Anch'io — rispose in un sussurro Peppone.

— Gli occhi dei ragazzi vedono tutto. Fa paura a pensarci.

Il maresciallo sospirò:

— Giuro che non capisco niente. Cosa si fa?

Don Camillo intervenne:

— È contro il regolamento cercare una bicicletta rubata e scoprire che sono due?

— Veramente... Bisogna che ci pensi.

— Non pensateci: trovatene una sola e restituite alla maestra questa che vi abbiamo portato noi. L'altra tenetela di riserva per quando ruberanno ancora la bicicletta alla maestra. Ve la caverete più brillantemente di questa volta.

Il maresciallo allargò le braccia:

— Bah — disse — l'importante è che io non veda più quella signora tornare a piedi col bambino in braccio dalla scuola e andarci. Tutte le volte che la incontravo mi pareva di ricevere un cicchetto dal Generale comandante dell'Arma.

— Gliela portiamo subito prima che finisca la lezione — esclamò Peppone. — Si fa a tempo.

Salirono sul camioncino tutt'e quattro: Peppone e il maresciallo davanti e don Camillo e la bicicletta dentro il cassone. Arrivati davanti alla scuola pochi minuti prima del *finis*, il maresciallo scese e, agguantata la bicicletta, entrò decisamente.

Poi uscì e, assieme a lui, uscirono i ragazzi di terza e di quarta e stettero lì sulla strada ad aspettare.

Poco dopo, da dietro la casipola, sbucò la maestra; conduceva la sua bicicletta a mano e, agganciato al manubrio, era il cestino con dentro il bambino.

Quando salì sulla bicicletta e si avviò, i ragazzi

diedero un enorme urlo di gioia e tutt'e trenta presero a correre chi dietro, chi davanti, chi ai lati della maestra.

Tanto che, dopo duecento metri, la maestra dovette scendere e procedere con la bicicletta a mano in mezzo alle urla di gioia dei ragazzini che continuavano a farle la fantasia attorno.

Peppone, don Camillo e il maresciallo stettero lì a guardare a bocca aperta.

— È una cosa più grandiosa della marcia trionfale dell'*Aida* — osservò Peppone.

La marmaglia, raggiunta la svolta, disparve ma le urla si udivano sempre.

— Io torno a piedi — disse don Camillo.

— Anch'io — aggiunse Peppone scendendo dal camioncino.

Il maresciallo, rimasto sul camion, pensò lungamente alla strana faccenda poi, siccome non sapeva guidare, scese e si avviò lentamente a piedi verso il paese borbottando:

« Se il parroco e il sindaco sono diventati matti, perché non dovrebbe diventarlo anche il maresciallo? ».

IL GAROFANO ROSSO
E IL GAROFANO BIANCO

Questa è una banale storia d'amore che ebbe una conclusione piuttosto inconsueta nella grande piazza del borgo. E il fatto accadde negli immediati paraggi d'uno dei piloni di pietra che dividono la piazza propriamente detta dal sagrato.

E c'era un sacco di gente a guardare perché nella piazza vera e propria stavano gli uomini di Peppone che festeggiavano il primo maggio del garofano rosso mentre, nel sagrato, stavano gli uomini di don Camillo che festeggiavano il primo maggio del garofano bianco.

In qualche decrepita catapecchia della Bassa, si possono ancor oggi trovare esemplari di una vecchia oleografia rappresentante Gesù e San Giuseppe che, decisissimamente vestiti di rosso, stanno lavorando al banco del falegname.

Era, quella, una buona idea, dal punto di vista della propaganda, e l'avevano trovata i vecchi socialisti che poi l'abbandonarono. A distanza di anni e annorum, gli altri ripresero l'idea del Cristo lavoratore e, con l'aiuto di San Giuseppe artigiano, fecero il colpo magistrale del primo maggio festa dei lavoratori cattolici.

La vicenda conclusiva della nostra storia d'amore e di politica militante avvenne esattamente la prima volta che, nella piazza, si celebrava simultaneamente, da parte rossa e da parte bianca, la doppia festa del lavoro.

E, si capisce, per quanto fosse una mattinata fresca, l'aria era piuttosto calda.

Fra gli uomini più in gamba di parte bianca c'era la Gilda Marossi che, pure essendo una ragazza giovane e bella, in quanto a frenesia politica valeva come due uomini messi assieme.

Tra gli uomini di Peppone, uno dei più sgambati era Angiolino Grisotti, detto Giolì: un giovinastro dalle mani pesanti che, se non fosse stato così violentemente rosso, avrebbe potuto passare per un normale bel ragazzo.

La storia non sarebbe banale se la Gilda e Giolì non si fossero incontrati. E, difatti, si incontrarono.

Si incontrarono, dapprima, fra i banchi della scuola quando nessuno dei due sapeva cosa fosse la politica.

Continuarono a incontrarsi, in seguito, nei festival quando, pur sapendo cosa fosse la politica, si interessavano soprattutto di ballo.

Evitarono d'incontrarsi solo quando, impregnati di politica fino ai capelli, si accorsero di essere diventati avversari dichiarati e irriducibili.

Ma, una bella volta, si ritrovarono faccia a faccia e dovettero guardarsi per forza perché stavano seduti l'uno di fronte all'altra, sulla corriera.

Continuarono a guardarsi per un bel pezzo, poi la Gilda si seccò e disse:

— Certa gente, se avesse un minimo di reputazione, dovrebbe vergognarsi di guardare in faccia le persone per bene.

— È quello che penso anche io — rispose Giolì.

Era stato detto tutto quel che si poteva dire, e i due continuarono a guardarsi con palese disprezzo fino al termine del viaggio.

Erano entrambi disgustati l'uno dell'altra, ma non a tal punto da impedire all'uno di notare che l'altra era diventata ancora più bella; e all'altra di osservare che l'uno non era assolutamente imbruttito, pure militando fra i rossi.

Arrivati in città, si lasciarono senza salutarsi. Ma, rimasto solo, Giolì si sarebbe dato dei pugni nella testa.

Giolì aveva frequentato i corsi della scuola di partito e, alla scuola di partito, gli avevano spiegato chiaramente come si deve agire, nel ramo propaganda. E Giolì, al quale si era offerta una magnifica occasione per lavorarsi abilmente un avversario e, sfruttando una antica amicizia, indagare in campo nemico, si era comportato col garbo di un guastatore.

Era necessario rimediare al mal fatto, e Giolì, con freddezza, preparò il piano di attacco.

"Un compagno che si rispetti" disse tra sé "deve essere soprattutto uno psicologo. E la psicologia cosa dice? Spiega, per esempio, che se una ragazza si decide ad andare dal paese alla città, lo fa perché deve eseguire degli acquisti. E, per eseguire degli acquisti, una donna non si accontenta di entrare nel primo negozio che trova, ma vuol studiare almeno venti vetrine per fare il confronto dei prezzi, della qualità e via discorrendo. Quindi perde un sacco di tempo e arriva alla corriera all'ultimissimo momento. Io debbo sfruttare questa faccenda."

Così Angiolino Grisotti, detto Giolì, arrivò alla corriera primo fra tutti e, sedutosi, occupò con un pacchetto il posto davanti a sé e attese.

Secondo la psicologia, la Gilda doveva arrivare ultimissima, quando cioè tutti i posti, eccettuato quello accaparrato da Giolì, erano occupati. Invece la Gilda arrivò pochi minuti dopo Giolì. E, quando la vide comparire, Giolì diventò smorto.

La Gilda, appena salita sull'autobus, si guardò attorno cercando un posto libero. I posti, eccettuato quello occupato da Giolì, erano tutti disponibili ma la Gilda (guarda un po' le sottigliezze psicologiche) trovò che, secondo lei, l'unico seggiolino da prendere in considerazione fosse proprio quello dirimpetto al compagno Giolì.

— È libero questo posto? — domandò la Gilda, molto sostenuta, indicando il seggiolino sul quale Giolì aveva messo il suo pacchetto.

Giolì tolse il pacchetto e la Gilda si sedette.

Rimasero lì come due baccalà per qualche minuto, poi, con un lampo di genio, Giolì cavò fuori il pacchetto delle sigarette e lo porse alla muta dirimpettaia.

— Noi non fumiamo in pubblico — rispose la Gilda calcando molto sul *noi*. — Le *vostre* ragazze possono fare qualunque cosa, in pubblico e in privato: a noi insegnano a comportarsi onestamente.

Giolì ripose il pacchetto.

— Se lasciassimo perdere la politica e parlassimo di noi due? — propose il giovanotto.

— Parlare in che senso? — s'informò con voce gelida e aggressiva la Gilda.

— Nel senso in cui si parlava, per esempio, quando ci trovavamo per ballare insieme.

La Gilda si irrigidì.

— Soltanto un comunista senza Dio e senza creanza può avere la spudoratezza di rinfacciare pubblicamente a una donna di aver avuto un momento di debolezza! — esclamò con disprezzo la Gilda. — Perché non lo scrivi sul tuo sporco giornale murale che, per un certo tempo, ho dato retta alle tue stupidaggini?

— E perché? — replicò Giolì. — Questa è una questione che riguarda me soltanto, non il Partito. Piuttosto, se ti dà fastidio parlare con me per non offendere il fidanzato che ti ha assegnato il parroco, allora è un'altra cosa.

— Io non ho fidanzati — precisò la Gilda. — Piuttosto stai attento tu a non far ingelosire la compagna Gisella Cibatti!

Giolì giurò che, fra lui e la compagna Cibatti, non c'era niente di niente. Soltanto un po' di simpatia. E la Gilda gli rispose che lo sapeva bene, lei, come andassero a finire le *simpatie* nel partito del libero amore.

Giolì protestò risentito, la Gilda lo rimbeccò e, insomma, la storia durò per tutto il viaggio. E siccome l'argomento non era esaurito, la discussione continuò fin davanti alla casa della Gilda.

Era oramai sera e, dopo aver parlato ancora

per un bel pezzo, la Gilda lasciò il giovinastro per entrare in casa. Però prima di lasciarlo disse con molto rincrescimento:

— Peccato che la politica ci divida!

Parole stupide e false perché quando, tre minuti prima, la Gilda e il compagno Angiolino, detto Giolì, si erano abbracciati, fra loro due la politica non c'era di sicuro.

Queste storie d'amore sono sempre uguali, squallidamente uguali, e non si riesce a capire come l'umanità continui a trovare interessante un argomento che si ripete da centinaia di migliaia di anni.

Sta di fatto che, due sere dopo, la Gilda, affacciandosi alla finestra della sua camera, vide il compagno Angiolino seduto sulla spalletta del ponte. Stette a guardarlo un po', quindi si seccò e scese per andare a domandare al giovinastro cosa cercasse da quelle parti.

Era decisa a tutto, anche a insolentirlo parecchio, ma quando il giovinastro le rispose con semplicità che lui stava cercando proprio lei, la Gilda rimase sbalordita, e il giovinastro ne approfittò per abbracciarla.

Allora la Gilda, invece di risentirsi e di insultare lo screanzato, decise di trarre partito dalla curiosa situazione.

"Questo cretino" pensò "è cotto di me. Io lo assecondo, così me lo lavoro e arrivo a fargli dare le dimissioni dal suo maledetto partito. Poi lo liquido."

Per le sere seguenti la Gilda assecondò il giovinastro e, quando le parve arrivato il momento giusto, sparò il colpo:

— Giolì, tu giuri e spergiuri che mi vuoi bene. Sei disposto a darmene una prova?

— Sono pronto a tutto.

— Allora togliti dal tuo dannato partito. Io non sposerò mai uno scomunicato.

Giolì si irrigidì:

— Gilda, tu giuri e spergiuri che mi vuoi bene. Dammene una prova togliendoti dal tuo sporco partito. Io non sposerò mai una preta.

La Gilda cambiò fulmineamente registro:

— Allora vai all'inferno tu e tutta la Russia! — gridò.

— Sta bene — replicò calmo Giolì. — Intanto che vado là, vai sulla forca tu, il Vaticano e l'America!

Si lasciarono come due fieri nemici. Ma il Dio degli innamorati vegliava.

Contemporaneamente si scatenò contro la Gilda e Giolì l'offensiva familiare.

Come se si fossero messi d'accordo, i parenti di Giolì e di Gilda incominciarono la suonata.

Secondo i parenti e gli amici di Giolì, Giolì, se aveva un minimo di dignità, non doveva più neppur guardare quella ipocrita pretonzola di Gilda.

Secondo i parenti e gli amici di Gilda, Gilda doveva immediatamente troncare ogni relazione con quel farabutto bolscevico di Giolì.

Il martellamento sui due fronti durò violentissimo una intera settimana, alla fine della quale Giolì, che aveva una testa dura come il marmo, scrisse alla Gilda un espresso: «Se domani sera ti aspetto sul ponte di casa tua, potrò vederti?».

E la Gilda, a mezzo corriere segreto, gli rispose:

«No. Se vuoi parlare con me trovati stasera alle otto sul ponte del Molinetto così ci vedranno tutti quelli del paese».

Si trovarono alle otto sul ponte del Molinetto e tutti li videro. E tutti quelli che non avevano visto, lo seppero.

L'offensiva diventò violentissima: la Gilda si trovò sola contro tutti i suoi, compresi quelli del partito, e lo stesso accadde per Giolì. Ma più gli altri facevano pressioni su di essi cercando di staccarli, maggiormente la Gilda e Giolì si appiccicavano.

In fondo il compagno Angiolino, detto Giolì, nonostante le sue arie da giovinastro, era una persona per bene. E la Gilda, nonostante tutte le sue arie da ragazza per bene, era una giovinastra: avevano tutt'e due un carattere e una dignità e, perciò, tra loro mai parlarono della lotta che ognuno dei due doveva sostenere con il parentado e con gli amici. Si sfogavano volendosi bene sempre di più.

Ma la Gilda, la volta in cui le fecero addirittura delle minacce, perdette la calma.

Peppone non se l'aspettava una visita del genere e a quell'ora. Guardò quindi stupito la Gilda domandandosi cosa mai potesse volere da lui quella dannata ragazza che aveva trasformato in un perfetto cretino il ragazzo più in gamba della sezione.

— Siete capace di mantenere un segreto fino a domattina? — gli disse la Gilda.

— Se è un segreto pulito, certamente.

La Gilda cavò dalla borsetta la tessera con lo scudo crociato, la fece in quattro pezzi e buttò i brandelli sulla scrivania.

— E adesso datemi una delle vostre tessere, e state zitto fino a domani perché voglio fare un regalo a Giolì, e uno a quei disgraziati che vorrebbero staccarmi da Giolì.

Peppone rimase qualche istante a bocca aperta poi obiettò:

— Ma voi agite per ripicco, non è la fede che vi spinge a chiedere la nostra tessera!

— E a voi cosa interessa? Da quando in qua i comunisti sono diventati dei sentimentali che hanno scrupolo di fare un dispetto al parroco?

Peppone, che stava rodendosi il fegato pensando alla festa dell'indomani, a sentir parlare di parroci fece un balzo:

— Trenta ve ne dò, di tessere, se si tratta di far dispetto al prete!

Avuta la sua brava tessera, la Gilda se ne andò e Peppone, ripensandoci con più calma, scoperse che, oltre a tutto il resto, questa era una fulgida vittoria del compagno Angiolino detto Giolì.

— Anche l'amore — sentenziò — lavora per il Partito Comunista!

L'indomani era il primo di maggio. Il doppio primo maggio, e nel sagrato stavano adunandosi gli uomini del garofano bianco, mentre di là dai piloni, nella piazza propriamente detta, procedeva l'ammassamento degli uomini dal garofano rosso.

Peppone schiattava di rabbia e di gioia nello stesso tempo e, pur augurandosi da un lato di non imbattersi in don Camillo, dall'altro avrebbe pagato chi sa cosa per poterlo incontrare.

E, difatti, si incontrarono sulla linea di confine, presso uno dei piloni di pietra.

— Cristo lavoratore! — esclamò sorridendo Peppone ad alta voce.

— Già — gli rispose sorridendo don Camillo. — Non era iscritto alla CGIL ma lavorava da falegname, assieme a suo padre Giuseppe.

— A quanto mi pare di aver sentito dire — ribatté cortese Peppone — Gesù era figlio di Dio.

— Esatto, signor sindaco. Lavoratore, figlio del più grande Lavoratore dell'universo in quanto il Padreterno ha fatto, senza materia prima, tutto l'universo.

Peppone inghiottì poi disse a denti stretti: — E voi che partecipate a questa festa di lavoratori, reverendo, che lavoro fate?

— Prego per l'animaccia tua — rispose calmo don Camillo. — Ed è un lavoro duro!

Peppone diede una rapida occhiata in giro e, visto che tutto funzionava, sparò il colpo:

— Allora potete pregare anche per l'anima di qualcun altro — disse indicando un certo punto dello schieramento rosso.

Don Camillo guardò e sbarrò gli occhi: la Gilda con un gran vestito rosso, con un gran garofano rosso fra i capelli, stava là, in mezzo ai rossi, proprio vicino alla rossissima bandiera.

Non sapeva cosa dire: era distrutto. Ma Peppone non poté godere della sua vittoria perché in quel momento gli apparve una visione orrenda: nel settore dei bianchi, vicino alla bandiera crociata, e con un gran garofano bianco all'occhiello, stava Giolì. L'ex-compagno Giolì.

Andò a finire che anche la Gilda e Giolì si videro perché da un po' si cercavano affannosamente con gli occhi.

Rimasero tutt'e due sbalorditi. E lentamente, istintivamente, si portarono verso la linea di confine.

S'incontrarono al pilone vicino a quello di Peppone e don Camillo.

Lì giunti, si fermarono a rimirarsi curiosamente, poi la Gilda disse:

— Io volevo farti una sorpresa...

— Anche io — disse Giolì.

Qualcuno incominciò a ridere. Allora la Gilda e Giolì si guardarono negli occhi e si capirono senza parlare.

E, come se fossero stati d'accordo, agirono.

La Gilda si tolse il garofano rosso dai capelli e Giolì si tolse il garofano bianco dall'occhiello.

Ognuno depose il suo garofano in cima al pilone di pietra, poi si presero sottobraccio e, tranquilli ma decisi, uscirono dalla piazza e dalla politica.

Rimasero i due garofani sul pilone. Il garofano bianco e il garofano rosso: don Camillo e Peppone rimirarono a lungo i due garofani.

— Bah! — borbottò alla fine Peppone stringendosi nelle spalle.

— Eh! — disse don Camillo allargando le braccia.

E furono, sia quello di Peppone che quello di don Camillo, i due migliori discorsi di quel primo maggio.

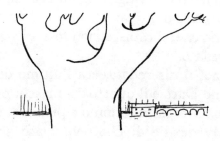

MAI TARDI

Giacomo Dacò era uno di quegli uomini che non si commuoverebbero neanche al cospetto del diluvio universale. Uno di quei tipi che non danno soddisfazione a nessuno, neanche alla morte, perché sono indifferenti perfino verso se stessi e, ammesso che ci pensino, l'idea di dover diventare terra da boccali non li interessa che come fatto da tener presente agli effetti amministrativi.

La marcia dei Dacò era incominciata, *temporibus illis*, quando un Dacò s'era trovato a morire con tre biolche di terra sue, e le aveva lasciate al figlio. Il figlio ne aveva conquistate altre venti e il figlio del figlio ancora trenta e via discorrendo, fino ad arrivare a Giacomo, che, a ottant'anni, aveva fatto di Campolungo un podere di trecento biolche e, oltre a Campolungo, possedeva un caseificio con annesso allevamento di maiali, una fabbrica di conserva di pomodoro e due mulini.

Il vecchio Dacò aveva combinato le cose per bene: considerando che il podere di Campolungo era facile da dividere in due, si avevano cinque blocchi di roba, di valore uguale l'uno all'altro, di modo che, essendo cinque i figli a ereditare, non avrebbero avuto motivo di litigare.

A meno che, si capisce, non fosse entrato in ballo il diseredato.

Carlino, il diseredato, era l'ultimo dei sei figli di Giacomo Dacò e il quarto dei maschi perché, dopo Marco, Giorgio e Antonio e prima di arrivare a Carlino, la moglie di Giacomo Dacò aveva commesso l'errore di mettere al mondo due gemelle: Clementina e Maria.

Errore nel senso che Giacomo Dacò, appena se le era viste presentare dalla levatrice, aveva incominciato a urlare che una partaccia di quel genere non se l'aspettava da sua moglie. Anzitutto perché, in una famiglia seria, non ci devono essere figli di sesso femminile che servono soltanto a dare dei fastidi. Secondariamente perché, se una donna proprio vuol fare la sciocchezza, ha come minimo l'obbligo di contenersi nei limiti della decenza e non scodellare due femmine in una volta sola.

Naturalmente, alla prima occasione, Giacomo aveva maritato le figlie. Poi, mano a mano che i figli si sposavano, siccome la confusione non gli piaceva, se li era tolti dai piedi: a Marco aveva dato il caseificio, a Giorgio la fabbrica di conserva, ad Antonio i molini, tenendo per sé Campolungo.

Quando gli era morta la moglie, Giacomo si era trovato completamente solo perché Carlino, già da parecchi anni, aveva tagliato la corda. Ma Giacomo Dacò era un formidabile lottatore.

A ottant'anni, dunque, il vecchio Dacò andò a

far compagnia alla moglie, ma tutti erano tranquillissimi perché si sapeva che i tre fratelli avrebbero tenuto quello che già avevano e Campolungo sarebbe stato diviso tra le due sorelle. Carlino, a parte il fatto che era stato diseredato, era Carlino: uno che, piuttosto di piegare la testa, se la faceva spaccare.

Questa storia di Carlino era incominciata quando il ragazzo aveva toccato i dodici anni. Il padre stava vicino ai cinquantatré: le due ragazze, Marco e Giorgio avevano già messa su casa per conto loro. Oltre a Carlino, rimaneva soltanto Antonio a Campolungo: ma anche lui, fra qualche anno, se ne sarebbe andato. Perciò, allorché Carlino finì la quinta elementare, il vecchio disse:

— Bene: adesso mettiti a lavorare e cerca di guadagnarti il pane come ho fatto io e come hanno fatto tutti i tuoi fratelli.

Ma allora, per la prima volta nella sua vita, la vecchia alzò la voce.

— No — esclamò. — Gli altri sono tutti degli zucconi. Carlino invece è intelligente e deve studiare!

Il vecchio rimase sbalordito davanti a quella rivoluzione. Stavano a tavola: agguantò la scodella ancora piena di minestra e la buttò contro il muro.

— Qui comando io! — gridò. — E se a qualcuno non gli piace, quella è la porta!

La vecchia si alzò e, senza neanche dire mezza parola, uscì. Il vecchio, Carlino e il fratello rimasero lì dove si trovavano e passarono dieci o quindici minuti senza che nella stanza si udisse un respiro.

Poi, d'improvviso, il vecchio si alzò, si lanciò

nell'andito e si trovò davanti sua moglie che, vestita con l'antico abito nero della festa e tenendo un fagotto in mano, stava avviandosi verso la porta che dava nell'aia.

— Cosa fai? — domandò imbestialito il vecchio Giacomo.

— Non mi piace e me ne vado — rispose asciutta la moglie.

Era anche la prima volta che il vecchio trovava, in casa, qualcuno che avesse il coraggio di puntare i piedi, e perdette la calma. Agguantò la moglie per un braccio e prese a scuoterla rudemente. Ma continuò poco perché un urlo straziante della donna risuonò:

— Carlino!

Il vecchio si volse e, in fondo all'andito, c'era Carlino con la doppietta fra le mani.

Il padre e il figlio si guardarono per qualche minuto: e nessuno disse parola. Né di quel fatto si parlò più in seguito. La vita riprese normale: la vecchia ritornò umile e silenziosa, Carlino continuò a lavorare nella stalla e nei campi come aveva sempre fatto anche prima, nel tempo che la scuola gli lasciava libero. Arrivò così la fine di settembre e una sera, finita la cena, il vecchio Giacomo cavò di saccoccia una busta e la porse ad Antonio:

— Domattina alle sei prendi il tram. Qui ci sono l'indirizzo della scuola, le bollette pagate per l'iscrizione e il libretto dell'abbonamento tranviario. Per questa volta lo accompagni tu e poi lo aspetti e lo riporti indietro. Da dopodomani si arrangerà da solo.

Carlino incominciò così la sua spola fra il paese e la città e continuò imperterrito senza che il vecchio sembrasse accorgersi di lui. Nei giorni di mezza vacanza o di vacanza intera, Carlino aiutava il fratello e i famigli nei lavori della stalla o dei campi. Studiava di sera e ciò gli costava una fatica bestiale ma non gliene importava niente.

Giunse la fine del primo anno di scuola tecnica e il vecchio Giacomo se ne accorse soltanto perché vide che Carlino non andava più in città e s'era dedicato completamente al lavoro. Non domandò niente e, siccome in casa Dacò si parlava soltanto quando si era interrogati, nessuno gli disse niente. Solamente che, dopo quindici giorni dal ritorno totale di Carlino ai campi, la vecchia disse a tavola:

— Antonio, domattina attacca la cavalla e portami in città.

Il vecchio levò la testa e guardò la moglie con occhi sbalorditi. Era la prima volta che la donna avanzava delle pretese del genere. Non urlò.

— Qui stiamo diventando matti! — si limitò a brontolare.

La vecchia tornò nel pomeriggio, sotto un sole che spaccava le pietre. Carlino stava dormicchiando sotto una pianta: la madre andò a trovarlo e, appena gli si fu seduta vicino, incominciò a piangere.

— E allora? — domandò Carlino.

La madre si frugò nel corsetto e cavò fuori un bigliettino.

— Li ha copiati Tonino e poi li abbiamo fatti controllare dal bidello — spiegò fra i singhiozzi. Carlino scorse rapidamente il foglietto.

— Ma sono stato promosso in tutto! — esclamò.

— Lo so — gemette la donna.

Poi gli fece, singhiozzando, tutta la descrizione

dell'avventura, e quello che dicevano gli altri quando leggevano i voti, e cosa le aveva detto il bidello, e come era l'atrio della scuola e via discorrendo. Poi concluse:

— Pensa quando lo saprà lui!

Il ragazzo saltò su inviperito:

— Voi dovete dirglielo soltanto se ve lo domanda. Anzi non dovete dirgli niente. Se gli interessa, vada in città a vedere. Io non gli debbo niente: io i soldi delle tasse e del viaggio me li guadagno lavorando nei campi. Che crepi!

Ma al vecchio Giacomo interessava soltanto che Carlino facesse il suo lavoro. Capiva soltanto il lavoro e quando il ragazzo, venuto l'autunno, riprese la spola, borbottò:

— Ricomincia la storia!

Antonio, giunto ai ventisette anni, si sposò andandosene anche lui per conto suo, come era la regola, e il vecchio Giacomo disse alla moglie:

— Il ragazzo si è divertito abbastanza: adesso ha sedici anni e può aiutarmi a tener su la baracca.

— Sta facendo il quarto anno e deve continuare fino in fondo. Quando avrà preso il diploma di geometra allora se ne riparlerà — replicò la donna.

Il vecchio sghignazzò:

— Geometra! Quello diventa geometra quando io divento vescovo. E poi, a cosa gli serve il diploma? Per voltare la paglia alle vacche?

Carlino continuò a studiare e siccome, appena aveva un momento di libertà, si scannava nei campi, il vecchio si limitava a borbottare. E così, fino alla Pasqua del 1930.

Arrivarono le vacanze di Pasqua e Carlino, che ormai aveva diciotto anni e due braccia da uomo di trenta, siccome uno dei vaccari s'era ammalato, lo rimpiazzò. E accadde che un pomeriggio, mentre stava scarriolando letame dalla stalla alla concimaia, un'automobile si venne a fermare nell'aia e ne scesero due giovincelli e tre ragazze.

Schiamazzavano come oche e il vecchio Giacomo, col forcale in spalla, si fece avanti.

— Abita qui il signor Carlo Dacò? — domandò uno dei giovincelli.

— Il signor Carlo Dacò è lì che sta facendo scuola guida con la "Balilla" — rispose il vecchio indicando la porta della stalla.

In quel momento Carlino uscì, vestito come il più strapazzato dei bovari e spingendo una carriola con sopra mezza tonnellata di letame fresco e gocciolante.

I due giovincelli e le tre ragazze gli lanciarono un grande urlo e Carlino, vedendosi la squadra comparire improvvisamente davanti, mollò le stanghe della carriola e rimase lì come un baccalà.

— E allora, è questo il modo di accogliere gli amici che vengono dalla città a farti visita? — gridò uno dei due giovincelli. — Non ci dici proprio niente?

— Il signor Carlo Dacò non ha tempo di chiacchierare! — rispose con voce dura il vecchio che si era avvicinato. — Qui si lavora.

Carlino levò di scatto la testa:

— Sono miei compagni di scuola — spiegò.

— Anche quelle lì? — domandò ironico il vecchio indicando le tre ragazze.

— Certo! — rispose Carlino.

Il vecchio considerò con palese disgusto le giovinette, poi si rivolse a quella che pareva la più anziana delle tre:

— A pitturarvi le labbra e le unghie ve lo insegnano a scuola o prendete lezione privata da qualche sgualdrina del varietà? — disse con voce aggressiva.

La ragazza arrossì e le vennero le lagrime agli occhi per la rabbia e per l'umiliazione. Vennero le lagrime agli occhi anche a Carlino: ma vedendosi sporco e misero vicino a quella carriola piena di letame, si sentì tanto ridicolo da non avere neanche il coraggio di parlare.

— Vedi di spicciarti perché dopo devi mungere! — disse il vecchio Giacomo andandosene.

I due giovincelli e le tre ragazze si incamminarono verso la macchina e Carlino li raggiunse.

— Mi dispiace — balbettò — dovevate avvertirmi.

— Non credevamo che, a trenta chilometri dalla città, ci fossero subito gli zulù! — replicò seccamente la più smilza delle tre ragazze.

— Tu dovevi avvertire che hai un padre idrofobo! — aggiunse la seconda salendo in macchina.

Ma Carlino pareva preoccuparsi soltanto della terza ragazza: la più alta e la più donna, quella alla quale il vecchio aveva detto le sue insolenze.

— Franca, ascoltami un momento! — balbettò Carlino afferrandole un braccio per impedirle di salire.

— Lasciami! Non vedi che mi insudici il vestito con le tue manacce sporche? — rispose l'altra sottraendosi alla stretta.

La macchina partì e Carlino rimase lì a guardarla allontanarsi.

— Be'? Ti spicci?

La voce del padre lo riscosse: si volse di scatto stringendo i pugni, ma si trovò faccia a faccia con sua madre.

— Mamma! — disse Carlino. — Questa volta lo ammazzo!

La vecchia gli asciugò il sudore col fazzoletto.

— La più grande deve avere una simpatia speciale per te — sussurrò.

Carlino si irrigidì muggendo.

— L'ho capito subito — sussurrò la vecchia. — Anche lui, vedi, se n'è accorto.

Si udì il vecchio sbraitare ancora dalla stalla e allora la donna impugnò le stanghe della carretta piena di letame. Ma Carlino subito le fu alle spalle e la tolse di lì.

— Devo prendere il diploma! — ruggì prendendo a spingere la carriola.

La sera, a tavola, il vecchio Giacomo attaccò subito.

— Se ne stiano a casa loro — esclamò — non vengano a disturbare chi lavora.

Carlino tirò il fiato lungo.

— Mi avete fatto fare una figura schifosa — disse cupo, tenendo gli occhi fissi sulla tovaglia. — Potevate evitare di offendere quella povera ragazza. Se si pittura le unghie che male vi fa?

— A me niente. Per conto mio si può pitturare anche il sedere. Fin che uno sta a casa sua fa i comodi suoi. Quando viene a casa mia deve essere di mio gradimento, se no se ne va. Stiano nel loro mondo, quei mammalucchi! Ognuno ha il mondo suo. Io non mi sognerei mai di andare in casa di un cittadino con una carretta di letame. Quando entrano qui, le loro porcherie le lascino fuori. Bella roba!

— Non deve piacere a voi! — disse aggressivo Carlino. — Basta che piaccia a me.

— Chi? Quella disgraziata pitturata come un burattone da giostra? È quella là la famosa patente da geometra? Non è mercanzia che fa per te. Il tuo mondo è qui. Villano sei nato e villano creperai.

Carlino non rispose: continuava a guardare la tovaglia ma sentiva gli occhi di sua madre fissi su di lui ed era come se li vedesse.

Gli ultimi due anni furono un inferno: alla fine Carlino ebbe il suo diploma di geometra. Ma il servizio militare gli capitò subito addosso tra capo e collo e pareva che Iddio glielo avesse mandato, tanto desiderava potersi staccare per un po' da Campolungo.

Non volle licenze: sapeva che sua madre era contenta che stesse lontano da Campolungo e gli bastava. Nessuno gli scrisse da casa. Mai egli scrisse a casa. Finito il corso allievi ufficiali, domandò di fare subito il servizio di prima nomina e, quando da allievo ufficiale finalmente passò sottotenente, allora a casa ci tornò.

Era in artiglieria pesante campale e, in quei tempi, gli ufficiali non erano vestiti da gasisti come succede adesso con la scoperta del panno color camomilla e della giubba infilata dentro le brache. Allora gli ufficiali erano vestiti da ufficiali, e quelli d'artiglieria avevano un tabarro azzurro che pareva ritagliato dal più bel capitolo del Risorgimento.

Carlino col tabarro azzurro aveva l'imponenza di un armadio a tre ante e alla gente del paese parve che fosse arrivato Napoleone.

Appena se lo trovò davanti, la vecchia Dacò spalancò gli occhi e allargò le braccia e stette a contemplarsi estatica il suo Carlino come se si trattasse della Madonna.

Quando poi vide che aveva anche la sciabola luccicante, si mise a piangere perché quella era una consolazione troppo forte per lei.

Il vecchio Giacomo, vedendo Carlino, si toccò con un dito la tesa del cappello. La mancanza di rispetto che aveva per il figlio non riusciva a fargli dimenticare il profondo rispetto che aveva per il Regio Esercito.

Però non disse niente e, siccome non se la sentiva di ordinare a un ufficiale di andare a rigovernare la stalla, rimase lontano da casa per tutti e dieci i giorni della licenza di Carlino.

Finito il servizio di prima nomina, Carlino tornò a Campolungo e, una volta che l'ebbe visto in borghese, il vecchio ritornò quello di prima.

— Adesso non ci sono più scuse — disse. — Mettiti a lavorare e fa il tuo dovere.

— Adesso prima di tutto mi sposo — rispose calmo Carlino.

Il vecchio lo squadrò come se avesse davanti un pazzo scatenato.

— Ti sposi?

— Sì. E, se non vi dispiace, sposo la disgraziata pitturata come un burattone da giostra che avete insultato quella volta. Se vi dispiace, la sposo lo stesso.

Il vecchio Giacomo Dacò era sui sessantaquattro anni, Carlino sui ventitré: l'età era di parecchio diversa, ma la testardaggine uguale.

— Se hai il coraggio di fare una stupidaggine

come questa, tu esci di qui e non ci rientri mai più, fin che son vivo — disse il vecchio.

— Me ne vado e non metterò più piede qui dentro fin che non siate morto — rispose Carlino.

— Neanche quando sarò morto! — urlò il vecchio. — Ti diseredo!

— Non ho bisogno dei vostri stracci per guadagnarmi la vita! — replicò il giovane. — Voi siete nato villano e morirete villano. Io sono nato villano ma villano non morirò.

Carlino si avviò verso l'uscita; arrivato sulla porta della cucina si volse:

— E se mia madre vuol venire con me, adesso, domani o quando le sembra meglio, non ha che da alzare un dito. Troppe gliene avete fatte patire, vecchio pazzo!

La vecchia scosse il capo:

— No, no, vai pure, Carlino e Dio ti benedica. Io sto bene qui.

Carlino andò e il vecchio Dacò rimase solo con la moglie. Non parlò mai più di Carlino. Come se non fosse mai esistito. Né la vecchia entrò mai in argomento: la vecchia aveva nel suo vecchio armadio di noce la mantella azzurra e la sciabola luccicante del suo Carlino e questo le bastava ampiamente.

Ogni tanto si chiudeva nella camera, spazzolava la mantella, la lisciava con la mano, lucidava la sciabola e stava lì a rimirarsi quella roba come lo spettacolo più straordinario del mondo.

Quando poi Carlino le mandò due grandi fotografie, una sua a braccetto con la moglie, e una del bambino, la gioia della vecchia non ebbe limiti. E una volta che perdette le due fotografie pareva diventata matta, e non si capiva cosa avesse perché non aveva detto a nessuno di aver ricevuto le due fotografie. Quando le ritrovò, la vecchia si confidò col buon Dio:

— Gesù, vi ringrazio di avermi fatto la grazia.

La vecchia morì dieci anni dopo la partenza di Carlino. Morì dolcemente, con le due fotografie strette sul petto, tanto strette che gliele lasciarono e le misero dentro la cassa. E, quando si sentì mancare, volle che spalancassero i battenti del vecchio armadio di noce che era lì, davanti al letto, e fino all'ultimo continuò a guardare la mantella azzurra e la sciabola luccicante di Carlino.

Il vecchio, seppellita la moglie, richiuse l'armadio e tirò avanti da solo per altri sei anni, fino ad arrivare agli ottanta. In quel tempo nessuno osò mai parlargli di Carlino. Soltanto una volta don Camillo cercò, con bel garbo, di entrare in argomento e il vecchio lo interruppe:

— Ahh! — urlò come se gli avessero nominato una gran porcheria. E sputò per terra.

Arrivato agli ottanta giusti, una notte morì. E la mattina alle sei già la gente di Campolungo era in allarme:

« Se a quest'ora non lo si è ancora sentito urlare, i casi sono due: o è diventato matto o è morto » dissero i famigli di Campolungo.

Alle sette entrarono nella camera del vecchio passando dalla finestra e lo trovarono disteso sopra le coperte del letto: secco come un chiodo, con la solita faccia cattiva, vestito completamente di nuovo.

Aveva fatto tutto da solo per non aver bisogno

di nessuno. Aveva capito che era arrivato il momento, aveva trovato la forza di vestirsi da morto. Si era sdraiato sul letto della vecchia. La gente rimase sbalordita: un uomo così faceva paura anche dopo morto; difatti il vecchio Dacò, sdraiatosi sul letto, aveva anche trovato la forza di mettersi il crocifisso sul petto e di incrociarvi sopra le lunghe mani ossute.

Non lo toccarono.

I figli e le figlie gli passarono davanti senza piangere. Scossero il capo e poi se ne andarono perché sapevano di avergli sempre dato fastidio da vivo e non volevano dargliene da morto. E poi questa era la sua volontà: «Fin che sono in casa mia, lasciatemi solo».

Il testamento fu aperto subito perché così il vecchio aveva dato ordine al notaio di fare, e non si trattava davvero d'un romanzo: «Lascio il caseificio e annessi a mio figlio Marco. Lascio la fabbrica di conserva e annessi a mio figlio Giorgio. Lascio i due molini e annessi a mio figlio Antonio. Lascio il podere di Campolungo, con tutto quello che c'è dentro, niente escluso, a mio figlio Carlo detto Carlino. Mio figlio Carlo verserà in contanti, entro cinque anni, a mia figlia Clementina e a mia figlia Maria, in parti uguali, la somma globale di lire... rappresentanti il valore di metà di Campolungo».

I mariti delle due donne mugugnarono ma le mogli saltarono loro sulla voce:

— State zitti. Non dategli soddisfazione!

Venne la sera e rimase a vegliare il vecchio soltanto Giusà, il vaccaro di novant'anni, e se ne andò verso la mezzanotte, quando venne a dargli il cambio Carlino.

Carlino aveva trentanove anni e s'era fatto massiccio come era il padre ai suoi bei tempi.

Guardò il vecchio rigido e freddo disteso sul letto e nei suoi occhi c'era soltanto rancore. Camminò in su e in giù parecchio, poi si fermò e squadrò il vecchio:

— Villano siete nato e villano siete morto! — esclamò con voce acre Carlino. — Ma io villano non morirò. Vi conosco bene e il trucco non vi riuscirà. Volete cavarvi la soddisfazione, dunque! « Lascio Campolungo a mio figlio Carlo, con tutto quello che c'è dentro e col gravame dei quattrini da dare alle donne.» Così Carlino, per la bramosia di avere Campolungo, molla tutti i suoi affari e viene qui a curare la proprietà!

Si chinò sul morto e gridò:

— E invece io, domani, vendo Campolungo con tutto quello che c'è dentro, pago quel che devo alle donne e mi godo i quattrini in città, alla vostra salute! Troppo furbo siete; ma vi è scappata una distrazione: non c'è la clausola che, se io vendo Campolungo, perdo l'eredità. Secondo il testamento io debbo semplicemente dare tot lire alle donne.

Camminò in su e in giù un poco, poi si volse verso il vecchio.

— E poi, cosa me ne importa dei vostri quattrini? — esclamò. — Ho detto che mi sarei fatta la mia strada da solo e ce l'ho cavata! Sì, anche se voi non vi siete mai degnato di accorgervi che io mi sono guadagnata una professione, la professione ce l'ho!

Trasse di saccoccia un foglio di carta intestata e lo mostrò al vecchio:

— Ecco qui: «*Studio tecnico geometra Carlo*

Dacò - *Via Faina 12 - telefoni 45.273 e 45.280 ».* Due telefoni, una segretaria, due aiutanti e una clientela, anche se voi non lo sapete!

Cavò di tasca il libretto degli assegni:

— Ecco, questi sono i soldi che ho in banca e li ho guadagnati io! E i muri dell'appartamento e dello studio sono miei! E ho l'Aurelia giù! Me ne infischio dei vostri quattrini! Teneteveli. Io vi faccio vedere che vendo Campolungo e poi i soldi li passo agli altri disgraziati dei vostri figli. Sì: quelli sono disgraziati. E voi lo sapete, tanto è vero che la pupilla dei vostri occhi, il famoso Campolungo, l'avete lasciata a me! A me che, quando avevo dodici anni, vi ho puntato contro lo schioppo... L'avete avuta paura, eh, quella volta?

Carlino andò a guardar fuori dalla finestra e la luna batteva sull'aia deserta.

— Sì, è inutile che facciate il bullo — disse volgendosi d'improvviso. — Quella volta avete avuto paura! Avete fatto passare una vita infernale a mia madre. L'avete terrorizzata al punto che non ha neanche avuto il coraggio di venire via con me. Vi farò vedere chi sono io! Tutto vendo! E non voglio neanche un centesimo dei vostri soldi maledetti! All'inferno Campolungo con tutto quello che c'è dentro!

Volse le spalle al vecchio e si trovò davanti l'armadione di noce. L'aperse e gli apparve la sua mantella azzurra e la sciabola luccicante.

— Lo so — disse appressandosi al capezzale. — Lo so che lei ha voluto che lo aprissero per vedere fino all'ultimo la mia mantella e la mia sciabola. Lo so che è morta lì dove state voi adesso. Ma se credete di prendermi col sentimento, sbagliate. Mia madre è una cosa, voi siete un'altra. E Campolungo rappresenta voi, non rappresenta mia madre. Campolungo significa tutto quello che c'è di brutto nella mia vita e in quella di mia madre. Sia maledetta questa terra e sia maledetta questa casa!

Il vecchio giaceva immobile come un pezzo di ghiaccio e la fiamma delle candele era anche essa ferma, come gelata.

Carlino andò a chiudere con violenza l'armadio.

— Sì, poi l'ho sposata quella che voi avete insultata chiamandola pitturata come un burattone da fiera. E ne sono contentissimo! E anche se a voi non è mai importato niente, ho anche un figlio, bellissimo e intelligentissimo, che non è nato villano e non morirà villano neanche lui. E si farà una strada come me la sono fatta io! Non avrà mai un padre come l'ho avuto io. Un padre che mi ha sempre umiliato davanti a tutti. Un padre che mi ha sempre considerato un imbecille e che, non essendo riuscito a fare di me un cafone da vivo, tenta di riuscirci da morto...

Nella stanza vicina c'era lo studio del vecchio. Un camerino piccolo piccolo con un grosso stipo e una sedia. Abbassandolo, l'ampio sportello funzionava da scrittoio. Carlino aperse lo stipo e si sedette.

Registri, cartelle con contratti, ricevute: tutto spaventosamente in ordine. Tutto spaventosamente chiaro. Soltanto un uomo che, al posto del cuore, ha un motore da sveglia e che non ha nel cervello la minima fantasia può essere così ordinato e preciso.

Carlino respinse con disgusto registri e cartelle.

Poi c'erano delle grandi buste gonfie di carte e

legate con una funicella. Su ogni busta la specifica del contenuto:

« Libri e quaderni delle scuole elementari del figlio Carlo, dall'anno... all'anno... »; « Documenti delle scuole tecniche del figlio Carlo, dall'anno... all'anno... ».

Carlino sciolse la funicella e rovesciò il contenuto della busta sullo scrittoio: ogni cosa era ordinata e portava una annotazione con la data e il numero progressivo. Brutta copia della domanda di ammissione, ricevuta tassa di iscrizione, ricevuta abbonamento tranviario, ricevute tasse frequenza. Ogni anno costituiva un blocchetto a parte, e ogni blocchetto finiva con un foglietto scritto a matita contenente le votazioni finali ricopiate dagli albi della scuola. La stessa mano che aveva scritto materie e voti, aveva poi aggiunto in altro carattere: « Promosso alla classe superiore ».

L'ultimo blocco era il più voluminoso perché comprendeva anche una copia del famoso quadro-ricordo dei laureandi o dei diplomandi che si vede esposto, sotto gli esami, in più d'una vetrina di città. Inoltre c'era una copia del giornale che portava l'elenco dei diplomati. E il nome di Carlo Dacò era sottolineato in rosso.

La terza busta, quella che portava l'intestazione: « Servizio militare del figlio Carlo Sottotenente del Regio Esercito, Arma di Artiglieria, Specialità Pesante Campale », era la più magra perché conteneva soltanto un numero della *Gazzetta Emiliana*. La notizia sottolineata era: « Ieri il 4° Pesante Campale è partito per il campo ».

La quarta busta portava la specifica: « Attività pubblicistica del figlio Carlo ». Dentro c'erano tre copie del *Corriere del Po*: e in ognuna era stato segnato in rosso un articoletto di mezza colonna circa. Era roba abbastanza recente: Carlino aveva avuto una breve polemica con qualcuno dal quale era stato tirato in ballo per via di certi progetti di case coloniche. Niente di straordinario. In uno degli articoletti di Carlino, era sottolineata in rosso la frase: «*Ma la colpa delle agitazioni che oggi sconvolgono la vita nelle nostre campagne, è prima di tutto degli agrari che costringono i loro sottoposti a vivere in case spesso miserabili*». La stessa matita rossa aveva scritto in margine: «Asino!».

L'ultima busta conteneva due piuttosto sbiadite riproduzioni fotografiche delle due fotografie che la vecchia Dacò un giorno aveva smarrito. E la intestazione della busta spiegava: «Fotografie del figlio Carlo, e del di lui figlio nato il... e battezzato col nome di Giacomo».

Carlino balzò in piedi e passò nella stanza del vecchio.

— Sì — gridò abbrancandosi alla cornice del letto. — Giacomo! Si chiama Giacomo Dacò anche se nelle partecipazioni ho fatto stampare Mino Dacò. Siete andato all'anagrafe, è vero? Per umiliarmi ancora! Ma, piantatevelo in mente, non sono stato io! È stata una trovata di quella cretina di mia moglie. È lei che a mia insaputa l'ha chiamato Giacomo. Serpente l'avrei chiamato io, piuttosto che dare il vostro nome a mio figlio! Voi le avevate detto se prendeva lezioni private da una sgualdrina, quella volta, ma lei, per la bramosia dei quattrini, gli ha dato il vostro nome. Ma io vi farò crepare di rabbia tutt'e due, voi e lei: perché domani venderò Campolungo e regalerò via tutti i soldi! Soltanto una donna senza dignità, dopo aver ricevuto un'offesa simile, può compiere un gesto così venale.

Carlino sudava e aveva la voce roca. Ansimava e continuava a camminare in su e in giù per la stanza, davanti al letto del vecchio.

— Sono affari miei! — rantolò ad un tratto. — L'ho sposata io e deve piacere a me, non a voi! E la vita che faccio me la sono scelta io e deve piacere a me... A Campolungo crepateci voi... Io domani vendo tutto, con tutto quello che c'è dentro... Tenetevi i vostri soldi e la vostra terra... Io non sono come quella poveretta di mia mamma... Ho l'Aurelia, giù: fra venti minuti posso essere in città... In città ho il mio lavoro, il mio avvenire, la mia famiglia... Qui non ho niente...

Il vecchio continuava a giacere immobile e il suo viso aveva un'espressione dura, quasi spietata.

Carlino si fermò e si abbrancò ancora alla cornice del letto:

— Non m'avete mai fatto paura da vivo, e non mi farete certo paura da morto! — ansimò... — Andate a comandare al cimitero! Qui comando io! Il padrone sono io! Venderò tutto! Me ne vado, già mi sono rovinato abbastanza il fegato con voi. Se non sapete la strada del cimitero, ve la insegneranno.

Lasciò la stanza ed era l'alba.

I vaccari lavoravano già. Carlino si tolse la giacca e, aggantuato un forcale, entrò nella stalla. Poco dopo ne usciva spingendo una gran carriola piena di letame fresco e gocciolante.

Passando davanti all'Aurelia ripensò a quando il vecchio aveva detto: « Il signor Carlo Dacò è là che sta facendo scuola guida con la "Balilla" ».

"Te li faccio vedere io la canasta e il tè delle cinque" disse fra sé, ripensando alla ragazza dalle labbra pitturate come un mascherone di giostra. "Arriva qui a Campolungo e poi te ne accorgi!"

Quando ebbe rovesciato il letame nel mucchio non tornò alla stalla: lasciò la carriola e continuò a camminare diritto, fino al fiume. Andò a sedersi su un sasso in riva all'acqua.

E, ripensando al vecchio disteso sul letto nella grande stanza muta e deserta, per la prima volta nella sua vita sentì pietà per il padre, e questo gli mise nel cuore un'angoscia sottile e penetrante.

E gli vennero alle labbra sommesse parole di preghiera: «Gesù, aiutatemi: fate che questa angoscia mai mi abbandoni e mi segua per tutta la vita. Fatemi soffrire come egli deve aver sofferto e nessuno mai lo seppe».

Caddero le parole sull'acqua che le portò lontano: ma Dio ne aveva già preso nota. E Campolungo fu salvo, con tutto quello che c'era dentro: la mantella azzurra; le buste coi documenti del figlio Carlo e la vita perduta di un uomo che amò uno dei suoi figli fino al punto di dimenticare gli altri suoi figli, e fino al punto di odiare se stesso.

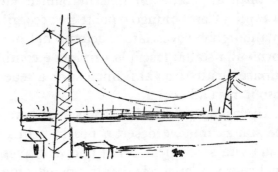

L'«OPERAZIONE CANE»

Da un po' di tempo Ful si era messo su una brutta strada e, più d'una volta, don Camillo aveva dovuto punirlo severamente tenendolo alla catena per intere settimane.

Ma Ful, quando pareva che fosse rinsavito, prendeva la via della porta e si dava alla bella vita rimanendo fuori casa anche due o tre giorni filati.

« Il fatto che la caccia sia chiusa — cercava di spiegargli don Camillo — non ti dispensa dai tuoi normali doveri di cane per bene. Tu non sei un randagio, un senzamestiere: tu sei un cane di razza, un cane nobile, e devi mantenere un contegno dignitoso in ogni momento. Vuoi fare qualche passeggiata? Padronissimo: però, alla sera, devi essere di ritorno. »

Discorsi bellissimi che Ful ascoltava con estrema compunzione, come se li capisse parola per parola, destinati disgraziatamente a lasciare il tempo che trovavano.

E, vedendo che invece di migliorare Ful peggiorava, don Camillo si rodeva il fegato perché quel cane gli stava molto a cuore e, piuttosto di perderlo, avrebbe preferito che gli rubassero la bicicletta a motore.

Il che, per un povero prete della Bassa, è tutto dire.

Ma il destino malvagio volle che don Camillo, invece del bicimoto, perdesse il cane.

Ful scomparve da casa un sabato mattina: mentre don Camillo celebrava la prima Messa, Ful tagliò la corda proditoriamente.

Per i primi due giorni don Camillo si preoccupò relativamente: ma, col passar del tempo, la preoccupazione crebbe. E allora incominciò a domandare in giro notizie di Ful.

Nessuno aveva visto Ful, in paese, e don Camillo allargò il raggio delle indagini e, una dopo l'altra, fece passare tutte le cascine dei dintorni.

Come cercare un ago in un carro di fieno.

La prima ispirazione di don Camillo era stata quella di interrogare Peppone: Peppone, infatti, era l'unico — oltre a don Camillo — a godere della considerazione di Ful. Tanto che Peppone, una volta, aveva francamente riconosciuto con don Camillo: «La politica ci divide, reverendo, Ful ci unisce. Ciononostante il giorno della riscossa proletaria, non ci sarà barba di Ful che vi salverà dalla giusta punizione».

Don Camillo avrebbe voluto parlare della scomparsa di Ful con Peppone: ma in paese la situazione politica era oltremodo pesante da alcuni mesi, ed era prevedibile facilmente che qualsiasi presa di contatto di don Camillo col capobanda dei rossi si sarebbe conclusa in una specie di terremoto.

Tuttavia, dopo aver bussato invano a tutte le porte, don Camillo dovette bussare anche a quella di Peppone. Non lo fece materialmente; scrisse:

«*Egregio signor Giuseppe Bottazzi, da quindici giorni il mio cane Ful è scomparso da casa. Qualora Ella fosse in grado di darmi qualche notizia utile al ritrovamento del cane stesso, Le sarei riconoscente di un cortese cenno in merito. Distinti saluti*».

La risposta arrivò a stretto giro di posta:

«*Egregio signor Prete, se il suo signor cane Le è scappato, significa che anche lui ha capito chi è Lei. Distinti saluti*».

Don Camillo non abbandonò le sue ricerche e, trascorso un mese, non sapendo più dove sbattere la testa, fece stampare dal Barchini cinquanta manifesti e mandò ad appiccicarli in giro, in paese e nei borghi vicini: «*Competente mancia a chi darà notizie di un cane da caccia...*».

Passarono tre giorni senza che nessuno si facesse vivo; finalmente arrivò una strana lettera scritta a stampatello, senza firma:

«*Reverendo, se volete trovare il vostro cane senza competente mancia, andate al macchione di Pragrande e cercate vicino alla chiavica*».

Don Camillo non ci pensò su neanche un minuto: prese la strada dei campi e galoppò verso il bosco di gaggìe di Pragrande.

Ebbe poco da cercare: vicino alla chiavica vide un bastone piantato per terra. In cima al bastone erano legati, con un pezzetto di fil di ferro, un collare da cane e un cartoncino.

Il collare era quello di Ful e sul cartoncino stava scritto a stampatello:

«*Qui giace uno dei due cani della canonica. È morto ammazzato da un camion ed è peccato perché era il meno cane dei due*».

Col bastone don Camillo frugò nella terra smossa e, quand'ebbe fatto un buco profondo una spanna, ricoprì subito e scappò via.

Arrivato in canonica andò a chiudersi nella sua camera perché aveva bisogno di macinare da solo l'angoscia e l'indignazione che gli rodevano le budella.

«*Morto ammazzato da un camion... Peccato perché era il meno cane dei due...*»

Don Camillo rigirava tra le dita il collare di Ful ripetendo tra sé: "Me l'hanno ammazzato... Me l'hanno assassinato".

Non aveva il minimo dubbio: qualcuno aveva ammazzato Ful per fare il più grave dei dispetti al parroco.

Ma chi poteva essere l'infame?

Per quanto la collera gli attanagliasse l'anima, don Camillo non aveva il coraggio di pensare all'assassino come a qualcuno fra le persone conosciute.

Non poteva essere stato uno del paese: si fosse trattato di un cristiano, allora sì. Ma si trattava di Ful. E in paese non c'era nessuno tanto vigliacco da ammazzare un cane per vendicarsi del padrone.

Passò una giornata cupa e la sera era sfinito come se avesse scaricato un transatlantico.

Non aveva neppure la forza di parlare e, quando andò in chiesa per chiudere e trovò ad aspettarlo la vecchia Forini, quasi gli venne voglia di trattarla male.

— Reverendo — gli disse con gran mistero la vecchia Forini — io le debbo confidare una cosa in gran segreto.

— Di che si tratta? — domandò con malgarbo don Camillo.

— Ho letto il manifesto del cane...

— Ebbene? — esclamò don Camillo preso alla sprovvista.

— È inutile che lei offra delle mance, reverendo. C'è chi sa bene dov'è finito il cane, ma non parlerà di certo.

— E voi perché non parlate? — ansimò don Camillo. — Non vi fidate forse di me?

— Reverendo, io mi fido di voi, ma non voglio guai con quella gente.

— Quale gente?

La vecchia sospirò scuotendo il capo.

— I soliti, reverendo. Il cane è scomparso sabato ventiquattro del mese scorso?

Don Camillo fece i conti rapidamente:

— Sì.

— Ebbene, sabato ventiquattro, io ho visto il cane assieme a uno di quelli là.

Don Camillo non ne poteva più. La prudenza della vecchia lo faceva impazzire. D'altra parte bisognava resistere alla tentazione di agguantarla per il collo costringendola a vuotare il sacco.

— Dite, dite, Desolina. Voi mi conoscete bene.

— Sì, ma conosco bene anche quelli là... Non era la prima volta che il suo cane andava assieme a quella gentaccia. Prima se la faceva soltanto col capobanda: gli era sempre tra i piedi in officina. Poi aveva stretto una grande amicizia col braccio destro del capobanda. Le confesso, reverendo, che mi meravigliavo vedendo il suo cane assieme a certa gentaglia.

Don Camillo protestò:

— Lo adescavano. E poi cosa volete che ne sappia lui di politica?

— Capisco, reverendo. Ma io ho capito subito che non poteva finire bene. Tutti male finiscono quelli che vanno assieme ai rossi.

Don Camillo s'informò con cautela:

— Desolina, quando voi dite « il braccio destro del capobanda » intendete lo Smilzo?

La vecchia si guardò attorno spaurita.

— Sì — ammise malvolentieri. — Aveva fatto grande amicizia con quello lì. E più d'una volta io l'ho visto partire assieme a quello lì, sul camion di Peppone... Sabato ventiquattro il cane è partito con lo Smilzo, sul camion. E la sera, quando lo Smilzo è tornato, il cane non c'era più.

Don Camillo ne sapeva fin troppo. Tranquillizzò la vecchia e andò a macinare rabbia a letto.

Naturalmente dormì poco e si alzò all'albeggiare. Celebrata la Messa, puntò diritto sull'officina di Peppone.

Pareva che tutto fosse stato combinato perché in officina, assieme a Peppone, c'era anche lo Smilzo.

Peppone non si aspettava di vedersi comparire davanti don Camillo a quell'ora e con quella faccia.

— Avete dormito male, reverendo? — s'informò.

— Sì. Ma sempre meglio di qualcuno che ha la coscienza sporca come un letamaio.

— Per esempio chi? — domandò minaccioso Peppone.

— Per esempio quello che, per fare un dispetto a me, ha ammazzato Ful.

Peppone scrollò la testa:

— Il cane gli ha dato alla testa, poveretto — borbottò. — Bisogna lasciarlo dire. Adesso ha sognato che gli hanno ammazzato il cane e lo viene a raccontare a noi invece di andarlo a raccontare a quella che dà i numeri del lotto.

— Non ho sognato niente — replicò don Camillo cavando di tasca il collare di Ful, la lettera e il cartoncino. — L'ho trovato morto al macchione e c'era anche questa roba.

Peppone lesse lettera e cartoncino:

— Mi dispiace. Ad ogni modo avete sbagliato indirizzo, reverendo. Qui c'è soltanto gente che avrebbe ammazzato volentieri voi per far piacere al cane, non gente che avrebbe ammazzato il cane per far dispetto a voi.

— Non ho sbagliato indirizzo — spiegò don Camillo. — Perché io cercavo un tale che, sabato ventiquattro del mese scorso, è partito col camion di proprietà di un certo Giuseppe Bottazzi. Che è partito assieme al mio cane e che è tornato senza cane.

Peppone fece un passo avanti:

— Reverendo — urlò — vi ripeto che voi avete sbagliato indirizzo.

— Non lo sbaglierà il maresciallo dei carabinieri quando io, fra dieci minuti, gli avrò fatto la denuncia assieme all'elenco dei testimoni.

— Io non ho paura né di voi, né dei marescialli, reverendo. Se vi hanno ammazzato il cane, noi non sappiamo cosa farci. Le colpe del clero asservito all'America ricadono sul capo dei cani innocenti!

— Rideremo ! — gridò don Camillo avviandosi verso la porta. — Fra dieci minuti scoppia la bomba H e lo spettacolo incomincia.

Lo Smilzo era diventato smorto come la signora delle camelie. Si aggrappò a Peppone ansimando:

— Capo, fermalo! Capo, non lasciarlo andare!

Peppone lo guardò sbalordito e se lo scrollò di dosso:

— Disgraziato, cosa ti succede?

Don Camillo, che intanto s'era fermato, tornò indietro.

— È inutile che tu faccia la commedia — gridò allo Smilzo. — Svergognerò te e tutta la vostra maledetta banda di criminali.

— Reverendo — esclamò con angoscia lo Smilzo — io non ho ammazzato il cane. Ve lo giuro.

— Ah, bravo! E allora giura che questa lettera e questo biglietto non li hai scritti tu! E poi, già che ci sei, giura che sabato ventiquattro non sei partito assieme a Ful.

— Io non giuro niente — rispose lo Smilzo. — Io giuro che Ful non l'ho ammazzato.

— E il cane seppellito al macchione chi è?

— Non lo so — disse lo Smilzo. — L'ho trovato morto sulla strada una settimana fa e l'ho seppellito al macchione. Somigliava molto a Ful. Dopo vi ho scritto per farvi smettere la lagna del cane scomparso.

Peppone agguantò lo Smilzo per il davanti della giacchetta e lo scosse come se dovesse mescolargli le budella al cervello:

— Spiegati, vigliacco, o ti ammazzo come un cane!

Don Camillo rise:

— Ce l'avete tutti coi cani, dunque. Si vede che sono le nuove direttive del Partito.

— Spiegati! — ripeté Peppone. — Voglio sapere tutto.

Ripresa la respirazione regolare, lo Smilzo raccontò tutto.

— Io e Ful ci eravamo fatti molto amici — disse. — È un cane per bene. Non sembra neanche il cane di un prete.

Don Camillo afferrò un martello.

— State calmo, reverendo — lo ammonì Peppone. — Non si devono impressionare i testimoni. Avanti.

— Noi eravamo molto amici — continuò lo Smilzo. — E ogni sabato, quando andavo a fare i servizi ai mercati col camion, veniva con me. Una volta a Peschetto eravamo in trattoria a mangiare e un tizio mi domandò se volevo vendere il cane. Gli risposi che non era mio, lo avevo trovato lungo la strada. Disse che lui lo comprava in tutti i modi: pochi, maledetti e subito. Mi mise in mano un biglietto da mille, io gli lasciai il cane e me ne andai. Avevo caricato parecchio. Però, quando fui a tre chilometri dal paese, mi accorsi che avevo fatto una stupidaggine grossa e fermai la macchina per tornare indietro a riprendere Ful. Mentre facevo manovra, Ful arrivò di gran carriera e saltò sul camion. Alla prima osteria scendemmo e ci bevemmo le mille lire.

Don Camillo lo guardò con schifo:

— Mascalzone, gli hai insegnato anche a bere?

— No: ho detto che ci siamo bevute le mille lire per dire che io ho bevuto vino e lui ha mangiato un piattone di carne come di sicuro non ne aveva mai mangiato quando stava col clero.

— Lascia stare il clero e continua! — gridò con Camillo.

— C'è poco da continuare — spiegò lo Smilzo. — Il sabato dopo io ho ripensato alla faccenda. Allora, una volta arrivati a Fornella, prima di andare a mangiare, io ho tolto il collare a Ful, gli ho sporcato il pelo di fango e me lo sono portato dietro legato per il collo con un pezzo di corda. Si capisce che io avevo fatto un nodo alla clericale, alla scappa e fuggi insomma, e avevo spiegato a Ful come doveva fare per liberarsi. Un colpetto e il nodo è sciolto. Dopo mi sono fatto indicare la trattoria dove di solito vanno i cacciatori e sono andato là. Ho trovato subito uno che mi ha comprato il cane per duemila lire. Eccetera.

— Come «eccetera»? — domandò don Camillo.

— Eccetera nel senso che io sono andato via, poi, a due chilometri dal paese, ho fermato il camion e ho aspettato che Ful tornasse. E Ful è tornato, con relativa bevuta e mangiata alla prima tappa. Insomma, avevamo organizzato un magnifico giro: io lo vendevo, lui scappava e poi ci dividevamo il guadagno.

— E lui ci stava? — domandò indignato don Camillo.

— Si capisce che ci stava! Non è mica un venduto all'America come voi! Lui capisce le istanze sociali e la necessità di collaborare con le classi meno abbienti.

Don Camillo afferrò ancora il martello:

— Concludi: dov'è finito Ful?

— Ful è finito a Castelmonti. L'ho venduto per tremila lire a un tizio e non è più tornato. Si vede che non è riuscito a scappare. Ecco la storia. Io non l'ho ammazzato. Ho fatto finta che fosse morto perché voi, una buona volta, steste zitto.

— Bene — esclamò don Camillo. — Appropriazione indebita, truffa continuata, diffamazione.

Don Camillo agitò minacciosamente il famoso cartoncino e Peppone credette giusto intervenire:

— Dire che, fra voi e Ful, il meno cane dei due è Ful non è una diffamazione. È la pura e semplice verità.

— Sentiremo in proposito il parere del tribunale — affermò perentorio don Camillo. — Questa non ve la perdono di sicuro.

Peppone scosse il capo:

— Qui la politica non c'entra. Lo Smilzo, se ha fatto una fesseria, l'ha fatta per conto proprio. E con la complicità del vostro cane: perché è evidente che erano perfettamente d'accordo. Quindi la vostra è una azione non contro di noi ma contro un cittadino privato. Volete mandarlo in galera? Accomodatevi.

Don Camillo pestò una martellata sull'incudine:

— Io non voglio mandare in galera nessuno! Io rivoglio il mio cane! Fra il disonesto che vende il cane di un altro e il porco maledetto che cerca di fregare il suo prossimo comprando per tremila lire un cane che ne vale centomila come minimo, non so chi sia il più colpevole. Ma il cane è mio e lo rivoglio.

Peppone andò a staccare dal chiodo la giacca e se l'infilò:

— Chiudete la vostra santa ciabatta. Riavrete il cane.

Uscì e, seguito dallo Smilzo, salì sull'autocarro.

— Vengo anch'io — esclamò don Camillo.

Lo Smilzo si mise al volante.

— A Castelmonti — ordinò Peppone. — Troveremo la trattoria, sapremo chi ha comprato il cane e lo riscatteremo. Con le buone o con le cattive.

Il camion si mise in moto e prese a navigare per le strade polverose della Bassa, diretto verso le colline lontane.

Non navigò molto: dopo quindici chilometri, lo Smilzo diede un pestone sul pedale del freno e bloccò la macchina.

— Cosa succede? — urlò Peppone imbestialito.

Lo Smilzo spalancò la portiera e un cane schizzò dentro la cabina.

Ed era Ful.

Nessuno parlò. Lo Smilzo fece manovra e riprese la strada del ritorno.

Dopo due chilometri, il silenzio fu rotto da un cupo brontolare di Ful.

Allora lo Smilzo fermò la macchina.

— Ebbene? — domandò irato don Camillo.

— L'accordo è che, alla prima osteria, si scende e si fa la spartana — spiegò lo Smilzo. — Io gli debbo la sua parte dell'ultima volta.

Scese seguito da Ful ed entrò nell'osteria davanti alla quale la macchina si era arrestata.

Scese anche Peppone.

Don Camillo rimase lì.

Faceva un caldo come se fosse estate e don Camillo grondava dentro la cabina di latta rovente.

Scese pure lui ed entrò nell'osteria per bere un bicchier d'acqua.

— S'accomodi, reverendo — gli disse l'oste passando di lì con un'enorme zuppiera piena di pastasciutta. — I suoi amici l'aspettano nella saletta.

La saletta era fresca, ombrosa, quieta, discreta. La pastasciutta mandava un profumo stupendo.

Don Camillo si sedette davanti al suo piattone di pastasciutta.

Allora Ful, che fino a quel momento aveva mantenuto uno stretto riserbo, si diede a festeggiare tumultuosamente don Camillo.

Ma don Camillo non si lasciò corrompere:

— Io mangio — spiegò — però è ovvio che pagherò ciò che mangerò. Il pane dell'imbroglio e del raggiro non è per i miei denti.

— Neanche per i miei — precisò Peppone. — Quindi è ovvio che ognuno paga ciò che gli spetta. Lo Smilzo paga per sé e per Ful...

— E io pago per me e per te, così sia io che lo Smilzo abbiamo come invitato un cane — disse in fretta don Camillo.

E si mise a mangiare soddisfatto perché, per una battuta così, val la pena di pagare il pranzo a un reggimento intero.

CARTACCIA ELETTORALE

Quel sabato, tutta la gente che era andata al mercato in città tornò in paese con gli occhi fuori dalla testa.

E la sera, nei caffè, nelle osterie, nei capannelli sotto i portici, non si parlò d'altro: perché, davvero, si trattava di una porcheria troppo grossa. Anzi: una mascalzonata più ancora che una porcheria.

I due grandi palazzi nuovissimi della piazza maggiore della città erano stati impiastricciati da cima a fondo con manifesti di propaganda elettorale.

Quando si dice «impiastricciati da cima a fondo» si vuol significare che i due maestosi edifici erano stati ricoperti di cartaccia stampata a cominciare dallo zoccolo per arrivare fin sotto la gronda, lasciando libere soltanto le porte e le finestre.

Un perfetto lavoro da tappezziere, eseguito senza economie, usando la colla più tenace. Quella dannata colla che, quando poi la carta viene staccata, si porta via ampie placche d'intonaco, o come minimo lascia sull'intonaco e sui mattoni a "faccia vista" le tracce indelebili delle sbaffate dei pennelli.

Due palazzoni nuovi di zecca, uno addirittura appena appena finito, ridotti in uno stato da far pietà.

La gente discusse a lungo e disse le cose che ogni persona di buon senso può dire in simili occasioni. E tutto rimase nel generico fino a quando qualcuno non saltò fuori con una considerazione di carattere particolare:

— Negli altri posti facciano come vogliono: ma perché qui noi non ci mettiamo d'accordo per evitare questa porcheria?

Altri osservò che un accordo del genere era riuscito in alcune località della riviera ligure, per le elezioni passate:

— Noi non siamo in riva al mare ma in riva al Po. Però il sale che la gente ha o non ha dentro la zucca non dipende dal fatto di abitare vicino all'acqua salata o all'acqua dolce. Vediamo allora di ragionare. Qualcuno prenda l'iniziativa.

Ci fu chi prese l'iniziativa e, qualche giorno dopo, i rappresentanti dei vari partiti in lizza si riunirono e impostarono la questione: ridurre al minimo indispensabile la propaganda cartacea, in modo da non trasformare il paese in una letamaia verticale, evitando di buttar via quattrini.

— Una volta che tutti stiano al gioco — concluse Spiletti, rappresentante dei clericali — vale tanto appicciare mille cartelli a testa che appicciarne uno solo.

— D'accordo — rispose Peppone. — Però è

necessario che tutti stiano al gioco. Nessuno deve poter barare.

— Semplice — ribatté l'altro. — Si sceglie d'accordo una commissione apolitica di sorveglianza che timbra un numero uguale di manifesti per ogni partito. I manifesti che non hanno timbro non possono venir esposti. Il controllo è facile.

— No — affermò Peppone. — Io non voglio spie in casa che vadano a dire ai miei avversari come saranno e cosa diranno i manifesti nostri.

— Giusto — esclamò Spiletti. — La commissione timbra in un angolo un numero stabilito di fogli bianchi e ognuno ci fa stampar sopra quello che crede. In questo caso non occorre neanche una commissione: ci arrangiamo da soli fra noi. Fissiamo la spettanza di manifesti per ciascun partito e timbriamo i fogli con un timbro speciale che poi viene depositato presso il notaio. E ognuno si prende i suoi fogli e ne fa quel che meglio crede. Libero di appiccicare i manifesti suoi tutti in un giorno; libero di appiccicarli un po' per giorno. Siccome i manifesti saranno pochi e facilmente controllabili, una commissione, con un rappresentante per ogni partito, tutti i giorni farà il giro ed eliminerà, distaccandolo, ogni manifesto che non porti il timbro legale. Insomma, come se distribuissimo mille lire spicciole a testa: ciascuno se le spende come e quando vuole, e le lirette false vengono eliminate.

Discussero sui particolari poi Peppone disse:

— Ci penseremo.

— Badi che lei deve pensarci soltanto come capo dei comunisti perché, come sindaco, lei deve essere già perfettamente d'accordo con noi, in quanto noi interpretiamo i desideri di tutta la cittadinanza — osservò lo Spiletti che era sottile.

Il giorno dopo, approfittando del fatto che l'accordo per il razionamento della cartaccia elettorale non era ancora in funzione, i clericali e partiti associati comunicarono alla cittadinanza che loro avevano avanzata questa proposta e che, se non si fosse giunti a evitare lo sconcio temuto, la responsabilità sarebbe ricaduta esclusivamente su Peppone. Il quale Peppone avrebbe avuto doppia colpa: come capo comunista e come sindaco.

E Peppone dovette stare al gioco.

Gli accordi richiesero tempo e discussioni ma, alla fine, ogni partito ebbe la sua spettanza di fogli timbrati, e il timbro venne solennemente depositato presso il notaio.

Quando apparvero i primi manifesti, la commissione di controllo fece il suo giro e constatò che tutto era perfettamente regolare.

E così avvenne anche nei giorni che seguirono e veramente la cosa si metteva molto bene perché ogni partito prima di spendere un manifesto ci pensava dieci volte e tutti tiravano a conservarsi il malloppo per aver di che controbattere validamente ogni eventuale colpo mancino degli avversari.

La gente del paese era contentissima. Quando poi sul più importante quotidiano nazionale indipendente apparve un articoletto che parlava della faccenda e concludeva: «*Volesse il cielo che in tutti i Comuni ci fosse un sindaco così di buon senso!*», la gente schiattò di soddisfazione e Peppone si sentì gonfio di giustificato orgoglio.

Ma era destino che qualcuno venisse ad amareggiargli l'anima. E si può ben immaginare chi potesse essere costui.

Peppone resistette fin che poté quindi innestò la marcia e partì verso la canonica.

— Reverendo — disse Peppone appena fu al cospetto di don Camillo. — Vi avverto che una settimana fa un altro prete è stato condannato dal tribunale per aver coerciàto i fedeli!

— Non mi stupisco — rispose calmo don Camillo. — Un buon sacerdote non deve mai « coerciàre » nessuno.

Peppone lo guardò male:

— Rev — esclamò — anche se io mi spiego male voi capite bene.

— Rev? — si stupì don Camillo.

— Abbreviativo di minoranza — spiegò Peppone che, quando perdeva l'indirizzo di casa, non guardava più in faccia nessuno, neanche il vocabolario.

— Ho capito. Però dovresti dirmi perché ce l'hai con me. Cosa ti ha fatto questo povero parroco?

— Questo povero parroco mi ha fatto che, invece di fare il parroco, non fa il parroco. E allora, se non la smette, lo si denuncia per esercizio abusivo del sacerdozio! In chiesa voi dovete limitarvi a fare della propaganda al Padreterno. La propaganda politica non è di vostra competenza. Se la fate, siete contro la legge.

Don Camillo allargò le braccia:

— Non capisco dove lei voglia arrivare, signor sindaco.

— Dove sono già arrivato, signor prete. Lei impedisce il libero esercizio del voto. Quando il disgraziato che viene in chiesa sente dire dal prete che, se vota per i comunisti, va all'inferno, quel disgraziato non è più libero di votare per chi crede.

Don Camillo sorrise:

— Mi rendo conto delle sue preoccupazioni, signor sindaco. Però sono fuori luogo: infatti non ci sono disgraziati che vengono in chiesa. I disgraziati sono soltanto quelli che non vengono.

Peppone oramai aveva innestato la quarta:

— Lei, minacciando di danno futuro colui che vota per un certo partito, si rende colpevole di una coercizione intimidatoria e perciò commette una disonestà.

Don Camillo scosse il capo.

— No: sarei disonesto se io, sapendo che chi vota per un certo partito commette un peccato grave, non lo spiegassi ai fedeli. Orbene, siccome lo so, lo spiego.

Peppone diventò rosso come la rivoluzione d'ottobre:

— Lei lo sa? E chi gliel'ha detto?

— Uno che se ne intende. Il Papa.

— Il Papa! — urlò Peppone. — E a lui chi gliel'ha detto?

— Non lo so. Proverò a domandarglielo.

Peppone strinse i pugni:

— Reverendo, vi ho avvertito. O la smettete o io vi porto in tribunale.

— Grazie dell'informazione. Però preferisco essere condannato dal tribunale degli uomini piuttosto che essere condannato dal tribunale di Dio. Gli uomini possono sbagliare, Dio no.

Peppone se ne andò e, la domenica seguente, don Camillo disse quello che doveva dire, senza preoccuparsi dell'avvertimento di Peppone.

Peppone ne fu subito informato e masticò amaro. Però stette tranquillo fino al sabato sera.

Arrivato il sabato sera, andò a trovare don Camillo.

— Reverendo, secondo me sarebbe bene che la predica di domani fosse diversa da quella della settimana scorsa. Ho sentito dire in giro che non è piaciuta.

Don Camillo allargò le braccia: — A me, invece, è piaciuta molto. Questione di gusti.

— Reverendo, siamo sotto le elezioni e l'aria comincia a scottare. Posso rispondere di me ma non degli altri. Non vorrei che lei dovesse inciampare contro qualcosa.

— Starò attento a dove metto i piedi.

— I piedi sta bene, reverendo. Ma se, poi, lei inciampa con la testa contro un palo di gaggìa?

Don Camillo si strinse nelle spalle: — Dipende dalla grossezza del palo.

— E se, mettiamo il caso, fosse grosso come questo? — domandò Peppone cavando di sotto il tabarro un bastone e mostrandolo a don Camillo.

Don Camillo guardò il bastone e poi scosse il capo.

— Dovrebbe essere, al minimo, grosso come questo — rispose tirando fuori di sotto la tavola un pesante bastone e mostrandolo a Peppone.

Peppone fece cenno d'aver compreso il concetto:

— Se fosse anche più grosso di quello non vi disturberebbe, reverendo?

— No — disse don Camillo. — Mi disturberebbe il fatto che tu non te ne andassi subito.

Peppone tolse il disturbo e don Camillo andò a letto tranquillamente. La predica della mattina seguente fu dello stesso identico tono di quella della domenica precedente. Fu cioè quella che doveva essere.

Peppone non si fece più vivo e così trascorse un'altra settimana. E venne la domenica.

La chiesa era affollata assai più del solito e don Camillo, arrivato alla predica, si guardò intorno compiaciuto.

— Fratelli — incominciò. E, in quel momento, si accorse che in fondo, proprio sulla porta, stava Peppone. Immobile e a braccia incrociate sul petto. E attorno a Peppone stavano lo Smilzo, il Bigio, il Brusco e tutto lo stato maggiore.

Si accorse pure che fuori dalla chiesa, davanti alla porta, si stipava una gran massa di gente, e vide subito di che gente si trattasse.

Un affare interessante davvero: i rossi di Peppone avevano praticamente bloccato la chiesa perché, oltreché davanti al portale della chiesa, si addensavano davanti alla porticina del campanile dilagando dentro il coro.

C'erano tutti e gli occhi dei fedeli *normali* fissavano preoccupati don Camillo.

— Fratelli — ripeté sorridendo don Camillo. — Sia ringraziato il Signore per aver oggi permesso di ritrovarci tutti qui, davanti, dietro e di fianco all'altare.

Poi incominciò la sua predica. E fu una predica lunga, lunga come mai era stata, perché mai gli si era offerta l'occasione di poter parlare a tanta folla.

E la voce di don Camillo era tonante, e riempiva completamente la chiesa uscendo con impeto d'uragano dalla porta spalancata, ed espandendosi nella piazza.

Disse tutto quello che doveva dire.

Anzi, per essere sinceri, disse anche qualcosa di più di quel che doveva dire. E fu d'una chiarezza straordinaria.

Peppone e la sua banda parevano diventati di sasso: incassavano senza battere ciglio.

E, quando don Camillo ebbe finito la sua predica, non si mossero.

Celebrata la Messa, don Camillo corse in sagristia a togliersi i paramenti e subito ritornò in chiesa.

La gente stava finendo di sfollare rapidamente: la banda dei rossi aveva sgombrato il passaggio ma era ferma lì, sul sagrato, e faceva ala alla folla dei fedeli.

Don Camillo si inchinò davanti all'altar maggiore:

— Gesù — disse — guardatemi le spalle. Davanti mi guardo io.

Poi si volse e traversò con passo lento e deciso la chiesa ormai vuota.

I rossi lo aspettavano al varco, ma don Camillo non esitò. Si sentiva forte come Sansone.

Arrivato che fu sulla porta, Peppone e i rossi si ritrassero e don Camillo si fermò.

Vide e non disse niente.

La canonica era sempre lì a sinistra, ma aveva la facciata coperta completamente di manifesti con falce e martello, e la scritta «Vota PCI».

Quando si dice «coperta completamente», si

vuol significare che, mentre don Camillo tuonava dal pergamo, una squadra di quindici filibustieri, armata di quindici scale, quindici pennelli e quindici secchie piene di colla, aveva tappezzato la facciata della casa, non lasciando scoperto un solo millimetro di roba.

I manifesti erano stati incollati in perfetto ordine anche sulle persiane delle finestre e sulle ante della porta.

E sotto la grondaia.

E tutt'attorno ai camini.

Il lavoro era stato curato nei minimi particolari; quindi anche sul marciapiedi erano stati incollati manifesti, e manifestini più piccoli ricoprivano la canala della gronda.

Don Camillo vide, ma non parlò.

Trasse di saccoccia gli occhiali, li inforcò, poi fattosi davanti alla canonica sostò, guardò il capolavoro e, voltatosi, domandò a Peppone che era lì alle sue spalle:

— Ah! Un nuovo partito?

— C'era già da un pezzo — rispose Peppone.

Don Camillo si avvicinò alla porta, cavò di tasca il temperino, cercò la fessura dell'anta e con estrema delicatezza tagliò la carta dei manifesti che ricoprivano tutta la porta.

Poi girò la maniglia, socchiuse l'anta, entrò e richiuse.

Un secondo dopo riaperse la porta e si riaffacciò:

— Se non ho sbagliato a contarli — disse a Peppone — sono tutti i manifesti che ti rimanevano della spettanza!

Peppone lo guardò cupo e gridò:

— Ci è rimasto un foglio solo, ma, per annunciare al popolo la nostra vittoria, basterà!

— Se deve servire per questo, te lo puoi appiccicare sulla schiena — esclamò don Camillo.

E Dio solo sa la fatica spaventosa che egli fece dicendo « schiena ».

L'IMPORTANZA
DI ESSERE IN LISTA

Ci fu battaglia grossa, in Comune, perché Spiletti
— capo dei clericali e unico consigliere di minoranza — approfittò della prima seduta per protestare
energicamente contro il sopruso commesso dai rossi
ai danni dell'arciprete.

— Non c'è persona di buon senso — concluse
Spiletti — che, vedendo la canonica tappezzata di
manifesti, non abbia provato un profondo disgusto.

— Invece questa persona c'è! — urlò Peppone.
— E questa persona sono io.

— Lei non è una persona di buon senso — gridò lo Spiletti. — Altrimenti non approverebbe una
vergognosa impresa architettata al solo scopo di offendere un degno sacerdote!

Peppone sghignazzò:

— Degno sacerdote! I degni sacerdoti non tra-
sformano la chiesa in una tribuna di propaganda
elettorale! Se il suo degno sacerdote vuol tenere dei
comizi, li tenga in piazza. Quando è in chiesa faccia il prete!

— E lei quando è in Comune faccia il sindaco! — replicò Spiletti. — Questa è una seduta del Consiglio comunale e non una riunione della sezione comunista. Quello che il prete fa in chiesa non c'entra con la nostra discussione: qui si tratta semplicemente di un importante edificio del paese che è stato deturpato e ciò ha suscitato l'indignazione di gran parte della cittadinanza. Di questo lei deve tener conto perché qui lei ha il dovere di comportarsi da sindaco!

— Io mi comporterò da sindaco quando il suo signor prete, invece di comportarsi da propagandista politico, si comporterà da prete! — ribadì Peppone.

Ma lo Spiletti scosse il capo:

— Ho già detto che il comportamento del prete non c'entra. Qui c'entra la canonica il cui contegno è fuori d'ogni discussione in quanto la canonica non si è mai comportata da propagandista di politica, ma si è sempre comportata da canonica. La cittadinanza è indignata per il miserevole stato in cui si trova oggi l'edificio della canonica e chiede al sindaco che lo sconcio venga eliminato!

Lo Smilzo fece udire la sua voce:

— Altro che lo sconcio! Bisognerebbe eliminare il prete!

— La cittadinanza oggi come oggi non chiede l'eliminazione del prete! — disse Spiletti. — Quando la chiederà, ne parleremo. Per ora chiede semplicemente l'eliminazione dello sconcio dei manifesti appiccicati alla canonica. È una questione di estetica e di decenza.

Peppone, che aveva macinato rabbia fino a quel momento, intervenne:

— Tutto quello che può fare il Comune è di prestare al signor parroco una secchia, una spazzola e una scala.

— L'offerta è generosa e simpatica — spiegò Spiletti. — Ma devo avvertire che è già stata fatta al signor arciprete. Ma il signor arciprete ha risposto che non può accettarla. Egli teme che, vedendolo staccare manifesti elettorali, la gente dia al suo gesto un significato politico. E nessun privato accetterebbe il compito. Soltanto se il lavoro venisse effettuato da incaricati del Comune non ci sarebbe possibilità di equivoci spiacevoli.

Peppone aveva le vene del collo grosse come radici di quercia. Digrignò i denti qualche istante poi urlò:

— Propongo che il signor arciprete vada all'inferno, lui e tutta la sua banda!

— Approvato per acclamazione! — risposero tutti i consiglieri eccettuato, beninteso, lo Spiletti.

Però la questione non era risolta: Peppone se ne accorse la mattina dopo, quando lo Smilzo venne ad avvertirlo che, sul sagrato, stava succedendo qualcosa che non funzionava.

Peppone corse al sagrato e trovò un sacco di gente radunata davanti alla canonica.

E, in mezzo al cerchio di gente, stava don Camillo. Aveva portato fuori il letto, la tavola, una sedia, un paravento, una catinella e un comò, e adesso, seduto sul letto, spiegava:

— Sì, stanotte ho dormito qui: sono stato fortunato perché non è piovuto.

— E se piove, reverendo?

— Figliolo, aprirò l'ombrello! D'altra parte io non posso abitare in una casa senza luce, senz'aria.

In una casa con tutte le finestre bloccate... Non mi lamento, però. Bisogna aver pazienza. Il 7 giugno non è lontano, e dopo il 7 giugno, finite le elezioni, io avrò il diritto di staccare i manifesti elettorali che mi hanno appiccicato sulle gelosie e così riaprirò le finestre. Non mi lamento, anzi ringrazio Dio che il manifesto sulla porta me l'hanno appiccicato in modo tale che posso aprire la porta senza lacerarlo. Così vuol dire che, fino al 7 giugno, io vivrò qui sul sagrato.

Il Barchini, che non aveva visto Peppone, intervenne:

— Reverendo, quello che lei vuol fare è una pazzia! Stracci i manifesti e rientri in casa sua! Vedrà che nessuno avrà il coraggio di aprir bocca!

Don Camillo allargò le braccia e scosse il capo:

— Figliolo, tu allora non conosci che tipi siano quelli che hanno attaccato i manifesti! Non lo sai che in Cecoslovacchia, nel 1948, hanno attaccato un manifesto come questo sulla porta di un povero parroco e poi quando il parroco, per entrare in casa, ha lacerato il manifesto, lo hanno mandato sotto processo per azione provocatoria e sabotatrice?

— Ma qui non comandano loro! — esclamò il Barchini.

— E se vincono le elezioni? — sospirò don Camillo. — Chi mi salva? No, figlioli, io non voglio grane. Io sono un povero vecchio prete pacifico che vuol vivere in santa pace con Dio e con gli uomini.

— Una vecchietta disse, con voce angosciata:

— Ha ragione, povero don Camillo! Voialtri non sapete che brutta gente siano questi senza Dio!

Era una faccenda che gridava vendetta e Peppone non riuscì a resistere. Scappò via di corsa e, dieci minuti dopo, arrivava una squadra con secchie, spazzole, scale, spugne, raschietti, e si dava subito con furore a staccare i manifesti dalla canonica.

Il lavoro durò due ore e alla fine don Camillo allargò le braccia e volse gli occhi al cielo:

— Gesù, guardate a cosa mi hanno ridotto la facciata della canonica! Gesù, ditelo voi se a un povero prete che si toglie il pane di bocca...

Non poté continuare perché erano arrivati muratori e imbianchini comandati dal Bigio in persona.

— Reverendo — disse sottovoce il Bigio a don Camillo — non esagerate, per favore!

Don Camillo non esagerò e tornò in casa con tutte le sue cianfrusaglie.

E la canonica ebbe la facciata rimessa a nuovo.

Alla prima seduta del Consiglio comunale, Peppone si rivolse all'opposizione:

— La signora minoranza è soddisfatta? — domandò aggressivo.

Spiletti allargò le braccia:

— Per poter rispondere, io devo prima sapere chi ha fatto eseguire il lavoro di ripristino alla canonica.

— E chi vuole che l'abbia fatto eseguire? — urlò Peppone. — Noi!

— Voi nel senso di amministrazione comunale o nel senso di partito comunista? Perché non sarebbe ammissibile che la amministrazione comunale pagasse il danno provocato dal partito comunista!

— Noi nel senso di Giuseppe Bottazzi privato cittadino che, per farvela piantare, ha pagato di sua tasca! — gridò Peppone.

Lo Spiletti scosse il capo:

— L'opposizione si dichiara insoddisfatta. La cittadinanza chiedeva l'intervento del Comune per eliminare uno sconcio facendo poi pagare le spese al partito responsabile di detto sconcio. È inconcepibile che un'amministrazione comunale permetta a un privato cittadino di sostituirsi a lei in atti che debbono essere di stretta ed esclusiva competenza della stessa amministrazione. Quindi esprimiamo la nostra piena disapprovazione per l'incuria del sindaco Giuseppe Bottazzi che ha tollerato l'intollerabile arbitrio del cittadino Giuseppe Bottazzi, il tutto a vantaggio del compagno Giuseppe Bottazzi e del suo partito.

Peppone era tanto rosso in faccia che pareva nero:

— E per l'aspirante omicida Bottazzi Giuseppe, c'è niente? — ansimò Peppone stringendo i pugni. Lo Spiletti non tese di più la corda:

— L'opposizione non vede la necessità di aumentare i Bottazzi e dichiara chiuso l'incidente.

Peppone era un uomo di spirito e la risposta dello Spiletti lo sgonfiò immediatamente. Anzi lo divertì tanto che, finita la seduta, prese sottobraccio l'opposizione e volle pagarle da bere.

Però era di spirito fino a un certo punto e, la sera, andò a far due chiacchiere con don Camillo.

— Reverendo — disse Peppone — la farsa è finita. Non me ne importa niente di aver fatto la parte dello stupido. Però, adesso bisognerebbe non ricominciare da capo. Altrimenti, questa volta la farsa finisce in tragedia. Dipende da voi.

— Da me?

— Reverendo, lasciate stare la politica.

Don Camillo sospirò:

— Peppone, se mentre tu, nella tua officina, stai temperando uno scalpello d'acciaio, io ti dicessi: «Continua il tuo lavoro, però spegni il fuoco», cosa mi risponderesti?

— Che siete matto perché per temperare dell'acciaio è necessario tirarlo rosso al punto giusto e per tirarlo rosso ci vuole il fuoco.

— Peppone, allora non è un tuo capriccio, il fuoco, ma una cosa indispensabile.

— Si capisce.

— Lo stesso accade per me. Non è animosità politica che mi spinge a parlare della scomunica, Peppone. Io lo debbo fare. E se non lo facessi sarei il peggiore dei sacerdoti. Cerca di capire.

Peppone lo guardò cupo:

— Ho capito, reverendo. Siete voi che non avete capito niente.

Peppone se ne andò e don Camillo serenamente continuò per la giusta strada. E, ogni volta che parlava ai suoi fedeli, premetteva:

— Fratelli, io debbo dirvi che due e due fanno quattro. Se questo risultato non piace a qualcuno che ha una sua idea particolare sulla matematica, come posso io dirvi che due e due fanno cinque? C'è chi trova nell'oppio l'unica dolcezza che gli dà la vita: posso io, per non irritare costui, dirvi che l'oppio non è un veleno?

Ma a Peppone la faccenda non riusciva ad andar giù e giorno per giorno si inviperiva.

E si caricò a tal punto di veleno da perdere ogni controllo del buon senso.

Don Camillo, quella sera, stava cenando, quando qualcuno bussò alla finestra del tinello.

Don Camillo andò a dare un'occhiata, riconobbe il tipo e, passato nell'andito, aprì la porta. Il tipo entrò e don Camillo, senza diffidenza, ritornò in tinello e si sedette alla tavola, dopo aver detto al tipo di richiudere la porta.

Don Camillo s'era appena seduto, che l'ometto apparve sull'uscio del tinello. Però non era solo. Dietro di lui stava la squadraccia di Peppone al completo e tutti avevano facce poco promettenti.

— Ebbene, che storia è questa? — domandò cauto don Camillo.

Quattro o cinque gli si misero alle spalle, gli altri di fianco.

— Cerchi di star tranquillo, reverendo — gli spiegò Peppone entrando e chiudendo l'uscio. — Continui a mangiare. Noi intanto facciamo il nostro mestiere.

Si avanzò lo Smilzo che portava nella destra una secchia piena di colla e nella sinistra un rotolo di carta.

Depose la secchia per terra, vi intinse un grosso pennello e spennellò di colla il muro davanti a don Camillo.

Poi spennellò il rovescio di un manifesto e appiccicò con cura il manifesto al muro.

In seguito appiccicò un manifesto contro l'uscio e un altro lo appiccicò contro lo sportello dell'armadio.

— Fatto — disse alla fine.

Don Camillo guardò i manifesti e poi guardò Peppone.

— Questa è la mascalzonata più grossa che potevi organizzare — affermò don Camillo.

— Non è più grossa della mascalzonata che fate voi insinuandovi subdolo nelle case, nascosto nell'animo ingenuo dei vecchi e delle donnette. È una violazione di domicilio peggiore di questa. Comunque speriamo che abbiate capito, adesso che vi abbiamo spiegata la cosa con un esempio.

— Va bene — borbottò don Camillo. — Ricordatevi però che questo insulto me lo pagherete!

Lo Smilzo sogghignò:

— Abbiamo organizzato le cose per bene, reverendo. Non potete fare niente: non avete testimoni.

— Dio ha visto!

— *Testimonis unus, nientoribus!* — ridacchiò lo Smilzo.

— Non te ne incaricare, giovanotto — rispose calmo don Camillo. — Dio è un testimone che vale per due. Ve ne accorgerete.

Uscirono dalla parte dell'orto e don Camillo rimase solo a guardare i manifesti appiccicati al muro, all'armadio e al battente dell'uscio.

— Gesù — disse don Camillo — perché non li fulminate tutti?

— È una questione di principio, don Camillo. — Se non li ho fulminati quando mi inchiodavano sulla Croce, come posso fulminarli ora per il fatto che hanno incollato tre pezzi di carta al muro di casa tua? Ragiona, don Camillo: potrebbe sembrare una manovra per impedire il libero andamento delle elezioni.

Don Camillo chinò il capo.

Ci fu chi, il giorno dopo, vide i manifesti appiccicati nella saletta di don Camillo, e la voce corse e, per quanto don Camillo cercasse di tagliar corto alle chiacchiere per non rendere irrespirabile l'aria già calda, un bel giorno lo Smilzo arrivò ansimante alla Casa del Popolo e portò a Peppone e allo stato maggiore la novità:

— Don Camillo è passato al contrattacco! Per vendicarsi della lezione ha detto che...

L'idea attribuita a don Camillo era così ridicola e puerile che tutti si spanciarono per il gran ridere.

— Si vede davvero che è in piena crisi! — concluse Peppone. — Quando un prete è ridotto ad attaccarsi a simili rampini è finito! Questa è una vittoria morale straordinaria. È la distruzione completa dell'avversario.

La cosa venne discussa con piena soddisfazione e, alla fine, Peppone sollevò un'obiezione sensata:

— Però si tratta di voci semplicemente. Per poter sfruttare adeguatamente la cosa ci vorrebbe una prova.

Lo Smilzo tentennò il capo:

— È una parola! Bisognerebbe, come minimo, fotografare il documento.

— Non occorre — spiegò Peppone. — È sufficiente prenderne visione. Se le variazioni sono state fatte, noi possiamo sfidarlo a produrre il documento e tutti si accorgeranno delle modifiche. Ne riparleremo quando sarà ora. Per il momento, nessuno ne parli.

Nessuno ne parlò più e così passarono parecchi giorni e pareva oramai che la cosa fosse completamente dimenticata. Ma, invece, c'era qualcuno che si ricordava benissimo di tutta la faccenda.

Tanto è vero che la volta in cui don Camillo rimase in chiesa fino a mezzanotte passata per studiare all'armonium un'arietta da adattare alla canzoncina che i ragazzini dovevano cantare per la venuta del Vescovo, sentì ad un tratto che qualcosa non funzionava e, voltatosi di scatto, si trovò al cospetto di un intruso intabarrato.

Balzò in piedi e agguantò un pesante candelabro di bronzo che stazionava nei paraggi.

— Via di qui! — intimò don Camillo.

— Se prima non ho visto il registro non mi muovo! — rispose l'intruso lasciando scivolar giù dalle spalle il tabarro.

Aveva una grossa stanga fra le mani e la prospettiva di un duello a quell'ora non era allettante per don Camillo.

— Peppone, sei diventato matto?

— Reverendo, voglio vedere il registro se no lo divento.

— Il registro?

— Sì, il registro del battesimo. Voglio vedere se è vero che voi per vendicarvi avete cancellato i nostri nomi.

La cosa era così grossa che don Camillo lasciò cadere il candelabro.

— Gesù! — esclamò volgendo gli occhi al cielo. — Costui è peggio che pazzo! È diventato cretino!

— Voglio vedere il registro! — ripeté l'altro cupo. — Tutti dicono che voi avete cancellato i nostri nomi.

— E a quale scopo?

— Per eliminarci dall'elenco dei cristiani.

Don Camillo guardò sbalordito Peppone, poi si avvicinò al grande armadio pieno di vecchi registri.

Trovò quello che interessava (l'anno lo sapeva perché don Camillo era nato lo stesso anno di Peppone) e lo mise sull'armonium.

— Guarda tu stesso.

Peppone sfogliò il libraccio. Controllò quanto voleva controllare.

— E gli altri? — domandò.

— Gli anni li sai: mentre io vado avanti col mio lavoro, trovati i registri e vedi tu.

Don Camillo tornò a sedersi all'armonium e riprese a comporre la sua canzoncina.

E subito si accorse che, adesso, il motivo della canzoncina gli veniva fuori con enorme facilità. Sì che, dopo mezz'ora, aveva finito.

Allora la provò tutta di seguito accompagnando la musica col canto.

E quando ebbe terminato, era eccitato.

— Pare la Marsigliese! — borbottò Peppone che, controllati i registri, era rimasto lì a sentire.

In realtà, se i bambini avessero accolto il vecchio Vescovo al canto di quell'inno, il vecchio Vescovo avrebbe sussultato.

Don Camillo se ne rese conto ma non se ne dolse, anzi se ne rallegrò. Non svelò lo stato d'animo a Peppone. Anzi lo guardò malamente e gli domandò brusco:

— E allora?

— Va bene — rispose Peppone.

— Il fatto di essere sempre nella lista dei cristiani non ti deve illudere. Alla fine pagherai tutte le porcherie che hai commesso!

— Questi sono affari miei — affermò Peppone.

— L'importante è di essere in lista.

IL FIORETTO DELL'ELEFANTE

Fulmine detto Ful era il cane di don Camillo. Cabazza Antenore, detto Fulmine, era invece uno degli uomini di Peppone.

Tra i due Fulmini, quello che aveva più cervello era senza dubbio il cane di don Camillo; questo per dare un'idea del Fulmine a due zampe che interessa la nostra storia.

Fulmine era un colosso tardo e massiccio, una specie di elefante che, una volta messo in moto, procedeva con la grazia e la decisione implacabile del pachiderma. Era un perfetto esecutore d'ordini, però la massima cura di Peppone nei riguardi di Fulmine era quella d'evitare di dargli degli ordini.

Quindi Fulmine svolgeva la sua attività di militante comunista soprattutto all'osteria del Molinetto dove trascorreva giocando a carte quasi tutto il tempo che il lavoro gli lasciava libero.

Aveva la fissa della scopa e, data la sua formidabile memoria, si presentava spesso come avversario pericoloso. Naturalmente, il giuoco delle carte non è soltanto questione di buona memoria e Fulmine, ogni tanto, riceveva delle lezioni piuttosto dure.

Ma non gli era mai successo quel che gli accadde il sabato che giocò con Cino Biolchi.

Infatti, dopo cinque ore di giuoco si trovò senza più una lira in tasca, e allorché s'era messo a sedere al tavolo aveva cinquemila lire.

Fulmine, davanti a quel disastro colossale, rimase come rimbambito e non riusciva ad ammettere di dover tornare a casa completamente pelato.

— La rivincita! — ansimò ad un tratto agguantando le carte con le mani tremanti.

— Te ne avrò date trentamila di rivincite! — rispose Cino Biolchi. — Adesso sono stufo.

— Facciamo la rivincita delle rivincite, così se vinco riprendo le mie cinquemila lire.

— E se perdi? — domandò Cino Biolchi.

Fulmine si asciugò la fronte fradicia di sudore.

— Soldi non ne ho più — balbettò. — Però ci gioco tutto quello che vuoi tu.

Il Biolchi si mise a ridere:

— Non dire sciocchezze: torna a casa e dormici sopra.

— Voglio la rivincita! — ruggì Fulmine. — Gioco quello che vuoi. Parla!

Il Biolchi era un tipo piuttosto singolare:

— Sta bene, ci sto. Cinquemila lire contro il tuo voto.

Fulmine lo guardò allocchito:

— Il mio voto? Cosa significa?

— Significa che, se tu vinci, ti prendi le cinquemila lire. Se perdi, ti impegni a dare il voto non al tuo partito ma alla lista che stabilirò io.

Fulmine non voleva credere che il Biolchi parlasse sul serio, ma poi dovette convincersene.

D'altra parte c'era per la gola: o così o niente.

Il Biolchi mise sotto la lavagnetta un biglietto da cinquemila e porse a Fulmine un foglio e una penna stilografica:

— Scrivi: «*Io sottoscritto Cabazza Antenore mi impegno con la mia parola d'onore a votare il 7 giugno per la lista del...*». Metti la data e la firma. Il nome del partito lo metterò io a mio gusto e quando mi parrà e piacerà.

Fulmine scrisse quello che doveva ancora scrivere, poi guardò cupo il Biolchi:

— Però resta una faccenda fra me e te, e io fino al 7 giugno ho il diritto di avere la rivincita.

— D'accordo.

Peppone stava per lasciare la Casa del Popolo quando gli comparve davanti Fulmine:

— Capo, sono rovinato. Ho giocato col Biolchi e ho perso tutto.

— Peggio per te. Sono affari che non mi interessano.

— Ti interessano invece. Ho perso i soldi e il voto.

Fulmine raccontò come stava la faccenda e Peppone, alla fine, si mise a ridere:

— Infischiatene: il voto è segreto. Quando sarai in cabina, voterai la tua lista e nessuno ne saprà niente.

Fulmine scosse il testone.

— Non si può. Ho firmato la carta.

— Che carta e carta! Non ha nessun valore.

— Ho dato la parola d'onore e ci siamo stretta la mano. Io sono uno di parola. Io non sono un birichino.

Fulmine era un ippopotamo ma non un saltafossi. Al posto del cervello possedeva un motore da trattrice agricola, ma i motori, per quanto di ghisa e acciaio, hanno una loro logica implacabile che nessuno, a meno che non voglia fracassare il motore, può cambiare.

Peppone, perfetto conoscitore di motori, si accorse che la faccenda era molto più grave di quanto non sembrasse a prima vista. Fulmine non avrebbe mai potuto mancar di parola.

— Sta bene, Fulmine: domani ne parliamo con calma.

— A che ora?

— Alle dieci e trentacinque — rispose Peppone con rabbia. E disse «dieci e trentacinque» per non dire «vai all'inferno tu e tutti i disgraziati come te»; ma alle dieci e trentacinque della mattina seguente, Fulmine compariva in officina dicendo: — Sono le dieci e trentacinque, capo.

Fulmine evidentemente non aveva dormito e aspettava, fermo lì davanti all'incudine, con occhi pieni di stanchezza e di sgomento. La prima idea che venne in testa a Peppone fu quella di pestare una martellata sulla zucca a Fulmine, ed era anche l'idea più logica e sensata.

Poi il poveraccio gli fece pena e allora Peppone si limitò a buttar lontano il martello.

— Sei un miserabile! — urlò Peppone. — Meriteresti che ti cacciassi fuori dal Partito a pedate.

Ma ci sono le elezioni di mezzo e non possiamo permettere che gli avversari sfruttino la storia. Eccoti cinquemila lire: vai da quel porco e fatti restituire la carta. Se rifiuta di liberarti dall'impegno vieni ad avvertirmi.

Fulmine intascò il foglio da cinquemila e scomparve.

Dopo neanche un quarto d'ora, era di nuovo davanti a Peppone.

— E allora? — domandò Peppone.

— Non vuole.

Peppone si mise la giacca e il cappello e uscì di gran carriera dall'officina:

— Tu aspettami qui.

Il Biolchi ricevette Peppone con molta cortesia:

— In che cosa posso essere utile al signor sindaco?

— Lascia perdere il sindaco! Qui si tratta di quel disgraziato di Fulmine: prendi le cinquemila lire e liberalo dall'impegno. Ieri era ubriaco.

— Non era ubriaco: era in pieno possesso di tutte le facoltà mentali. È stato lui a insistere. I patti sono chiari: fino al 7 giugno io sono a sua disposizione per la rivincita.

— Biolchi — replicò Peppone — se io denunciassi questo sporco affare ai carabinieri, tu come minimo andresti dentro. Comunque, siccome non voglio che la cosa diventi di dominio pubblico, ti avverto che se non mi restituisci la carta, io ti appiccico al muro come un manifesto.

Il Biolchi fece un risolino:

— E ti pare che io non denuncerei l'aggressione ai carabinieri? Non ti conviene, Peppone.

Peppone strinse i pugni ma capì che il Biolchi aveva il coltello per il manico:

— Biolchi, sta bene. Però, se non sei l'ultimo dei vigliacchi, falla con me la rivincita invece che con quel disgraziato di Fulmine.

Il Biolchi chiuse la porta del tinello, trasse da un cassetto un mazzo di carte e si sedette al tavolo.

Peppone prese posto davanti a lui.

Fu una scopa storica ma, alla fine, Peppone dovette cavar fuori un biglietto da cinquemila e andarsene a becco asciutto.

La sera ci fu riunione dello stato maggiore, alla Casa del Popolo; Peppone impostò la questione con la serietà dovuta e concluse:

— Quel farabutto non è di nessun partito però è decisamente contro di noi. Bisogna che noi liquidiamo l'affare senza can-can o ne salta fuori una farsa. Come possiamo accomodarla?

— A scopa no di sicuro — borbottò lo Smilzo.

— Il Biolchi a scopa ci mangia vivi tutti. Proviamo a trattare offrendo diecimila lire invece di cinquemila.

Era tardi ma andarono ugualmente a bussare alla porta del Biolchi.

Il Biolchi era ancora alzato e pareva non avesse nessuna voglia di andare a letto. Doveva essergli successo qualche guaio.

— Biolchi — disse con calma Peppone — gli affari sono affari. Perché non ci mettiamo d'accordo sul prezzo?

Il Biolchi allargò le braccia desolato:

— Troppo tardi. È appena andato via Spiletti che mi ha vinto a scopa quindicimila lire e l'impegno di Fulmine.

Peppone fece un balzo:

— Biolchi, sei un farabutto: l'accordo con Fulmine era che la cosa doveva rimanere fra te e lui.

— Appunto — replicò aggressivo il Biolchi. — La cosa doveva rimanere fra noi due e il primo a rompere i patti è stato proprio Fulmine mettendo di mezzo te. Quindi io sono a posto se ho messo di mezzo un altro da parte mia. Però io ho giocato la carta con l'impegno che Spiletti non può dare pubblicità alla faccenda e, fino al 7 giugno, deve concedere la rivincita a Fulmine.

Una parola! Il documento era tra le mani del capo dei clericali. Figuriamoci cosa ne avrebbe cavato fuori il dannato Spiletti.

Tornarono tutti in sede dove Fulmine li aspettava ansioso.

— Qui c'è poco da discutere! — esclamò Peppone. — Bisogna mettere le mani avanti. Domattina pubblicheremo il comunicato con l'espulsione di Fulmine.

Fulmine guardò Peppone come se si trattasse di un fenomeno:

— Capo, come hai detto? — balbettò.

— Ho detto che da questo momento sei espulso dal Partito per indegnità. E la tua espulsione sarà retrodatata di tre mesi.

Peppone e la banda erano pronti a fronteggiare il cataclisma che la immancabile furia di Fulmine avrebbe scatenato. Invece non successe niente; Fulmine impallidì poi si strinse nelle spalle:

— Hai ragione, capo — sospirò con una voce che non pareva neanche la sua. — Fai bene a mandarmi via come un cane.

Tolse dal portafogli la tessera del Partito e la depose delicatamente sulla scrivania.

— Non ti mandiamo via come un cane! — esclamò Peppone. — Fingiamo di mandarti via per parare il colpo dei clericali. Dopo le elezioni tu fai la tua brava autocritica e noi ti riprendiamo.

— La mia autocritica la faccio subito: sono una bestia — disse tristemente Fulmine. — E se sono una bestia adesso lo sarò anche dopo le elezioni. Quindi è inutile sperare che io possa cambiare.

Fulmine se ne andò e, prima di poter parlare, Peppone e soci dovettero aspettare un bel pezzo, tanto la ritirata del povero bestione era stata straziante.

— Noi adesso prepariamo il comunicato — disse lo Smilzo. — Però non mettiamolo fuori subito domani. Chi sa che Spiletti non mantenga la parola.

— Non conosci il tipo! — replicò Peppone. — Comunque facciamo come dici tu.

Il giorno seguente non accadde niente di straordinario e parve che tutto dovesse rimanere tranquillo anche nelle ventiquattro ore successive: ma, verso sera, arrivò alla Casa del Popolo la moglie di Fulmine.

Era agitatissima:

— È diventato matto! — gemette. — Sono quarantotto ore che non mangia. Rimane continuamente coricato a letto. Non parla. Non guarda nessuno.

Peppone andò a studiare il preoccupante fenomeno e, giunto davanti al letto sul quale stava sdraiato Fulmine, si trovò in presenza di una muta e immobile statua di carne.

Lo scosse rudemente, lo pregò, lo insultò, ma non riuscì a cavargli una parola. Non riuscì a farlo desistere per un solo istante dal suo atteggiamento di perfetta indifferenza per le cose di questo mondo.

Dopo un certo tempo, Peppone perdette la pazienza:

— Se sei diventato matto, domattina faccio venire gli infermieri del manicomio così ti sistemeranno loro!

Fulmine lasciò cadere lentamente il braccio destro e pescò qualcosa nella strettoia fra il letto e il muro.

Poi guardò Peppone e i suoi occhi dicevano: «Se vengono quelli del manicomio li ricevo io come si deve».

Siccome Fulmine adesso stringeva nel pugno una scure, Peppone capì perfettamente il senso del muto discorso.

Mandò via tutti e, rimasto solo con Fulmine, gli domandò:

— A me, soltanto a me, lo puoi dire: perché ti comporti così?

Fulmine fece segno di no con la testa. Però rimise giù la scure e, aperto il cassetto del comodino, cavò fuori un notes, un lapis, e incominciò a scrivere faticosamente.

Indi porse a Peppone il foglietto:

«*Non posso parlare perché ho fatto un fioretto alla Madonna che fino a quando non posso riavere la mia carta io non parlo, non mangio, non bevo, non mi muovo e neanche vado a fare i bisogni.*

«*Saluti - Cabazza Antenore*».

Peppone lesse, mise in saccoccia il foglietto e poi chiamò la moglie e le figlie di Fulmine:

— Ordine che nessuno entri in questa camera se non chiama lui. Ordine di lasciarlo tranquillo. Non c'è niente di grave: è un normale attacco di psicanalisi. È una specie d'influenza morale che ha bisogno soltanto di dieta e riposo.

Peppone tornò a trovare Fulmine la sera seguente:

— Come ieri e come l'altro giorno — gli spiegò la moglie di Fulmine.

—Bene — rispose cupo Peppone. — Tutto regolare.

La stessa faccenda si ripeté la sera del quarto giorno. Allora Peppone, uscendo dalla casa di Fulmine, marciò diritto sulla canonica.

Don Camillo era seduto alla scrivania e leggeva un grande foglio manoscritto.

— Reverendo — disse Peppone — la sapete la storia di un cretino che ha perso a scopa il suo voto e poi...

— Non ti scomodare, la so — rispose don Camillo. — La sto leggendo qui su questo foglio. Pare che qualcuno ne voglia fare un manifesto.

— Ah, il signor Spiletti è dunque il solito farabutto: egli ha dato la parola d'onore che fino al giorno 7 non renderà pubblica la cosa e concederà la rivincita alla vittima.

— Non ne so niente. So che il manifesto risulterà interessante soprattutto per la riproduzione fotografica di un documento autografo rilasciato dal protagonista del fatto.

Peppone trasse di tasca il foglietto strappato dal notes:

— Ecco, reverendo, dovreste pubblicare anche la riproduzione di quest'altro documento autografo che il protagonista ha rilasciato a me. La storia sarà più completa e istruttiva. Tanto più che presto il protagonista sarà, come minimo, crepato.

Peppone se ne andò e don Camillo continuò a rileggere le parole scritte sul foglietto.

Lo Spiletti arrivò in canonica un quarto d'ora dopo.

— Reverendo, avete trovato qualcosa che non andava nel mio abbozzo?

— No. Il guaio è che dieci minuti fa Fulmine è venuto qui a chiedere la rivincita.

— La rivincità? — gridò lo Spiletti. — Non gli concedo un bel niente. Mi fa troppo comodo quel manifesto e non sono disposto a rinunciarvi.

— Capisco, ma i patti...

— I patti? Noi dovremmo preoccuparci di mantenere i patti con della gente che fa del tradimento e della menzogna la sua normale arma di offesa?

— D'accordo, caro Spiletti: lei ha centomila ragioni. Il fatto è che Fulmine è già preoccupante quando è normale, e adesso è diventato mezzo matto. Se lei gli nega la rivincita, è capace di farle la pelle come ridere. La propaganda è una cosa importante, ma la pelle è ancora più importante.

Lo Spiletti ci pensò su e ammise che don Camillo non aveva tutti i torti.

— Giocare si può giocare: e se perdo?

— Non bisogna perdere, caro Spiletti. Se lei è riuscito a battere a scopa il Cino Biolchi, batterà facilmente quel bestione di Fulmine.

Lo Spiletti tentennò il capo:

— Io non sono mai riuscito a battere Cino Biolchi, e il documento non gliel'ho vinto, me l'ha regalato. E lui ha recitato la commedia per liberarsi da Peppone. Reverendo, perché non gioca lei al mio posto? Io dico d'aver passato il documento a lei, dico che adesso il documento è suo. Con lei Fulmine non avrà niente da fare di sicuro.

Don Camillo era il Giuseppe Verdi della scopa. Ridacchiò:

— Se gioca con me, lo polverizzo. E non gli lascio neanche alzare la voce, a quel disgraziato. Spiletti, vinceremo!

Don Camillo, il giorno seguente, andò a trovare Peppone.

— Il documento adesso è in mani mie: se il tuo digiunatore lo rivuole, deve vincerlo giocando con me. Se accetta la rivincita adesso sta bene, altrimenti io uso subito il documento.

Peppone lo guardò indignato:

— Un disgraziato che da quasi una settimana non mangia, come può giocare una scopa con voi?

— Tu sei un disgraziato come lui però mangi regolarmente: la faccio con te, se vuoi.

— Magari!

— Accettato: cinquemila lire contro il documento.

Peppone cavò dal portafogli un biglietto da cinquemila e lo mise sulla tavola. Don Camillo pose sopra la banconota il "documento".

Fu una partita dura e Peppone perdette.

Don Camillo ficcò in tasca il biglietto da cinquemila e domandò:

— Sei convinto o vuoi la rivincita?

Peppone cacciò di tasca un altro biglietto da cinquemila.

Riprese a giocare e giocò come un cane. In compenso don Camillo giocò come due cani e questa volta Peppone vinse.

— Ecco il foglio di Fulmine, compagno — disse don Camillo. — Io mi contento del tuo foglio da cinquemila.

Peppone stava già da un quarto d'ora sorvegliando il pasto della liberazione di Fulmine allorché apparve don Camillo.

— Fulmine — disse don Camillo — tu hai perso cinquemila lire col Biolchi, è vero?

— Sì — balbettò Fulmine.

— Eccoti le tue ciquemila lire. È la Divina Provvidenza che te le manda. Ricordatene quando stai per dare il tuo voto. Non votare contro i nemici di Dio.

— Sì, lo so: anche questo era compreso nel fioretto — spiegò l'infelice Fulmine.

Peppone uscì e attese don Camillo fuori dalla porta:

— Reverendo, siete l'essere più perfido dell'universo: voi fate fare bella figura alla Divina Provvidenza coi soldi miei!

— Le vie della Divina Provvidenza sono infinite, compagno! — sospirò don Camillo, levando gli occhi al cielo.

LO STORICO DISCORSO

Per il comizio del ventisei bisogna studiare qualcosa di straordinario — disse con voce grave Peppone.

Il Bigio, il Brusco e lo Smilzo lo guardarono piuttosto perplessi e Peppone li illuminò.

— Abbiamo ottenuto che l'ultimo comizio sia il nostro — disse. — Parlare per ultimi è un vantaggio perché, oltre al resto, nessuno può contraddirti. Però bisogna parlare bene. Non possiamo cavarcela con una delle solite chiacchierate. E non si può neanche chiamare un oratore da fuori. Questa è una faccenda locale e dobbiamo arrangiarci da soli. Bisogna preparare un gran discorso. Un discorso storico.

Lo stato maggiore si rasserenò: se si trattava semplicemente di una cosa del genere, non c'era di che preoccuparsi.

— Capo, siamo a cavallo! — esclamò allegramente lo Smilzo. — Li appiccicherai al muro come una pelle di fico!

Peppone scosse il capo:

— Un discorso così non è mica uno scherzo! — borbottò. — Ci vuole un discorso speciale: niente argomenti politici, solo argomenti amministrativi. Opere compiute e soprattutto opere da compiere. Fatti, insomma! In politica, i fatti sono fatti anche se sono da farsi. Purché si tratti di roba concreta. Promettere la giustizia sociale è una cosa, promettere un lavatoio pubblico è un'altra. La teoria serve solo per le elezioni nazionali. Per le elezioni comunali si deve rimanere nel campo pratico. Non è facile organizzare un discorso storico su questi argomenti.

Lo Smilzo osservò che non era d'accordo: se uno sa quel che vuol dire, tutto diventa semplice.

— Semplice un accidente! — rispose Peppone. — Quando si fa un discorso storico non basta sapere quel che si deve dire, bisogna anche saper dire quel che si vuol dire. I discorsi storici non si improvvisano: bisogna studiarli e scriverli calibrando bene ogni parola. Nei discorsi storici, ogni parola ha il suo peso e deve essere quella giusta. Quindi non basta sapere le parole, ma bisogna anche conoscerne il significato. E, allora, si deve lavorare col vocabolario sottomano.

— Capo, tu il vocabolario ce l'hai, quindi sei a posto! — esclamò lo Smilzo.

— Non basta avere il vocabolario! — gridò Peppone. — Oltre al vocabolario ci vuole una quiete assoluta. Ed è per questo che vi ho chiamati qui. Io, fino a quando non avrò finito di scrivere il discorso, non devo esistere più per nessuno. Saltasse in aria la Casa del Popolo, arrivasse Togliatti, scoppiasse la rivoluzione, nessuno dovrà disturbarmi. Nessuno dovrà rompermi il filo del discorso. Mi sono spiegato?

Avevano capito perfettamente.

— Capo — disse lo Smilzo — a costo di piazzare le mitragliatrici davanti a casa tua, non permetteremo a nessuno di seccarti. Penseremo a tutto noi.

Ecco la spiegazione del fatto che, a un bel momento, Peppone scomparve dalla circolazione.

A un bel momento, dunque, proprio quando l'aria incominciava a scaldarsi perché il giorno delle elezioni si avvicinava, proprio quando gli avversari dei rossi mettevano fuori le unghie e, perciò, la presenza di Peppone sarebbe riuscita quanto mai utile per rintuzzare la baldanza reazionaria, Peppone sparì.

Malato? In missione? Scappato? Epurato?

L'officina era silenziosa e, sopra la saracinesca abbassata, c'era incollato un cartello che diceva semplicemente quello che tutti sapevano: «*Chiuso*».

Porte e finestre della casa di Peppone erano sbarrate: i ragazzi di Peppone erano alloggiati presso la nonna, ma a domandar loro dove fosse il padre o cosa facesse, non si riusciva a saper niente di niente.

E anche la moglie di Peppone era sparita.

Don Camillo mandò in giro tutti i suoi segugi, mise sul sentiero di guerra tutte le vecchie del paese.

Andò egli stesso a indagare arrivando fin davanti alla porta della casa di Peppone: ma il mistero rimase inviolato.

Però una situazione del genere, in un paese dove da secoli si sapeva tutto di tutti, non poteva durare molto.

E così arrivò in canonica la prima notizia: la casa di Peppone non era deserta. La moglie di Peppone era in casa: l'avevano vista alla finestra.

Poi si scoperse che lo Smilzo, ogni notte, andava con un grosso fagotto a casa di Peppone ritornando a mani vuote.

La vigilanza fu intensificata: lo Smilzo venne sorvegliato e così si scoperse che, ogni mattina, andava al Castelletto a comprare vettovaglie.

Si accertò che la quantità delle vettovaglie giustificava ampiamente la presenza, nella casa del mistero, di due gagliarde bocche.

Quando poi fu accertato il fatto che lo Smilzo comprava pure, ogni giorno, dei sigari toscani, ci si rese conto che, se di una delle due gagliarde bocche era titolare la moglie di Peppone, l'altra doveva essere gestita personalmente da Peppone.

Agenti provocatori vennero messi alle costole dello Smilzo e, una sera, lo Smilzo si lasciò riempire di lambrusco fino agli occhi e cadde nella trappola.

Il discorso, con bel garbo, era scivolato in politica. Qualcuno osservò che gli pareva strana la scomparsa di Peppone.

Il compare rise sarcastico e affermò che la cosa non era per niente strana.

— Si tratta di fifa a scoppio anticipato — disse il compare. — Ormai è sicuro di perdere e non ha più il coraggio di mostrare la faccia.

— Ve ne accorgerete quando sentirete il discorso storico che sta scrivendo! — rispose il lambrusco contenuto nello stomaco dello Smilzo.

Don Camillo lo seppe cinque minuti dopo e non diede il minimo peso alla cosa:

— Tutto qui? — borbottò. — Non vale neanche la pena di parlarne.

E, difatti, non ne parlò più. Comunque, la notte stessa, un ignoto andò a scrivere col catrame, sul muro della casa di Peppone:

«*Qui giace il compagno Giuseppe Bottazzi che,*
in grande raccoglimento,
sta scrivendo lo storico discorso di chiusura.
Adesso si tratta di vedere se,
dopo averlo scritto,
lo saprà leggere».

Naturalmente, a causa dello sconsiderato epigrafista, un argomento che — secondo il parere sereno di don Camillo — non meritava minimamente di essere menzionato, divenne l'argomento numero uno di tutti i discorsi delle lingue sacrileghe.

Lingue che nei borghi della Bassa non sono molte, per fortuna: in quanto ogni abitante del borgo ne ha appena una e non sei o sette come sembrerebbe dalla quantità dei pettegolezzi in circolazione.

Ignaro di ogni cosa, Peppone continuava imperterrito a scrivere il suo storico discorso.

La moglie, fedelissima e mutissima, si aggirava cautamente per la casa silenziosa, camminando con le pantofole per non rompere, appunto, il filo dello storico discorso.

Peppone non aveva mai faticato tanto in vita sua. Faticò più che se avesse fatto una cancellata in ferro battuto di quaranta metri complessivi, completa di cancello.

Ma la posta in gioco era grossa: gli altri volevano conquistare il Comune ad ogni costo, mentre per Peppone e compagni si trattava di farsi eleggere per la terza volta.

E, dovendo pesare ogni parola, dovendo limare ogni frase, andò a finire che l'impresa risultò più lunga e difficile di quanto Peppone non immaginasse, e soltanto la mattina del venerdì fu terminato lo storico discorso che Peppone doveva leggere la sera del sabato.

Allora accadde che, in un certo senso, la previsione dell'ignoto epigrafista risultò giusta: Peppone non era in grado di leggere ciò che aveva pastrocchiato su quella catasta di fogli.

Ma anche questo era previsto. Lo Smilzo era già lì che aspettava da due giorni: ricevette in consegna il prezioso manoscritto e, saltato sulla motocicletta, partì a fulmine per la città, dove una compagna dattilografa di sicura fede avrebbe battuto a macchina il malloppo. In duplice copia, naturalmente.

Una per Peppone e una per la Storia.

Era oramai tardi e don Camillo stava per andare a letto quando arrivò la vecchia Carolina, una poveraccia che andava in giro raccattando legna e pane muffo.

Aveva un plico e glielo consegnò:

— L'ho trovato in riva al fosso, vicino alla Pioppazza — spiegò. — È pieno di carte. Magari si tratta di roba importante: vedete voi di dirlo in chiesa e di trovare chi l'ha persa.

La vecchia se ne andò e don Camillo, aperto il plico, diede un'occhiata alle carte.

Poi fece un balzo.

Aveva tra le mani lo storico discorso di Peppone: originale e due copie dattiloscritte.

Intanto lo Smilzo, seduto a piè d'un pioppo, in riva al fiume, pensava alla morte.

Aveva perso la busta col discorso. Gli era scivolata fuori dalla tasca del giubbotto, mentre tornava in motocicletta a tutto gas.

Lo Smilzo aveva rifatto due volte la strada, cercando inutilmente come un dannato, e, alla fine, si era rifugiato in riva al fiume.

"Se mi presento a mani vuote, il capo mi ammazza" andava ripetendosi lo Smilzo.

E, in verità, non sbagliava.

Peppone passò una notte infernale: visto che lo Smilzo tardava, aveva telefonato in città e la dattilografa gli aveva spiegato che lo Smilzo era già partito da quattro ore assieme al malloppo.

Allora aveva chiamato lo stato maggiore e un servizio di ricerche era stato immediatamente organizzato.

Alle quattro del mattino, dello Smilzo non si aveva ancora nessuna notizia e Peppone, che fino a quel momento aveva passeggiato furibondo in su e in giù per l'andito di casa, crollò.

Disse: «Tradimento!» e si lasciò portare a letto dove piombò nell'abisso del sonno, in compagnia di una febbre da cavallo.

Lo Smilzo venne a galla verso le nove. Il Bigio se lo trovò non si sa come in casa e, quando ebbe saputo che il plico col discorso era stato smarrito, si sentì mancare il fiato.

Guardò sbalordito lo Smilzo e poi gli disse:

— Ti conviene emigrare nel Venezuela.

Le direttive alle squadre vennero aggiornate: si continuassero le ricerche. Ma ora non si trattava più di trovare lo Smilzo bensì una busta gialla così e così smarrita dallo Smilzo.

Una manovra di questo genere, con tale spiegamento di forze, non poteva passare inosservata. La gente osservò, indagò, interrogò, chiacchierò, collegò le parole ai fatti e, nel pomeriggio, poté trarre la conclusione: il testo del famoso discorso di Peppone era andato perduto e perciò, la sera, Peppone si sarebbe trovato nei guai.

Questo significava che, la sera, tutto il paese si sarebbe trovato in piazza.

Tutti, anche i malati, perché nessuno voleva perdere lo spettacolo.

Il comizio era per le nove di sera e, alle otto e mezzo, la piazza era già piena come un uovo.

A questo punto, gli uomini dello stato maggiore si fecero coraggio e svegliarono Peppone.

Ci volle del bello e del buono per fargli riaprire gli occhi: Peppone era ancora pieno di febbre e non ce la faceva neppure a tener su le palpebre.

Gli spiegarono che la gente aspettava in piazza, che bisognava decidere qualcosa.

— Lo Smilzo? — domandò con voce lontana Peppone.

— Trovato — gli rispose il Bigio.

— Il discorso? — ansimò Peppone.

— Perduto — rispose il Bigio dopo aver fatto prudentemente tre passi indietro.

Ma non ce n'era bisogno: Peppone era distrutto. Peppone era diventato un sacco di stracci.

Si limitò semplicemente a richiudere gli occhi e a sospirare.

— Capo, cosa facciamo? — incalzò con angoscia il Bigio.

— Andate all'inferno tutti — rispose, come in sogno, Peppone.

— E la gente? E il Partito?

— All'inferno anche la gente e anche il Partito — comunicò Peppone pacatamente.

Era la catastrofe e quelli dello stato maggiore si guardarono angosciati.

— Non si può più fare niente — concluse il Bigio. — Non ci resta che spiegare alla gente che il comizio è sospeso perché l'oratore è malato.

In quel preciso istante apparve don Camillo.

Don Camillo non si aspettava, evidentemente, di trovare Peppone ridotto in quello stato e rimase a considerare perplesso il sacco di stracci che giaceva sul letto.

Non disse niente, non sfiorò neppure il letto ma, dopo qualche istante, Peppone aprì un occhio.

Poi aprì anche l'altro.

— Non è ancora arrivato il momento per l'Olio Santo — borbottò Peppone.

— Mi dispiace — rispose don Camillo.

— Potete andare, non ho bisogno di voi — affermò Peppone.

— Tu hai sempre bisogno di me, compagno! — esclamò don Camillo. E, cavata di tasca una grande busta gialla, la buttò sul letto.

Peppone allungò la mano, prese la busta, tirò fuori il contenuto e lo guardò.

— Controlla pure, compagno — ridacchiò don Camillo. — C'è tutto: manoscritto e copie. Ricordati che «imprescindibile» si scrive con una sola «b» e ringrazia il parroco.

Peppone lentamente rimise nella busta i fogli, si levò faticosamente a sedere nel letto, guardò negli occhi don Camillo, serrò le mascelle e poi disse con voce dura:

— Preferisco non ringraziarlo!

Peppone aveva due mani grandi come badili: con un colpo solo spaccò in due busta e contenuto poi, come preso da furia improvvisa, sbriciolò i due monconi e, fatta una grossa palla delle macerie del plico, la buttò fuori dalla finestra.

Poi, con un balzo, saltò giù dal letto.

Erano le nove precise e la gente della piazza incominciava a mormorare quando sul palco apparve Peppone.

Non aveva più la febbre.

O meglio: aveva cambiato tipo di febbre e lo si capì subito dal modo con cui disse: «Cittadini!».

La gente tacque e Peppone incominciò a parlare.

Improvvisò: disse venti volte «potiamo» invece di «possiamo». Disse «io mi pare» invece di «mi pare», accennò alla «nemesi storica» e alla «nemesi geografica»; però si sentiva che le parole malgarbate uscivano da un cuore grosso così e, alla fine, anche i più maldisposti dovettero riconoscere: «È un brav'uomo».

Così avvenne che lo Smilzo non emigrò nel Venezuela e Peppone venne rieletto sindaco senza dover ringraziare don Camillo ma dovendo solo riconoscenza alla Divina Provvidenza che gli aveva impedito di pronunciare un discorso storico ma cretino.

E don Camillo, in fondo in fondo, non fu eccessivamente angosciato dalla faccenda perché sapeva che spesso, in politica, si può ottenere molto di più dai nemici che dagli amici.

Estate

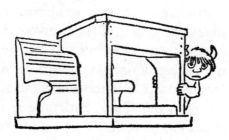

NOTTE DI GIUGNO

Scavalcata la cortina nera dei pioppi, la luna aveva passato il fiume, lasciando sull'acqua una scia di barbagli dorati, e ora prendeva lentamente quota nel cielo pulito.

Saliva senza fretta perché doveva contare, uno per uno, i mucchietti di covoni sparpagliati nei campi di grano da poco tosati, e doveva segnare ogni mucchietto con la sua brava pennellata di ombra nera.

Dalla finestra del tinello verso l'orto, don Camillo rimirava lo spettacolo che come regìa e interpretazione era, anche quell'anno, impeccabile, ma gli metteva addosso una gran malinconia perché se il grano, un tempo, significava tutto, adesso significava poco o niente.

Ridurre la coltura di grano. Sostituire il grano. L'economia nazionale è sbilanciata dalla eccessiva produzione di grano. Gli ammassi statali sono zeppi di grano fino al tetto: questo scrivevano i giornali e spiegavano gli oratori nei comizi.

Ma i vecchi villani della Bassa che avevano sgobbato trent'anni per portare la produzione di grano da otto a quindici e anche venti quintali la biolca, si rifiutavano di credere ai tecnici e ai politicanti, e continuavano testardi a seminare grano.

Erba, invece di grano. Carne, invece di grano. Buttate le bestie fuori dalle stalle malsane e faticose da governare. Abbandonate la coltura della melica. Riducete il pomodoro. Riducete la bietola. Cavate gli olmi e gli oppi dei filari. Estirpate le viti. Lasciate via libera alla macchina. Abbiamo troppo vino. Abbiamo troppo zucchero. Abbiamo troppo concentrato di pomodoro. Abbiamo troppo formaggio. Abbiamo troppi maiali. Anzi, abbiamo pochi maiali ma abbiamo troppo burro fino a quando non abbiamo poco burro.

L'estero richiede frutta e ortaggi pregiati: non occorre che sia roba buona purché sia bella. Ripulite le aie dalle galline e allevate il pollame in batteria. Puntate sui mangimi bilanciati, sui panelli, sui concimi chimici, sui diserbanti, sui disinfestanti. Avvelenate la terra e le piante.

Tagliate le siepi. Pioppi, ci vogliono, perché, se voi aspettate dieci anni, e poi vendete i pioppi, tirate le somme, troverete che, invece di dieci volte diecimila, ogni biolca vi avrà fruttato dieci volte ottanta o novantamila.

I vecchi villani della Bassa non avevano tempo di aspettare dieci anni ed erano abituati a tirare le somme ogni anno, alla liquidazione del latte e, così, insistevano nel seminare frumento.

Qualcuno, più vecchio e testone, seminava ancora melica e piantava ancora i ceci in mezzo alla melica.

Don Camillo, pensando ai ceci, ricordò i giorni lontani della sua fanciullezza e risentì in bocca il sapore acidulo della buccia dei ceci e, sulle mani e sulle gote, la carezza rustica delle pianticelle ancor tenere e fresche divelte dalla terra arida e screpolata dei melicai.

Il ricordo dei prugnoli colti ancora tra il verde e il blu gli riempì la bocca di saliva.

Sospirò, richiuse la finestra e riaccese la luce.

Nonostante il buio, qualche stramaledetto senzosso era entrato nel tinello. Gli venne in mente suo padre, quando, prima d'andare a letto, nelle sere d'estate, ispezionava il muro sbiancato a calce della stanza dei ragazzini: centimetro per centimetro, alla luce della candela.

Il senzosso è infernale e stupido nello stesso tempo: non riuscirete mai a catturarlo usando la maniera forte, e se, dopo esservi schiaffeggiati la fronte o le guance o il collo duemila volte, riuscirete ad azzeccare un senzosso, bisogna pensare a un miracolo.

Il senzosso va preso di spalle. Quando si posa sul muro, vi avvicinate cautamente in modo da portargli la fiammella dietro la schiena: non appena il senzosso avverte il calore, fa un balzo indietro e finisce bruciato.

La cosa funziona come se il senzosso fosse risucchiato dalla fiamma: forse questo succede perché, per una questione tecnica, può eseguire soltanto un determinato tipo di decollaggio. Il fatto è che se uno lo coglie giusto di spalle, il senzosso ci casca.

Don Camillo non aveva sonno quella sera e, sedutosi davanti al focolare spento, riprese a leggere
il suo giornale.

Andò avanti così una mezz'ora poi, improvvisamente, drizzò le orecchie: Ful mugolava.

Un mugolìo sommesso, quasi un lamento.

Don Camillo spense la luce, uscì dal tinello e,
camminando lento e cauto, percorse l'andito fino a
raggiungere la porta che dava sul cortiletto del forno e qui si arrestò.

Si era comportato come un'ombra, ma Ful lo
sentì ugualmente e mugolò un po' più forte e un
po' più lamentosamente. Poi, con la zampa, grattò
la porta.

Ful era un cane per bene e neanche se gli avessero puntato un mitra alla nuca avrebbe acconsen-
tito a tendere una trappola al padrone: don Camillo non esitò un secondo, girò la chiavetta della luce
e dischiuse il battente della porta.

Ful era solo ma non entrò: si fermò sulla soglia,
abbaiò sommessamente, poi volse la schiena a don
Camillo e si avviò verso l'uscio della legnaia. Giunto in mezzo al cortiletto, si fermò, si volse e, allora,
don Camillo uscì e lo raggiunse.

Ful lo accompagnò fin davanti all'uscio della
legnaia e mugolò. Don Camillo accese la torcia
elettrica e spalancò l'uscio. La luce della lampadina fece scintillare qualcosa in un angolo dello stanzone e, come si vide subito dopo, si trattava di due
occhi allagati di lagrime.

— Cosa fai qui a quest'ora? — gridò don Camillo.

Ful cercò di spiegare com'era la situazione poi,

visto che don Camillo si muoveva minacciosamente verso il titolare degli occhi allagati di lagrime, con un balzo raggiunse l'angolo e, fatto un rapido dietro-front, ringhiò mostrando i denti a don Camillo.

Se si comportava così col padrone, Ful doveva avere le sue brave ragioni e don Camillo arrestò la marcia:

— Va bene — borbottò. — Seguimi, parleremo in casa.

La spiegazione ebbe luogo in tinello, alla presenza di Ful. Il titolare dei due occhi allagati di lagrime aveva esattamente dieci anni, sei mesi e due giorni e don Camillo lo ricordava perfettamente non perché quell'arnese l'aveva battezzato lui, ma perché s'era trattato di un battesimo veramente eccezionale.

— Smetti di piangere e parla — intimò don Camillo al ragazzino. — Cos'è successo?

— La settimana scorsa — balbettò il ragazzino a testa china — ho dato l'esame di ammissione alla scuola media, in città... Stamattina sono andato a vedere il risultato...

L'infelice scoppiò in singhiozzi: Ful guardò in su verso don Camillo e ringhiò mostrandogli i denti.

Don Camillo scattò:

— Tu — urlò rivolto a Ful — invece di fare tanta scena adesso, dovevi fare il tuo dovere impedendogli di entrare nella legnaia.

— Io sono un cane, ma non tanto cane da cacciar via un amico che viene a chiedere aiuto in un momento difficile — rispose a suo modo Ful. —

Non si può sbattere la porta in faccia a un bambino.

— Quello non è un bambino! — replicò don Camillo. — Quello è il figlio del sindaco e io non voglio aver grane con quel disgraziato!

— Se l'hai accettato in chiesa quando l'hai battezzato, potrai bene accettarlo in casa adesso che è battezzato — stabilì Ful con rigida logica canina.

Il ragazzino s'era calmato un po' e don Camillo continuò l'interrogatorio:

— Sei andato a vedere i risultati dell'esame. Sei partito con la corriera stamattina: perché non sei tornato a mezzogiorno?

— Sono tornato a piedi — sussurrò il ragazzino. — Sono arrivato mezz'ora fa e, allora, sono venuto qui.

— E perché proprio qui e non in un altro posto?

— Volevo entrare in chiesa, ma c'era chiuso...

— Si capisce! — urlò don Camillo. — La chiesa non è un albergo. Ma non era più semplice se, invece di venire qui, fossi andato a casa tua?

— Non potevo — rispose il ragazzino riprendendo a singhiozzare disperatamente. — Sono stato bocciato in italiano e storia...

Ful guardò interrogativamente don Camillo:

— È grave? — borbottò.

— Ma che grave! — si spazientì don Camillo. — È stato semplicemente rimandato a ottobre in due materie.

Oltre al resto il ragazzino doveva avere una fame tremenda, se era partito da casa la mattina alle sette. Don Camillo andò a frugare nella credenza e tirò fuori pane, formaggio e una trancia di salame che mise davanti all'infelice:

— Mangia e non pensare a niente — gli disse.

Il gesto generoso di don Camillo piacque molto a Ful che si mise a guaire allegramente e assisté moralmente l'amico aiutandolo a sbarazzarsi della buccia del salame e della crosta del formaggio.

Il ragazzino ebbe anche mezzo bicchiere di vino e questo lo tirò su di giri.

— Io non capisco cos'abbiano nella zucca i ragazzi d'oggi — esclamò don Camillo quando l'infelice ebbe riacquistato il colore naturale. — Danno un difficilissimo esame come quello di passaggio dalle elementari alla media, se la cavano magnificamente con due stupidi esami a ottobre e, invece di fare i salti di gioia, ti combinano una tragedia. Adesso smettila di fare lo squinternato. Torna a casa e sia finita.

— Non posso! — gridò con angoscia il ragazzino.

— E perché?

— Mio papà...

— Tuo padre, per quanto sia sindaco e capo dei comunisti, avrà pure qualcosa nel cervello!

Il ragazzino scosse il capo.

— Mio papà diceva sempre che il figlio del primo cittadino deve essere il primo degli scolari. Invece...

— Ecco l'equivoco! — urlò don Camillo. — Tu non sei il figlio del primo cittadino ma del primo cretino del Comune ed ecco spiegato tutto... Ad ogni modo, calmati. Vai a metterti a letto: nella stanza piccola a sinistra c'è tutto pronto. Domattina andrò io a parlare a tuo padre.

Il ragazzo s'incamminò: Ful lo seguì e, quando fu giunto sulla soglia della porta dell'andito, si fermò e si volse:

— Sì — borbottò don Camillo. — Ho capito. Dato il caso eccezionale puoi salire anche tu.

Erano ormai quasi le undici di notte e don Camillo, fatti scomparire gli avanzi del pasto e ripulito il tinello, decise di andare a dormire. Ma non ci riuscì perché qualcuno venne a bussare. Naturalmente si trattava di Peppone.

Peppone era cupo:

— Reverendo, spero che, in un momento come questo, riuscirete a dimenticare la vostra faziosità politica e a ricordarvi d'essere un prete.

— Di che momento speciale si tratterebbe? — s'informò don Camillo accendendo un mezzo toscano.

— Il mio ragazzo più piccolo manca da casa dalle sette di stamattina. Lo hanno visto salire sulla corriera e poi non se n'è più saputo niente. Abbiamo cercato dappertutto come matti e non sappiamo più dove sbattere la testa.

Don Camillo si strinse nelle spalle:

— È partito con la corriera che va in città?

— Sì. L'hanno visto scendere in città.

— Nei giorni scorsi non era andato in città a sostenere l'esame di ammissione alla media?

— Sì.

— Allora è facile immaginare quello che è successo — spiegò con spudorata indifferenza don Camillo. — Sarà andato a vedere l'esito dell'esame. Siccome è figlio di una zucca piena di segatura, sarà stato bocciato e, come si legge continuamente sui giornali, invece di tornare a casa, sarà scappato chi sa dove. Questo succede quando i bambini hanno un padre violento che li terrorizza.

Peppone ebbe un balzo:

— Io terrorizzarlo? Ma se io non l'ho mai rimproverato! — urlò esasperato.

— No? E la faccenda del figlio del primo cittadino che deve essere il primo scolaro del Comune?

Peppone impallidì:

— Io — balbettò — io glielo dicevo così... Un po' per scherzo e un po' per incoraggiarlo...

— I bambini non capiscono gli scherzi — stabilì don Camillo spalancando le braccia. — Bisogna badare alle parole. Quando parla con suo figlio, un padre che abbia la disgrazia di essere comunista, deve ritirare un momentino il cervello dall'ammasso del Partito e cercar di ragionare come un essere normale... Ormai è troppo tardi. Potrebbe anche darsi che il poverino si sia buttato nel Po o sotto il treno...

Peppone crollò sull'ottomana e don Camillo, per un momento, ebbe paura di aver esagerato.

— Potrebbe anche darsi — continuò in fretta — che sia in paese, nascosto in casa di qualcuno.

— E dove — urlò Peppone. — Dove, se ho fatto girare le case del paese una per una? Reverendo, perché invece di torturarmi non mi aiutate a cercarlo?

— Per la semplice ragione che l'ho già trovato — spiegò don Camillo.

— Reverendo, datemi qualcosa da bere o non riesco più a tirare il fiato! — ansimò Peppone.

Don Camillo gli porse vilmente la bottiglia dell'acqua che era sulla tavola.

— No — ansimò ancora Peppone. — Qualcosa da bere!...

Don Camillo si alzò malvolentieri e andò a frugare nel canterano:

— Io non capisco — protestò — per quale ragione io debba rimetterci una bottiglia del mio ultimo lambrusco per il fatto che il figlio di uno stramaledetto comunista è stato rimandato a ottobre!

Dopo tre bicchieri Peppone ritrovò la calma:

— Rimandato, non bocciato? — s'informò.

— Rimandato a ottobre.

— In quante materie?

— Due.

— Importanti?

— No. Italiano che non gli serve a niente perché è figlio di uno che lavora per i russi. Storia che gli serve meno ancora perché è figlio di uno che, essendo comunista, la storia se la fabbrica secondo le direttive del Partito.

Peppone non aveva voglia di polemizzare.

— Speriamo che non si faccia una fissazione — disse. — Non vorrei che si buttasse sui libri come un pazzo e mi si ammalasse.

— Ci penso io a convincerlo a prendere le cose con calma — lo rassicurò don Camillo.

— Che Dio me la mandi buona — commentò Peppone.

— Te l'ha già mandata — affermò categorico don Camillo.

Peppone si alzò e se ne andò senza dir niente.

E don Camillo lo lasciò andare e lo guardò perdersi tra i campi.

DIARIO DI UN PARROCO
DI CAMPAGNA

Il Brusco guardò il muro, poi si strinse nelle spalle.

— E allora? — domandò don Camillo.

— Non so — rispose il Brusco.

— Un capomastro che non sa se in un muro si può aprire o no un porta è meglio che cambi mestiere! — esclamò don Camillo.

— Si tratta di un muro vecchio come il cucco — spiegò il Brusco. — E i muri vecchi giocano dei brutti scherzi. Se prima non mi lasciate togliere l'intonaco e fare un assaggio, io non vi posso dire né sì né no.

Don Camillo disse al Brusco che facesse pure l'assaggio.

— Tieni presente che sei in una sagristia — gli raccomandò. — Vedi di lavorare con garbo e d'insudiciare il meno possibile.

Il Brusco trasse martello e scalpello dalla sporta e incominciò a scalcinare il muro.

— Brutto affare, reverendo — borbottò dopo due o tre martellate. — L'intonaco è di calcina buona, ma il muro è di sassi e terra. Se era di mattoni, bastava fare uno scasso per l'architrave di cemento armato e poi tagliare le spalle e tirar fuori la porta. Così è un guaio grosso.

Don Camillo si fece dare il martello e tolse l'intonaco in un altro punto, ma anche qui trovò subito sassi tenuti assieme da malta di fango.

— Straordinario! — esclamò. — Fuori i muri della chiesa sono tutti di mattoni. Possibile che abbiano fatto la parte interna di sassi?

Il Brusco allargò le braccia.

— Possono aver fatto di mattoni i pilastri e una foglia esterna e aver riempito con sassi — disse. — Comunque, proviamo con calma a fare un buco d'assaggio.

Con un grosso chiodo incominciò a togliere la terra attorno al sasso che aveva scoperto e ben presto poté cavarlo. Grattò la terra in fondo al buco lasciato dal sasso e ne apparve un altro. Il Brusco lo scalzò tutt'attorno e, a un tratto, il sasso scomparve.

— Dietro il muro di sassi c'è il vuoto — spiegò il Brusco. — Questa è una faccenda che non capisco. I sassi dovrebbero, almeno, essere appoggiati al muro di mattoni.

Il Brusco guardò il soffitto che non era a volta, ma sostenuto da una robusta travatura di rovere, e i tre enormi travi maestri poggiavano, da un capo, sul muro di sassi.

Il Brusco scrollò la testa e, tirato fuori di saccoccia il metro, misurò la distanza tra il muro di sassi e il muro opposto.

Poi, con una scala a piuoli, salì nella soffitta soprastante la sagristia, alla quale si accedeva attraverso una botola. E don Camillo lo seguì. Arrivato su, il Brusco misurò il pavimento della soffitta fra i due muri opposti e ottenne circa un metro e venti in più di quel che aveva trovato al piano di sotto.

Allora, fattosi sotto il muro della parte esterna, là dove lo spiovente del tetto toccava quasi il pavimento, cavò un paio di mattoni del pavimento e, acceso un cerino, guardò nel buco.

— Per forza doveva essere così — borbottò ritraendosi per lasciar posto a don Camillo. — Il muro portante è di mattoni e le travi maestre poggiano sul muro portante. Il muro di sassi è stato fatto dopo per nascondere qualcosa.

Don Camillo allargò il buco del pavimento: effettivamente il muro di sassi era stato tirato su per nascondere un enorme armadio.

Naturalmente a don Camillo venne la febbre e, ridisceso in sagristia, disse al Brusco:

— Grazie, per il momento non ho più bisogno di te.

— Credo invece che ne abbiate bisogno — replicò calmo il Brusco. — Un muro di cinque metri di lunghezza, tre d'altezza e cinquanta centimetri di spessore, fa sette metri cubi e mezzo di sassi e malta. E bisogna tirarlo giù tutto se si vogliono aprire gli sportelli dell'armadio.

— E chi ti dice che io voglio tirar giù il muro? — esclamò don Camillo. — Mica sono matto.

— Peggio: siete don Camillo — rispose il Brusco.

Don Camillo pensò ai sette metri cubi e mezzo di sassi e malta e riconobbe che erano troppi anche per lui.

— Sta bene — disse. — Porta qui gli uomini che occorrono per tirar giù il muro, e gli scarriolanti per portar fuori, mano a mano, il materiale. Però sia ben chiaro che, una volta fatto il vostro lavoro, voi ve ne andate. Per aprire quell'armadio basto io.

Dieci minuti dopo, l'intero paese era sul sagrato e tutti avevano una idea precisissima della faccenda:

«Don Camillo ha trovato un tesoro murato in sagristia».

Si incominciò subito a entrare nei dettagli e a parlare di pentole piene di marenghi d'oro, di quadri e oggetti preziosi, e non ci fu più modo di mantener calma la gente: ognuno voleva vedere.

Gli otto uomini del Brusco diventarono ben presto ottanta. Si formò una lunghissima catena di volontari che si passavano le secchie piene di sassi e di malta.

Il muro calava rapidamente e, via via che il muro diminuiva, l'enorme armadio di noce si faceva sempre più alto, maestoso e affascinante.

Ormai era notte, ma nessuno pensava di piantar lì e, finalmente, l'ultimo sasso e l'ultima secchia di calcinacci vennero portati fuori.

Don Camillo si piantò davanti all'armadione e, rivoltosi alla folla che stipava la sagristia, disse:

— Grazie tante del vostro aiuto e buona notte.

— Aprire! Aprire! Vogliamo vedere anche noi! — urlò la gente.

— Mica è roba vostra! — gridò inviperita una donna. — I tesori sono di proprietà pubblica!

— Ricordatevi che qui non siete in piazza! Qui siete in chiesa! — disse don Camillo. — E tutto quel che è dentro in chiesa appartiene alla chiesa; e di tutto quello che è della chiesa, io devo rispondere alle autorità ecclesiastiche.

Il maresciallo e i carabinieri si misero ai fianchi di don Camillo, davanti all'armadio del tesoro: ma si capiva che la gente era stata presa dalla frenesia e nessuno poteva tenerla più. E poi la marea di folla rimasta fuori premeva perché voleva entrare ad ogni costo.

— Sta bene — disse don Camillo. — Fatevi indietro di due passi e io aprirò.

La gente arretrò e don Camillo aprì il primo sportello.

Lo scomparto era zeppo di grossi libri, ognuno dei quali recava sulla costola un numero.

Aprì il secondo sportello e risultò la stessa faccenda. E di libracci erano zeppi anche tutti gli altri scomparti.

Don Camillo trasse uno dei libroni e lo sfogliò:

— È un tesoro — spiegò ad alta voce — ma non come pensavate voi. Sono i registri delle nascite, delle morti e dei matrimoni di due secoli e mezzo, fino al 1751. Non so cosa sia successo nel 1751: il fatto è che il parroco d'allora deve aver avuto ragione di credere che i documenti potessero andar distrutti e allora li ha fatti murare qui.

Fu necessario organizzare le cose in modo tale che tutti potessero constatare coi propri occhi la verità di quanto aveva detto don Camillo e, quando tutto il paese ebbe finito di sfilare davanti all'armadio, don Camillo poté finalmente concludere la sua turbinosa giornata.

— Gesù — disse quando rimase solo in chiesa — perdonatemi se, per colpa mia, la vostra casa è stata trasformata in un sacrilego accampamento di frenetici cercatori d'oro. Non prendetevela con gli altri, la colpa è tutta mia. Io sono stato il primo a lasciarmi vincere dalla frenesia. E quando il pastore diventa matto, come può comportarsi saviamente il gregge?

Nei giorni seguenti, un'altra frenesia si impadronì di don Camillo: egli avrebbe voluto avere mille occhi per poter sfogliare subito tutti quei volumi e così incominciò a scegliere i registri a caso. Ma non fu un'idea sbagliata perché, arrivato al fascicolo del 1650, trovò, allegato al registro degli atti ufficiali della parrocchia, un quadernetto nel quale il parroco d'allora aveva puntualmente annotati, di suo pugno, giorno per giorno, tutti i fatti di qualche rilievo accaduti nel paese e nei dintorni.

Don Camillo si buttò avidamente sulle cronachette del parroco e trovò un sacco di cose curiose. Ma, arrivato alle note del giorno 6 maggio 1650, fece due scoperte straordinarie. E la prima riguardava Giosuè Scozza.

Bisogna sapere che Giosuè Scozza era l'orgoglio di Torricella, il capoluogo del Comune vicino. E, nel bel mezzo della piazza di Torricella, Giosuè Scozza in marmo troneggiava su un alto piedestallo recante questa lapide:

Giosuè Scozza
divino creatore di armonie
figlio prediletto di Torricella
scrisse il nome suo e
quello di Torricella
negli albi immortali
della Gloria
1650-1746

Torricella aveva dedicato al nome di Giosuè Scozza, oltre al monumento, la piazza, il teatrino, la via principale, la banda musicale, l'asilo infantile e la scuola elementare. E il nome di Giosuè Scozza saltava fuori immancabilmente in tutti i discorsi tenuti da torricellesi, in tutti gli articoli scritti da torricellesi, e la stampa nazionale, quando parlava di Giosuè Scozza, lo chiamava «il cigno di Torricella».

La gente del paese di Peppone e di don Camillo si tramandava da secoli una fiera antipatia per quelli di Torricella e, quando leggeva o sentiva parlare di Giosuè Scozza e del cigno di Torricella, soffriva atrocemente.

Ebbene, nel diario del parroco, don Camillo trovò una faccenda che, in parlar corrente, diceva così: «*Oggi, Geremia Scozza, maniscalco, ha trasferito la sua abitazione da qui a Torricella, nel palazzo dei Conti di Sanvito dei quali Signori entra al servizio, e lo accompagnano la moglie Geltrude Bandelli e il figlio Giosuè, nato qui il dì 8 giugno 1647*».

Il fascicolo del 1647 confermò e documentò che Giosuè Scozza non era di Torricella, ma era un parrocchiano di don Camillo. E i volumi precedenti dimostrarono che gli Scozza erano originari della parrocchia di don Camillo. Torricella aveva perso il suo cigno preso in forza solo tre anni dopo la sua nascita.

Ma la notizia del trasferimento degli Scozza era preceduta dall'altra notizia straordinaria: «*Oggi, giorno 6 maggio 1647, è stato decapitato nella pubblica piazza Giuseppe Bottazzi di anni 48, fabbro, per avere il dì 8 aprile aggredito con ar-*

mi il *Rettore di Vigolenzo, don Patini, e feritolo profondamente alla testa e rubatagli una borsa piena d'oro. Il Giuseppe Bottazzi, buon fabbro ma di idee sacrileghe, non è di qui, ma venne qui venti anni fa e tolse in moglie una del paese, di nome Gambazzi Maria dalla quale ebbe un figlio battezzato Antonio e che adesso conta quindici anni. Il Giuseppe Bottazzi è risultato il capo di una banda di briganti che compiva ammazzamenti e rapine nel territorio del Marchese di Sanvito e, nel dicembre dell'anno scorso, aveva anche assalito e trucidato la guarnigione del Castello della Piana dove lo stesso Marchese di Sanvito aveva dimora, salvandosi il detto Signore con la fuga attraverso il sotterraneo segreto*».

Don Camillo controllò le annate seguenti e la faccenda si presentò chiara e pulita: il fabbro Giuseppe Bottazzi, detto Peppone, sindaco e capobanda dei rossi, derivava dritto dritto dal fabbro Giuseppe Bottazzi giustiziato nel 1647 come feritore di un prete e come capo di una banda di briganti.

"Per le prossime elezioni ti arrangio io!" pensò don Camillo. "Faccio riprodurre la pagina del registro e la appiccico come manifesto a tutte le cantonate. E sotto ci scrivo: «*Buon sangue non mente: la storia si ripete*»."

Si trattava di una faccenda da accantonare in attesa che diventasse matura; avrebbe colto due piccioni con una fava: rivendicazioni dei diritti del paese sul cosiddetto cigno di Torricella, e colpo gobbo a Peppone.

Però l'affare di Giosuè Scozza era così grosso e appassionante, che a don Camillo qualcosa scappò detto e così, una bella volta, Peppone gli capitò davanti in canonica.

— Reverendo — disse Peppone. — In giro si fa un gran parlare di certe notizie che lei avrebbe trovato nei libracci dell'armadio. Siccome non è merce politica ma c'è in ballo l'onore del paese, potrei sapere cos'è questa storia?

Don Camillo allargò le braccia:

— Cos'è questa storia? — rispose don Camillo. — Storia.

— Storia in che senso?

— Storia nel senso di geografia — spiegò don Camillo. — È sempre la geografia che fa la storia.

Peppone si grattò la pera.

— Non ho capito un accidente! — esclamò. Volete spiegarvi?

— Non so se sia il caso.

— Ho capito, le solite balle della propaganda reazionaria — concluse Peppone. — Si cerca di toccare la gente nell'amor proprio.

Don Camillo diventò rosso:

— Io non racconto balle! — gridò. — Io ho in mano i documenti che dimostrano che il cigno di Torricella non è nato a Torricella nel 1650, ma è nato qui nel 1647!

Peppone si protese verso don Camillo:

— Reverendo, qui i casi sono due: o voi raccontate balle, e siete un disonesto. O voi non raccontate balle e siete ancora più disonesto perché, se potete dimostrare che Scozza non è di Torricella ma di qui e non lo dimostrate, derubate un intero paese dei suoi sacrosanti diritti.

Don Camillo tirò fuori dal cassetto della sua

scrivania il registro con la cronaca famosa e lo mostrò a Peppone.

— La verità è qui dentro. E non soltanto qui!

— E perché non piantate la grana?

Don Camillo accese il suo mezzo toscano e buttò contro il soffitto qualche grossa boccata di fumo.

— Per piantare la grana c'è un sistema: pubblicare sui giornali e sui manifesti la riproduzione fotografica di una intera pagina di questo registro. O se non pubblicare l'intera pagina, essere pronti a presentare il registro a chiunque chieda di controllare le mie affermazioni.

— E perché non lo fate?

— Non me la sento di prendere questa decisione. La nota che riguarda Scozza è preceduta da un'altra nota che bisogna pubblicare in quanto è proprio questa che porta la data precisa. Siccome è una nota che riguarda direttamente la tua famiglia, l'unico che può decidere sei tu.

Peppone guardò sbalordito don Camillo.

— La mia famiglia?

— Sì: il Giuseppe Bottazzi di cui leggerai nella nota del 6 maggio 1647 è il disgraziato che ha portato in questo paese la razza dei Pepponi. Ho seguito tutta la trafila e non ci son dubbi.

Don Camillo mise davanti a Peppone il libraccio aperto e segnò col dito la nota che interessava.

Peppone lesse, rilesse, poi fissò don Camillo.

— Ebbene? Cosa c'entro io con un Bottazzi del 1647?

Don Camillo allargò le braccia.

— Sai com'è la gente: capostipite dei Bottazzi locali, Giuseppe come te, fabbro come te, brigante mangiapreti come te e capo banda come te. La propaganda dei tuoi avversari se ne può servire magnificamente per far ridere la gente alle tue spalle e danneggiarti moralmente. Sai, le elezioni si avvicinano. Comunque vedi tu.

Peppone rilesse due o tre volte la nota riguardante Scozza e il capostipite dei Pepponi locali. Poi restituì il libraccio a don Camillo:

— Non me ne importa niente di quel che possono dire quei maiali della reazione. L'importante è ricuperare Giosuè Scozza gloria del paese. Prima del bene mio sta il bene del paese. Procedete!

Peppone si volse per uscire. Poi fece un rapido dietro-front e si avvicinò al tavolino dietro il quale sedeva don Camillo:

— E poi — esclamò — sapete cosa vi dico? Che sono orgoglioso di avere come capostipite il Bottazzi che sta scritto lì. Perché questo significa che i Bottazzi avevano le idee chiare fin dal 1647: far fuori preti e signori. Anche a costo di rimetterci la testa. Ed è inutile che facciate il risolino, reverendo: state tranquillo che verrà anche il vostro turno.

— Guarda che io mi chiamo don Camillo e non don Patini — lo ammonì don Camillo.

Peppone levò solennemente il dito:

— La politica ci divide ma il bene del paese deve unirci — affermò. — Se ne riparlerà al momento giusto: adesso bisogna riconquistare Giosuè Scozza.

Don Camillo si buttò come un leone all'arrembaggio del cigno di Torricella: aveva documenti fin che voleva e, senza aver bisogno di tirare in ballo il capostipite dei Pepponi, sparò sul giornale provinciale articoli che tolsero il fiato ai torricellesi.

Intervenne poi la stampa nazionale: la faccenda ingolosiva i giornalisti perché c'era di mezzo l'avventuroso ritrovamento dell'archivio murato e Torricella, dopo una disperata quanto vana difesa, dovette capitolare.

Anzi, quando i torricellesi furono sicuri che Giosuè Scozza apparteneva alla gente che essi detestavano, furono presi da furore anti-scozziano.

Si formò una specie di comitato di salute pubblica che fissò un programma radicale: purificare Torricella contaminata distruggendo il monumento dello pseudotorricellese e facendo sorgere al suo posto una fontana. Lavare la macchia.

Peppone allora intervenne presso i rossi di Torricella e si arrivò a un accordo: il paese di Peppone avrebbe offerto a Torricella la fontana in marmo e Torricella avrebbe ceduto in cambio il monumento marmoreo di Giosuè Scozza.

Fu stabilito che lo scambio dei doni marmorei si sarebbe svolto con grande solennità. Un carro tirato da buoi avrebbe recato la fontana al confine e qui si sarebbe incontrato col carro torricellese recante il monumento. Avvenuto lo scambio dei carri, ognuno avrebbe pensato ai fatti suoi.

I soldi per la fontana saltarono fuori subito e, un mese dopo, i carri si misero in moto: Giosuè Scozza arrivò al confine in piedi sul suo piedestallo. Legato e puntellato ma fiero: c'era tutto il paese ad aspettarlo con la banda e le autorità e le bandiere.

Peppone pronunciò un discorso che incominciava:

— Salute, illustre fratello che ritorni tra i fratelli dopo secolare assenza...

Fu una cosa commovente e quando i torricellesi ebbero preso in consegna il carro con la loro fontana e si furono allontanati, Peppone tirò fuori di tasca un martello e uno scalpello e cavò dal piedestallo la lapide che descriveva Giosuè Scozza come «*figlio prediletto di Torricella*». La lapide infranta venne gettata oltre confine e il corteo prese allegramente la strada del paese.

Tutto era già pronto: muratori, marmisti, argani, fondazioni: il monumento a Giosuè Scozza venne calato nell'apposito alloggiamento, al centro della piazza. Sul piedestallo venne immediatamente murata la nuova lapide.

Un telone fu gettato sopra il monumento e poi, al momento opportuno, venne tolto. Don Camillo benedisse il monumento e pronunciò un breve toccante discorso in cui parlava di «figliuol prodigo».

Il comitato, un comitato veramente apolitico, aveva fatto ogni cosa per bene, e la sera in piazza si svolse l'ultimo e il più solenne numero del programma di onoranze.

Peppone prese la parola per spiegare il significato dell'avvenimento:

— Noi abbiamo visto le tue sembianze, o fratello ritornato tra le braccia della madre, ma ancora non abbiamo udito la tua voce. Quella voce melodiosa e divina che tu levasti nei cieli dell'immortalità e della gloria, o Giosuè Scozza, creatore di melodie senza pari! Tra poco, quindi, un valentissimo complesso d'archi eseguirà un completo programma di musica scozziana. E ognuno potrà rendersi conto della straordinaria bellezza delle composizioni più celebri del nostro Giosuè Scozza...

La piazza era zeppa come un uovo e, quando Peppone ebbe finito il suo discorsetto, scoppiò un colossale applauso e poi cadde un religioso silenzio.

Il complesso d'archi era veramente in gamba: i migliori orchestrali della città. E il primo dei dodici pezzi scozziani in programma, l'*Andantino numero sei*, fu un ricamo.

L'applauso che coronò l'esecuzione fu colossale.

Seguì *l'Aria in do diesis minore* con pari successo e poi fu la volta della *Sonata in re maggiore*.

La gente applaudì ma, quando incominciò il quarto numero, *Ballata in fa*, si levarono tra il pubblico delle voci:

— Verdi! Verdi!

I suonatori smisero e il direttore si volse a guardare la gente.

— Verdi! Verdi! — urlarono cinquecento voci. — Verdi!

Peppone e don Camillo erano nelle poltrone di centro in primissima fila: il maestro guardò sgomento Peppone.

Peppone guardò don Camillo.

Don Camillo fece cenno di sì.

— Verdi! — gridò perentorio Peppone.

La gente pareva impazzita per la contentezza. Il maestro parlottò coi suonatori poi picchiò la bacchetta sul leggìo e tutti tacquero.

Si levarono le note del preludio della *Traviata* e la gente pareva incantata. Alla fine l'applauso fu così violento che maestro e suonatori impallidirono.

— Questa è musica! — urlò Peppone.

— Verdi è sempre Verdi! — rispose don Camillo.

Il programma continuò a base esclusivamente di musica di Verdi e, alla fine, il direttore d'orchestra venne portato in trionfo.

Passando davanti al monumento di Giosuè Scozza lo Smilzo guardò il *divino creatore di armonie* e poi disse:

— Si vede che l'aria di Torricella gli ha fatto male.

— Se fosse rimasto qui avrebbe fatto della musica molto più in gamba — aggiunse il Bigio.

— La roba storica è sempre bella anche se è brutta! — affermò severamente Peppone. — Qui siamo nel campo storico e il valore di Giosuè Scozza è sempre grandissimo. Non le pare reverendo?

— Naturalmente — rispose don Camillo. — Bisogna sempre inquadrare gli artisti nel loro tempo.

— Però Verdi... — tentò di obiettare lo Smilzo.

Ma Peppone gli saltò sulla voce: — Cosa c'entra Verdi? Verdi non è mica un artista, Verdi è un uomo con un cuore grande così.

Allargando le braccia, fece il vuoto attorno a sé.

Don Camillo non fu svelto a scansarsi e si prese una tremenda pacca sullo stomaco.

Ma non disse niente per rispetto a Verdi.

RITORNO

Si fermò davanti alla canonica uno di quei grossi bauli che sembrano automobili; portava la targa USA e ne scese un signore magro che doveva avere i suoi anni sul groppone, ma era dritto come un fuso e pieno d'energia.

— Lei è il parroco? — domandò lo straniero a don Camillo che stava fumando il suo mezzo toscano seduto nella panchina a lato della porta.

— Per servirla — rispose don Camillo levandosi in piedi.

— Devo parlarle — affermò molto eccitato lo straniero. Ed entrò decisamente nell'andito.

Camminava rapido e sicuro, come i conquistatori, e don Camillo, che frattanto era entrato anche lui, lo stette a guardare perplesso; ma quando vide che lo straniero era arrivato in fondo all'andito e stava per infilarsi in cantina, intervenne:

— No, signore, per di qui!

Lo straniero ritornò indietro seccatissimo:

— Non ci si raccapezza più — esclamò. — Non si capisce più niente.

— Forse è stato qui in canonica in altri tempi e trova dei cambiamenti? — si informò don Camillo introducendolo nella saletta che era a destra, appena entrati.

— No, è la prima volta che vengo qui dentro — rispose sempre eccitatissimo lo straniero. — Però non si capisce più niente lo stesso! Legnate ci vogliono, reverendo, altro che prediche. Con le sue prediche, quei maledetti senza-Dio ci fanno la birra!

Don Camillo si mantenne sulle generali: allargò le braccia. In fondo poteva darsi benissimo che si trattasse di un matto scappato fuori da qualche parte: ma anche un matto, quando viaggia su una macchina targata USA e con autista in livrea, è una persona da trattare con rispettosa cautela.

Lo straniero si asciugò la fronte piena di sudore, e riprese fiato. Don Camillo studiò quel viso dai lineamenti duri e ricercò affannosamente nel magazzino della sua memoria, ma non riuscì a cavar fuori niente.

— Posso offrire qualcosa? — domandò don Camillo.

Lo straniero accettò un bicchiere d'acqua che tracannò d'un fiato. Questo parve calmarlo.

— Lei non mi conosce — disse lo straniero. — Io non sono di qui. Io sono di Casalino.

Don Camillo lo guardò con diffidenza. Don Camillo era un uomo civile e, all'occorrenza, sapeva riconoscere i suoi torti e umiliarsi come nessun altro. Don Camillo aveva pure un grande cuore e un sacco di buonsenso; ciononostante persisteva nel dividere l'umanità in tre grandi categorie: galantuomini che bisognava curare amorevolmente per impedire loro di diventare disonesti. Disonesti che bisognava curare ancor più amorevolmente per cercare di farli diventare onesti. Infine: casalinesi.

Per don Camillo, *quelli di Casalino* erano semplicemente *quelli di Casalino*: vale a dire gli abitanti di un paese che, da secoli, ce l'aveva a morte col suo. Gente che pareva fosse stata creata al solo scopo di studiare il modo di avvelenare il sangue ai parrocchiani di don Camillo.

In tempi antichi la lotta fra i due paesi era stata dura e qualcuno ci aveva rimesso anche la pelle; ma se da molti anni il conflitto aperto era cessato, la lotta si era trasformata in guerra fredda e perciò la sostanza non era cambiata.

A Casalino c'era gente che aveva degli addentellati nell'amministrazione provinciale, nel Genio Civile, a Roma, e, appena si profilava la possibilità d'una iniziativa che poteva recare giovamento al Comune di don Camillo, il Comune di Casalino saltava fuori a mettere i bastoni fra le ruote, ad accampare i suoi diritti di precedenza, a proporre modifiche ai progetti. E i casalinesi riuscivano a spuntarla sempre.

Don Camillo divideva l'umanità in tre grandi categorie e, mentre si dava un gran da fare perché i buoni non diventassero cattivi, e perché i cattivi diventassero buoni, lasciava quelli di Casalino alle cure esclusive del Signore: «Gesù, se avete messo al mondo anche quelli di Casalino, una ragione ci sarà. Li accettiamo con cristiana rassegnazione come si accettano le malattie e i cataclismi. La Vostra infinita saggezza li amministri e la Vostra infinita bontà ce ne scampi e liberi. Amen».

— Sono di Casalino — ripeté il forestiero. — E lei ben capisce, reverendo, che se uno di Casalino si umilia a venire qui, significa proprio che è arrabbiato forte con quelli di Casalino.

Don Camillo si rese rapidamente conto del fatto, ma continuò a non capire come mai uno di Casalino viaggiasse con una macchina targata USA.

— Sono di Casalino — affermò il forestiero.
— Però manco da Casalino da molti anni. Mi chiamo Del Cantone. Quando avevo venticinque anni, assieme a mio papà e a mia mamma, conducevo un fondo di venti biolche. Era un lavoro da bestie perché non tenevamo famigli da spesa, però tiravamo avanti ed eravamo contenti. Ma poi saltarono fuori quegli stramaledetti, che Iddio li fulmini!

Il forestiero era diventato rosso e aveva ricominciato a sudare.

— Quegli stramaledetti? — domandò don Camillo. — Non capisco.

— Se lei non ha ancora capito che, se al mondo ci sono degli stramaledetti, questi non possono essere che i rossi, ciò significa che lei ha gli occhi foderati di prosciutto! — gridò il forestiero.

— Mi scusi — rispose con garbo don Camillo.
— Lei mi parla di roba di tanti anni fa...

— I rossi sono sempre stati degli stramaledetti, sin da quando Garibaldi ha inventato il rosso! — lo interruppe lo straniero.

— Garibaldi c'entra fino a un certo punto — obiettò debolmente don Camillo.

— Fino a un certo punto? — gridò l'altro. — Non era forse un garibaldino quel medico che ha portato il socialismo da queste parti? Non è forse stato lui a montare la testa alla gente, a inventare le leghe rosse e tutta la porcheria?

Don Camillo lo consigliò di procedere con calma e il forestiero riprese la narrazione.

— Quando saltarono fuori quegli stramaledetti ci furono scioperi agricoli e roba del genere. Il fatto è che quelli della lega vennero nella mia aia e si attaccarono con mio papà. Allora saltai su io e con la doppietta ne impallinai uno o due. Non morì nessuno, ma io dovetti tagliare la corda. Dovetti piantare lì tutto e scappare in America.

Il forestiero si asciugò il sudore.

— Ho incominciato a lavorare come un dannato — riprese con voce cupa — ma ce ne sono voluti degli anni per poter trovare la strada giusta. E, intanto, mio papà e mia mamma sono morti. Morti in miseria. Per colpa di quei maledetti.

Don Camillo con molto garbo fece notare che, a rigor di logica, la colpa, più che dei rossi, era della doppietta. Ma il forestiero non gli diede neppure retta.

— Quando in America si è sentito parlare di Mussolini, volevo tornare per regolare i conti: ma oramai ero ingranato nel giro degli affari. E il giro è diventato sempre più grosso. Però ho mandato uno apposta a Casalino per fare un monumento a mio papà e a mia mamma nel cimitero e sempre pensavo di tornare. Ma gli affari sono una maledizione e io avevo impiantato una grossa azienda e così gli anni sono passati. E adesso ne ho quasi settanta...

Il vecchio sospirò.

— Eccomi qui dopo tanti anni — continuò. — E coi giorni contati perché sono condannato a lavorare fin che campo. Sono tornato non per rivedere il mio paese ma perché volevo fare qualcosa di più per i miei poveri vecchi. Un monumento al cimitero è un pezzo di sasso. È una cosa più morta dei morti che sono sepolti sotto quel sasso. Io volevo fare qualcosa di più: dare il nome di mio papà e di mia mamma a un'istituzione utile che durasse nei secoli. Un grande edificio modernissimo, con tutte le comodità e con un gran parco. Il parco unico, ma l'edificio diviso in due parti: asilo per i bambini poveri e ricovero per i vecchi. I bambini e i vecchi si sarebbero ritrovati nel parco. I vecchi avrebbero guardato giocare i bambini, avrebbero parlato fra loro, vecchi e bambini. Il principio e la fine della vita. Non era una cosa bella?

— Bellissima — rispose don Camillo. — Però, purtroppo, la casa e il parco non bastano...

— Ho proprio bisogno di venire dall'America per farmelo insegnare da lei! — replicò seccato il vecchio. — Cosa crede, che in America si pensi che si possa vivere d'aria? L'asilo-ricovero avrebbe avuto la sua dote: un podere di cinquecento o mille biolche di terra di prima categoria. Tra asilo-ricovero e podere ero disposto a sborsare sull'unghia cinquecento milioni. Io ho poco da campare, e non ho nessuno. I miei quattrini, quando creperò, se li mangeranno per tre quarti il fisco americano e il resto i miei amministratori. Cinquecento milioni per l'asilo e la dote li avevo già accantonati. Li avevo già trasferiti qui. E adesso me li riporto a casa!

Don Camillo dimenticò del tutto che quello era un colpo a danno di Casalino. Don Camillo divideva l'umanità in tre categorie: buoni, cattivi e casalinesi; però, di fronte a cinquecento milioni da usare per un asilo-ricovero, riteneva doveroso far rientrare i casalinesi nelle due categorie precedenti.

— Non è possibile! — esclamò. — Dio le ha illuminato la mente dandole un'idea meravigliosa e
nobilissima: respingere quell'ispirazione significa
disdegnare i suggerimenti di Dio!

— Me li riporto a casa quei quattrini! — urlò
cocciuto il forestiero. — Casalino non avrà un centesimo di mio! Niente di roba mia! Due ore fa ero a
Casalino: appena mi hanno sbarcato la macchina, a
Genova, sono partito per Casalino. Arrivo e trovo il
paese pieno zeppo di bandiere rosse. Bandiere rosse
dappertutto, fin sulla cima dei pagliai. Bandiere
rosse, festoni rossi, manifesti con falce e martello: a
morte questo, a morte quest'altro... In piazza c'è
comizio: faccio fermare la macchina per sentire di
che cosa si tratti. Hanno gli altoparlanti e non si
perde una sillaba: «E adesso cedo la parola al compagno sindaco!» dice uno. E il compagno sindaco
incomincia a parlare e dice roba da schioppo. Grido all'autista di andare: la macchina si muove e
mentre passo quegli stramaledetti vedono la targa e
mi gridano: «Vai in America! Vai da Truman! Togliti dai piedi! Torna a casa tua!». Poi uno di quei
porci ha dato una legnata sul tetto della mia macchina. Guardi, guardi se dico balle!

Don Camillo si affacciò alla finestra e guardò
malinconicamente l'ammaccatura sul coperchio
della vettura.

— Ci torno sì, in America! — urlò inviperito il
forestiero. — Ma ci torno coi quattrini! All'ospedale dei cani di New York, li regalo, piuttosto di darli
a quelli di Casalino!

Don Camillo cercò di accomodare la faccenda
ma era impossibile.

— Non un centesimo dei miei a un paese che

ha un sindaco e una amministrazione comunista! Non un centesimo a un paese di rossi!

— Ma non son tutti rossi... — protestò don Camillo.

— Porci tutti! I rossi perché sono rossi, gli altri perché non sono capaci di cacciar via a pedate i rossi! Ci torno sì, in America!

Don Camillo ritenne inutile insistere. Piuttosto, adesso, era curioso di sapere perché mai il vecchio fosse venuto a raccontare tutta quella storia a lui.

— Capisco la sua irritazione — disse alla fine don Camillo. — Sono a sua disposizione per quanto le può servire.

— Già, appunto, dimenticavo la cosa più importante — esclamò il forestiero. — Sono venuto qui perché ho bisogno di lei. Non bado a spese: costi cento, mille, un milione, due milioni, non ha importanza. Sono disposto a tutto: a eleggere domicilio qui, a organizzare un colpo notturno, a mettere in moto anche il demonio! Ma i miei vecchi nel cimitero di Casalino non ci devono stare più. Li voglio qui, qui, nel vostro cimitero. E farò fare un monumento nuovo, una cosa colossale! Non mi dica niente: si interessi lei, faccia lei. Io voglio soltanto pagare!

Il forestiero depose un pacchetto di banconote sul tavolino: — Ecco per le prime spese.

— Sta bene — rispose don Camillo. — Farò tutto il possibile.

— Lei dovrà fare l'impossibile — affermò il vecchio.

Oramai che s'era sfogato, il vecchio pareva ritornato ragionevole. Accettò un bicchiere di vino e il sapore del lambrusco gli riportò alla mente ricordi lontani di giovinezza e un po' di serenità nel cuore.

— E qui, reverendo, come vanno le cose? Peggio che andar di notte, non è vero? Ho idea che tutta questa zona sia come Casalino.

— In verità no — rispose don Camillo. — Qui le cose sono molto diverse. Rossi ce ne sono sì, come dappertutto, però non è che comandino loro!

Il forestiero lo guardò stupito.

— Ma non c'è una amministrazione comunista anche qui?

— No — rispose don Camillo spudoratamente. — Ci sono sì dei rossi in Consiglio, ma non sono la maggioranza.

— Magnifico! — esclamò il vecchio. — E come avete fatto a resistere a quei maledetti? Non vorrà mica raccontarmi che son stati i suoi sermoni!

— Sbaglia — rispose con calma don Camillo. — Qualcosa hanno fatto anche i miei sermoni. Il resto è questione di tattica. Qui, vede, c'è gente che ha una bella tattica.

Il forestiero lo guardò sospettoso:

— E cosa sarebbe questa tattica?

— Difficile spiegarlo a parole — rispose don Camillo. — Mi spiegherò con un esempio.

Aperse un cassetto e ne trasse un mazzo di carte.

— Ecco — spiegò — ognuna di queste carte rappresenta un comunista. Anche un bambino di tre anni può facilmente stracciare queste carte una per una, mentre, se le uniamo tutt'e quaranta, risulta impossibile stracciarle.

— Capisco — esclamò il forestiero. — La tattica è di far pressione sull'individuo, battere il nemico mentre è diviso e non permettere che si unisca e faccia blocco!

— No — rispose don Camillo — la tattica non è questa. La tattica invece consiste nel lasciare che tutti gli avversari si uniscano in blocco per valutarne la forza effettiva. Poi, quando sono uniti in blocco, agire.

Così dicendo, don Camillo, agguantato il mazzo di carte fra le due enormi mani, lo spaccò in due.

— Urrà! — gridò il vecchio impazzendo per l'entusiasmo. — Questa è una cosa colossale! Mai visto uno spettacolo così meraviglioso!

Strinse a lungo la mano di don Camillo, volle il mazzo di carte con firma autografa e dedica.

Poi quando ritornò calmo sollevò una obiezione:

— Tattica bellissima: però ci vogliono mani di una forza eccezionale!

— Qui c'è la gente che ha queste mani — rispose calmo don Camillo. — Fin che il mazzo resta di quaranta carte siamo a posto. Il guaio si avrà quando il mazzo diventerà di sessanta o di ottanta. Li dominiamo, ma lavorano. E hanno armi formidabili!

— Armi? — domandò il forestiero. — E voi non ne avete? Ve ne mando io!

— Non si tratta delle armi che pensa lei. L'arma principale dei rossi è l'egoismo degli altri. Chi ha pensa solo a conservare il suo patrimonio e non dà niente. Mai niente. Mai un gesto generoso, un gesto che significhi comprensione, umana solidarietà. Sono pieni di soldi e gretti: non capiscono che, per conservare il poco, poi perderanno tutto! Ma non ci rattristiamo: beviamoci sopra, signor Del Cantone!

Ma il forestiero non bevve.

— Vecchio mondo! — gridò. — Non aiutare della gente come voi è un delitto! Voglio parlare col sindaco! Prenderò tre piccioni con una fava: farò un monumento eterno ai miei poveri vecchi, farò un servizio alla causa comune della civiltà e farò crepare di rabbia quei porci di Casalino. L'asilo-ricovero lo faccio qui!

Don Camillo vide doppio e triplo, poi rimise a fuoco gli occhi e il cervello.

— Sta bene. Adesso il sindaco è assente: domattina sarà qui a sua disposizione in canonica.

— Arrivederci domattina. Ho poco tempo da perdere: fatemi trovare già pronto il terreno per il palazzo e il parco. Il progetto l'ho già io. Di poderi il mio agente ne ha già trovati quattro: non c'è che da scegliere.

— No — insisté Peppone — io non reciterò mai una commedia così sporca. Io sono quel che sono e me ne vanto.

— Non si tratta di recitare delle commedie sporche — spiegò calmo don Camillo. — Tu devi semplicemente fingere di essere una persona per bene.

— È inutile che facciate lo spiritoso: io non sono una marionetta. Domani mattina ci vengo, in canonica: ma col fazzoletto rosso al collo e con tre distintivi!

— Puoi risparmiare di venirci — sospirò don Camillo. — Gli dirò che si tenga pure i suoi cinquecento milioni perché il signor sindaco non ne ha bisogno. E si impegna a costruire lui, coi soldi che gli manda la Russia, un istituto per bambini poveri e un ricovero per i vecchi. E stamperò su un manifesto tutta questa storia perché il popolo deve sapere.

— Questo è un ignobile ricatto! — urlò Peppone imbestialito.

— Ti chiedo soltanto di star zitto, parlerò io. Qui la politica non deve entrarci. Possiamo recare un beneficio ai poveretti e noi lo dobbiamo ottenere ad ogni costo.

— È una frode! — gridò Peppone. — Oltre al resto io non mi presto a truffare quel disgraziato.

— Giusto — riconobbe don Camillo allargando le braccia. — Invece di truffare un miliardario, è meglio truffare un sacco di poveri bambini e di poveri vecchi. Proprio tu mi vieni a parlare di truffa, tu che dici di combattere per sconfiggere l'egoismo dei ricchi e per una miglior distribuzione della ricchezza? È una truffa far credere a un pazzo che tu non sei un sindaco comunista per indurlo a creare l'asilo-ricovero? Ebbene, non me ne importa niente: il tribunale di Dio mi giudicherà e se dovrò pagare pagherò. Ma intanto bambini e vecchi avranno un tetto e un pezzo di pane. E poi, perché una truffa? Cosa vuole quello scatenato? Vuole costruire un monumento che ricordi degnamente nei secoli il nome dei suoi genitori. Ebbene, non glielo facciamo noi?

— No! — disse ancora Peppone — è un'azione sporca e io non la faccio!

Don Camillo allargò le braccia:

— Cinquecento milioni sacrificati all'orgoglio di partito. Cosa t'importa se domani, mentre rimetti in ordine le armi che hai nascoste per il giorno della rivoluzione proletaria, ti scoppia fra le mani una bomba e crepi e tuo figlio rimane sul lastrico?

— Creperete voi! — rispose Peppone. — E poi se io crepo, mio figlio non avrà bisogno dell'elemosina dei reazionari.

— Ma tu, quando sarai vecchio e rimbambito e non potrai più lavorare, cosa farai se non ci sarà un ricovero ad accoglierti?

— Quando io sarò vecchio non ci sarà più bisogno di ricoveri! Sarà già sistemato tutto e ogni lavoratore avrà il suo tetto e il suo pane. Io di porcherie non ne faccio.

Don Camillo rinunciò a insistere.

— Sta bene, Peppone. In fondo hai ragione tu e mi hai dato una lezione di onestà. Per un momento l'enorme beneficio che avrebbero potuto ricavarne tanti poveretti mi aveva confuso le idee e dovevi essere proprio tu, un senza-Dio, a ricordarmi la Legge di Dio: non dire il falso testimonio. La Provvidenza può servirsi anche dei nemici della fede per indicarci la via della fede. Quello che importa è il principio: il calpestare un principio è danno maggiore di qualunque altro danno che derivi dal non aver calpestato il principio. Non dire il falso testimonio: questo è il principio. Io ho detto il falso testimonio e volevo indurre te a dire il falso testimonio. Povero don Camillo, invecchiando ti si confondono le idee. Domattina vieni pure: dirò a quel tizio come realmente stanno le cose. Chi ha fatto il peccato faccia la penitenza.

Don Camillo non ebbe il coraggio di presentarsi al Cristo perché si sentiva pieno di vergogna, e passò una pessima notte. Ma aspettò il mattino come una liberazione.

Il baule targato USA si fermò davanti alla canonica e il forestiero scese lesto e si avviò deciso verso la porta. Peppone che, assieme al Brusco, allo Smilzo e al Bigio stava alla posta lì vicino, si mosse ed entrò in canonica pochi secondi dopo.

— Ecco il sindaco e la rappresentanza del Consiglio comunale — spiegò don Camillo al forestiero.

— Bene! — esclamò soddisfatto il vecchio distribuendo gran strette di mano. — Il reverendo vi avrà già parlato di tutto.

— Sì — borbottò Peppone.

— Perfettamente. Dunque voi di che partito siete? Clericali?

— No — rispose Peppone.

— E cosa allora? — insisté il forestiero.

— Indipendenti — disse lo Smilzo.

— Meglio così che clericali — esclamò allegramente il vecchio. — Anche i preti te li raccomando. Siete indipendenti e quindi liberi e, come tali, nemici dichiarati di quei maledetti rossi! Benissimo. Per quei maledetti senza-Dio non c'è che un sistema: legnate e olio di ricino! Ho ragione o no?

Il vecchio aveva fissato gli occhi spiritati su Peppone.

— Giusto — disse Peppone.

— Giusto — approvarono cupi il Bigio, il Brusco e lo Smilzo.

— Quei maledetti rossi... — riprese il vecchio. Ma don Camillo intervenne perché non ne poteva più.

— Basta! — gridò. — Questa commedia deve finire.

— Commedia? — si stupì il vecchio.

— Sì — spiegò don Camillo. — Ieri vi ho visto tanto eccitato che, per calmarvi, vi ho alterato la verità: anche qui è come a Casalino. Il sindaco è comunista e comunisti sono tutti gli altri del Consiglio.

Il vecchio ridacchiò: — Dunque volevate fregarmi!

— No — rispose calmo Peppone. — Noi volevamo semplicemente portare un aiuto ai poveretti. Per amor della povera gente si può anche ingoiare un rospo.

Il vecchio diventò rosso.

— E la famosa tattica? — domandò ironico a don Camillo.

— Quella vale sempre — rispose deciso don Camillo. — Vale oggi come valeva ieri.

Il vecchio era gonfio di malvagità.

— Se vale oggi come valeva ieri, perché non la spiega anche al signor sindaco?

Don Camillo strinse i denti e, aperto il solito cassettino, trasse un altro mazzo di carte.

— Ecco — spiegò mostrando una carta. — Anche un bambino di tre anni potrebbe stracciarla. Ma quando le quaranta carte sono in blocco nessuno riuscirebbe a spezzare il mazzo...

— Un momento — disse Peppone intervenendo. E, tolto dalle mani di don Camillo il mazzo, lo strinse fra le zampe e lo spaccò in due.

— Straordinario! — urlò il vecchio. — Mondiale!

Poi cavò fuori la penna e volle che Peppone gli

facesse la firma e la dedica su una delle mezze carte.

— Li metto tutt'e due in vetrina nella mia sala quando torno in America! — urlò riponendo con cura il mazzo spaccato in tasca. — A sinistra quello del parroco, a destra quello del sindaco! In mezzo ci metto la storia stampata.

Il vecchio era eccitatissimo. Poi, poco alla volta, si calmò.

— Il fatto che sia il parroco che il sindaco sappiano spaccare un mazzo di carte è molto importante — osservò. — Ed è pure importante il fatto che il parroco e il capo dei rossi si trovino d'accordo per fregare un terzo quando ci sia in ballo il bene della comunità. Rimango del mio stesso parere per quello che riguarda i rossi: razza stramaledetta. Però quelli di Casalino devono crepare di rabbia: l'asilo-ricovero lo faccio qui! Preparate uno statuto entro domattina, create un Consiglio d'amministrazione. Non voglio nessun politico dentro il Consiglio. Ogni decisione del Consiglio dovrà essere approvata dai due presidenti, che conserveranno la loro carica a vita col diritto e il dovere di stabilire alla loro morte i successori. E i due presidenti saranno il qui presente parroco e il qui presente signor Giuseppe Bottazzi, se le mie informazioni non sono sbagliate...

Il vecchio accese una sigaretta.

— Prima di muoverci, noi gente d'affari americana, ci facciamo fare una precisa relazione sui luoghi e sulla gente che dobbiamo visitare. È sempre molto utile. Ieri, quando il reverendo mi ha detto che qui non c'era una amministrazione comunista, mi sono divertito molto. Oggi mi sono divertito meno. Ma ho imparato qualcosa che non sapevo e torno a casa più tranquillo. Spicciatevi perché entro domani voglio concludere. Oggi comprerò il podere.

Don Camillo andò a inginocchiarsi davanti al Cristo dell'altar maggiore.

— Non sono contento di te, don Camillo — disse il Cristo severamente. — Sono contento di come si sono comportati gli altri: il vecchio, Peppone e i suoi compagni.

— Ma se non c'ero io a imbrogliare un po' le cose, niente sarebbe andato bene — si scusò debolmente don Camillo.

— Non ha importanza, don Camillo. Se anche dal male da te commesso proviene un bene, tu, davanti a Dio, sei responsabile del male che hai commesso. Chi non intende questo non intende la voce di Dio.

Don Camillo chinò il capo confuso.

— Dio mi perdonerà — sussurrò.

— No, don Camillo: non ti perdonerà perché tu, pensando al bene che dal tuo peccato proverrà a tanti infelici, non ti pentirai mai.

Don Camillo allargò le braccia e il suo cuore era pieno di tristezza perché comprendeva che il Cristo aveva ragione: non si sarebbe pentito mai.

SABOTAGGIO

Il vecchio Basetti e il Cagnola riunirono tutti i più grossi fittavoli della zona.

— La mietitura si avvicina — disse il Cagnola.
— Quindi ricominceremo col batticuore. Ricomincerà la solita maledetta storia dei giornalieri che, a metà lavoro, pianteranno lì tutto e diranno che, se non gli daremo questo o quest'altro, ci lasceranno il frumento nei campi; ci sono già, in Italia, due macchine mietitrebbiatrici estere nuove di trinca: costano quel che costano ma se facciamo la società le compriamo tutt'e due e possiamo mietere e trebbiare tutto il nostro frumento senza aver bisogno di nessuno. Le facciamo andare noi stessi così siamo sicuri che qualche vigliacco non ci combini del sabotaggio.

Incominciò la discussione e, alla fine, la società fu messa in piedi e le quote vennero fissate a seconda della superficie dei vari poderi.

La seduta si era svolta in gran segreto: ciononostante

stante, il giorno dopo, in paese non si parlava che delle due macchine.

Peppone andò immediatamente a casa del Cagnola.

— Se voi combinate una cosa del genere — disse Peppone — voi portate via il pane a un sacco di gente. Voi aggravate il problema della disoccupazione. I braccianti hanno già poco lavoro e tirano avanti coi denti: se voi gli portate via anche la campagna della mietitura, come possono fare?

Il Cagnola allargò le braccia:

— Mi dispiace — rispose — ma con questo principio noi dovremmo buttar via anche le macchine per segar l'erba, le seminatrici, le macchine da cucire e via discorrendo. Il progresso cammina, caro signor sindaco, e proprio voi che esaltate il progresso meccanico della Russia, e la meccanizzazione dell'agricoltura russa, e i molini viaggianti russi, e i trattori russi eccetera eccetera, dovreste essere gli ultimi a parlare.

— In Russia è un'altra cosa — ribatté Peppone. — In Russia la terra è di tutti e quindi il problema è quello di farla rendere il più possibile faticando il meno possibile. In Russia non c'è il problema della disoccupazione e la gente mangia sempre. Qui, usando una macchina, portate via il pane a cento persone.

— Non soltanto i braccianti agricoli devono mangiare, devono mangiare anche gli operai delle fabbriche. Se bisogna chiudere le fabbriche, allora cosa mangiano gli operai delle fabbriche?

Peppone non insistette:

— Io vi ho fatto presente la responsabilità che

vi prendete sulle spalle — concluse. — Per il resto, regolatevi come volete.

L'aria incominciava a scaldarsi e don Camillo andò a fare quattro chiacchiere col Basetti e il Cagnola.

— Ho l'idea che vi siete imbarcati in un grosso pasticcio — disse don Camillo. — I rossi sono furibondi. Io vi consiglierei di essere prudenti.

Il Cagnola lo guardò stupito:

— Bella da ridere! — esclamò. — Proprio voi, reverendo, che ci avete sempre detto che la forza degli altri è soprattutto la nostra paura, proprio voi adesso trovate delle storie una volta tanto che dimostriamo del coraggio!

Don Camillo scosse il capo:

— Qui non è questione di coraggio. Qui c'è una questione nella quale la politica non c'entra: qui si tratta del pane di un sacco di povera gente. Se l'atto di coraggio mette alla fame della gente, allora non si tratta più di coraggio ma di prepotenza. Non bisogna confondere tra diritto e sopruso.

Il Basetti osservò che un discorso simile lo poteva fare, se mai, Peppone che era il capo dei comunisti, non l'arciprete.

— Esercitare il proprio diritto sacrosanto non è prepotenza! — gridò il Basetti. — La prepotenza e il sopruso si verificano quando si offende il diritto di qualcuno. Quale diritto noi offendiamo?

— Il diritto che ha la gente di mangiare — rispose calmo don Camillo.

— Reverendo, il progresso...

— Il progresso è una cosa che si sviluppa nel

futuro, la fame è una cosa che, invece, si sviluppa nel presente.

Il Cagnola allargò le braccia:

— Se tutte le volte che l'uomo ha inventato qualcosa si fosse ragionato così, oggi non esisterebbero macchine!

— A parte il fatto che sarebbe molto meglio che non ci fossero macchine — ribatté don Camillo — questa non è una questione di progresso; voi comprate le macchine per un ripicco.

— Ripicco un accidente! Qui c'è gente malintenzionata o mal consigliata che vuole ricattarci e allora le macchine ci servono come arma di difesa!

Don Camillo sorrise.

— Qui sta l'errore. Voi avete comprato un'arma di difesa ma la usate come arma di offesa. Voi avete uno schioppo, lì appeso, e lo tenete per difendervi dai ladri. Perché allora non sparate?

Il Cagnola si strinse nelle spalle:

— Sparerò quando sorprenderò qualche ladro che tenta di rubare roba mia.

— Giusto: perché allora tu usi l'arma delle macchine prima che qualcuno ti abbia messo in condizione di doverti difendere?

Il Basetti si mise a urlare:

— E cosa dovremmo fare, allora?

— Potreste, per esempio, non usare le macchine. Chiamate i braccianti e fate loro un discorso pulito pulito: o voi vi comportate da galantuomini e non tentate di prenderci per il collo, o noi invece di farvi lavorare usiamo le macchine. Allora siamo nel campo della legittima difesa.

— Bella da ridere! Noi abbiamo speso un sacco

di quattrini per tenere le macchine in rimessa. E il danno, chi ce lo paga?

— *Fate vobis* — sospirò don Camillo. — Io avevo il dovere di ricordarvi che, così facendo, voi mettete alla fame una quantità di povera gente.

Quando si seppe che le due mietitrebbiatrici stavano per arrivare, si incominciò a sentire per l'aria odore di guai.

I braccianti erano ormai decisi: «Come arrivano, le spacchiamo e buona notte suonatori».

E una mattina le due macchine arrivarono, a bordo di due enormi autotreni con rimorchio.

Bastò un fischio per far scaturire gente da tutti i buchi: la strada venne bloccata e gli autotreni dovettero fermarsi.

Ma non successe niente. Tutti stettero a guardare le macchine con rispetto, quasi con paura.

— Belle! — disse Peppone rompendo il silenzio.

— Belle sì, la Russia è imbattibile anche in questo genere di macchine — aggiunse lo Smilzo.

I due autocarri si rimisero in moto. La gente si allontanò.

— Vigliacchi maledetti! — borbottò Peppone. — Proprio due macchine russe dovevano comprare!

— Se i russi avessero saputo a cosa dovevano servire, non le avrebbero vendute a quei porci!

— Questo si capisce! — esclamò Peppone. — Ma, intanto, sono qui!

Don Camillo incontrò Peppone la sera stessa.

— Buona sera signor sindaco — disse don Camillo.

— Buona sera signor prete — rispose Peppone. — Dite pure quello che volete dire ma state attento a non esagerare.

— Non ho niente da dire. Volevo soltanto domandarti come andrà a finire questa faccenda.

— Non so niente di preciso. So soltanto che qualcuno farà una fesseria.

— Dipende da te, se qualcuno farà una fesseria!

— Non dipende da me! — gridò Peppone. — Le donne, specialmente, sono imbestialite. Hanno detto che, se entro domani non si conclude qualcosa, daranno fuoco al frumento. Con le donne c'è poco da ragionare. Se domattina le macchine cominciano a mietere, domani notte il frumento da mietere andrà in fumo.

— E qualcuno andrà in galera! — aggiunse don Camillo.

— Questo importa poco alle donne. E poi è difficile provare chi è stato a buttare uno zolfanello.

Era l'una di notte, ma Peppone non dormiva e, appena sentì il sassolino battere contro la gelosia della camera da letto che dava sull'orto, si affacciò, e visto di che cosa si trattava, scese subito.

— Cosa volete? — domandò torvo Peppone.

— Fammi entrare in casa — sussurrò don Camillo.

Entrarono nella cucina. Don Camillo cavò di tasca il breviario e lo mise sulla tavola.

— Posa la mano destra su quel libro — disse don Camillo. E Peppone coperse con la mano larga come un badile il breviario.

— Giura che tu farai quello che ti ordinerò io, e che non dirai mai a nessuno quello che hai fatto.

Peppone esitò qualche istante poi esclamò:

— Qui voi state per combinarmi una delle vostre solite mascalzonate clericali, ma giuro lo stesso. Giuro!

Le due macchine mietitrebbiatrici erano dal Basetti nella grande rimessa che aveva la porta verso l'aia e una finestrina verso i campi. Peppone aveva con sé la trancia e, in due secondi, l'inferriata saltò.

Don Camillo gli fece la scaletta e Peppone si infilò dentro.

Don Camillo si nascose in un cespuglio di gaggìa e aspettò. Ogni tanto la mano di Peppone usciva dalla finestrina e don Camillo era pronto ad agguantare al volo quello che la mano di Peppone buttava fuori. Acchiappava e metteva nel sacco che aveva con sé.

La faccenda durò un'ora almeno.

Alla fine, dalla finestrina, oltre alla mano di Peppone uscì anche Peppone e allora i due presero cautamente la via del ritorno camminando sotto i filari di viti.

Il sacco lo portava Peppone e, quando furono arrivati nell'orto della canonica, don Camillo disse:

— Posa lì quella roba, fila a casa e taci. Sei sicuro di aver fatto un lavoro pulito?

— Anche con la metà dei pezzi che ho tolto, le

macchine non riuscirebbero a segare neanche un filo d'erba.

Don Camillo agguantò il sacco e lo andò a nascondere in cantina. Poi andò a dare un'occhiatina in chiesa.

— Gesù — disse, arrivato davanti all'altar maggiore. — Ho trovato nell'orto un sacco pieno di ferri vecchi. Chi potrà mai avercelo messo?

— Probabilmente il demonio — rispose il Cristo. — Ho l'idea che egli conosca bene il tuo indirizzo.

La mattina don Camillo arrivò in bicicletta alla casa del Basetti.

— Ho sentito delle brutte voci in giro — spiegò al Basetti. — Si parla di dar fuoco ai campi di frumento se non fate lavorare i mietitori.

Il Basetti era cupo:

— Ho paura che glielo dovremo dare per forza il lavoro. Stanotte qualcuno ha sabotato le macchine svitando e portando via i pezzi principali.

— Poco male — replicò don Camillo. — Voi mandate un telegramma a Mosca e vi fanno avere in poche ore i pezzi di ricambio.

Il Basetti disse che c'era poco da scherzare.

— C'è poco da scherzare davvero — riconobbe don Camillo. — Se adesso i braccianti sanno di questa faccenda, allora sì che ve lo fanno subito, il ricatto. Vi conviene star zitto. Dite semplicemente quello che vi avevo consigliato io: dato che noi non vogliamo affamare nessuno, si comincia a mietere coi braccianti. Se però i braccianti a un bel momento piantano le solite grane, noi tiriamo fuori le macchine e mietiamo e trebbiamo a macchina.

I fittavoli fecero una riunione e si stabilì che don Camillo avrebbe figurato da mediatore e così sarebbe andato lui a comunicare la cosa a Peppone.

E don Camillo andò e trovò Peppone che si stava fasciando un gomito che s'era sbucciato uscendo dal finestrino famoso.

— Sono qui ambasciatore di buone novelle — disse don Camillo. — Il Cagnola, il Basetti e gli altri della cooperativa hanno dato retta ai miei ragionamenti e, siccome non vogliono affamare nessuno, cominceranno a mietere impiegando i braccianti...

— Bella forza! — esclamò Peppone. — Le macchine non...

— Saresti dunque un porco spergiuro? — disse cupo don Camillo.

— Io lo dicevo a voi...

— A nessuno! Neanche a me!

— Sta bene, reverendo: avvertirò i braccianti.

Don Camillo gli mise una zampa sulla spalla:

— Avvertili e spiegagli che però, se non si comportano da galantuomini e poi piantano le solite grane, la mietitura proseguirà a macchina!

Peppone si mise a ridere.

— Bella! E come faranno a funzionare le macchine senza quelle cosette?

— La Divina Provvidenza ha voluto che io, stamattina, trovassi nell'orto di casa mia un sacco pieno di cosette di ferro. Se per caso sono quelle che mancano alle macchine, ci vuol poco a rimettere a posto tutto.

Peppone pestò un pugno sul tavolo:

— Lo sapevo io che, gratta gratta, sarebbe saltato fuori il solito scherzo da prete!

— Caso mai da arciprete! — precisò don Camillo.

Peppone lo guardò cupo:

— Sta bene. Però questi ricatti sono faccende che, il giorno della riscossa proletaria, si pagano!

— Pagherò — rispose don Camillo.

COME PORTI I CAPELLI
BELLA BIONDA

Era già quasi notte, ma don Camillo stava ancora lavorando a ripassare col pennellino le dorature dei candelabri dell'altar maggiore, quando la porta grande cigolò.

Entrò una donna con un gran velo nero in capo e si inginocchiò singhiozzando nel primo banco che si trovò davanti.

Don Camillo abbandonò il suo lavoro e corse a vedere cosa diavolo stesse succedendo e, allorché la donna levò il viso, si lasciò sfuggire una esclamazione di meraviglia.

— Lei, signora Ernestina?

La donna riabbassò il capo e singhiozzò ancora più forte:

— Reverendo — gemette — ho fatto una grande pazzia!

Don Camillo allargò le braccia: una pazzia, e per di più grossa, se la sarebbe aspettata da tutti fuorché dalla signora Ernestina. Non riusciva a credere che la signora Ernestina avesse commesso una porcheria.

— Si calmi, signora — sussurrò don Camillo. — Si confidi con me: vediamo anzitutto di che cosa si tratta. Può esserci un rimedio!

— È una bestialità irreparabile! — esclamò la donna. — Ho sempre avuto questa tentazione, fin da quando ero ragazza, ma sempre ho trovato la forza di resistere. E adesso, adesso, a quarantacinque anni suonati e con quattro figli, adesso la pazzia l'ho commessa... Non ho più il coraggio di rientrare in casa... È da stamattina che son fuori... Chi sa cosa farà Carlo quando lo saprà!

Le ultime parole della donna naufragarono in un mare tempestoso di singhiozzi, e don Camillo dovette cavar di tasca il fazzolettone giallo perché aveva la fronte piena di sudore.

L'idea che la signora Ernestina avesse commesso una grossa pazzia lo riempiva di sbalordimento e di dolore, ma il pensiero di quel che avrebbe potuto fare Carlo Daboni venendo a conoscere il fallo commesso dalla moglie lo angosciava addirittura.

Perché Carlo Daboni era un gran brav'uomo: ma uno di quei brav'uomini tanto e poi tanto bravi da essere incapaci di ammettere che altri possa sbagliare e da sentirsi ampiamente autorizzati a sparare una schioppettata a chi faccia loro qualche torto. In verità, Carlo Daboni non aveva mai sparato schioppettate a nessuno, ma don Camillo, che era un esperto conoscitore di uomini, sapeva che questo era accaduto semplicemente perché nessuno aveva fatto a Carlo Daboni un torto vero e proprio.

Don Camillo si chinò sulla donna che gemeva col viso nascosto tra le mani.

— Signora, non si disperi; si confessi: ciò le porterà qualche sollievo.

— Non c'è bisogno di confessare niente! — gridò la donna. — Purtroppo la bestialità che ho commesso la possono vedere tutti! Guardi, guardi, reverendo!

La povera donna sollevò il capo e si gettò dietro le spalle il velo nero: ma don Camillo, pur notando che qualcosa non funzionava perfettamente, non riusciva a capire.

Poi, quando capì, si volse verso l'altar maggiore e scuotendo il capo tristemente, disse:

— Gesù, è mai possibile che il vecchio pero che, onestamente, per quarantacinque anni ha dato pere, improvvisamente dia castagne d'India?

Il Cristo non rispose e don Camillo, rivoltosi ancora verso la donna, le disse severamente:

— La smetta di singhiozzare e non dica più che ha fatto una grossa pazzia. Quello che lei ha commesso appartiene alla categoria delle stupidaggini.

Ma la donna non era d'accordo: — Se lei conoscesse bene Carlo ammetterebbe che ho ragione io. Per lei e per gli altri questa è una stupidaggine. Per Carlo è una pazzia. Una grossa pazzia!

Don Camillo non seppe darle torto. Don Camillo conosceva benissimo Carlo Daboni.

Tanto per dirne una: nel 1938 il Palazzone s'era spaccato in due come un'anguria troppo fatta, e Carlo Daboni aveva mandato a chiamare il Brusco che, anche allora, era il miglior capomastro della zona.

Ma il Brusco, vedendo quella gran crepa, aveva scosso il capo:

— Non me la sento. Io non ci metto mano se prima non viene l'ingegnere e si prende la responsabilità lui.

Carlo Daboni s'era messo a urlare che rispondeva lui di tutto e che il Palazzone non l'aveva fatto un malmaturo, ma l'aveva costruito suo bisnonno Lodovico che di case se ne intendeva più di tutti gli ingegneri dell'universo.

Comunque, poco dopo, avvertito dal Brusco, era arrivato l'ingegnere del Comune e, senza tante storie, aveva ordinato a Carlo Daboni di far sgomberare immediatamente il Palazzone perché l'edificio era pericolante.

Il Daboni aveva ricominciato a spiegare che suo nonno Lodovico era stato il più grande costruttore della regione e perciò, prima che crollasse il Palazzone, sarebbero crollate tutte le case dell'universo; ma l'ingegnere del Comune non si lasciò impressionare:

— Lei faccia come crede: io vado ad avvertire i carabinieri e, da questo momento, la ritengo responsabile di tutti i malanni che possono succedere.

Carlo Daboni, ricevuta l'intimazione dei carabinieri, sgomberò: però, testardo come un mulo, fece arrivare dalla città i tre migliori ingegneri perché studiassero la crepa del Palazzone e dimostrassero che l'ingegnere del Comune era un asino.

I tre studiarono attentissimamente il caso e, eseguiti i loro calcoli, conclusero che l'unica cosa che si potesse ancora fare era quella di puntellare l'edificio per cercare di salvare le tegole, il travame e gli infissi.

Il Daboni pagò *illico et immediate* la parcella e li pregò di togliersi dai piedi. Erano tre disgraziati come tutti gli altri che non sapevano chi fosse Lodovico Daboni e con quali concetti avesse costruito le sue case.

Non prese neppure in considerazione il suggerimento di puntellare la baracca. Andò in cerca di un altro ingegnere e, quando tornò dalla città assieme al nuovo esperto, trovò che il Palazzone era crollato sbriciolando tegole, infissi, e via discorrendo.

Non si turbò:

— Lei — disse all'ingegnere — mentre io provvederò a far rimuovere i rottami, mi studi il progetto della nuova casa e mi faccia un preventivo preciso.

— Molto bene — si rallegrò l'ingegnere. — Tireremo su una bella costruzione solida, moderna e con tutte le comodità. Poiché si costruisce di nuovo, bisogna usare concetti nuovi.

— Niente novità, niente fantasie — affermò decisamente Carlo Daboni. — Lei mi deve costruire una casa precisa identica al Palazzone. Ho tutti i disegni con la pianta e i prospetti. Me la faccia uguale e nello stesso identico posto.

L'ingegnere diede un'occhiata ai disegni che il Daboni gli aveva subito procurato e tentò di salvare il salvabile.

— Ci sono delle stanze buie, delle sproporzioni, vediamo almeno di correggere gli errori più grossi.

— Mio bisnonno Lodovico non ha mai fatto errori — rispose il Daboni. — Va tutto bene così.

L'ingegnere perdette la pazienza ed esclamò:

— Voglio sperare che, almeno, mi lascerete fare il camerino da bagno!

— Neanche per sogno — replicò il Daboni. — Non voglio porcherie in casa mia. Quando uno vuol fare il bagno si fa portare su la sua brava bigoncia. E quando uno ha bisogno del gabinetto esce di casa e usa quello che tutti i galantuomini con la testa sulle spalle fanno costruire nel cortile, a opportuna distanza dall'abitato. Queste pazzie dei gabinetti in casa bisogna lasciarle ai cittadini.

Carlo Daboni riebbe il suo Palazzone tale e quale l'aveva ideato il bisnonno Lodovico e piantato nello stesso identico posto.

Carlo Daboni era un tipo così, ed era sempre stato così: come se anche il suo cervello fosse stato disegnato e costruito dal bisnonno Lodovico.

Don Camillo conosceva perfettamente Carlo Daboni e, ripensando a quel che aveva fatto la signora Ernestina, sentiva che la poveretta non sbagliava definendo grossa pazzia l'innocente stupidaggine commessa.

— Fin da quando ero ragazza — aveva detto la signora Ernestina — io ho sempre avuto questa tentazione, e sempre ho trovato la forza di resistere. E adesso, a quarantacinque anni passati e con quattro figli...

In verità, la forza di resistere a quella tentazione, più che trovarla lei gliel'avevano sempre fatta trovare gli altri. Perché Ernestina, a undici anni, aveva già il suo bravo chiodo fisso nel cervello. L'Ernestina era una bella ragazza di capelli castani ma, a forza di sentir raccontare favole nelle quali si parlava di fatine e di principesse dai capelli d'oro, e a forza di vedere immagini di angioletti coi riccioli di porporina, s'era convinta che la massima aspirazione per una donna fosse quella di arrivare ad avere i capelli biondi.

Divenuta signorinella e stabilitasi in città per gli studi, quella convinzione le si radicò nell'animo perché prese contatto col cinematografo e coi giornali illustrati. L'idea dei capelli biondi la ossessionò sempre di più e, a diciassette anni, dopo un lungo e angoscioso travaglio interno, trovò il coraggio di dire alla madre:

— Mi piacerebbe farmi ossigenare i capelli.

La madre la guardò sgomenta e le rispose che non osasse neppure più di pensare a una tale pazzia. Poi espresse il suo severo giudizio sulle donne che si pitturano la faccia e si tingono i capelli.

A diciotto anni l'Ernestina ritornò all'assalto con maggior decisione, e la madre, vedendola così risoluta, chiese l'aiuto del marito.

Il papà di Ernestina guardò la figlia come se si trattasse di una donna lì lì per scivolare nel gorgo della perdizione. Non la mandò più in città e se la tenne in casa sotto strettissima sorveglianza. Poi, ogni tanto, per ricordarle come egli fosse deciso a mantenerla sulla strada dell'onestà, le diceva con voce cupa:

— Ernestina, bada: se mi accorgo che tu pensi ancora di fare quella pazzia, io prendo la macchinetta e ti taglio i capelli a zero!

Era un uomo capace di fare questo e peggio: ma l'Ernestina, pur con quella macchinetta di Damocle sul capo, continuò intensamente a sognare di ossigenarsi i capelli.

E poiché si avvide che, rimanendo in casa, non avrebbe mai potuto realizzare il suo sogno, pensò di evadere col matrimonio.

Già da un bel po' di tempo era fidanzata con Carlo Daboni: gli fece capire che la vita in casa le era diventata insopportabile e che si potevano benissimo sposare pure avendo soltanto ventun anni a testa.

Si sposarono e quando, al ritorno dal viaggio di nozze, si andarono a stabilire al Palazzone, l'Ernestina, sicura di sé, sparò il colpo:

— Carlo, sono anni che sogno di farmi ossigenare i capelli... — incominciò.

Non finì perché Carlo la guardò con occhi pieni d'orrore e disse con voce improvvisamente divenuta cupa e minacciosa:

— Ernestina, guai!

Ritentò ancora quando ebbe il primo figliolo. Approfittò della felicità del marito e disse:

— Carlo, appena mi alzo, vado in città e mi faccio ossigenare i capelli.

L'uomo non poteva rispondere con violenza:

— Ernestina — le spiegò — fai come credi. Però non mi vedrai mai più.

Passò ancora qualche anno: nacque il secondo figlio e, avendo un sacco di cose importanti da fare, l'Ernestina non trovò più per un bel pezzo il tempo di pensare ai capelli biondi.

Ma l'occasione tornò e allora il marito le rispose con urla che vennero udite anche fuori.

A ventinove anni l'Ernestina aveva già quattro figli e si comportava da madre esemplare: però l'idea dei capelli biondi non l'abbandonava. E, ogni tanto, l'idea ritornava a galla:

— Io non chiedo niente, io mi accontento di vivere sempre qui, in casa: non mi interessano i divertimenti, non mi interessano i gioielli. Ho una sola cosa che desidero ardentemente e tu me la neghi! Questa è cattiveria!

Carlo Daboni, in quei momenti, diventava furioso e ne nascevano scenate che tenevano in subbuglio il Palazzone per una settimana.

A quarant'anni l'Ernestina aveva un figlio di diciassette anni, uno di quindici, una bambina di tredici e un bambino di undici. Quattro figli che capivano perfettamente tutto quello che si diceva in casa e seguivano ogni gesto dei genitori. Quattro figli che adoravano la madre e volevano un bene immenso al padre e che, in casa, vivevano felici salvo quando veniva a galla la dannata faccenda dei capelli biondi.

Allora, al primo accenno, spalancavano gli occhi sgomenti aspettando l'uragano che immancabilmente scoppiava. Il padre riusciva sempre a contenersi, ma i ragazzi capivano che la faccenda diventava ogni volta più pericolosa. L'ultima scenata accadde quando l'Ernestina toccò i quarantadue anni.

— Basta — disse con aria di sfida l'Ernestina. — Domani vado in città e faccio quel che debbo fare. Ho vissuto fino ad oggi come una schiava senza trovare la forza di ribellarmi. Ma domani la troverò.

Carlo Daboni ruggì e il figlio maggiore pensò con terrore: "Cosa farò, Gesù, se mio padre mette le mani addosso a mia madre?"

Tentò di frenare la madre con un'occhiata d'implorazione, ma l'Ernestina era scatenata.

— Domani andrò e nessuno potrà fermarmi — ripeteva. — Prima di morire voglio questa soddisfazione.

Il marito rispose con urla orrende. Ruppe tutti i piatti che erano in tavola, si morse le mani; ma l'Ernestina non cedette:

— Domani andrò, caschi il mondo.

L'uomo scappò via, ma prima di uscire si volse verso la moglie:

— Bada! — le disse. E lo disse con un tono di voce che mise un brivido gelato nelle vene dei ragazzi.

Carlo Daboni rimase lontano da casa una settimana e, quando tornò, l'Ernestina aveva i soliti capelli di tutti i giorni.

Entrando in casa fu la prima cosa che egli guardò: i capelli di Ernestina. E anche quando, come al solito, la bufera passò e la casa ritornò calma e l'Ernestina ridivenne la più dolce creatura dell'universo, Carlo Daboni continuò a guardare i capelli della Ernestina.

Passarono tre anni e durante tutto questo tempo non si parlò più di capelli biondi. Parve che l'Ernestina si fosse cavato il chiodo dal cervello. Ognuno ha le sue piccole pazzie. Non c'è uomo saggio, non c'è donna saggia che non abbiano una rotellina che, ogni tanto, stride. Anzi, tanto più un uomo o una donna sono saggi, tanto più è cigolante quella rotellina che bisogna avere altrimenti la saggezza diventerebbe monotonia. È la *stonatura-intonata* che fa risaltare la perfezione del concertato. Eccetera.

Non si parlò più di capelli biondi, in casa Daboni, ed ecco che, improvvisamente, senza dir niente a nessuno, arrivata ai quarantacinque anni, l'Ernestina, una mattina, andò in città e si fece imbiondire i capelli.

Non fu il frutto di una riflessione: non ci pensò neppure. Quando ci pensò aveva già i capelli biondi. Biondi rossicci. Una cosa non sgargiante, ma sempre una cosa da pazzi, data l'aria che tirava in casa Daboni.

L'Ernestina si accorse della pazzia che aveva commesso quando stava per risalire sulla corriera che l'avrebbe riportata a casa. Pensò che sulla corriera ci sarebbe stata gente del paese e che la gente si sarebbe accorta del fatto.

Spiegazzò il cappellino dentro la borsa e comprò un'ampia sciarpa nera che mise in capo. Non fu soddisfatta e tornò a casa verso sera, su una macchina da piazza. Si fece mettere giù prima di arrivare in paese e si incamminò attraverso i campi. Quando vide il Palazzone, il terrore la prese: pensò a Carlo, pensò ai figli. Si sentì piena di vergogna e di paura.

Aspettò, ma non trovava il coraggio di entrare. Quando fu buio fitto, vide le finestrine della chiesa illuminate e corse a rifugiarsi in chiesa. E qui trovò la forza di confessare a don Camillo il suo fallo.

— Reverendo, non vede? Non vede?

Don Camillo stette per qualche minuto a guardare la signora Ernestina singhiozzare, poi disse:

— Signora, anche se suo marito giudica quello che lei ha fatto una grossa pazzia, in effetti si tratta sempre di una stupidaggine. E il fatto che lei ne sia angosciata in questo modo, dimostra che lei l'ha commessa senza pensarci.

La donna fece cenno di sì con la testa.

— Ma mi dica — proseguì don Camillo — come mai, tutt'a un tratto, a quarantacinque anni, le è venuto questo ghiribizzo?

La donna sollevò il capo:

— È stato stamattina — spiegò. — Mi sono guardata nello specchio e improvvisamente mi sono accorta che avevo i capelli grigi. Improvvisamente ho scoperto che ero vecchia e mi ha preso la disperazione. Non volevo che lo scoprissero anche gli altri.

Don Camillo pensò a un lungo discorso pieno di saggezza. Si limitò a pensarlo:

— Torni a casa, signora — disse semplicemente. — Torni a casa e smetta di piangere. Ha già pianto abbastanza.

L'Ernestina lo guardò angosciata.

— Reverendo, cosa succederà?

— Pregherò il buon Dio per lei — rispose calmo don Camillo. — Vada e abbia fede in Dio.

L'Ernestina si segnò e se ne andò lentamente.

Arrivò davanti al Palazzone ed esitò prima di aprire il cancello. Ma oramai aveva fretta che la storia finisse.

Entrò col batticuore: i figli erano tutti seduti ancora attorno alla tavola.

— Il babbo? — si informò l'Ernestina, senza togliersi la sciarpa dal capo.

— Non è ancora rientrato — spiegò il figlio maggiore.

— Non mi sento bene, vado a letto — disse

l'Ernestina. — Ho perso la corriera ed è stato un guaio tornare.

Salì in fretta la scala e soltanto quando fu nella sua stanza si tolse la sciarpa nera. Non s'erano accorti di niente, giù.

Si spogliò in fretta, si buttò fra le coperte e spense subito la luce. Ma non riuscì a prendere sonno: pensava che, fra pochi minuti, Carlo sarebbe ritornato, avrebbe acceso la luce, avrebbe scoperto quella dannata testa bionda.

Suonarono delle ore. Ne suonarono delle altre.

Solo dopo la mezzanotte udì il passo di Carlo su per la scala. Sentì Carlo entrare nella stanza e attese che accendesse la luce. Sentì Carlo girare l'interruttore ma la luce non si accese. Per fortuna c'era un'interruzione.

Carlo si spogliò al buio e si infilò sotto le coperte.

L'Ernestina rimase così, sveglia, e capiva che anche Carlo non dormiva.

D'improvviso la corrente tornò e la luce si accese senza che l'Ernestina avesse avuto il tempo di ficcare la testa sotto le coperte. L'uomo e la donna si guardarono in faccia. E Carlo vide che l'Ernestina non aveva più i capelli grigi ma biondo rame.

E l'Ernestina vide che Carlo non aveva più i baffi grigi ma li aveva fatti tingere di nero.

Allora si misero a piangere tutt'e due come cretini.

— Chi sa cosa diranno, domani, quelli là — sospirò alla fine Carlo Daboni.

— Sarà come Dio vorrà — rispose sospirando l'Ernestina.

E Dio volle che i ragazzi fingessero di non accorgersi di niente, l'indomani. E poi, poco a poco, giorno per giorno, settimana per settimana, la neve scese dolcemente sui baffi neri di Carlo e sui capelli biondo rame dell'Ernestina, e la lasciarono scendere tranquillamente, quasi con gioia, come se il grigio fosse il colore della giovinezza.

NEL PAESE
DEL MELODRAMMA

Le galline aspettavano che la campana suonasse il mezzogiorno e, intanto, provavano la voce per il solito coro.

Quell'estate, il sole ce l'aveva messa tutta e spesso si sentiva dire o si leggeva di gente che, mentre traversava una piazza o camminava per la strada, era cascata per terra — come una pera cotta — ammazzata dal caldo.

Tutti si tenevano lontani il più possibile dall'asfalto e, sulla provinciale, si vedeva soltanto un disgraziato che viaggiava a cavalcioni di una scassata motoleggera. A mezzo chilometro dal paese, il motore smise di ronzare: sternutì e si fermò. L'uomo scese di sella e continuò la strada a piedi, spingendo il suo motociclo.

Non si chinò neppure a guardare il motore perché sapeva perfettamente dov'era il guasto.

Guasto grosso, il più grosso dei guasti: mancava la benzina e, pur se il distributore fosse stato lì, a lato della strada, il motociclista avrebbe dovuto continuare *pedibus calcantibus* ugualmente in quanto non aveva un ghello in saccoccia.

Mentre sudando procedeva per la strada deserta, l'uomo si guardava attorno per veder di trovare un'ombra: ma non c'erano piante, ai lati della strada. E anche a poter scavalcare il fosso per entrare nei campi, di là si sarebbero trovate soltanto stoppie bruciate.

Era un tratto di strada maledetto quello lì e, più avanti, dove cominciavano i campi alberati, avevano messo le siepi di rete metallica.

L'uomo continuò; si sentiva una gran confusione dentro la testa (forse debolezza per via della febbre dei due giorni precedenti, forse debolezza per via che non aveva mangiato da quindici ore) e aveva paura che il sole gli azzeccasse una botta sul cervello.

Arrancò disperatamente e allorché, finalmente, riuscì a raggiungere la maestà che sorgeva a cinquanta metri dalle prime case del paese, gli parve di essere scampato miracolosamente a un grosso pericolo.

La cappelletta dava un minimo d'ombra e, per goderla, bisognava rimanere appiccicati al muro, tanto era stretta: l'uomo si addossò al muro e gli venne in mente di essere un naufrago aggrappato a una magra zattera.

Una zattera verticale.

Oramai il mezzogiorno stava per suonare e incominciava a passar gente per la strada: l'uomo pensò che non poteva rimanere lì, non poteva farsi vedere dalla gente in quella strana situazione. Perfino i ragazzini dell'asilo la sapevano lunga in fatto di motoleggere e, poco che fosse rimasto lì, qualcuno si sarebbe fermato a domandare che accidente avesse la motoleggera e a dar consigli e a offrire aiuto.

Si tolse dall'ombra, tirò su la moto e riprese deciso la strada. Ma, fatti pochi passi, si rese conto che, scassato com'era, non doveva neanche sognarselo di arrivare a piedi fino a casa sua. Abitava in città a trentacinque chilometri di distanza.

Si trattava di guadagnar tempo e, soprattutto, si trattava di riuscire a sbarazzarsi della moto. Allentò la valvola del pneumatico anteriore e, quando la copertura fu afflosciata, si rimise in viaggio.

Suonava la campana del mezzogiorno allorché l'uomo arrivava davanti all'officina di Peppone. Peppone stava ancora smartellando: l'uomo entrò con la moto nel grande stanzone affumicato.

— Per cortesia — disse — gliela lascio qui. Con comodo mi guardi il pneumatico davanti. Non so se sia bucato o se si tratti della valvola che perde. Tornerò nel pomeriggio, sul tardi perché ho da fare in paese.

Tirò fuori dalla borsa del portapacchi una busta di cuoio molto spelacchiata e se ne andò.

Gli pareva di aver fatto un grosso colpo: "Intanto, fino a stasera alle cinque o alle sei, sono a posto. La moto è al sicuro, non m'impiccia, non mi mette in imbarazzo e io posso pensare tranquillamente al modo di rimediare i quattrini che mi occorrono".

In realtà aveva aggravato la faccenda perché, se prima occorrevano solo i quattrini per la benzina, adesso occorrevano anche i quattrini che bisognava dare al meccanico per il disturbo di aver tenuto mezza giornata la moto e di aver controllato il pneumatico. Ad ogni modo si trattava di poca roba.

L'importante, la cosa urgente e necessaria era, adesso, di riuscire a sottrarsi alla curiosità della gente. Il forestiero, in un paese piccolo, fa spicco, specialmente quando lo si veda gironzolare in su e in giù proprio nell'ora in cui tutti vanno a mangiare.

Uscì dall'abitato e, alla prima carrareccia, svoltò deciso e si buttò a sedere all'ombra della siepe.

C'era un fossetto con un po' d'acqua ferma: si lavò le mani e, inumidito il fazzoletto, si ripulì la faccia. Si ravviò i capelli e, strappato un ciuffo d'erba, si tolse la polvere dalle scarpe.

La barba se l'era fatta la mattina col rasoio che portava sempre con sé, dentro la borsa della moto: adesso era di nuovo a posto e poteva presentarsi dignitosamente dovunque avesse voluto. Quand'era ancora impolverato, spettinato, pieno di sudore e con quella dannata moto da trascinarsi dietro come una croce, era sicuro che il guaio stava tutto nel disordine della sua persona e nell'impiccio che gli dava la macchina: rimediato al disordine e scomparso l'impiccio, ogni cosa avrebbe ripreso a funzionare perfettamente.

Adesso si accorgeva che la situazione era peggiorata.

A chi presentarsi di bel mezzogiorno?

A chi andare a offrire lucido da scarpe e saponette?

E poi, anche ammettendo che fosse riuscito a far firmare qualche ordinazione, chi gli avrebbe dato dei quattrini d'anticipo su merce di cui aveva visto soltanto il campione?

Già da quattro anni faceva quel mestiere. La guerra l'aveva portato via dalla vita a ventidue anni e quando, dopo cinque anni, egli era ritornato, non aveva più trovato nessuno, a casa sua.

Non aveva più trovato nessuno e niente: neanche la casa.

Un mucchio di calcinacci nudi e crudi perché la gente aveva rubato tutto quello che non era calcinaccio, perfino i mattoni rimasti interi.

Gli avevano dato quattro soldi di danni di guerra e con questi, e con gli altri quattro soldi che aveva avuto dal distretto come liquidazione dei due anni di prigionia in Germania, si era comprato qualche vestito, un po' di biancheria e le carabattole necessarie per poter abitare una stanzaccia rimediata Dio sa come.

La motoleggera non era sua; la noleggiava di volta in volta, e gli facevano un buon prezzo: una ditta di quint'ordine lo aveva assunto come produttore. Batteva le piazze attorno alla città, per un raggio di quaranta chilometri. Da quattro anni andava in giro a offrire cattivo sapone e pessimo lucido da scarpe a gente che aveva quasi sempre le botteghe piene zeppe di sapone finissimo e di lucido eccellente: faceva dei trattamenti di favore mangiandosi metà della provvigione, pur di riuscire a vendere qualcosa. In principio disponeva di una piccola scorta e allora il gioco gli riusciva.

«Se lei fa questa ordinazione» diceva «riceverà una fattura di milleottocento lire. È già un ottimo affare, ma io, siccome voglio farmi una solida clientela, intendo lavorare soltanto per la pubblicità. Così, per dimostrare coi fatti che lei incomincia a guadagnare, prima ancora di vendere la merce io le do subito trecento lire in contanti e lei verrà a pagare non milleotto, ma millecinque. »

L'idea di ricevere dei quattrini da chi le vende roba è, per una certa categoria di persone, piuttosto simpatica, e in principio la faccenda funzionò. Poi, quando fu finita la scorta, il lavoro diventò ancora più duro e adesso, ogni volta che fermava il macinino davanti a una botteguccia di campagna, l'uomo si sentiva mancare il cuore.

E quando spingeva la maniglia di un uscio a vetri e il campanello suonava, gli veniva la voglia di saltar sulla macchina e di scappar via.

E, mentre attendeva che qualcuno arrivasse in bottega, pensava: "Questa volta non mi andrà liscia. Quando sapranno chi sono e quello che voglio mi cacceranno fuori a calci".

Nessuno invece lo aveva mai preso a calci: nessuno lo aveva mai maltrattato. Forse perché era un bell'uomo e con un portamento da signore anche se i suoi abiti non valevano che pochi soldi.

Forse perché tutti i bottegai erano oramai abituati a ricevere visite di produttori, e rispondevano di no con l'indifferenza data dalla lunga abitudine. Ma egli avrebbe quasi desiderato che lo insultassero, che gli rispondessero di mangiarseli lui il suo schifoso sapone e il suo ripugnante fango per scarpe. Forse allora avrebbe trovato la forza di piantar lì, di darsi da fare da qualche altra parte.

Invece il tran tran era continuato: ma adesso qualcosa di eccezionale stava succedendo. A Castelletto, tre giorni prima, una febbre da cavallo lo aveva costretto a rimanere a letto in un alberguccio e, quando si era alzato, i pochi quattrini che aveva in saccoccia gli erano appena appena bastati per pagare la camera e il mangiare.

Il conto faceva duemilasettanta ed egli ne aveva duemila soltanto: ma la padrona, visti i due biglietti da mille, aveva detto che bastava così.

Un miracolo. Che però non si era ripetuto quando, a dieci chilometri da Castelletto, il serbatoio della motoleggera era rimasto vuoto.

E adesso egli era lì, seduto all'ombra della siepe, in riva al fossatello pieno di acqua morta, a pensare al modo di riempire il serbatoio e di tornare a casa.

Di tornare a casa senza una lira e senza aver guadagnato un centesimo di provvigione.

Vendere qualcosa? Non possedeva niente: la moto apparteneva al noleggiatore e, anche a impegnarla soltanto, c'era da andare in galera. Un rimedio peggiore del male.

Ripensò ai giorni della guerra e della prigionia: come era bella la vita, allora, ancora piena di speranze.

Guardò l'acqua morta del fossatello; levò gli occhi e si ricordò di una cosa molto importante: oltre l'argine c'era il fiume. Il fiume che lì si allargava e pareva immenso.

Pensò a quell'acqua e gli parve che l'aspettasse. Provò quasi una gioia.

Il fiume ampio e profondo.

Si alzò e la testa prese a girargli. Si incamminò verso l'argine lontano, ma c'era qualcosa che l'aveva uncinato allo stomaco e lo teneva lì.

Era fame. Fame disperata. E la fame lo teneva agganciato alla vita.

"Fin che desidererò di mangiare come lo desidero adesso, non troverò mai la forza di buttarmi nel fiume. Voglio mangiare, inzepparmi lo stomaco di cibo e di vino."

Aveva bisogno di mangiare ma soprattutto di bere. Riempirsi di vino.

Rientrò nella strada e si avviò verso il paese.

L'osteria della Frasca era lì a duecento metri, una casetta isolata col pergolato davanti.

"Mangiare e bere, va bene, ma pagare?" Quel pensiero lo fece ridere: un uomo che, fra un'ora al massimo, sarà morto deve proprio preoccuparsi di una cosa del genere. Un moribondo che si angustia: "Chi pagherà i miei funerali se sono solo al mondo?".

E poi l'avventura lo divertiva: non aveva mai fatto una cosa così, non era mai partito allo sbaraglio in questo modo. Tanta gente aveva avuto mille avventure di tal genere nella vita e se ne gloriava. Anche lui l'avrebbe avuta la sua avventura e si sarebbe accontentato di raccontarla a se stesso, prima di buttarsi nell'acqua.

Entrò nell'osteria pieno di allegria: lo interessava straordinariamente di sapere come sarebbe finita la storia del desinare a sbafo.

Si sedette, ma non si tolse la giacca. Ci teneva a non perdere quota neppure all'ultimo giro.

— Vorrei mangiare — disse con voce sicura all'oste. — Datemi tutto quel che c'è di pronto.

L'oste della Frasca era un omaccio sgraziato dal principio alla fine. Un uomo che non aveva mai riso in vita sua, perché, anche se avesse voluto, non ci sarebbe mai riuscito tanto aveva duri e tirati i muscoli delle mascelle. Lo chiamavano Ganassa, per dir ganascia, e i suoi movimenti erano lenti e tardi. Le volte che lo tiravano a cimento e doveva mettere in moto le mani, non dava cazzotti come fanno tutti gli altri cristiani: levava il pugno e lo mollava giù come una martellata.

— Minestra col lardo, salame e frittata con le cipolle — spiegò Ganassa con voce cupa.

— Va bene. Portate subito del vino.

Arrivò la minestra e, più che mangiarla, il giovanotto la fumò. Poi si buttò sulla frittata e sul salame. Faceva un caldo da crepare e il vino era fresco: lo bevve come fosse gazzosa e la sbornia gli scoppiò tutta d'un colpo.

Per un momento parve all'uomo che la testa gli si spaccasse e gli venne il terrore di non potersi più muovere di lì: poi dolcemente sentì mancarsi il cuore e si addormentò.

— Passata?

La voce aspra di Ganassa lo risvegliò. La testa non gli girava più ma aveva la bocca arida.

Mandò giù mezza caraffa d'acqua.

— Che ore sono? — domandò all'oste.

— Le sette.

L'angoscia lo prese: pensò alla motocicletta senza benzina, pensò al desinare e al vino da pagare. La faccia cupa di Ganassa e le sue mani enormi gli fecero paura. Poi pensò al fiume, al grande fiume che aspettava e, improvvisamente, si sentì tranquillo. Tutto a posto.

Si fece portare un grosso bicchiere di grappa e lo cacciò giù e Ganassa lo stette a guardare.

— Conto — disse l'uomo.

Ganassa prese un pezzetto di gesso e scarabocchiò qualcosa su un tavolo. Il giovanotto vedeva muoversi quella manaccia dalle dita grosse come bastoni. Ma cosa importava? Tutto sarebbe finito nell'acqua del grande fiume.

— Seicentodieci — disse alla fine Ganassa tirando su la testa.

Il giovanotto esitò un momento poi disse:

— Mi dispiace molto.

Ganassa non capì.

— Non è né molto né poco — replicò con tono minaccioso — è il prezzo giusto. Se vuol controllare controlli.

Il giovanotto sospirò.

— Non parlo del prezzo. Dico che mi dispiace molto per il fatto che io non ho le seicentodieci lire.

Ganassa si avvicinò lentamente e, arrivato al tavolo, appoggiò i pugni micidiali sulla tovaglia e si protese verso il giovanotto.

— Non avete le seicentodieci lire?

— No.

— E quanto avete?

— Niente — spiegò il giovane.

La cosa sembrò enorme a Ganassa che rimase qualche istante come sbalordito.

— E senza un centesimo in tasca, voi siete entrato qui e vi siete fatto servire tutto quel che vi ho dato! — ruggì mentre gli occhi gli diventavano sempre più piccoli.

Il giovanotto allargò le braccia.

Ganassa ansimava, adesso.

— A me non mi ha mai preso per il bavero nessuno — disse Ganassa scostando con una zampata la tavola.

Il giovanotto non si levò neppure in piedi. La

cosa non gli interessava e attese. Ganassa avanzò d'un passo, agguantò con la sinistra il giovanotto per gli stracci del petto e lo tirò su.

Il giovanotto attese che la mano destra si mettesse in moto ma, in quell'istante, una voce si levò:

— Ganassa, non ti mettere nei guai per seicento lire.

Ganassa allentò le dita e si volse:

— Io gli ho dato da mangiare — disse. — Io non sono che un disgraziato e tu lo sai. Perché se non aveva neanche un centesimo è venuto proprio a imbrogliare me?

— Sono entrato nella prima osteria che ho incontrato — spiegò il giovanotto e Ganassa strinse i pugni:

— Perché, quando siete entrato, non avete detto che eravate senza soldi e che avevate fame? Qualcosa ve l'avrei data lo stesso.

— Non ho mai chiesto la carità in vita mia — spiegò il giovanotto. — E poi avevo bisogno di vino, molto vino.

Ganassa aveva finito tutto il suo repertorio di argomentazioni.

— Basta! — ruggì. — Non uscite di qui se non mi date qualcosa per rifarmi il danno.

In un angolo della stanzaccia tre o quattro uomini stavano seduti a un tavolo giocando alle carte. Smisero definitivamente di giocare e stettero ad aspettare. Ganassa era lanciato e di sicuro sarebbe saltato fuori un macello.

Il giovanotto pensò al grande fiume che lo aspettava e sentì quasi un malvagio piacere per quel che gli stava accadendo. Come se succedesse a

347

un altro. Si frugò in tasca poi mostrò a Ganassa le poche cianfrusaglie racimolate.

— Non c'è niente di buono — spiegò. — Se volete che vi lasci la giacca!

— Non voglio stracci! — grugnì Ganassa.

— Ho questa borsa, la matita stilografica...

— Non voglio stupidaggini! — grugnì ancora più feroce Ganassa.

Il giovanotto si guardò addosso poi allargò le braccia:

— Non so cosa darvi — disse. — Per quanto io pensi non so cosa darvi. Non posso neanche farvi una cambiale perché so che non potrei pagare mai...

Gli occhi gli caddero sulla parete di fianco e vide i quadretti con le solite vecchie oleografie da osteria di campagna: Otello che sta per strozzare Desdemona, Rigoletto che col braccio levato urla «Cortigiani vil razza dannata» e via discorrendo. Allora si ricordò di una vecchia storia di prigionia, di quando cioè, per avere dai tedeschi un paio di zoccoli di legno, aveva dovuto cantare *O sole mio!*, e si volse verso Ganassa:

— Sentite — disse — io non so cosa darvi. Se volete posso farvi una cantata.

Quando gli venne in mente che, a dire una cosa del genere, significava dare il via all'oste per il macello, era troppo tardi: Ganassa aveva già stretto i pugni e già si avanzava implacabile.

— Volete pagarmi con una cantata? — domandò Ganassa giunto a un passo da lui.

— Sì — spiegò il giovanotto. — Quand'ero in prigionia, un tedesco per una cantata mi ha dato un paio di zoccoli, una trancia di pane così, e una sigaretta.

Ganassa rimase un istante perplesso poi indietreggiò e andò a infilarsi dietro il banco.

— Avanti — disse Ganassa.

Il giovanotto fece di sì con la testa e si schiarì la gola. Intanto si guardava attorno e scoperse, appeso sopra la porta, un quadro con dentro la faccia malgarbata del Peppino di quelle parti.

Guardò intensamente, disperatamente quell'immagine cercandone gli occhi e, alla fine, li trovò e non li mollò più.

Erano due occhi piccoli ma che sfavillavano nell'ombra come due diamanti.

Il giovanotto attese il cenno e, quando l'ebbe da un barbaglio guizzato fuor dall'ombra, attaccò qualcosa di Verdi.

Continuò a cantare mai abbandonando quegli occhi e sentì uscirsi di bocca una voce che non gli pareva neppure la sua e, negli acuti, il fiato che non trovava nei polmoni lo cacciava fuori dal cuore.

Il vino? La grappa? Il miraggio del grande fiume che aspettava?

Cantò e, quando vide spegnersi le due gemme dell'ombra, capì che aveva finito di cantare.

Ganassa era lì, coi gomiti sul banco, il testone stretto tra le manacce pelose e non tirava neanche il fiato. E i tre o quattro del gruppetto in fondo alla sala pareva si fossero messi d'accordo con Ganassa.

Il giovanotto si mosse e si avviò verso la porta perché il fiume lo aspettava. Quando passò davanti al banco, Ganassa si riscosse: si levò su, aperse il cassetto e vi frugò dentro e depose sul marmo trecentonovanta lire.

— Signore, il resto delle mille lire — disse con voce cupa Ganassa.

Il giovanotto si volse e rimase come incantato da quel gesto straordinario. Poi l'atmosfera del melodramma prese anche lui e sorridendo rispose:

— Resto, mancia.

— Grazie, signore — rispose Ganassa.

E nei suoi occhi brillò un lampo di meraviglia perché non aveva mai ricevuto in vita sua una mancia così grossa.

Fuori, il sole aveva finito di assassinare i campi e ora si apprestava lentamente a mettere in scena un tramonto degno del cielo lirico della *Forza del Destino*.

Il giovanotto arrivò in riva all'acqua. Ma l'acqua lo respingeva. Tutto era uguale, ma tutto era cambiato, adesso.

— Ecco la macchina.

Il giovanotto si volse: Peppone stava dietro di lui e teneva la motoleggera per il manubrio.

Il giovane voleva dir qualcosa ma Peppone non gliene lasciò il tempo.

— Tutto a posto — spiegò. — La gomma e la benzina.

Il giovane allargò le braccia ma Peppone scosse il capo:

— Stia comodo, sono già pagato di tutto: ero all'osteria anch'io.

Si incamminarono verso la discesa che portava alla strada provinciale.

— Come ho cantato? — domandò il giovanotto.

— Non lo so — rispose Peppone. — Non pareva neanche una voce. Non ho un'idea di che accidenti sembrasse. Sono cose che si sentono ma non si capiscono.

Il giovanotto sospirò:

— Ero pieno zeppo di vino...

— Ma che vino! — borbottò Peppone. — Non diciamo stupidaggini. So ben io la roba che può venire fuori da sotto il vino.

Il giovanotto notò qualcosa nella forcella anteriore della motoleggera e si chinò.

— Non ho fatto a tempo a riverniciarla — spiegò Peppone. — Era incrinata da tutt'e due le parti e l'ho saldata. Se aveste fatto ancora cinquecento metri, vi sareste accoppato. Vi è mancata la benzina al momento giusto.

Il giovanotto impallidì e incominciarono a tremargli le mani:

— È impossibile! — esclamò.

— Sì, ma oggi è destino che succedano soltanto cose impossibili — replicò Peppone.

Poi tacque un istante e concluse:

— Giovanotto, dicano quel che vogliono, ma, politica a parte, il Padreterno è sempre il Padreterno.

Il giovanotto saltò sulla macchina e, percorsi i primi tre metri della discesa, il motore già ronzava. E Peppone stette lì a sentire il ronzìo del motore e gli pareva un poema sinfonico che, lentamente, si sciogliesse e svanisse nell'aria.

LA FARINA DEL DIAVOLO

Don Camillo andò a confidare le sue pene al Cristo dell'altar maggiore:

— Gesù — esclamò — grandine grossa come uova, dovevate mandare a questa gentaccia. È un peccato farle del bene.

— Fare del bene non è mai peccato — rispose il Cristo. — Peccato è non farlo quando lo si può fare.

— Appunto. Non hanno mai avuto tanto frumento come quest'anno e mai come quest'anno io stento a raccogliere frumento per i ragazzini del ricreatorio. Otto chili, dieci chili, cinque chili: gente che ha cavato fuori fino a sedici quintali di grano per biolca. Il Filotti ha avuto il coraggio di offrirmene trenta chili: a momenti glielo sbattevo in faccia. Non ho ragione di arrabbiarmi?

— No, don Camillo. Chi si lascia vincere dall'ira ha sempre torto. Pazienza e umiltà: questa deve essere la tua divisa.

— Gesù, perdonatemi: ma con la pazienza e l'umiltà non si fa pane.

— Certamente, don Camillo: se pazienza e umiltà non sono sorrette dalla fede nella Divina Provvidenza, esse servono a ben poco.

Don Camillo aveva capito la lezione:

— Gesù — affermò — lascio fiatare il cavallo e poi continuo il giro.

Era un pomeriggio di fine luglio e l'afa smorzava il respiro. Don Camillo diede da bere al cavallo poi risalì sul biroccio e, aperta l'ombrella grigia, partì.

Uscito dal borgo deserto, svoltò subito per la strada della Chiavica e, fatti cento metri, sentì rombare la trebbiatrice in un'aia vicina.

«Signore» disse don Camillo «permettetemi di incominciare da una casa che non sia questa dei Tobazzi. Stanno trebbiando, sono indaffarati e io gli recherei troppo fastidio. Passerò da loro quando avranno finito di trebbiare.»

In realtà don Camillo non aveva la minima intenzione di passare dai Tobazzi né dopo la trebbiatura né mai. I Tobazzi erano tipi da lasciar perdere.

Merce malgarbata e tutti rossi come l'inferno.

Poco prima di passare davanti all'aia, don Camillo orientò l'ombrella grigia in modo da rimanere il più possibile nascosto alla gente che si dava da fare bestemmiando in mezzo al polverone della trebbiatrice.

Con la punta della frusta toccò anche il cavallo per scivolare via più rapidamente ma, proprio mentre don Camillo era in procinto di rallegrarsi per lo scampato pericolo, una voce urlò dall'alto della trebbiatrice:

— Vai a lavorare!

Il cavallo si fermò di colpo e don Camillo, chiusa l'ombrella grigia, scese dal biroccio e marciò lento ma deciso verso la macchina trebbiatrice.

«Pazienza e umiltà siano la tua divisa, don Camillo»: le parole del Cristo Crocifisso gli tornarono alla mente e valsero a rendere più calma e pacata la marcia di don Camillo.

Pazienza e umiltà.

— Buon giorno — disse cordialmente don Camillo arrivato che fu sotto la trebbiatrice.

Il Tobazzi capo, che stava gettando i covoni di grano dentro la botola della trebbiatrice, si arrestò un momentino e guardò giù.

— Sono in giro per raccogliere un po' di grano per i ragazzini del ricreatorio — spiegò don Camillo. — Comunque, se si tratta di dare una mano nel lavoro, eccomi qui. Cosa c'è da fare?

Quelli della squadra si misero a sghignazzare.

— Qui si suda! — rispose il Tobazzi.

— Quando fa caldo, si suda dappertutto — spiegò don Camillo.

Davanti alla *porta-morta* c'era una gran distesa di sacchi pieni di frumento e uomini impolverati, grondanti sudore, si caricavano in spalla i sacchi e li portavano su in granaio: don Camillo si avvicinò e stette a osservare quel via vai infernale.

— Brutto affare per chi non ha il filone della schiena lubrificato! — urlò il Tobazzi facendo sganasciare dalle risa la banda al completo.

— È difficile? — domandò don Camillo ai due

omacci che tiravano su i sacchi da terra e li caricavano sulle spalle dei portatori.

— Più difficile che dire Messa — rispose a voce alta uno dei due.

— Vorrei provare — esclamò don Camillo facendosi sotto col groppone.

I due rimasero perplessi qualche istante, poi
sollevarono un sacco.

Quando don Camillo ebbe in spalla il sacco, domandò:

— E adesso cosa bisogna fare?

— Adesso viene il difficile! — sghignazzò il
Tobazzi. — Adesso si tratterebbe di portarlo su per
la scala fino in granaio.

Don Camillo si incamminò, e arrivato sotto la
porta-morta infilò la scala e disparve.

Passò qualche minuto ed eccolo riapparire; aveva ancora il sacco pieno di grano in spalla:

— Scusate — disse facendosi sotto alla macchina — ho dimenticato di chiedere cosa bisogna fare
quando si è arrivati in granaio.

La gente della squadra sghignazzò in un modo
diverso da prima e ciò seccò un poco il Tobazzi:

— Quando si è arrivati in granaio — rispose
aggressivo il Tobazzi — bisognerebbe vuotare il
sacco nel mucchio e poi, se uno ce la fa, dovrebbe
tornare giù e ripetere la storia con un altro sacco.

— Capito — borbottò don Camillo. — Allora
vuol dire che, siccome il primo viaggio in granaio
l'ho fatto per niente, mi rimetto in regola col secondo viaggio.

Si appressò ai due uomini che aiutavano i portatori a caricarsi in spalla i sacchi di grano.

— Per piacere, buttatemene su un altro.

Tutti smisero di lavorare e stettero ad aspettare: i due omacci, dopo essersi guardati in faccia, agguantarono un sacco e lo issarono sulla spalla sinistra di don Camillo.

— Prima pendevo tutto a destra e facevo una fatica matta — esclamò allegramente don Camillo. — Adesso che sono bilanciato vado molto meglio.

Si avviò con passo tranquillo e sicuro e disparve sotto la *porta-morta*.

Ricomparve qualche minuto dopo:

— Tutto lì? — domandò agli addetti ai sacchi.

I due allargarono le braccia.

— È più difficile dire Messa — affermò don Camillo.

Nessuno rise eppure tutti avevano sentito perfettamente.

— Ci vuole poco a fare una bullata! — gridò il Tobazzi. — Il difficile è continuare!

Don Camillo si fece caricare altri due sacchi in groppa e partì per il granaio.

Dopo due o tre viaggi si volse verso il Tobazzi:

— Anche a continuare non è difficile. Piuttosto levatemi una curiosità: quelli che portano su i sacchi lavorano gratis oppure ricevono un compenso? Se a portar su i sacchi si riceve un compenso, continuerei volentieri. Sento che mi fa bene.

Il Tobazzi venne giù dalla trebbiatrice:

— Grazie tante ma facciamo da soli. Non abbiamo bisogno di aiuto.

— Bene. Piuttosto, già che sono qui, approfitto dell'occasione: sto raccogliendo grano per i bambini del ricreatorio. Ve ne cresce un po'?

Il Tobazzi scosse il capo:

— Sono mezzadro e non posso toccare il grano

se prima non si sono fatti i conti col fattore del proprietario. Ho un mezzo sacco di farina dell'anno scorso. È meglio di quella nuova.

Don Camillo rispose che era molto riconoscente al Tobazzi:

— Grazie a Dio, mi sono fermato per qualcosa!

Il Tobazzi chiamò uno dei figli e borbottò qualcosa.

Il giovinastro scomparve e, poco dopo, ritornò con un sacco che depose ai piedi di don Camillo.

Il Tobazzi allargò la bocca del sacco e, tirato su un pugno di farina, la fiutò e la mostrò a don Camillo:

— Una farina così non la trovate da nessuna parte.

Era una magnifica farina, fresca, fragrante, e don Camillo, arraffato il sacco e buttatoselo in spalla, se ne andò allegro come una Pasqua.

Risalito sul calesse, invertì la marcia: era schiantato dalla fatica e non se la sentiva di continuare.

Aveva urgente bisogno di buttarsi su un letto e di dormire. Però, appena fu arrivato davanti alla canonica, il suo primo pensiero fu quello di ringraziare il Cristo e, caricatosi ancora il sacco in spalla, entrò difilato in chiesa.

— Gesù — disse quando fu davanti all'altar maggiore. — Voi avete sempre ragione. Con la pazienza e l'umiltà, sorrette dalla fede nella Divina Provvidenza, si può far pane!

Mostrò al Cristo il sacco che aveva deposto sul gradino della balaustra.

— Don Camillo — rispose il Cristo — sei proprio sicuro che sia atto di umiltà fare sfoggio della propria forza fisica per umiliare il nostro prossimo?

— Signore, non le prove di forza fisica contano, ma le prove di forza morale. Io credo che sia atto di profonda umiltà possedere la forza fisica sufficiente per sbatacchiare contro il muro uno scalzacane e usarla pazientemente per portare svariati quintali di frumento su un granaio.

Il Cristo sospirò:

— Don Camillo, il tuo cuore è pieno di veleno.

Don Camillo abbassò il capo:

— Perdonatemi, Signore. In fondo anche Tobazzi non è cattivo. Egli ha dato più di tutti gli altri. E io non pensavo neppure che egli potesse darmi qualcosa. Guardate, Signore, che farina bella, fresca e profumata!

Don Camillo allargò la bocca del sacco e prese una manciata di farina mostrandola al Cristo. Ma d'improvviso il suo sorriso scomparve.

Affondò ancora la mano dentro il sacco:

— Gesù — esclamò con voce cupa — questa non è farina. Ci sono quattro dita di farina sopra, mentre sotto è gesso. Gesso che ha preso l'umidità e non può servire più a niente.

— Don Camillo, se è così — rispose il Cristo — tu hai avuto la mercede che il tuo atto meritava. Un sacco di gesso con un velo di farina per un sacco di tracotanza con un velo di umiltà.

— Signore — gemette don Camillo spalancando le braccia desolato — che io sia punito perché ho sbagliato, ciò è giusto. Ma il Tobazzi, così facendo, non ha punito me, bensì i bambini del ricreatorio. Per loro era la farina, non per me... No, Signore, io non credo però che il Tobazzi sia tanto perfido: evidentemente egli ha sbagliato sacco.

Don Camillo riprese il suo sacco, uscì dalla chiesa e risalì sul calesse, puntando sull'aia del Tobazzi.

Stavano trebbiando e, appena don Camillo apparve nell'aia, la gente ridacchiò.

Il Tobazzi stava ancora sulla macchina:

— Scusate — gli domandò dal basso don Camillo — era proprio farina quella che m'avete dato o avete sbagliato sacco?

— No — replicò aggressivo il Tobazzi. È proprio farina. Perché?

— Niente, una semplice curiosità.

— Meglio così — borbottò il Tobazzi strizzando l'occhio agli altri.

Don Camillo se ne andò. Arrivato al sagrato, legò il cavallo all'anello vicino alla porta della canonica e corse all'altar maggiore:

— Gesù — esclamò — anche stavolta ho sbagliato. È proprio farina. La stanchezza mi ha scosso il cervello.

Don Camillo era stanco davvero e, staccato il cavallo dal calesse e scaricato il sacco, andò subito a chiudersi in casa.

Allora si rimboccò le maniche, si mise davanti un grembialone e, scoperchiata la madia, vi gettò dentro una buona palettata della farina di Tobazzi. Bagnatala, prese a impastarla.

Ben presto una bella micca fu pronta. La mise dentro il forno rovente della cucina economica.

I Tobazzi stavano cenando, e c'era attorno alla tavola tutta la banda dei trebbiatori: don Camillo apparve d'improvviso col suo fagottino tra le mani e nessuno mangiò più.

— Chiedo scusa del disturbo — disse don Camillo sorridendo. — Sentivo il dovere di ringraziare il signor Tobazzi per la sua generosità.

Sciolse il fagottino e, mentre stava armeggiando attorno all'involto, spiegò:

— Ho voluto provare subito la vostra farina, caro Tobazzi: è veramente eccezionale. Spero che vorrete gradire una micca del vostro pane. È ancora calda: l'ho appena tolta dal forno.

Don Camillo mise davanti al Tobazzi la micca di pane.

— Vi prego, assaggiatela: ditemi se come fornaio ci so fare o no.

Il Tobazzi era con la mano destra sulla spalliera della sedia, pronto a scattare in piedi:

— Assaggiatela e ditemi il vostro parere! — disse don Camillo. — Perdonatemi se insisto, ma ho soltanto tre minuti di tempo.

Cavò l'orologio e fissò il quadrante.

— Uno — borbottò.

Quando disse "due", aveva nella mano sinistra sempre l'orologio, ma nella destra stringeva un grosso ferro da stiro che aveva tirato giù dal ripiano del camino.

Il Tobazzi staccò dalla grossa micca un pezzo che doveva essere piccolissimo ma che disgraziatamente risultò di non indifferente mole.

— Tre — disse don Camillo mentre il Tobazzi portava il pane alla bocca.

Don Camillo stette a guardare il Tobazzi che masticava lentamente.

— Se qualcuno vuole assaggiare, si accomodi! — esclamò don Camillo girando intorno l'occhio.

Nessuno fiatò.

Quando il Tobazzi ebbe finito d'inghiottire ed ebbe bevuto un grande bicchiere di vino, don Camillo gli domandò:

— Ebbene, cosa ne dite?

— Buono — rispose il Tobazzi cupo.

— Mi fa piacere. Credete che per i bambini del ricreatorio potrà andar bene?

Il Tobazzi si agitò:

— Ma cosa c'entrano i bambini del ricreatorio? Che storie andate cercando?

— Per loro io raccolgo il grano, non per me.

Il Tobazzi si alzò:

— Pigliatevi tutto il grano che volete e andate all'inferno! — urlò.

Don Camillo salutò, uscì, si caricò in spalla due sacchi di grano e se ne andò a casa.

Prima di piombare in uno sonno di ghisa, ebbe la forza di sussurrare:

«Sia ringraziata la Divina Provvidenza. La farina del diavolo non è andata in crusca».

TRIPLO CONCENTRATO

Tutto faceva pensare che sarebbe stata un'annata straordinaria anche per il pomodoro. Invece, a un bel momento, incominciò a piovere e non smetteva più, e così i pomodori, che stavano maturando e avevano bisogno soltanto di sole, si immagonarono e intristirono.

Appena il Cometti vide arrivare in fabbrica i primi carichi di pomodoro, si mangiò le mani.

Il Cometti era un galantuomo e, piuttosto che inscatolare porcheria, ci stava a rimetterci il cotto e il crudo: non poteva buttare nelle bolle quella roba e diede ordine di fare una scelta rigorosa.

Gli rimase ben poco tra le mani e, lavorato il pomodoro, gli venne da piangere.

— A inscatolare quella roba c'è da rimetterci scatole e reputazione — disse al capofabbrica. Se il raccolto si accomoda, col prodotto nuovo aggiusteremo il vecchio. Se il raccolto continua con questo andiamo, butteremo via tutto, il nuovo e il vecchio.

La fabbrica della Bovara era piccola ma lavorava meglio di tutte le altre, e il *Triplo concentrato* « *Tre cuori* » godeva la piena fiducia di una vecchia clientela affezionata e, quindi, esigente: il Cometti non poteva sgarrare, e, quell'anno, visse i giorni più duri della sua esistenza.

Alle quattro della mattina era già in macchina, e per tutto il giorno, fino all'ultimo barlume di sole, si scannava a girare da un podere all'altro per andare a controllare il pomodoro nei campi. Se la giornata fosse stata di ventiquattromila ore anziché di ventiquattro, il Cometti avrebbe controllato il pomodoro pianta per pianta perché gli pareva che, per il solo fatto di sentirsi guardato dal padrone della fabbrica, un pomodoro non potesse non migliorare.

Il Cometti aveva l'idea che la luce dei suoi occhi dovesse dare al pomodoro quel calore che il sole negava.

Poi, oltre al pomodoro, bisognava controllare i coltivatori: tutta brava e buona gente ma che, davanti ai quattrini, non ragiona più. E il Cometti sapeva per esperienza che quello era un momento critico.

Quando il pomodoro va male, tutte le fabbriche di conserva vorrebbero del frutto sano per tirar su di tono il prodotto tratto dal frutto malato: allora pagano qualunque somma per il frutto buono e il coltivatore che è vincolato per contratto alla fabbrica X tira a portare il frutto scadente alla fabbrica X e a vendere di nascosto ad altra fabbrica il frutto scelto.

Nei periodi critici del pomodoro, viaggiano nottetempo, per le strade secondarie della Bassa, camion misteriosi che, a un certo momento, svicolano in una carrareccia e si perdono in mezzo ai campi fino ad arrivare al punto ove c'è gente che aspetta per caricare le cassette piene di pomodoro.

E, una volta caricato il contrabbando, i camion riprendono la strada e si perdono nel buio.

Il Cometti stava con gli occhi bene aperti e, quando il momento critico venne, se ne accorse immediatamente: il pomodoro visto nei campi dava segni di indubbio miglioramento ma, a guardare il frutto che arrivava in fabbrica, niente pareva migliorato.

Allora si mise a girare anche di notte e mandò in giro due guardie giurate e riuscì a pizzicare parecchi villani traditori con le mani nel sacco, e a ricuperare grossi carichi di frutto scelto, già in marcia di trasferimento.

Questo valse a chiudere molte falle della barca: non tutte. E tra le falle rimaste aperte, figurava naturalmente quella del Filotti.

Il Filotti era il coltivatore più importante e, per quanto il Cometti riscontrasse nella coltura del Filotti un continuo miglioramento del pomodoro, in fabbrica continuava ad arrivare prodotto scadente.

Al Cometti dispiaceva mettersi in urto col Filotti, e cercò in tutti i modi di fargliela capire con bella maniera. Ma, poiché la storia non accennava a finire e il salasso minacciava di compromettere tutta la produzione, il Cometti decise di adottare la maniera forte.

Chiamò le guardie giurate:

— Lasciate perdere il resto e controllate giorno e notte il Filotti.

I due fecero una faccia poco allegra.

— C'è qualcosa che non va? — si informò il Cometti.

I due si guardarono, poi uno borbottò:

— Non ce la sentiamo di metterci nei guai.

— Nei guai? — gridò il Cometti. — Filotti non è forse uguale a tutti gli altri?

— Lui sì — rispose l'uomo. — Ma c'è di mezzo qualcuno al quale volentieri spareremmo una schioppettata ma che, per cose nostre personali, è meglio non incontrare.

— Va bene — esclamò il Cometti. — Ci penso io. Voi continuate il solito servizio.

Appena il sole cadde dietro i pioppi del fiume grande, il Cometti partì. Non prese l'automobile per non dar nell'occhio, saltò sulla moto del capofabbrica e navigò per vie trasverse.

La tenuta del Filotti era a casa di Dio, isolata completamente, e, per arrivare all'aia, bisognava, finita la comunale, percorrere un vialone lungo più d'un chilometro.

Quella era l'unica via autocarrabile che uscisse dall'aia di Filotti e il Cometti, giunto a metà viale, nascose la moto dentro il fossatello laterale e attese appostato dietro il tronco d'uno degli alti pioppi che costeggiavano il vialone.

Dovette aspettare quattro ore intere, ma non aspettò invano. Infatti, verso la mezzanotte, un autocarro proveniente dall'aia del Filotti venne avanti a fari spenti.

Il Cometti lo lasciò passare per assicurarsi che si trattava di un carico di pomodoro e, quando se ne fu assicurato, saltò sulla moto e, raggiunto l'autotreno, lo superò e gesticolando e urlando fece capire al guidatore che fermasse.

L'autotreno si arrestò e il guidatore mise fuori la testa dal finestrino della cabina.

— Cosa c'è?

Il Cometti si avvicinò.

— Fermo lì! — intimò il guidatore. — Di notte non mi piace la confusione.

Il compagno del guidatore stava sulla difensiva allo sportello dell'altro lato del camion.

La luce di una lampadina elettrica tascabile sbatté sulla faccia del Cometti che s'era arrestato.

La luce si spense e il guidatore scese dalla cabina.

— Cosa vuole lei? — domandò minaccioso.

— Vorrei sapere dove va quel pomodoro.

— Dove mi pare e piace. Affari miei.

— Affari più miei che suoi, perché quel pomodoro l'ho comprato io e mi spetta di diritto.

— Io non so neanche chi lei sia: sgomberi il passaggio.

— Io invece lo so, chi è lei, signor sindaco — rispose il Cometti.

L'omaccio si appressò.

— Il sindaco riceve domani in municipio. Qui non ci sono sindaci e non si deve parlare di sindaci.

— Sta bene, signor Bottazzi, parliamo di pomodoro.

Peppone si mise a ridere.

— Ne parli con chi commercia in pomodoro. Io faccio l'autista e lavoro per chi mi fa lavorare.

— Siccome chi la fa lavorare è il Filotti...

— Siccome niente! Cosa c'entra il Filotti?

— C'entra per la semplice ragione che lei sta arrivando da casa del Filotti dove ha caricato questo pomodoro.

Peppone sghignazzò:

— Smilzo — urlò — c'è qui un tipo il quale dice che noi abbiamo caricato questo pomodoro dal Filotti!

— È pazzo! — rispose lo Smilzo affacciandosi. — È pomodoro che abbiamo caricato a Cremona e al quale facciamo fare un giro turistico per visitare le bellezze artistiche del nostro Comune.

La battuta rallegrò Peppone che si spanciò dalle risa.

— Lei ha voglia di scherzare ma io no — replicò il Cometti. — Questo pomodoro è mio, e deve essere portato alla mia fabbrica. Io la avverto di come stanno le cose: se il pomodoro non verrà alla mia fabbrica, anche lei sarà responsabile dei danni che il Filotti mi procura con la sua azione disonesta.

Peppone si tirò sulla fronte la tesa del cappello e, appressatosi al Cometti, lo agguantò per gli stracci del petto inchiodandolo contro il tronco del grande pioppo ai piedi del quale l'uomo si era arrestato.

— Non mi rompa l'anima, né adesso né mai, o io approfitto dell'occasione per saldare il vecchio conto che è rimasto in sospeso fra noi due.

Il Cometti che era magro come un chiodo stentava a respirare.

— La politica non c'entra! — balbettò.

— Non avrebbe dovuto entrarci neanche allora, quando lei era quello che era e mi ha fatto quella passata. Quindi la politica c'entra. Io non voglio più avere a che fare con lei, né con quelli della sua famiglia, né con quelli della sua azienda.

Non allentò la stretta ma spinse ancor più forte

il disgraziato contro il tronco del pioppo gridando:

— Smilzo, sistemagli il motociclo. Il tipo ha voglia di fare una passeggiata a piedi fino a casa.

Lo Smilzo scese dalla cabina, sgonfiò i pneumatici della motocicletta e, svitato il tappo del serbatoio, adagiò la macchina per terra.

— Qui non ci sono testimoni — disse cupo Peppone — e io potrei farle la pelle e buttarla in un fondone dello Stivone. Mi accontento di avvertirla che se lei, direttamente o indirettamente, mi capita ancora tra i piedi, le cavo le budelle e gliele metto al collo, così ci attacca per pendaglio il brevetto della marcia su Roma.

— Io non le ho fatto niente di male — ansimò il disgraziato. — Quella volta le ho detto semplicemente quello che dovevo dirle.

— È il tono che fa la musica! — gridò Peppone. — Se io fossi ancora un dipendente della sua sporca fabbrica, adesso lei di sicuro non mi parlerebbe col tono di allora.

— Se lei facesse il suo mestiere male come lo faceva allora, le direi le stesse cose.

— Basta! Discussione finita — disse Peppone mollando il disgraziato. — Smilzo, metti in moto.

— Mi meraviglio che lei si faccia complice del campione mondiale di quelli che il suo Partito chiama « agrari sfruttatori ».

— Mi servo di una pellaccia per danneggiare un'altra pellaccia. Attento ai calli e dica ai suoi scagnozzi di starmi lontano perché, se sparano, sparo prima io.

Risalì sul camion e, chiusa con un colpo maledetto la portiera, ingranò la marcia.

Il Cometti arrivò a casa verso le due di notte e

la moglie, che lo aspettava ancora alzata, appena lo vide rimase senza fiato.

— Cosa t'è successo?

— Niente.

Quando alle donne si spiega che non è successo niente, quella è proprio la volta in cui esse vogliono sapere tutto dall'a alla zeta.

Il Cometti dovette raccontare tutto per filo e per segno, e la moglie alla fine esclamò:

— Lascia perdere il Filotti e quell'altro maledetto. Non ti mettere nei guai, non esporre a rappresaglie fabbrica e famiglia.

— Lascio perdere tutto — rispose il Cometti con tristezza. — Sono stanco, non ce la faccio più. Sono solo contro tutti. Chiudo la baracca. Qualche Santo mi aiuterà. Se Paolo invece di dodici anni ne avesse venti, non ci penserei un minuto a imbarcarmi per l'Argentina, mi sembrerebbe di ritornare giovane. Adesso mi pare di avere non cinquantacinque anni, ma un secolo. Povero Paolino... Vedi di non fargli capire niente. Ha tutta la vita davanti per rodersi l'anima.

Ma Paolino incominciò proprio in quel momento a rodersi l'anima perché aveva sentito tutto, parola per parola.

La sera seguente Peppone ritornò all'aia del Filotti perché un altro carico era pronto.

Stivato l'autocarro si avviò per la strada del ritorno: era sicuro che il Cometti aveva perfettamente capito l'antifona. Ad ogni buon conto, c'era lo Smilzo che, stavolta, non stava in cabina con lui ma gli faceva da avanscoperta in motocicletta.

Tutto pareva funzionasse perfettamente e c'era la più smagliante luna d'agosto che mai si fosse affacciata dal finestrino del cielo. Il Dodge di Peppone procedeva a gonfie vele lungo il viale dei pioppi e ben presto giunse allo sbocco nella strada comunale.

Qui, per non finire dentro il fosso, bisognava fare la strettissima curva a passo di lumaca in prima e lavorando anche con la frizione.

E fu proprio nella curva che successe il fatto: la portiera di destra si aperse e qualcuno sgusciò dentro la cabina.

Peppone bloccò la macchina e si volse per agguantare lo sconosciuto e stritolarlo.

Ma non si trovò niente, o poco più di niente, tra le mani, e mollata la presa domandò:

— Da dove salti fuori, macaco?

Lo sconosciuto non rispose.

— Ebbene? Cosa vuoi?

— Mi porta a casa, per favore? — disse una voce esitante di ragazzino:

Peppone si strinse nelle spalle:

— Dove stai?

— Alla Bovara.

— Non passo di lì — spiegò Peppone.

— Non è vero, signore.

A sentirsi chiamar «signore» da una vocina così gentile, Peppone rimase imbarazzato.

— Perché dici che non è vero? — domandò.

— Perché lei sta portando i pomodori del signor Filotti alla fabbrica, e la fabbrica è alla Bovara.

Peppone accese la lampadina del cruscotto e guardò in faccia il ragazzino.

— Come ti chiami? — domandò parlando fra i denti.

— Paolo Cometti.

Peppone spense la lampadina.

— Chi ti ha mandato qui? — domandò con voce sorda.

— Nessuno, signore! Lo giuro. Sono scappato senza che nessuno lo sappia. Io, ieri sera, ero ancora sveglio quando papà parlava con la mamma e ho sentito tutto.

— Sono affari che non mi interessano — gridò Peppone con malgarbo. — Io non so niente. Io so soltanto che non passo dalla Bovara.

In quel momento arrivò lo Smilzo, che accostò fin sotto la portiera della cabina.

— Capo, cosa ti succede?

— Smilzo, prendi questo ragazzino e portalo alla Bovara. Poi mi raggiungi.

Il ragazzino non si mosse.

— Spicciati! — gli disse Peppone. — Non ho tempo da perdere.

Il ragazzino continuò a rimanere immobile, allora Peppone spalancò la portiera e, sollevato di peso il ragazzino, lo allungò allo Smilzo.

Ma lo Smilzo non fu lesto a catturarlo e il ragazzino sgusciò via e si allontanò di corsa.

— Vai all'inferno! — gridò Peppone. — Tu e tutta la tua razza.

Lo Smilzo riprese il servizio di avanscoperta e Peppone, rimesso in moto il Dodge, si avviò.

Dopo trecento metri raggiunse il ragazzino che camminava lestamente sul ciglio della strada.

Dire lestamente è poco perché, per quanto Peppone si sforzasse, non riusciva a sorpassarlo e gli rimaneva sempre alle spalle e la storia continuò per cinquecento metri buoni. E il fenomeno diventò ancora più singolare quando il ragazzino si fermò. Allora, infatti, anche il Dodge si fermò.

Questo fece perdere la pazienza a Peppone che, saltato giù dalla cabina, affrontò il ragazzino e urlò:

— Se io fossi tuo padre ti prenderei a schiaffi!

— Perché? — domandò il ragazzino timidamente.

Peppone non se l'aspettava una domanda così difficile, e non seppe trovare una risposta decente.

— Perché non sei montato in moto? — borbottò Peppone tanto per cavarsela.

— Ho la bicicletta — spiegò il ragazzino. — L'ho lasciata qui dietro la siepe.

Il ragazzino imboccò il ponticello di una carrareccia e, di lì a poco, riapparve conducendo una bicicletta.

— Buona notte — disse il ragazzino salendo in sella e incominciando a pedalare.

Peppone risalì e avviò il Dodge.

Cosa avesse nella pancia quel maledetto Dodge Peppone non riusciva a capirlo: il fatto è che, per raggiungere il ragazzino, ci impiegò quasi cinque chilometri e non ebbe neanche la soddisfazione di sorpassarlo perché, quando era lì lì per raggiungerlo, il ragazzino gli sgusciò via scomparendo in un vialetto.

E poiché Peppone si accorse di trovarsi proprio sul piano della pesa della fabbrica della Bovara, bloccò il Dodge e, sceso dalla cabina, incominciò a urlare come un satanasso che lui non aveva tempo da perdere, e che si sbrigassero a pesare quel canchero di pomodoro altrimenti lui metteva in moto l'elevatore del cassone ribaltabile e gli scodellava le cassette lì sul cortile.

Corsero in dieci a pesare il carico e a scaricare le cassette. E quando gli porsero la bolletta di ricevuta Peppone scosse il capo:

— Dategliela voi al Filotti: io non ho più occasione di passare da lui.

Mentre Peppone stava per risalire sul camion già scaricato, apparve il Cometti che, sentito tutto quel fracasso e quelle urla, s'era buttato giù dal letto rivestendosi in fretta e furia.

— Cosa succede? — domandò.

— Niente — gli rispose Peppone senza voltarsi.

Salito in cabina, si sporse e, a voce bassa, spiegò al Cometti:

— Prima mi servivo della pellaccia A per fregare la pellaccia B, adesso mi servo della pellaccia B per fregare la pellaccia A. Cambiando gli ordini del fattore il prodotto non cambia.

Partì a tutta birra facendo una giravolta da togliere il fiato e imboccando il cancello di stretta misura.

— Capo!

Appena sulla strada dovette bloccare perché lo Smilzo lo aveva chiamato.

— Capo — balbettò lo Smilzo — è un'ora e più che ti sto cercando.

— E mi hai trovato?

— Sì, capo.

— Bene. Allora puoi smettere di cercarmi.

Intanto, con tutte queste storie era arrivata l'alba e Peppone, volgendo l'occhio verso il viottolo nel quale era scomparso il ciclista, si accorse che il viottolo era lungo sì e no cinque metri e portava all'ingresso d'una palazzina. E si accorse pure che a una finestra del primo piano della palazzina era affacciato il ragazzino famoso.

«C'è poco da ridere!» borbottò Peppone ingranando la marcia.

In realtà il ragazzino non rideva: sorrideva. Ma Peppone era un estremista e portava tutto all'esasperazione.

Il Dodge partì con un balzo da Alfa Romeo e lo Smilzo, visto che anche a pensarci non riusciva a capirci un accidente di niente, risalì in moto e se ne andò a letto mormorando: «Credere, obbedire e combattere. Dove non arriva il ragionamento subentra la fede nella sacra causa della Rivoluzione Proletaria».

E la fede subentrò e accompagnò a letto lo Smilzo.

Buon riposo, compagno.

IL COMÒ

La Rosa puntò decisa sulla canonica, accostò tutto a destra e bloccò di precisione davanti alla finestra della saletta.

Udendo lo stridere dei freni, don Camillo levò la testa e, vista la Rosa aggrappata all'inferriata, lasciò perdere le sue scartoffie e corse alla finestra per sentire le novità.

— Stanno per arrivare! — gli disse la Rosa. — Hanno già finito il giro dei poderi e sono in viaggio verso il Palazzetto.

— Che gente è? — s'informò don Camillo.

— Non so — rispose la Rosa. — Io non li ho visti, e Marchino mi ha detto soltanto che sono in cinque: i due nipoti, le due mogli e il notaio.

La Rosa si staccò dall'inferriata, pigiò sui pedali e partì di gran carriera.

Don Camillo si spolverò le scarpe, si spazzolò la tonaca e si avviò di buon passo verso il Palazzetto.

Ci mise poco tempo ad arrivare, ma qualcuno lo aveva preceduto e aspettava davanti al cancello.

— Oh, il nostro signor sindaco!

— Buon giorno, reverendissimo!

Don Camillo diede fuoco al suo mezzo toscano poi, fra una sbuffata e l'altra, s'informò:

— Come mai da queste parti signor sindaco?

Peppone era piuttosto aggressivo:

— Ci vuole il permesso speciale del Vescovo, adesso, per fare un giro in paese?

— Non ancora —rispose don Camillo. — Io le ho fatto questa domanda perché credevo che lei avesse degli interessi con gli eredi della povera signora Noemi.

Peppone mise subito le carte in tavola:

— Reverendo, io sono qui per difendere gli interessi del ricovero. E lei?

— Io per tutelare gli interessi dell'asilo.

In quel momento arrivò una macchina che si fermò davanti al cancello: ne scesero due signore e tre uomini, e si trattava di cinque persone molto distinte. Si inoltrarono nel viale che conduceva alla casa, conversando pacatamente.

— Mi pare gente trattabile — osservò Peppone.

— Per sapere se una persona è trattabile bisogna trattarci — borbottò don Camillo. Vediamo di bloccarli subito.

Don Camillo, seguito da Peppone, raggiunse rapidamente il gruppo.

Si scusò, si presentò e presentò Peppone.

La Rosa, intanto, aveva aperto la porta e tutta la banda entrò nell'andito fresco e semibuio della vecchia casa.

Presero posto nelle sedie di vimini e, quando furono esauriti tutti i convenevoli e cadde un silenzio un poco imbarazzante, don Camillo si fece coraggio e affrontò lo spinoso argomento.

La povera signora Noemi aveva molto a cuore sia l'asilo infantile gestito da un comitato presieduto dal parroco, sia il ricovero dei vecchi gestito da un comitato presieduto dal signor sindaco. E aveva ripetutamente ed esplicitamente assicurato al parroco e al signor sindaco che, nel testamento, si sarebbe ricordata generosamento dell'asilo e del ricovero.

Gli eredi si guardarono, poi, per tutti, rispose la moglie del nipote magro:

— Disgraziatamente, come loro ben sapranno, la povera zia Noemi è morta senza lasciare nessun testamento.

La signora si volse verso il notaio e il notaio approvò tentennando gravemente la testa:

— Sono state fatte tutte le indagini necessarie — spiegò. — È da escludere che la defunta abbia dettato o scritto un testamento. E gli unici aventi diritto alla successione sono i qui presenti signori Giorgio e Luigi Rolotti, nipoti della defunta.

« Nipoti! »

Figli della figlia del fratello della povera signora Noemi! Gente che, quando la signora Noemi era ancora viva, non si era mai fatta vedere neanche in fotografia!

Don Camillo mandò giù a fatica tutte le parole che aveva lì, sulla punta della lingua.

— Non mettiamo in dubbio le sue affermazioni — disse sorridendo alla moglie del nipote magro. — Ci limitiamo a far presente quali fossero i desideri della defunta.

Peppone fece capire che approvava pienamente le parole di don Camillo.

L'erede magro disse che lui e il fratello avrebbero fatto un'offerta sia all'asilo che al ricovero.

— Per un riguardo personale a lei, reverendo, e a lei, signor sindaco! — precisò la moglie del nipote grassoccio. — Non per la gente del paese.

Peppone e don Camillo si guardarono perplessi: che guaio poteva aver combinato la gente del paese a quei quattro merluzzi piovuti in paese, e per la prima volta, da due o tre ore soltanto?

La moglie dell'erede magro li illuminò:

— Noi abbiamo conosciuto soltanto due famiglie di qui e tutt'e due hanno tentato di imbrogliarci. Se tanto mi dà tanto!...

Le due famiglie che gli eredi avevano conosciuto erano quella del mezzadro del podere «Colombaia» e quella del mezzadro del podere «Canaletto»: bravissima gente che badava soltanto a lavorare.

Peppone con garbo lo fece notare alla signora del nipote magro, e quella scosse il capo decisa:

— Brave persone, dice lei! Però hanno tentato il colpo del bestiame e degli attrezzi. Dicono che la metà dei capitali è loro!

— Certo! — esclamò Peppone. — La mezzadria funziona così. Non è mica una novità.

La signora lo guardò con scarsissima simpatia:

— Comunque — tagliò corto — se la vedranno i nostri legali! E, per quanto riguarda l'offerta all'asilo e al ricovero, la faremo quando tutto sarà finito.

Don Camillo si inchinò.

— Ringraziamo lorsignori. Da parte mia mi permetto di far presente un'altra cosa. Come la defunta signora Noemi mi ha più volte detto, essa intendeva ricordarsi generosamente, nel testamento, anche della Rosa e di Marchino. Entrambi hanno servito fedelissimamente la povera signora Noemi per quindici anni. La Rosa è venuta in questa casa che aveva quattordici anni e Marchino quindici. La povera signora Noemi li considerava più come figli che come persone di servizio.

Gli rispose secca secca la moglie dell'erede grasso:

— Non si preoccupi, reverendo: verranno entrambi liquidati a norma di legge. — La Rosa e Marchino erano lì, nel vano della scala, e assistevano immobili e silenziosi allo spettacolo. La signora si rivolse ai due:

— Oggi stesso, finita la divisione della roba, verrete licenziati col normale preavviso. Avete i libretti in ordine?

La Rosa e Marchino si guardarono:

— Non abbiamo nessun libretto — spiegò Marchino stupito.

La signora del nipote magro alzò le braccia al cielo:

— Benedetta vecchia! — esclamò. — Tiene quindici anni al suo servizio due persone senza preoccuparsi di mettersi in regola coi sindacati, poi lei se ne va e lascia nei pasticci noi! Voglio sperare che voi non vorrete fare una speculazione su questa faccenda! — concluse rivolgendosi a Marchino e alla Rosa.

— Noi non vogliamo fare nessuna speculazione! — rispose risentita la ragazza.

— Bene. Veda di mettere del nero sul bianco — disse la moglie del nipote magro al notaio. Qui bisogna procedere coi piedi di piombo. E adesso vediamo di sbrigare la faccenda dei poderi.

Il notaio ricapitolò.

— La divisione mi pare straordinariamente facile. I due poderi hanno la stessa estensione, la terra è della stessa categoria, i fabbricati sono stati costruiti perfettamente uguali e nello stesso anno, i capitali sono dello stesso valore. L'un podere vale l'altro.

I due fratelli si guardarono stringendosi nelle spalle.

— Si tira a sorte — propose il grasso traendo di tasca una moneta. — Se viene testa mi prendo la «Colombaia», se viene croce mi prendo il «Canaletto».

La moneta passò al notaio che la gettò in alto.

— Testa — annunciò il notaio. — Il podere «Colombaia» al signor Luigi Rolotti. — La moglie del magro saltò su inviperita:

— Già! Coi contratti bloccati, noi ci prendiamo il «Canaletto» dove c'è, per mezzadro, un piantagrane odioso e pieno di superbia!

— Non esageriamo! — replicò la moglie del grasso. — L'uno vale l'altro! — La moglie del magro si ribellò:

— Conosco bene la gente! Non mi prenderai per una cretina! Quello è un uomo odioso!... Dica lei, signor sindaco! Lei che conosce bene tutti!

Fu come se l'avessero invitato a nozze:

— La signora ha ragione! — affermò Peppone

— il mezzadro del « Canaletto » è un democristiano falso e carogna, mentre il mezzadro della « Colombaia » è simpatico e galantuomo!

— E comunista! — aggiunse don Camillo. — Un comunista tanto rosso che è perfino nero!

I due fratelli intervennero: non si doveva tirare in ballo la politica. — E poi ormai quel che è fatto è fatto — concluse il grasso. — La sorte mi ha dato la « Colombaia » e me la tengo.

— Se tuo fratello non fosse un imbecille, non te la terresti di sicuro! — gridò la moglie del magro. Voi ve ne approfittate perché mio marito è un debole!

L'aria si era scaldata, e il notaio dovette lavorare venti minuti per ristabilire la calma. Ma l'argomento decisivo lo portò don Camillo che, come del resto Peppone, non pensava minimamente di andarsene tanto lo spettacolo lo interessava.

— Signora — disse don Camillo. — Non si preoccupi: se il suo mezzadro non si comporterà come si deve, mi impegno di ricondurlo io personalmente alla ragione. — E io rispondo del mezzadro della « Colombaia » — dichiarò Peppone. Loro sono gentili con noi per l'asilo e il ricovero e noi contraccambiamo la gentilezza.

A sentir parlare dell'asilo e del ricovero gli eredi ritrovarono la calma. Ma si trattava di una calma apparente, perché adesso bisognava dividere in due parti perfettamente uguali la roba del Palazzetto.

Ogni cosa era stata inventariata, dalle forchette agli asciugamani e, prima di tutto, venne fatto un rigoroso controllo.

Poi si passò a dividere la biancheria e fu una cosa relativamente facile.

Lo stesso per la roba di cucina, il vasellame: tanti piatti a te, tanti bicchieri a me. Tante forchette a te, tante forchette a me, e via discorrendo.

Naturalmente si teneva conto delle incrinature, del grado di arrotatura dei coltelli, del peso delle pentole e dei tegami di rame. E lenzuola, federe, asciugamani eccetera venivano ispezionati controluce per vedere di classificarli come « nuovi », « seminuovi », « vecchi ma buoni », « lisi », « rammendati », e roba del genere.

Sedie e poltrone risultarono relativamente facili da dividere; difficile la sala da pranzo: tanto è vero che venne chiamato il falegname per la stima dei valori singoli e per stabilire con quali oggetti compensare gli scompensi.

La divisione della camera da letto fu agevole: due comò, due letti abbinati, due armadi, due comodini, due poltroncine, due tappeti scendiletto, due vasi da notte, due tendaggi per finestre, due immagini sacre dello stesso formato e con la stessa cornice.

La divisione del contenuto della cantina fu piacevole particolarmente per don Camillo e Peppone che oramai, assieme al falegname, si erano aggregati alla brigata come consulenti tecnici: infatti fu necessario eseguire molti assaggi dei vari vini in bottiglia, in damigiana e in botte per stabilire due blocchi perfettamente equivalenti.

Poi si passò in dispensa, e qui funzionò egregiamente la pesa per dividere lardo, strutto, olio, roba sott'aceto, culatelli, coppe.

Un salame che non aveva il *pendant* venne tagliato in due pezzi uguali.

Una scatoletta di salsa di pomodoro, che risultò non sezionabile, venne regalata munificamente a don Camillo «per i bambini dell'asilo».

Peppone ricevette invece la generosa offerta di un imbuto «per i vecchi del ricovero».

Ed ecco arrivare il turno del famoso comò.

Vicino alla camera da letto della povera signora Noemi c'era una stanzettina col caminetto, arredata da due poltrone (una per la signora e una per l'eventuale visitatore) e da un vecchio comò.

Un antico mobile di rovere, lungo e piuttosto basso, con due soli grandi cassetti: un oggetto di classe. L'unico oggetto veramente di classe esistente nel Palazzetto.

Liquidata la divisione (facile) delle due poltrone e delle cianfrusaglie contenute nei due cassetti del comò, si prese in considerazione il comò vero e proprio.

— Questo me lo prendo volentieri io — affermò la signora del grasso. — Sembra fatto apposta per la mia anticamera.

— Il guaio è che sembra fatto apposta anche per il mio salotto — replicò la moglie del magro.

— Un ricordo della povera zia Noemi lo voglio ad ogni costo! — spiegò la moglie del grasso.

— E io pure, perché era ugualmente zia tua e zia mia — ribatté la moglie del magro.

— Chi ha fatto la parte del leone avrebbe il dovere di ritirarsi — affermò la moglie del grasso.

— Piuttosto dovrebbe ritirarsi chi ha fatto la parte della leonessa! — rispose l'altra.

Intervenne il falegname:

— Non c'è che un sistema — disse. — Lo si venda e si divida in due parti il ricavato.

Non lo presero neanche in considerazione: ognuna delle due donne voleva il comò e ognuno dei due uomini, è naturale, voleva ciò che voleva la propria moglie.

L'aria continuò a scaldarsi fino a diventare rovente: volavano parole grosse e insulti pesanti e la faccenda minacciò di trasformarsi in un furibondo corpo a corpo.

Ma, fortunatamente, la moglie del magro trovò la soluzione giusta:

— Ebbene — gridò — se lo si deve dividere, lo si divida... Falegname, segatelo in due pezzi uguali!...

— Certo! — urlò la moglie del grasso. — Tagliatelo in mezzo!

Il falegname si guardò attorno per vedere se scherzassero, poi, resosi conto che facevano sul serio, cavò i due cassetti e, segnato con precisione il mezzo del comò, agguantò la sega e con garbo lo spartì in due pezzi.

Poi segò in due pezzi il primo cassetto. Indi segò l'altro cassetto.

Una volta diviso il secondo cassetto, il falegname scoperse una curiosa faccenda: il cassetto aveva un doppio fondo.

Il falegname lo fece osservare ai presenti e, intanto, scuoteva i due monconi di cassetto per vedere se, nel doppio fondo, ci fosse qualcosa.

C'era una gran busta gialla con ceralacca, che cadde per terra.

Il notaio la raccolse e lesse l'indirizzo:

«*Al molto reverendo signor arciprete don Ca-*

millo, e all'illustrissimo sindaco signor *Giuseppe Bottazzi* ».

Il notaio si strinse nelle spalle:

— Poiché i destinatari sono qui, non mi resta che consegnare la lettera.

— La apra lei e la legga ad alta voce — disse don Camillo al notaio.

Il notaio aprì la busta, ne tolse un foglio manoscritto e lesse:

« *Io sottoscritta Noemi*, eccetera *vedova... eccetera di anni 93, nel pieno possesso delle mie facoltà mentali, a seguito di impegno verbale stipulato con gli interessati, di mia piena volontà e senza pressione alcuna da parte di chicchessia stabilisco che alla mia morte i miei beni vengano così assegnati: A - Podere Colombaia all'Asilo Infantile. B - Podere Canaletto al Ricovero dei vecchi. C - Palazzetto con tutto ciò che contiene e annesso terreno a giardino ed ortaglia da dividere in parti uguali tra Rosa Tobini e Marchino Barocci quale premio della loro fedeltà e del loro affetto. Non riconosco nessun diritto a eventuali "parenti" che venissero a galla dopo la mia morte. Nomino esecutore testamentario l'arciprete don Camillo e il sindaco Giuseppe Bottazzi entrambi da me detestati, perché io sono anticlericale e anticomunista, ma che stimo per la loro onestà personale. Scritto di mio pugno il... eccetera* ».

Per un momento nessuno parlò: poi la moglie del magro si riscosse e gridò:

— Ci rivedremo in tribunale!

Anche la moglie del grasso e i due eredi dissero minacciosamente che se ne sarebbe parlato in tribunale.

— Va bene — rispose Peppone. — Per il momento sloggiate.

Sloggiarono subito perché si capiva dagli occhi di Peppone che, se non fossero usciti subito dalla porta, avrebbero dovuto uscire poco dopo dalla finestra. E il notaio li seguì: ma don Camillo bloccò sulla porta tutta la banda:

— Lei, signor notaio, prima di andarsene faccia il verbale del rinvenimento: il falegname e i signori qui presenti firmeranno come testimoni.

— Noi non firmiamo niente — urlò la moglie del magro.

Invece firmarono. Con poco entusiasmo, ma firmarono.

Dopo che ebbero firmato, don Camillo diede a Peppone il segnale di via libera, ma, prima che gli ex eredi si allontanassero, cavò di tasca la scatoletta di salsa di pomodoro e la restituì alla moglie del magro:

— Da parte dei bimbi dell'asilo.

Peppone aveva ancora in mano l'imbuto famoso; lo restituì alla moglie del grasso:

— Da parte dei vecchi del ricovero.

La Rosa e Marchino erano ancora lì a bocca aperta, tanto avevano la testa piena di confusione.

— «*Il Palazzetto con tutto ciò che contiene più il terreno annesso a giardino e ad ortaglia, da dividere in parti uguali tra Rosa Tobini e Marchino Barocci...*», disse ad alta voce don Camillo riuscendo a tirar giù dalle nuvole i due poveracci.

Peppone ruggì:

— Siamo gli esecutori testamentari e ci siamo noi per gli stracci! Adesso si tratta di dividere tutta la mercanzia che c'è qui dentro!

— Più divisa di così! — rispose don Camillo. — Hanno perfino tagliato in due il comò.

Peppone considerò la Rosa e Marchino, poi considerò i due tronconi di comò e concluse:

— Secondo me, lo si potrebbe incollare... Io darei volentieri una mano.

— Anch'io — affermò don Camillo.

La Rosa e Marchino incollarono il comò due mesi dopo, appunto con l'aiuto del sindaco e del parroco.

— Auguri e comodini maschi — disse don Camillo in quella occasione.

LA BANDA

Il marchese aveva sempre avuto il pallino della musica e così, *temporibus illis*, gli era venuta in mente l'idea della banda.

Il marchese, allora, non arrivava ai trenta, ma stava lì, piantato al Palazzone già da dieci anni, da quando cioè il vecchio era morto lasciandogli una tenuta che non finiva più. Il giovanotto, che studiava in città, aveva mollato gli studi e la bella vita per venire ad amministrare la sua terra.

Aveva mollato tutto, eccettuati il clarinetto e la passione per la musica: un maestro famoso arrivava dalla città due o tre volte alla settimana a dargli lezione. Una faccenda che gli costava l'ira di Dio, ma era l'unico lusso che il marchese si permettesse.

Il maestro continuò a fare la spola fra la città e il Palazzone per sei o sette anni: poi, un bel giorno disse al marchese:

— Io non ho più niente da insegnarle. Non le resta che cercarsi un altro insegnante migliore di me.

— Per fare l'agricoltore mi basta così — rispose il marchese.

Invece si accorse ben presto che non gli bastava: perché il clarino è uno strumento bellissimo, ma dentro un clarino c'è quel che c'è. Nella pancia di un pianoforte si pesca tutto e, quando uno ci sa fare, pestando i tasti di un pianoforte vengono fuori le opere complete, con tenore, soprano, basso, coro e scenografia. Ma uno che suona il clarino si trova come un pittore sulla cui tavolozza ci sia soltanto il rosso.

D'accordo: si può fare un quadro servendosi anche solo del rosso e delle sue gradazioni, ma non si può vivere di solo pollo.

In verità, il marchese non riusciva a trovare una via d'uscita; e, dopo lunga meditazione, decise che la cosa migliore sarebbe stata di dimenticare il clarino.

Così prese moglie per dimenticare il clarino: ma non erano trascorsi venti mesi che sentì il bisogno di riprendere il clarino per dimenticare la moglie.

Il problema non era risolto: anzi si era aggravato. Allora al marchese venne l'idea di creare la banda del paese.

Il marchese aveva circa trent'anni e, da quelle parti là, erano tempi d'oro per le bande.

Qualcuno aveva inventato la macchina per ballare; quella gran macchina di legno e canapa che si vede tuttora in qualche sagra di paese: il festival.

Un'enorme baraccone, a pianta rettangolare, facilmente smontabile e trasportabile, coperto da un telone biancastro che, tenuto altissimo nel mezzo da antenne di legno, spiove sui fianchi chiusi da una staccionata sui due metri e mezzo.

Il pavimento è fatto di pedane d'abete incastrate l'una nell'altra, e il baraccone ha un alto frontale tutto di legno, ornato di pitture a carattere spesso allegorico. Due sportelli per i biglietti e due porte su una delle quali sta scritto « Donne », mentre sull'altra sta scritto « Uomini ».

L'interno del festival, sia per il tavolato del pavimento sia per quelle altissime antenne che si levano nel mezzo, e alla base delle quali sono attorcigliate le funi che servono a sollevare il telone di copertura, sia per lo stesso telone biancastro che pare una gran vela, dà l'idea della coperta di una nave.

E, a quei tempi, c'era, ad accrescere l'illusione, anche il ponte di comando: il palco che occupava tutto il lato di fondo dirimpetto all'entrata, e sul quale troneggiava la banda.

Le bande d'allora erano qualcosa di straordinario, e nessuno può immaginarsele perché quando anche si dica che erano composte di trombe, tromboni, clarini, quartini, cornetta e contrabbasso, non si è detto un accidente. Anzi, si sono forniti proprio gli elementi necessari per capire ogni cosa a rovescio. Sentendo parlare di tromboni e di bande di paese, la gente sghignazza perché, per i più, le bande di paese sono quelle descritte dalle cartoline "umoristiche" o da cinematografari, la cultura dei quali è basata appunto sulle cartoline illustrate e arriva, nel migliore dei casi, alle figurine del Liebig.

Basterebbe, per dare un'idea della faccenda, la storia di una sola delle bande di quei tempi. Roba della Bassa: una di quelle smisurate famiglie patriarcali di contadini, nelle quali il vecchio pensava per tutto e per tutti.

Il vecchio era nato con la musica dentro il cervello: componeva valzer, mazurche, polche, marcette, poi le concertava e le insegnava agli altri della famiglia.

Perché tutti, in quella casa, ragazzi, uomini e donne, suonavano qualche strumento a fiato.

Facevano i contadini e sudavano a spremere fuori dalla terra il mangiare, ma non si occupavano di musica soltanto nella morta stagione, quando cioè nei campi non c'era niente da fare.

Anche nella stagione del lavoro duro, ogni giorno il vecchio, a un certo momento, si faceva nel bel mezzo della *porta-morta* e dava fiato alla cornetta suonando l'adunata.

Allora tutti, deposti gli arnesi di lavoro, correvano a casa e, presi gli strumenti, provavano le composizioni del vecchio.

Poi tornavano nei campi a lavorare.

Questa era una banda speciale, si capisce. Però anche tutte le altre bande erano straordinarie. Ma come si fa a spiegarlo a gente che non sa ballare il valzer?

La sera, quando nel festival si accendevano le fiammelle azzurrine dell'acetilene e, nel buio, il grande telone, illuminato dal di sotto, pareva sospeso nel vuoto, ogni banda si produceva nell'*invito*.

La banda si sistemava davanti all'osteria e qui eseguiva un valzer che, per lo più, era quello dell'usignolo. Un valzer che, a un tratto, dava via libera al clarino e lasciava che si abbandonasse a una di quelle sarabande di note acute che fanno tenere il fiato sospeso.

Ma il clarino non stava lì giù, davanti all'osteria assieme agli altri. Era dislocato lontano, non si sapeva dove. Ed ecco che, quando gli ottoni e il contrabbasso avevan portato a termine la loro azione massiccia e quando, rimasta per un istante sola, la cornetta lanciava un richiamo acuto a qualcuno nascosto nella notte, ecco che, dall'alto del campanile, il clarino rispondeva. E i suoi trilli dapprima venivan giù turbinando come una densa formazione d'aerei in picchiata. Ma, arrivata a mezz'aria, la matassa sonora si dipanava; ogni nota si metteva dietro l'altra, e tutte scivolavano velocissime nel cielo sfiorando i comignoli delle case, poi inerpicandosi poi ridiscendendo e volteggiando, sottile e luminoso filo d'argento che, disegnato un complicato ricamo nel velluto nero della notte, si spegneva ad un tratto: ma rimaneva il solco nell'aria.

Il marchese s'era messo in testa di creare la banda, nel paese: non una banda che andasse a suonare nei festival, si intende, ma una banda che, il giorno di festa, rallegrasse un po' la gente suonando in piazza.

Il marchese, anche da giovane, arrivava sempre dove voleva arrivare e lo sapevano benissimo quelli che lavoravano alle sue dipendenze: comprò gli strumenti, impiantò una scuola di musica, noleggiò un maestro.

Trovò gente disposta a sacrificare le ore di riposo imparando il solfeggio e soffiando dentro i luccicanti arnesi d'ottone. Il maestro noleggiato lavorò tre anni come un negro poi, un bel giorno, annunciò al marchese che la banda, pur senza essere niente di straordinario, avrebbe potuto svolgere onorevolmente un piacevole programma musicale sulla pubblica piazza.

Il marchese che, fino a quel momento, pareva essersi disinteressato della faccenda, volle assistere alla prova.

Ascoltò attentissimamente l'esecuzione e, alla fine, espresse il suo parere:

— Voi non siete in grado di produrvi su una pubblica piazza. Al massimo potete produrvi su una letamaia. Da questo momento il vostro maestro torna al suo paese e prendo io la direzione di tutto. Attenzione, si ripete il numero cinque. Guardate a me!

Tutti gli uomini della banda si sentivano il cuore pieno di veleno e avrebbero volentieri preso a calci quel villanzone maledetto che aveva così volgarmente disprezzato tre anni di fatiche loro e del povero maestro. Voltarono le pagine digrignando i denti, poi attaccarono il numero cinque.

A un bel momento, il numero cinque prevedeva un *a solo* del clarino: ma, arrivato il suo turno, il clarino si impappinò. Il marchese fermò la baracca.

— Tu da domani incominci a studiare il contrabbasso — disse il marchese al disgraziato del clarino. — Tu invece lasci il contrabbasso a lui e ti occupi della pulizia della sede — concluse categorico rivolto al contrabbassista.

Poi si fece portare un involto che aveva lasciato sulla carrozza, ed era il suo clarino.

Quando lo ebbe cavato fuori dall'astuccio, diede ordine che si riprendesse da capo il numero cinque.

Tutti sapevano che il marchese aveva la fissa del clarinetto: però, siccome il Palazzone era sperduto in mezzo ai campi, e siccome il marchese quando voleva suonare si chiudeva nella stanza più remota del vecchio edificio, nessuno aveva un'idea precisa di che cosa in realtà si trattasse. E i bandisti si sbirciarono l'uno con l'altro, e ogni sguardo diceva: «Se quel disgraziato sbaglia, schiatterò di contentezza». Il numero cinque fu ripreso da capo, e arrivò il momento fatale dell'*a solo*. Il marchese per le prime battute rimase fedele alla musica, poi perdette la calma e incominciò a improvvisare delle variazioni così complicate e così straordinarie che, quando si ricordò del numero cinque e rientrò in carreggiata e fece cenno di attaccare, tutti rimasero lì a guardarlo a bocca spalancata.

L'ometto del contrabbasso mollò all'ex clarino il suo cassone armonioso e andò a cercare la scopa, mentre il povero maestro a nolo se ne andava in fretta senza neppure voltarsi indietro.

Il marchese, in seguito, non si dimostrò davvero più cordiale ma, alla fine, quando dopo mesi e mesi di sgobbate da togliere il fiato la banda si presentò per la prima volta in piazza, fu un avvenimento importante.

Il marchese non si esibì, quel giorno: la marchesa gli aveva detto chiaro e tondo che, se si fosse fatto compatire in pubblico, lei se ne sarebbe andata per sempre.

E neppure la seconda domenica e neppure la terza comparve in piazza. Ma, il giorno della sagra, quando la banda sopra il suo palco stava dando il fiato agli strumenti, si vide spuntare la carrozza del marchese.

Sulla carrozza del marchese vi era il marchese, e il marchese aveva con sé il suo clarino. Intanto la marchesa viaggiava verso la città.

Ritornò un anno dopo, quando si fu ben convinta che il marito avrebbe rinunciato a lei piuttosto che al clarino. In fondo fu un bene perché il marchese provò tanta di quella gioia che si sentì l'estro del creatore e compose quella specie di poema sinfonico che poi divenne una specie di inno nazionale del paese.

Era intitolato *La canzone del Po*, e descriveva il grande fiume, dall'alba al tramonto.

La descrizione, anzi, incominciava dal mezzogiorno. E qui il marchese aveva visto giusto perché, alla mattina, un fiume non conta niente, è come se non ci fosse. Il fiume è una cosa che incomincia a mezzogiorno, quando il sole spacca i sassi e le galline fanno eco alle campane che hanno richiamato nelle case buie e fresche la gente dai campi.

Allora il grande fiume incomincia ad esistere, perché ha bisogno di solitudine e le voci lo disturbano.

La composizione partiva dal mezzogiorno e descriveva la maestosa pace dei pomeriggi estivi. Poi ecco il tramonto: il cielo diventa rosso e il fiume ha il colore del cielo. Se non ci fosse la striscia scura degli argini e dei pioppi, fiume e cielo sarebbero tutt'una cosa. La musica diventava sempre più solenne e intensa. Poi, al calar del sole, di repente si faceva più sommessa e più malinconica. È sempre freddo di sera, in riva al grande fiume: sempre freddo anche se fa caldo.

Poi la luna cantava all'acqua la sua lunga serenata piena di nostalgia. Poi come un istante di sosta perché la notte è finita e comincia un nuovo giorno. La cornetta improvvisamente lancia il chicchirichì del gallo. Il sole sta per sorgere.

Sull'acqua placida del grande fiume, come un velo di sonno, scivola ancora la nebbiolina leggera e azzurrina della notte. Poi il sole mette fuori la testa di dietro la siepe lontana dei pioppi e incomincia a buttare pagliuzze di oro luccicante sull'acqua.

Allora l'allodola si alza di mezzo a un prato e va su dritta nel cielo lasciandosi dietro un sottile solco pieno di trilli.

E qui era il grande momento del clarino che, liberatosi dalle nebbie degli ottoni, lanciava una lunga raffica di note verso il cielo e, quando aveva raggiunto la vetta del pentagramma, si fermava lassù a far tintinnare l'ultimissima nota e, allora, dal basso gli ottoni attaccavano in massa con un crescendo che pareva la marcia trionfale dell'*Aida* ed era invece l'inno del fiume.

In paese la faccenda piaceva in modo straordinario e *La canzone del Po* era il pezzo obbligato di ogni esecuzione. E il marchese non era simpatico a nessuno ma, quando arrivava al trillo dell'allodola, il marchese diventava simpatico a tutti. E, almeno fino a quando continuava a sparar raffiche di note verso il cielo, gli perdonavano ogni cosa. Anche il fatto di essere un grosso proprietario terriero e un tipo al quale era impossibile dare quattro cavourrini per dieci lire.

La banda andò avanti per anni e annorum e il marchese la tenne sempre in piedi. Quando veniva a mancare un elemento se ne tirava su un altro.

Interrotta dalla guerra del '15, la banda si ricompose verso il '20 e tirò avanti fino all'altra guerra.

Il marchese, ogni volta che la banda faceva le sue prove nel salone, in paese, arrivava in macchina. L'autista gli apriva lo sportello e poi lo seguiva con l'astuccio del clarino in mano.

Poi la guerra chiamò la gente alle armi e fermò le macchine. La banda si sciolse perché era tempo d'altra musica.

Finita la guerra, verso il luglio del 1945, il marchese stava una mattina rivedendo dei conti e gli vennero a dire che c'erano quelli della banda.

Li fece entrare e si trovò davanti due dei vecchi e il Falchetto, un arnese di ventidue o ventitré anni con una faccia proibita e un fazzoletto rosso al collo.

— Abbiamo deciso di ricostituire la banda — spiegò il Falchetto al vecchio marchese — e siamo venuti a riprendere i nostri strumenti.

— Tuoi proprio no — replicò calmo il vecchio marchese. — Perché oltre al resto io non ho mai saputo che tu facessi parte della banda.

Il Falchetto sghignazzò:

— Per forza non ho mai potuto far parte della banda. Suono il clarinetto e al signor marchese ha sempre dato fastidio avere dei concorrenti.

Il vecchio marchese aguzzò gli occhi:

— Già — disse. — Adesso mi ricordo. Tu devi essere quel ragazzino pieno di boria che suonava l'ocarina o roba del genere.

— È inutile che fate lo spiritoso — replicò il Falchetto. — E poi non siamo venuti qui per fare delle discussioni. Ridateci i nostri strumenti e buona notte.

— Gli strumenti son miei perché li ho pagati io — replicò il marchese. — Ad ogni modo prendeteveli e andate a farvi benedire.

Gli strumenti erano sparsi un po' dappertutto in una stanza piena di vecchi mobili e cianfrusaglie. Il Falchetto e gli altri due li raccolsero e, una bracciata alla volta, li portarono fuori dove avevano lasciato il camioncino.

Tirarono su anche tutta la musica, pigne enormi di roba:

— Vi conviene venderla come carta straccia — borbottò il marchese. — È roba troppo difficile da leggere.

— Sono affari nostri — rispose il Falchetto.

Poi, siccome oramai avevano tirato su tutto, si diede un'occhiata tutt'attorno.

— Ah, c'è anche quello lì — disse il Falchetto avviandosi verso una cassapanca sulla quale stava un astuccio nero.

Ma il vecchio marchese gli si parò davanti:

— Quello lì non ti interessa né potrà interessarti mai — spiegò. — Quello è il mio clarino.

Il Falchetto aveva in mente di dire ancora qualcosa, ma poi ci ripensò e fece dietro-front.

Quando vide i tre risalire sul camioncino, il vecchio marchese si fece sulla porta:

— Ehi, tu moretto! — gridò al Falchetto. — Tieni presente che le note sono quelle nere!

Ci vollero tre mesi prima che la banda fosse rimessa in piedi. Quando fu pronta, il Falchetto, che funzionava da direttore e da caposquadra, annunciò:

— Allora d'accordo. Stasera si va a fare la serenata al marchese!

Verso le undici di sera la banda fermava il camion davanti al cancello del Palazzone, e subito attaccava *Bandiera rossa* e continuava a suonare *Bandiera rossa* fino a quando agli uomini non mancò il fiato.

Il vecchio marchese incassò senza dire bai. E poi non erano quelli i momenti più adatti per affacciarsi di notte alla finestra.

Prima d'andarsene, il Falchetto gridò:

— Questa è l'introduzione! Il resto più tardi, quando sarà arrivato il momento!

Il marchese rivide il Falchetto due anni dopo, durante lo sciopero agricolo. Il marchese s'era trovato col fieno nei campi e le bestie abbandonate nelle stalle perché i famigli avevano una paura maledetta. Allora aveva fatto arrivare dalla città una squadra di liberi lavoratori e, siccome era solo, imbracciata la doppietta, aveva seguito gli uomini nei campi per difenderli da qualche brutto scherzo degli scioperanti.

A un certo momento la squadra era arrivata e la comandava il Falchetto. Il marchese era ormai vecchio ma era deciso come quando aveva trent'anni; il Falchetto, che era venuto avanti pieno di spavalderia, vedendo il marchese armare lo schioppo si fermò:

— Mandate via quei disgraziati o qui succede un macello! — gridò il Falchetto.

— Può anche darsi — rispose calmo il vecchio. — Però se i tuoi non fanno dietro-front e non se ne vanno, tu ci rimetti la pelle. Tu rimani lì fermo dove stai e gli altri tornino a casa loro.

Il Falchetto impallidì: col vecchio marchese c'era poco da scherzare. Fece cenno agli altri di allontanarsi e rimase a guardare cupo gli occhi neri della doppietta del marchese. Poi, quando sentì che arrivava la camionetta della polizia, il marchese lo lasciò andare.

— Sei un rivoluzionario balordo quanto sei balordo suonatore di clarino — gli disse come saluto il marchese. — Stai lontano da casa mia perché io sono capace di insegnarti a solfeggiare in chiave di *de profundis*.

La polizia dovette presidiare per un sacco di tempo il Palazzone perché i rossi erano inviperiti contro il marchese. E, anche passata la buriana, corsero brutti giorni per il vecchio. Ma il marchese non abbandonò il suo posto.

— Quando sarà ora di crepare, creperò — diceva — Però creperò qui, dove sono nato.

Oramai non aveva neanche più il fiato per soffiare dentro il suo clarinetto: ma la sinfonia del fiume gli era rimasta nel cuore e gliela cantava il fiume ogni giorno e ogni notte.

Passarono altri anni e, un giorno, arrivò in paese la notizia che il vecchio marchese era morto.

— Mi è sfuggito, quel porco maledetto! — esclamò il Falchetto quando lo seppe. Ed era gonfio di veleno, e sentiva di odiare il marchese morto ancor più di quanto non lo avesse odiato da vivo.

Ed ecco che un signore ben vestito arrivò a casa del Falchetto e gli mise tra le mani un involto con grandi bolli di ceralacca.

— Prima di morire — spiegò l'uomo — il marchese ha voluto che io mi impegnassi a consegnarle di persona questo oggetto.

Il Falchetto stracciò l'involucro e si trovò tra le mani l'astuccio col famoso clarino del marchese.

— Non capisco — balbettò il Falchetto.

— Io meno di lei — rispose l'uomo. — «Questo lo porti lei personalmente a quel giovanotto che chiamano Falchetto» mi ha detto il marchese. E io non potevo certamente domandare ragguagli più precisi perché stava ormai morendo.

Il Falchetto rigirò tra le mani il clarino, cercò se vi fosse un biglietto. Non trovò niente. Cercò di ricomporre l'involucro lacerato.

— L'ho fatto io il pacco e ho messo i bolli di ceralacca alla presenza dei testimoni — spiegò l'uomo. — Sono il notaio.

Il Falchetto andò a chiudersi in solaio perché voleva ripensare tranquillamente al fenomeno.

Il marchese che l'aveva chiamato suonatore d'ocarina e poi gli aveva puntato contro il petto la doppietta, quel vecchio maledetto che doveva odiarlo spaventosamente, aveva avuto la forza, due minuti prima di crepare, di pensare a lui, al Falchetto, e gli aveva lasciato in eredità il suo clarino. Mondo vigliacco: cosa significava questa faccenda?

Cosa voleva da lui il vecchio marchese?

Il clarino era lì, nitido e pulito come un gioiello. Era uno strumento stupendo, un pezzo d'autore. Il Falchetto provò a portarselo alla bocca e ne uscì un trillo che gli fece venire la pelle d'oca.

Per arrivare dal Palazzone in paese, bisognava passare per la strada sull'argine e così il marchese fece il suo ultimo viaggio camminando un bel pezzo in compagnia del fiume.

Don Camillo, che precedeva salmodiando il carro, arrivato all'altezza del macchione di Cabianca, vide qualcosa luccicare ai piedi dell'argine. Era la banda che aspettava e, quando il carro fu lì lì per passare, il Falchetto diede il via.

Don Camillo fece fermare il corteo e stette immobile ad aspettare.

Incominciarono a venir su, da dietro l'argine, le note della *Canzone del Po*: mezzogiorno; l'assolato e immobile pomeriggio; la sera, la notte con la nostalgica serenata della luna. Il canto del gallo, l'alba, poi la sparata dell'allodola.

C'era, dentro quel clarino che suonava ai piedi dell'argine, tutta l'animaccia del marchese, tutta l'animaccia del Falchetto, tutta l'animaccia di quella porca gente che vive là, in quella fetta di terra fra il monte e il fiume. E l'allodola saliva diritta nel cielo lasciandosi dietro una scia di note acute, come un sottile filo di argento. E, arrivata all'ultima nota, si fermava facendola tintinnare.

E allora, dal basso, la cornetta dava l'allarme, e trombe e tromboni partivano allo sbaraglio; e gagliardo, generoso, fremente, si levava l'inno trionfale del fiume. E pareva che, lì sull'argine, ci fosse a dirigere la banda Giuseppe Verdi di persona, con la faccia raggrinzita dalla solita smorfia malgarbata della gente che ha un cuore grande come questo piccolo mondo.

«Bene» disse l'anima del marchese. E il carro riprese la sua strada.

Autunno

TRAGEDIA

D'autunno, quando piove, alle undici di sera i paesi in riva al fiume sono già morti e seppelliti e, a mettere il naso fuori dalla porta, è come affacciarsi su un cimitero. E, se si sente improvvisamente un urlo di assassinato venir dalla strada, la gente se è ancora alzata va a sbarrare le finestre e, se è a letto, ficca la testa sotto il cuscino.

Don Camillo stava leggendo un suo libraccio di vecchie *Domeniche del Corriere* piene di disastri ferroviari, di incendi e di inondazioni, quando udì grattare alla persiana della finestra: appressatosi, udì chiamare sommessamente.

Andò ad aprire e, avvolto nel tabarro fradicio di pioggia, e infangato fino a mezza gamba, apparve Peppone.

— Che accidente ti succede?

— Ho paura di aver ammazzato uno.

— Uno cosa?

— Un uomo. Se avessi paura di aver ammazzato un cavallo andrei a confidarmi dal veterinario, non dal prete.

— In questi casi sarebbe meglio andarsi a confidare col maresciallo dei Carabinieri. Ad ogni modo dì pure.

Peppone si tirò indietro i capelli che la pioggia gli aveva appiccicato sulla fronte.

— C'è poco da dire — borbottò. — Stavo ritornando a casa quando, traversando il Borghetto, ho trovato quattro che stavano stracciando i manifesti che ho fatto mettere stamattina. Allora io gli ho detto quello che gli andava detto, e così mi sono saltati addosso tutti e quattro.

— Peppone — lo interruppe grave don Camillo. — Qui non sei davanti al tribunale, qui sei davanti a un confessore.

— Insomma — continuò Peppone — mi è scappata qualche sberla e quelli mi sono saltati addosso tutti e quattro. Quindi, siccome avevo un legno per le mani, mi sono difeso e tre sono scappati, mentre uno è rimasto lungo disteso per terra. Ho provato a tirarlo su ma non gli sentivo più battere il cuore e l'ho rimesso giù. Poi, siccome arrivava gente di corsa, sono scappato. Ho fatto un giro lungo per i campi e sono arrivato qui.

Don Camillo scosse il capo.

— Brutto affare, signor sindaco.

— La colpa non è mia: loro strappavano i manifesti, mica io!

— Ma tu li hai cazzottati. Bastava che tu ne agguantassi uno per il bavero e lo portassi ai carabinieri.

Peppone si strinse nelle spalle.

— Quelli son proprio i momenti in cui si pensa ai carabinieri!

— Basterebbe ricordarsi semplicemente di essere cristiani.

— Quando c'è di mezzo la politica si dimentica anche di essere cristiani. Secondo voi, sarà morto?

— Secondo me, se non gli batteva più il cuore, è morto. Ad ogni modo lo si saprà presto.

Peppone allargò le braccia.

— E adesso, cosa faccio?

Don Camillo gli mise il dito sotto il naso.

— Dovevi chiedermelo prima, non ora che gli hai già dato la legnata in testa. Adesso non ti resta che pentirti del delitto commesso.

Peppone ebbe uno scatto.

— Delitto! Io non ho commesso nessun delitto! Mica sono un brigante, io! Io sono un galantuomo.

— Già, dato che sei un galantuomo tu hai la coscienza tranquilla. Quindi non occorre neppure che tu ti penta. Hai ragione. Ha torto chi ha inventato il quinto Comandamento.

Peppone levò gli occhi.

— Vi credevo più umano — disse. — Più cristiano.

Allora don Camillo si arrabbiò.

— E come può pretendere di trovare comprensione e conforto un uomo che ammazza un altro uomo e non vuol neppure riconoscere di aver commesso un delitto?

— Se avessi voluto ammazzarlo, avrei commesso un delitto. È stato il bastone ad ammazzarlo, non io. La legge potrà dirmi che l'ho ammazzato io. Ma la mia coscienza no. E poi non è detto che lo abbia ammazzato! Perché volete per forza che lo abbia ammazzato? Se foste un prete galantuomo dovreste pregare Iddio che non sia morto!

Don Camillo sospirò.

— Io posso semplicemente sperare che non sia morto. E posso pregare Dio che, se quel disgraziato non è morto ancora, lo tenga in vita.

Peppone si avviò verso la porta. Poi si volse.

— Dove vado? — disse. — Gli altri tre di sicuro mi hanno riconosciuto. Se esco mi arrestano. Verranno a prendermi a casa, davanti a mia moglie e a mio figlio. Non posso nascondermi da nessuno, non posso fidarmi di nessuno.

Peppone così fradicio e infangato faceva pena.

— Peppone — gli disse con dolcezza don Camillo — non vorrai mica che ti nasconda io! Io non posso sottrarre alla giustizia un omicida.

— E se non è morto? Quando sapremo che è morto andrò via da solo: intanto abbiamo il tempo di parlare. Se mi arrestano adesso, vado dentro senza aver capito niente. L'importante è capirle, le cose. Quando uno ha capito non gli importa niente anche se lo impiccano. Io ho visto al cinema un fatto storico dove uno parlava col prete e, dopo, andava alla fucilazione sorridendo. Perché aveva capito. Io adesso non capisco niente. Io adesso, se vengono i carabinieri a prendermi magari tiro fuori il mitra e sparo. Chi lo sa cosa faccio?

Don Camillo accese una candela.

— Levati le scarpe e vieni su senza far baccano — disse.

In solaio c'era una cameretta con una brandina.

— Mi viene in mente quando mi avete nascosto qui il tempo in cui i tedeschi mi cercavano. Tira e molla, cambia questo e cambia quest'altro, fatti i conti siamo sempre sotto i tedeschi.

— La cosa adesso è diversa: allora lavoravi per una causa giusta.

— E adesso no? Se non fossi sicuro di lavorare per una causa giusta vi pare che andrei in giro di notte sotto l'acqua per scoprire chi sono i farabutti che strappano i miei manifesti?

Don Camillo lo afferrò per il bavero.

— Criminale incallito! Quando ti dovrai presentare al tribunale di Dio non troverai un don Camillo che ti nasconderà in solaio!

Don Camillo riapparve in solaio il giorno dopo, verso mezzogiorno.

— Ebbene? — chiese Peppone balzando a sedere sul letto.

Don Camillo depose sulla sedia una bottiglia e dei tegamini.

— Frattura della base cranica, commozione cerebrale. Dicono che è stato un colpo con un palo di ferro.

— Non è vero! — protestò Peppone. — Sono i soliti mascalzoni che inventano le infamie più schifose contro di noi.

— Ferro o legno, il fatto è che quel disgraziato non ha ancora ripreso conoscenza.

— Mi cercano?

— Si capisce che ti cercano.

Peppone si ributtò sdraiato sul lettuccio.

— Maledetta la politica — esclamò Peppone.

Venne la sera e don Camillo riapparve con altri pentolini.

— Ebbene?

— Si spera che passi la notte. Il dottore non garantisce però che arriverà al mezzogiorno di domani. Hanno paura di una emorragia interna. Non hai mangiato?

— Me ne importa assai del mangiare! — esclamò Peppone. — E per me c'è niente di nuovo?

— Sono andati a cercarti a casa, hanno buttato all'aria tutto, dalla cantina al granaio. Hanno interrogato tua moglie per due ore. Non ha detto niente perché non sa dove sei.

Peppone levò gli occhi verso don Camillo come per chiedergli qualcosa. Poi li riabbassò.

— No, non hanno trovato *niente* — disse don Camillo calcando sul niente. — Ma vedrai che troveranno. Io credo che aspettassero soltanto questa occasione per dare un'occhiatina in casa del signor sindaco.

— Non ho niente di malnascosto! — esclamò Peppone.

— Affari tuoi. Te lo dico perché, se trovano qualcosa, portano dentro tua moglie. Mica che me ne dispiaccia: ma è per quel disgraziato del tuo bambino. Bevi, ti tirerà su.

Don Camillo uscì e, due ore dopo, mentre saliva per andare a letto, sentì che Peppone, affacciato all'ultimo ballatoio, lo chiamava.

— Sei un cretino! — gli disse don Camillo quando fu nella stanzetta. — Tu non devi mai muoverti dalla tua tana o qui va a finir male!

— Cosa c'entra mia moglie? — domandò Peppone. — Non possono metterla dentro.

— Bene — osservò don Camillo. — Allora puoi dormire tranquillo. Buona notte.

— Don Camillo.

— Cosa c'è?

— In fondo all'officina ci sono due fusti d'olio lubrificante con un segnetto rosso sul tappo. Bisognerebbe farli rotolare fino all'argine e poi buttarli nel fiume.

— E perché?

— È olio di provenienza diciamo poco regolare. Poi vi spiegherò.

— Proveremo — borbottò don Camillo. — Se però la casa è piantonata non tento neanche. Bada che quello che mi fai fare è una porcheria nera. Lo faccio per evitare a un disgraziato bambino di rimanere abbandonato in mezzo a una strada. Dio mi perdonerà.

Don Camillo riapparve soltanto la sera del secondo giorno e trovò Peppone agitatissimo.

— Sono stato là fino a questo momento. Gli ho dato l'Olio Santo. Se arriva a domattina è un miracolo.

Peppone si prese la testa fra le mani.

— Per i fusti niente da fare — spiegò don Camillo — la casa è piantonata giorno e notte. Ho visto tua moglie.

— Cosa dice?

— Che quando si hanno dei figli non si deve perdere la testa con la politica.

— E il bambino?

— Sta sempre seduto sul ponte aspettando che tu torni.

Peppone si alzò.

— Vado! — disse deciso.

— Bene: i carabinieri ti aspettano con ansia.

Peppone si rimise a sedere.

— Don Camillo, è questo dunque il conforto che sapete darmi?

Peppone faceva pena: non aveva mangiato e aveva il viso pesto e gli occhi stanchi. Don Camillo non si commosse.

— La chiesa non è una macchina distributrice dove si mettono dentro tre paternoster, si gira la manetta e vien fuori il conforto. Il conforto lo si paga con la sofferenza. E ce ne vuole tanta. E tu stesso saprai quando avrai sofferto abbastanza. Io posso soltanto aiutarti per farti soffrire più intensamente e abbreviare così la tua sofferenza.

Peppone era stanco morto e si addormentò: lo risvegliò verso le dieci del mattino seguente un lugubre rintoccare di campane. Pareva che le campane fossero appese al soffitto della stanzetta, sopra alla sua testa.

— È andato — disse don Camillo affacciandosi dopo mezz'ora alla porta. — Inoltre i carabinieri hanno trovato i fusti.

— E mia moglie?

— Arrestata: l'hanno già messa dentro.

— Non possono! — urlò Peppone. — Lei non c'entra! Lei non sapeva niente! E il bambino?

— È ancora in casa tua, con tua madre. È tranquillo abbastanza.

Peppone si alzò.

— Mia moglie non deve rimanere dentro. Vado a costituirmi: spiegherò io come stanno le cose. Prima però voglio vedere il bambino.

— In fondo è giusto: aspetta allora che venga buio se no ti accalappiano subito. Ti converrebbe andare prima da un avvocato e consigliarti con lui. Magari è meglio che tu rimanga latitante.

— Il mio avvocato è il Padreterno! — rispose Peppone. — Egli sa come sono andate le cose e mi aiuterà. Il Padreterno sa quello che ho sofferto in questi giorni!

— Ti conviene farti la barba e rifocillarti — disse don Camillo che era commosso anche troppo. — Così faresti paura a tuo figlio. Devi lasciargli nel cuore una immagine serena: a quella egli penserà mentre aspetterà il tuo ritorno.

Caduta la sera, don Camillo accompagnò Peppone fino alla siepe dell'orto. Peppone scavalcò la siepe poi si volse e stette lì fermo. Allora don Camillo gli porse la destra e fu una stretta di mano da stritolare il mondo.

L'uomo si allontanò nella notte e don Camillo corse a inginocchiarsi davanti al Cristo.

— Gesù — disse don Camillo — è stata una cosa da spaccare il cuore e ho ancora gli occhi pieni di lagrime.

— Povero Peppone — sospirò il Cristo. — Egli ora entrerà in casa dalla parte dei campi e si troverà davanti sua moglie che gli dirà tranquillamente: «Ah, sei tornato? È andato bene l'affare?». «Quale affare?» chiederà Peppone. «Quello che mi hai scritto nella lettera che mi hai spedito dalla città.» Poi gli dirà: «Sai, è venuto don Camillo a ritirare quei due fusti d'olio lubrificante come eravate d'accordo». E poi gli dirà le novità: «Due o tre sere fa quel cretino del Piletti si è preso una legnata in testa da uno dei tuoi che l'ha sorpreso a stracciare un manifesto. Roba da niente, un bernoccolo grosso come una noce e tutto finito. Dicevano che eri stato tu, ma quando ho fatto vedere la tua lettera dalla città sono stati zitti. È morto stamattina il nonno dei Corini. Il solito don Camillo ha insinuato che tu non eri andato in città ma eri andato invece a Belgrado a prendere ordini dal cominferno e altre stupidaggini»... Don Camillo, cosa credi di aver guadagnato inscenando questa vergognosa commedia?

— Molte cose, Gesù.

— E quali?

— Intanto due fusti che, invece di essere pieni d'olio, erano pieni di mitra, pistole, munizioni e altre porcherie. Secondo che ho insegnato a un uomo cosa può accadere a chi usa la violenza. Terzo che ho regalato a un uomo una famiglia e una vita che egli credeva già di aver perduto. Gesù, questo non è uno scherzo da prete, è la più onesta azione di un sacerdote il quale salva le anime prima ancora che si perdano. Egli è uno che difficilmente bastonerà ancora un uomo. Gesù, non è stato uno scherzo da prete e Voi lo sapete: perché Voi lo sapete cosa provavo io, vedendo quel disgraziato soffrire così.

Il Cristo sospirò.

— Don Camillo ha sempre ragione. Gli occhi di don Camillo sono piccoli, ma vedono lontano. Che Dio ti conservi la vista.

Peppone e don Camillo si incontrarono alcuni giorni dopo.

— Va a finire che io vi ammazzo — disse cupo Peppone.

— Pensaci un po' sopra. Può magari darsi, ma io non ci credo.

— Neanche io — borbottò Peppone. — Però qualcosa di grosso succede di sicuro.

Non parlarono dei famosi fusti che, sventrati, giacevano in fondo al fiume assieme alla loro ormai rugginosa mercanzia.

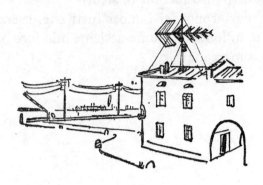

IL CAMPIONE

Giobà era quello che, da venticinque anni, tutte le mattine e con qualsiasi tempo, saltava sul suo biciclo da corsa e andava a comprare in città la *Gazzetta dello Sport*, perché la *Gazzetta dello Sport* che vendevano in paese non gli offriva sufficienti garanzie di serietà.

Questo di macinare quotidianamente i trenta chilometri fra l'andare in città e il tornarne, era il suo unico lavoro fisso e impegnativo. Per il resto s'arrabattava dovunque gli offrissero un tipo di lavoro che gli permettesse di andare in città a comprare la *Gazzetta* e di leggersela per la parte che l'interessava: il ciclismo.

Giobà non era uno squinternato vero e proprio e non era neanche una "macchietta" da "prendere in mezzo" al caffè o all'osteria, perché Giobà dava udienza soltanto se gli parlavano di ciclismo. E sul ciclismo sapeva tutto.

Perché, oltre alla *Gazzetta*, leggeva ogni pezzo

di carta stampata che trattasse di bicicli e di corridori.

Giobà aveva quarant'anni, e da venticinque anni, da quando cioè gli era venuta quella mania, la gente gli dava il valore di un fico secco. Poi improvvisamente — grazie al Piano Marshall per gli aiuti intellettuali all'Occidente — arrivò sui teleschermi il giochetto americano degli indovinelli, e tutto cambiò.

Giobà, infatti, quando gli dissero che al giochetto avrebbe partecipato un tale che aveva scelto l'argomento del ciclismo, andò anche lui a piantarsi davanti al televisore dell'osteria del Molinetto.

E così, venuto il turno del ciclismo, non appena l'imbonitore cavava dalla busta le domande e le leggeva, Giobà fulmineo dava a voce alta la risposta giusta.

La prima sera la gente si incuriosì. La seconda volta, udendo Giobà azzeccare tutte le risposte, si interessò.

Poi, la settimana seguente, quando il giochetto diventò più difficile e il concorrente del ciclismo entrò in cabina, si eccitò per la semplice ragione che Giobà sparò ancora la risposta azzeccata.

All'ultima seduta, quando cioè il concorrente non seppe rispondere alle tre famose domande conclusive mentre, invece, Giobà aveva sparato le tre risposte esatte, la gente guardò Giobà con rispetto.

«Quello è un uomo da cinque milioni!» dissero tutti.

Ma la cosa non finì qui: anzi continuò e diventò più grossa perché un tizio arrivò a vincere i cinque milioni e allora il sindaco comunista del suo paese gli fece un ricevimento formidabile, con banda in piazza e discorso nel quale si salutava il vincitore del giochetto come l'uomo che aveva dato notorietà e onore immensi al Comune di Reggello e via discorrendo.

A questo punto Peppone decise di agire d'urgenza e radunò il suo stato maggiore.

— Il partito che riesce ad accaparrarsi Giobà, farà un ottimo affare! — affermò Peppone. — Perché Giobà può vincere il gioco e diventare popolare. Le elezioni amministrative si avvicinano e la popolarità di Giobà ci sarà molto utile. Costi quel che costi, Giobà deve essere dei nostri!

Discussero fino a notte tarda e, la mattina seguente, il Brusco, il Bigio e lo Smilzo bloccarono Giobà mentre stava inforcando la bicicletta per andare in città a comprare la *Gazzetta*.

— Giobà — gli dissero — perché non prendi la tessera comunista? Se ci stai ti diamo un posto da stradino comunale e un vestito nuovo.

Giobà saltò sulla bicicletta:

— Io non m'impiccio di politica — rispose.

Era inutile insistere e se ne andarono. Giobà poté così arrivare tranquillamente in città, comprare la sua brava *Gazzetta* e ritornare beato al paese.

Ma, alla Pioppaccia, lo attendeva un'altra squadra ed erano i clericali.

— Giobà — gli dissero — tu sei un uomo timorato di Dio e il tuo dovere è quello di prendere la tessera del partito di Dio. Se vieni con noi, ti daremo un posto di sorvegliante all'AGIP e un vestito nuovo.

Giobà scosse il capo:

— Nel partito di Dio mi sono già iscritto quando mi hanno battezzato — rispose.

Si trattava di una cosa importante e di **gente** dalla testa dura. I rossi tornarono all'assalto e aumentarono l'offerta: un posto di ispettore ai lavori stradali, un abito completo, un paletò e dodici fazzoletti.

I clericali fecero un altro passo avanti: posto all'AGIP, abito completo, paletò, impermeabile, dodici fazzoletti e sei paia di calze.

Peppone giocò il tutto per il tutto e aggiunse al resto una bicicletta da corsa, nuova di zecca. I clericali, decisi a vincere, aggiunsero al resto un motoscooter.

— Tu scegli la marca che vuoi — dissero a Giobà. — E noi te lo compriamo.

— No — rispose Giobà.

Allora quelli perdettero la pazienza e il capo della squadraccia si mise a urlare:

— Ma si può sapere cosa pretendi? L'automobile?

— Non pretendo niente — spiegò Giobà. — Io non m'impiccio di politica. Io viaggio bene in bicicletta e non ho bisogno né di paletò né di impermeabili.

Oramai i servizi di spionaggio e controspionaggio avevano funzionato: ai rossi era noto quello che avevano fatto i clericali, ai clericali ciò che avevano fatto i rossi.

Visto che Giobà non mollava, visto che il giochetto degli indovinelli diventava sempre più popolare, Peppone dimenticò di essere comunista e si ricordò di essere sindaco.

Convocò in Comune una adunanza dei rappresentanti dei partiti democratici e, quando se li trovò davanti, pronunciò un importante discorso.

— Cittadini! — disse Peppone — quando è in gioco l'interesse morale e materiale del paese, la fazione deve tacere. Siamo qui riuniti come cittadini pensosi dell'interesse comune, e io vi parlo come cittadino. La prova luminosa data dal campione di Reggello e le nobili parole di quel sindaco ci dicono come sia necessario costituire d'urgenza un comitato apartitico indipendente, per far sì che anche il nostro campione partecipi alla gara culturale della televisione e conquisti al nostro glorioso Comune il primato fra i Comuni della Bassa.

Tutti applaudirono senza riserve e il comitato venne subito costituito e risultò composto di dieci persone: cinque rossi e cinque clericali.

Nella notte stessa il comitato si mise all'opera e, alla fine, poteva chiudere i suoi lavori con un confortevole ordine del giorno.

Il comitato, il giorno seguente, si recò al completo da Giobà, a casa sua, e gli spiegò la situazione:

— Giobà: qui non si tratta di partiti e di politica. Qui si tratta dell'interesse tuo personale e di quello della comunità. Tu devi partecipare alla gara della televisione. Noi muoveremo un miliardo di pedine ma riusciremo a farti iscrivere alla gara. E, siccome si tratta del buon nome del nostro paese, noi ti rivestiremo di nuovo da capo a piedi, ti manderemo a Milano in macchina, e ti daremo anche dei quattrini. Così tu potrai guadagnare per te i cinque milioni, e per il nostro Comune onori e popolarità. Senza contare che la *Gazzetta dello Sport* si stampa a Milano e, così, tu potrai andare a prenderla direttamente alla tipografia!

Giobà scosse il capo:

— Anche quella che prendo in città è buona — borbottò. — Non occorre che io vada fino a Milano.

Lo guardarono come se fosse un fenomeno e gli domandarono se era diventato matto.

— E i cinque milioni? — gli dissero. — Tu sputi sopra a cinque milioni?

— Io ho detto che non voglio impicciarmi di politica — spiegò testardo Giobà.

— E cosa c'entra la politica! Qui non si tratta di prendere tessere!

Giobà scrollò la testa:

— Voi siete cinque di quelli che mi offrivano un posto in Comune e cinque di quelli che mi offrivano un posto all'AGIP. Non mi fido.

Era logico: Peppone coi suoi cinque rossi e Piletti coi suoi cinque neri marciarono sulla canonica.

Quando don Camillo se li vide comparire davanti, li considerò con molta perplessità.

— Reverendo — disse Peppone — le parlo come primo cittadino e a nome di tutti i cittadini d'ogni idea e d'ogni classe. Solo voi potete convincere Giobà che la politica non c'entra e che si tratta semplicemente di tenere alto il buon nome del nostro Comune. Giobà può vincere la gara alla televisione: è necessario, quindi, che accetti di partecipare alla gara.

Don Camillo guardò sbalordito Peppone:

— E voi mandereste alla gara, come campione comunale, lo scemo del paese! — balbettò.

— E chi dobbiamo mandare? Voi? — replicò Peppone. — Lo sapete voi in che mese in che giorno e in che corsa e in che anno Girardengo ha avuto i crampi alla gamba sinistra?

— No — ammise don Camillo.

— E allora deve andare alla gara uno che sappia queste cose. E Giobà le sa tutte. E può vincere il premio di cinque milioni.

— Giobà può vincere un premio di cinque milioni? — si stupì don Camillo.

Intervenne Piletti, il capo dei clericali:

— Reverendo — disse con voce piuttosto seccata — mi dispiace ricordarvi qualcosa che dovreste ben sapere perché non sta scritto sul regolamento della gara della televisione: «Beati i poveri di spirito: di essi è il Regno dei Cieli».

— Distinguo! — replicò don Camillo. — Nella Sacra Scrittura non sta scritto «Beati gli scemi»!

— Non è il caso di discutere su queste quisquilie — esclamò Peppone. — Le cose stanno come stanno e il vostro compito consiste nello spiegare a Giobà che qui politica e partiti non c'entrano.

Don Camillo allargò le braccia:

— Sia fatta la volontà del popolo.

Giobà arrivò a saetta: aveva grande rispetto per don Camillo e lo stette ad ascoltare con molta attenzione.

— Giobà — gli disse calmo don Camillo — se io ti garantisco sulla mia parola che la politica non c'entra nella faccenda della televisione, mi credi?

— Sì, reverendo — rispose Giobà.

— E se io ti garantisco sulla mia parola che ti aiuteranno solo per procurare a te cinque milioni e al tuo paese notorietà e onori mi credi?

— Sì, reverendo.

— E allora, accetta quel che ti offrono e iscriviti alla gara.

— No, reverendo.

Don Camillo lo guardò sbalordito.

— Giobà, tu non vuoi partecipare al gioco degli indovinelli! E perché?

— Perché ho la mia dignità.

Don Camillo non insisté. Passeggiò in su e in giù per la stanza poi si piantò a gambe larghe davanti a Giobà:

— Giobà, se tu rinunci così a cinque milioni, è giusto che tu abbia un premio: ti assumo come campanaro.

La faccenda piaceva molto a Giobà. Probabilmente era il mestiere ideale per lui. Rimase lì a pensarci su cinque buoni minuti, poi scosse il capo.

— Non posso, reverendo. Alla mattina c'è da suonare e io devo andare a prendere la *Gazzetta* in città.

— Ma la *Gazzetta* che vendono in città è uguale a quella che vendono qui! — urlò don Camillo.

Giobà si mise a ridere:

— No, reverendo: quella di città è tutta un'altra cosa...

LA MEDICINA

La gente non riusciva a perdonare a don Camillo d'essersi ridotto così per causa di Ful.

«Andiamo!» diceva la gente quasi indignata. «Un cane è sempre un cane!»

Anche un passero è sempre un passero: però se un passero si posa su una trave di cemento che può portare, come massimo, tremila quintali e sette grammi e che ha un carico di tremila quintali e sette grammi, la trave si spacca.

Quando accadde la storia del cane, don Camillo si trovava, appunto, nella stessa situazione della trave di cemento: ecco tutto.

Il giorno prima che si riaprisse la caccia Ful uscì di casa verso il mezzodì e la sera non tornò. Non si fece vivo neppure il mattino seguente, e don Camillo girò come un pazzo per rintracciare il cane. Girò fino a notte e, rincasato a mani vuote, aveva un tal magone che non toccò niente della cena.

"Me l'hanno rubato!" pensava. "Me l'hanno rubato e, adesso, magari, è già in Piemonte o in Toscana!"

Sentì ad un tratto cigolare la porta e, voltatosi, vide Ful.

Ful, lo si capiva dal suo sguardo dimesso, sapeva di aver combinato una porcheria grossa e non trovava neanche il coraggio di entrare del tutto, ma rimaneva lì, fermo sulla soglia, mostrando soltanto un pezzo di muso.

— Entra! — disse don Camillo.

Il cane non si mosse.

— Ful, qui! — gridò don Camillo.

L'ordine era categorico e Ful entrò e si fece avanti lentamente a testa bassa. Giunto ai piedi di don Camillo, si fermò e attese.

Fu in quel momento preciso che il passero si posò sulla trave di cemento, perché fu allora che don Camillo scoperse che qualcuno aveva pitturato di rosso il treno posteriore di Ful.

Non toccate il cane a un cacciatore. Per fare un affronto al cacciatore non fate un affronto al suo cane. È una cosa enorme, è la vigliaccata più nera. Don Camillo sentì come uno scricchiolìo, di dentro, e dovette alzarsi e andare a respirare davanti alla finestra.

L'ira gli era passata subito e ora provava soltanto una grande malinconia. Tornò a sedersi: si asciugò la faccia piena di sudore. Toccò la schiena di Ful: il minio era ormai seccato. Si trattava di una faccenda del giorno prima. Ful non era rientrato perché si vergognava.

— Povero Ful — disse ansimando don Camillo. — Ti sei lasciato accalappiare come un cagnetto da quattro soldi...

Poi gli venne in mente che Ful non era il tipo di cane che si lasciasse avvicinare dagli estranei o che cedesse all'allettamento di un pezzo di carne. Ful non si fidava di nessuno, era un cane di razza. Si fidava soltanto di due persone: e una era don Camillo.

La faccenda diventava chiara: don Camillo si alzò e uscì. Volle che Ful lo seguisse e Ful lo seguì pieno di vergogna. Peppone stava ancora lavorando in officina e don Camillo gli comparve davanti come un fantasma.

Peppone continuò a smartellare e don Camillo si pose dall'altra parte dell'incudine:

— Peppone — disse don Camillo. — Hai un'idea di come Ful si sia conciato in questo modo?

Peppone diede un'occhiata a Ful, poi si strinse nelle spalle:

— E cosa ne so io? Si sarà seduto su qualche panchina verniciata di fresco! — borbottò.

— Può anche darsi — rispose calmo don Camillo. — Però, secondo me, è una faccenda che riguarda invece direttamente te. Per questo l'ho portato a te.

Peppone sghignazzò:

— Io faccio il meccanico: la smacchiatrice a secco è dall'altra parte della piazza, sotto i portici.

— Ma il tipo che l'altro giorno mi ha chiesto il cane in prestito e che, per vendicarsi del rifiuto, ha pitturato il cane di rosso è qui! — affermò don Camillo.

Peppone mollò il martello e si mise i pugni sui fianchi piantando gli occhi addosso a don Camillo.

— Reverendo, cosa vorreste dire?

— Che tu hai commesso la più grande vigliaccata che un uomo possa commettere! — rispose don Camillo.

Don Camillo ansimava: sentiva Peppone urlare ma non capiva cosa dicesse. Gli girava la testa. Dovette aggrapparsi alla ruota del trapano per non cadere.

— Se siete ubriaco andate a smaltire la sbornia in sagristia dove c'è più fresco di qui!

Adesso capiva le parole di Peppone: si riprese e si avviò verso la porta. Si ritrovò in canonica senza sapere come ci fosse arrivato.

Mezz'ora dopo, richiamato dall'abbaiare disperato di Ful, il campanaro venne giù: la finestra del pianterreno della canonica era aperta e la luce era accesa e il campanaro appressatosi diede un urlo, perché scoperse don Camillo abbandonato sul pavimento, come un morto, con Ful che ululava vicino.

Don Camillo fu caricato sulla autoambulanza e portato subito all'ospedale in città, e la gente, prima di andare a letto, aspettò il ritorno degli infermieri dell'ambulanza per sapere qualche notizia.

— Non si sa che roba abbia — dissero gli infermieri. — È un pasticcio di cuore, fegato, sistema nervoso. Deve aver picchiato anche la testa quando è caduto. Durante il viaggio vaneggiava: continuava a lamentarsi perché gli hanno pitturato di rosso il cane.

La gente andò a letto molto triste borbottando: «Povero don Camillo!». Poi, il giorno dopo, quando seppe che il cane glielo avevano pitturato davvero di rosso, e che le parole di don Camillo non erano i vaneggiamenti di un uomo in delirio, la gente osservò che farsi venire un accidente per un cane è roba da matti: « Un cane è sempre un cane, perbacco!».

Ma era, invece, la storia del passero che fa crollare la trave di cemento.

Ogni sera qualcuno portava il bollettino dalla città; e il bollettino era sempre uguale: «Sta male. Non vogliono che veda nessuno e parli con nessuno».

E ogni mattina, puntualmente, Ful arrivava davanti all'officina di Peppone, si accucciava sulla soglia, e rimaneva lì, fermo, a guardare Peppone.

Rimaneva lì almeno due ore ogni mattina: alle otto, quando incominciava ad arrivare gente, Ful se ne andava.

Peppone non gli aveva mai dato retta ma una volta, dopo che questa bella storia si era ripetuta per circa venticinque giorni, Peppone perdette la pazienza e, appena vide arrivare Ful, gli urlò:

— Piàntala di rompermi l'anima! Sta male, ecco tutto. Se vuoi saperne di più vallo a trovare!

Il cane non si mosse di un millimetro e Peppone riprese il lavoro, ma quei due occhi maledetti se li sentiva addosso.

Alle sette non ne poté più e corse in casa. Si ripulì, si mise il vestito della festa e, saltato sul sidecar, partì.

Dopo due chilometri bloccò la macchina perché voleva vedere come stesse a benzina. Il serbatoio era pieno zeppo. Controllò l'olio e le gomme. Poi scrisse alcuni appunti nel notes perché gli era venuta in mente una cosa importante.

Poi, finalmente, arrivò Ful con mezzo metro di lingua fuori e saltò sul carrozzino.

— Crepa te e il tuo padrone! — gli disse con rabbia Peppone ripartendo.

Alle otto, giunto davanti all'ospedale, ordinava a Ful di rimanere a far la guardia alla macchina.

In portineria gli spiegarono che era troppo presto per le visite agli ammalati. Quando poi seppero di che malato si trattasse, gli spiegarono pure che era inutile che aspettasse. Era estremamente grave e non poteva vedere nessuno né parlare con nessuno.

Peppone non insistette: risalì sulla macchina e marciò diritto sul Vescovado.

Non lo volevano fare entrare a nessun costo neppure qui: ma poi rimasero impressionati dalla sua decisione e dalle sue enormi mani e gli dissero di aspettare un momentino.

Il vecchio Vescovo, sempre più vecchio, sempre più piccolo e sempre più bianco e minuto, stava girando nel giardino rallegrandosi dei vivaci colori dei fiori.

— C'è un energumeno il quale dice di essere amico personale di Vostra Eccellenza — gli spiegò il segretario arrivando tutto affannato. — Debbo avvertire la polizia?

Il vecchio Vescovo allargò le braccia:

— Figlio mio — rispose — perché avvertire la polizia? Hai così poca stima del tuo Vescovo da credere che egli scelga i suoi amici personali fra i criminali ricercati dalla polizia? Fallo passare.

Un minuto dopo Peppone arrivava come un bolide e il vecchio Vescovo, facendo capolino di dietro un cespuglio, lo bloccava puntandogli contro il petto il bastoncello.

— Eccellenza! — balbettò Peppone frenando. — Scusi se La disturbo, ma la cosa è grave.

— Parli, signor sindaco. Cosa le succede?

— A me niente, Eccellenza: è successo qualcosa a don Camillo. Da oltre venti giorni...

— Lo so, so tutto, son già andato a visitarlo, povero don Camillo — lo interruppe con un sospiro il vecchio Vescovo.

Peppone rigirò il cappello tra le mani.

— Bisogna fare qualcosa, Eccellenza.

— Qualcosa? — disse il Vescovo allargando le braccia. — Solo Dio può fare qualcosa per don Camillo.

Peppone aveva la sua idea:

— Anche Lei, Eccellenza, può fare qualcosa! Una Messa speciale, per esempio!

Il vecchio Vescovo lo guardò incuriosito.

— Eccellenza — balbettò Peppone — cerchi di capirmi. Il cane l'ho pitturato io di rosso!

Il vecchio Vescovo non rispose e si incamminò lungo il viale del giardino. Sopraggiunse il segretario a dire che la colazione era pronta.

— No!... No!... — rispose brusco il Vescovo. — Via! Via!

In fondo al viale c'era la cappella. Qui giunto, il Vescovo si fermò:

— Vada fin laggiù e dica che mi mandino un chierichetto — disse il Vescovo a Peppone.

Peppone allargò le braccia:

— Eccellenza — balbettò — se vuole posso fare io... Da ragazzo, insomma, me la cavavo bene...

— Messa speciale con chierichetto speciale —

commentò il Vescovo. — Entri e chiuda la porta col catenaccio. Queste son cose che dobbiamo sapere soltanto io e lei. E il buon Dio, naturalmente.

Uscendo dal Vescovado, Peppone ritrovò Ful al suo posto di guardia, dentro il carrozzino della moto. Risalì, partì e poco dopo fermava davanti all'ospedale.

Non volevano farlo passare a nessun costo, ma Peppone passò ugualmente.

— Noi decliniamo ogni responsabilità — dissero. — Qualunque cosa accada il responsabile è lei.

Lo accompagnarono al primo piano di un padiglione e, arrivati davanti alla porta, lo abbandonarono:

— Per noi lei è entrato con la forza.

La cameretta era piena di luce e, aperta la porta, Peppone ebbe un sobbalzo perché vide subito il viso di don Camillo.

Peppone non avrebbe mai potuto immaginare che un uomo come don Camillo potesse, dopo venticinque giorni di malattia, ridursi così.

Entrò in punta di piedi e si fermò al capezzale. Don Camillo aveva gli occhi chiusi e pareva morto.

Quando riaprì gli occhi pareva vivo.

La sua voce era un soffio:

— Sei venuto per raccogliere l'eredità?... Non ho che Ful... Te lo lascio... Tutte le volte che lo vedrai così sporco di rosso, ti ricorderai di me...

Peppone abbassò il capo:

— Il rosso è quasi andato via del tutto — spiegò a bassa voce. — Tutti i giorni lo faccio lavare con l'acqua ragia.

Don Camillo sorrise:

— Avevo ragione di portarlo a te e non dalla smacchiatrice...

— Lasciate perdere, reverendo... Ful è giù: ha voluto venire anche lui a trovarvi. Non l'hanno lasciato entrare.

Don Camillo sospirò:

— Strana questa gente: lasciano entrare te e non lasciano entrare Ful che è meno cane di te!...

Peppone fece un cenno di approvazione.

— Vedo che incominciate a migliorare, reverendo. Vi sento molto risollevato.

— Fra pochi giorni mi vedrai sollevato fin sopra le nuvole. È finita. Non ho più forza... Non ho più neanche la forza di essere arrabbiato con te.

Entrò un'infermiera con una tazzina di roba.

— Grazie — sussurrò don Camillo. — Non ho fame.

— Ma è roba da bere!

— Non ho sete.

— Dovete sforzarvi e mandarla giù.

Don Camillo bevve a piccoli sorsi. Poi, uscita l'infermiera, fece una smorfia:

— Brodini, pappine, creme: da venticinque giorni sempre così. Mi pare d'essere diventato un canarino...

Si guardò le mani scarne e bianche.

— Vuoi che proviamo a fare il braccio di ferro? — domandò a Peppone.

Peppone abbassò il capo:

— Non statevi ad angustiare — disse.

Don Camillo chiuse lentamente gli occhi e parve riaddormentarsi. Peppone rimase qualche minuto ad attendere, poi si mosse per andarsene. Ma una mano gli toccò il braccio.

— Peppone — sussurrò don Camillo — sei un galantuomo o sei l'ultimo dei vigliacchi?

— Sono un galantuomo — rispose Peppone.

Don Camillo gli fece cenno di abbassarsi e gli parlò all'orecchio.

Gli dovette dire cose spaventose perché Peppone si levò di scatto esclamando:

— Reverendo! Ma è un delitto!

Don Camillo lo fissò negli occhi:

— Anche tu, dunque — ansimò — anche tu mi tradisci?

— Io non tradisco nessuno — replicò Peppone. — Voi me lo chiedete o me lo ordinate?

— Te lo ordino! — ansimò don Camillo.

— Sia fatta la volontà vostra — sussurrò Peppone uscendo.

La moto di Peppone poteva, spinta al massimo, viaggiare a centodieci: quella volta marciò a centotrenta. Non fu una corsa, il ritorno: fu un volo.

Alle tre del pomeriggio, Peppone era di nuovo davanti all'ospedale. Si era fatto accompagnare dallo Smilzo e, quando in portineria lo vollero bloccare, spiegò:

— È una questione grave, una questione d'eredità. Mi sono portato anche il notaio!

Riuscì a salire e, appena fu davanti alla porta della stanzetta di don Camillo, ordinò allo Smilzo:

— Tu fermati qui e non fare entrare nessuno: dì che sta confessandosi.

Don Camillo dormiva ma il suo sonno era leggerissimo e spalancò subito gli occhi.

— E allora? — ansimò.

— Tutto come avete voluto voi — rispose Peppone. — Però è un delitto.

— Hai paura dunque? — disse don Camillo.

— No.

Peppone cavò di sotto la giacca un involto e l'aperse. Depose ogni cosa sul comodino e tirò su don Camillo accomodandogli i cuscini sotto la schiena.

Poi distese in grembo al malato un tovagliolo e vi depose la roba: una micca di pane fresco e un piatto di culatello affettato.

E don Camillo incominciò a mangiare pane e culatello.

Poi Peppone stappò la bottiglia del lambrusco e il malato bevve il lambrusco. Mangiò e bevve lentamente e non era per ghiottoneria, ma per sentire meglio il sapore della sua terra.

E ogni boccone e ogni sorso gli portavano un'onda di acuta nostalgia: i suoi campi, i suoi filari, il suo fiume, la sua nebbia, il suo cielo. I muggiti delle bestie nella stalla, il picchiettare lontano dei trattori intenti all'aratura, l'ululare della trebbiatrice.

Tutto questo gli pareva lontano, come appartenesse ad un altro mondo: ed erano i sapori falsi delle pappine e delle creme e i veleni delle medicine che gli avevano fatto perdere il contatto con la sua terra.

Mangiò e bevve lentamente. Quand'ebbe finito disse a Peppone:

— Mezzo toscano!

Peppone sudava ed era pieno di paura e guardava don Camillo come se dovesse vederlo, da un momento all'altro, rimaner lì secco come un chiodo.

— No! — rispose — il sigaro no!

Poi dovette cedere ma, dopo due o tre boccate, don Camillo lasciava cadere per terra il sigaro e piombava nel sonno.

· Tre giorni dopo don Camillo lasciava l'ospedale, ma in paese tornò soltanto due mesi dopo: voleva che lo rivedessero perfettamente a posto.

Ful gli fece un'accoglienza strepitosa e continuava a girar su se stesso perché don Camillo si rendesse conto che oramai era perfettamente a posto anche nella parte posteriore.

Peppone che, quasi per caso, era passato davanti alla canonica e si era avvicinato richiamato dal putiferio di Ful, fece notare a don Camillo che il cane non aveva più neppure una macchiolina di rosso addosso.

— Già — rispose don Camillo — lui è a posto. Adesso si tratta di ripulire dal rosso gli altri cani che circolano per il paese.

— Siete guarito completamente — borbottò Peppone. — Forse anche troppo.

SITUAZIONE ECONOMICA
DELLA BASSA

Il giovanotto si era presentato in canonica sorridente e cordiale, con una magnifica borsa di pelle gialla sotto il braccio e, subito, aveva spiegato che desiderava semplicemente conoscere di persona il più celebre prete della Bassa.

Don Camillo aveva ancora, nel sottoscala, centoquindici scatole di «*Ceratom*» e non si lasciò incantare:

— Grazie del pensiero, ma non ho bisogno di niente.

Il giovanotto scosse il capo:

— Reverendo, lei mi scambia per uno dei soliti commessi viaggiatori. Io non ho niente a che vedere coi commessi viaggiatori: io sono un funzionario della «Libellula».

Don Camillo lo guardò con ancor minor simpatia:

— Capisco: assicurazioni! — borbottò.

Il giovanotto scosse di nuovo il capo:

— No, reverendo. Lei confonde con altra organizzazione. La « Libellula » è una faccenda completamente diversa: del resto lei stesso lo può vedere.

Questo significa che il giovanotto era riuscito ad aprire fulmineamente la borsa di pelle e a mettere tra le mani di don Camillo un grosso catalogo con invitanti illustrazioni a colori.

— Motociclette, biciclette, macchine fotografiche, apparecchi radio, apparecchi televisivi, macchine da scrivere, frigoriferi — andava spiegando il giovanotto. — La « Libellula » compra in proprio i prodotti delle migliori fabbriche ottenendo quegli sconti che poi le permettono di rivendere gli stessi oggetti a lunghissima rateazione e senza aumento dei prezzi di listino.

Don Camillo tentò di restituire il catalogo al giovanotto, ma il giovanotto lo rassicurò:

— Non si preoccupi, reverendo. Io non sono qui per vendere: desidero soltanto che lei si renda conto della varietà del nostro assortimento. Così domani, occorrendole qualcosa, si rivolgerà, senza dubbio, alla nostra organizzazione. Per esempio, dato che lei inevitabilmente dovrà, a suo tempo, acquistare un buon televisore, mi permetto di consigliarle di dare una particolare occhiata al nostro ampio assortimento di apparecchi televisivi...

Il giovanotto sorridente e cordiale doveva essere Satana travestito da funzionario della « Libellula »: altrimenti come avrebbe fatto a capire che don Camillo moriva dalla voglia di avere un televisore?

D'altra parte la cosa non era grave: il fatto di guardare delle riproduzioni fotografiche di apparecchi televisivi non significa impegnarsi a comprare un apparecchio televisivo.

Glielo spiegò anche il giovanotto:

— Lei, reverendo, ha qui davanti un assortimento. veramente eccezionale perché comprende tutti i tipi, dal più economico al più lussuoso, e le migliori marche in commercio. Come vede, i prezzi sono quelli di listino e il pagamento è di una comodità straordinaria. Una sciocchezza subito e un tanto al mese. La nostra organizzazione si chiama appunto « Libellula » per dare un'idea della quasi inconsistente lievità dell'onere che il cliente si assume firmando un contratto con noi. Dato e non concesso che il cliente contragga un debito con noi, si tratta di un debito che, praticamente, si paga da solo.

Don Camillo, davanti alle fotografie dei televisori, aveva dimenticato il « Ceratom » però non s'era talmente eccitato da dimenticare la disperata situazione della sua finanza personale.

E così, dopo aver rimirato i televisori, restituì il catalogo al giovanotto.

— Terrò presente l'offerta — concluse.

— La ringrazio — rispose sorridendo il giovanotto riponendo nella borsa il catalogo. — Voglio solo pregarla di non preoccuparsi per il danaro. Il giorno in cui decida di acquistare l'apparecchio mi avvisi: verrò io stesso a ritirare l'acconto e a stendere il contratto per la rateazione. Naturalmente, se lei, adesso, avesse l'idea di comprare il televisore e potesse disporre di cinquemila lire tutto risulterebbe molto semplificato.

Evidentemente il giovanotto sorridente e cordiale doveva essere proprio Satana travestito da funzionario della « Libellula » altrimenti come avrebbe fatto a sapere che don Camillo, oltre ad avere una voglia matta di comprare un televisore, aveva nel portafogli, libere da ogni impegno, cinquemila lirette giuste giuste?

Il giovanotto, quando uscì dalla canonica, portava nella borsa di pelle gialla le cinquemila lirette di don Camillo, un contratto sottoscritto da don Camillo e un certo numero di cambiali recanti la firma di don Camillo.

Naturalmente la faccenda delle cambiali rappresentava semplicemente una formalità: don Camillo non se ne preoccupasse.

E don Camillo non se ne preoccupò: e per un bel pezzo continuò a pensare con simpatia al giovanotto cordiale perché il televisore era davvero un apparecchio eccellente e funzionava in modo perfetto.

Ma, un bel giorno, ecco il primo guasto.

Arrivò la fine del quarto mese e don Camillo non fu in grado di pagare la quarta rata.

Il televisore era un lusso suo personalissimo e don Camillo doveva pagarselo coi quattrini suoi personali. Quattrini che erano sempre scarsissimi ma che, quella volta, addirittura non c'erano per niente.

Diciottomila lire non sono una gran somma, d'accordo, ma se un povero prete di campagna non li ha come può procurarseli?

Mica può fare del lavoro straordinario o dare delle ripetizioni private di catechismo.

Don Camillo non poteva neppure rivolgersi ai benefattori: ai benefattori don Camillo poteva rivolgersi soltanto quando si trattasse d'aiutare qualche poveretto, o di tenere a galla la barca dell'asilo, o roba del genere.

Don Camillo era povero strapelato, ma aveva la sua dignità e il suo orgoglio: non avrebbe mai accettato di chiedere a prestito i quattrini per pagare le rate di un televisore. I televisori sono faccende voluttuarie. Si comprano soltanto quando ci sono i quattrini.

Scrisse alla «Libellula»: gli risposero che erano spiacenti ma la cambiale era già alla banca, e pur rendendosi conto della particolare situazione di don Camillo, non potevano far niente per lui.

Conclusione: pagare o il protesto.

La faccenda si aggravò perché anche alla scadenza della rata successiva don Camillo si trovò in difficoltà, e allora non ebbe neppure il coraggio di scrivere: si raccomandò a Dio e aspettò sgomento il terremoto.

La situazione era, infatti, particolarmente grave perché, anche se don Camillo fosse riuscito in seguito a rimediare al guaio, nessuno avrebbe potuto rimandare le elezioni comunali. E stando così le cose, poteva succedere che, nell'imminenza delle votazioni, il nome di don Camillo venisse pubblicato nei lunghi elenchi del Bollettino dei Protesti.

Don Camillo non figurava fra i candidati, si capisce, e non apparteneva a nessuno schieramento politico: ma fatalmente, è sul prete che si scaricano i fulmini scagliati dagli avversari dello scudo crociato.

Inoltre don Camillo, a essere sinceri, s'era piuttosto dato da fare, per le amministrative. E le cose più importanti dei crociati erano state discusse in canonica.

Don Camillo sudava freddo pensando alla gazzarra che sarebbe successa se Peppone e compagni avessero avuto fra le mani il Bollettino dei Protesti col nominativo di don Camillo.

Passò dei giorni cupi e delle notti orrende. Finalmente arrivò il giorno dell'uscita del Bollettino e don Camillo andò appositamente in città per procurarselo.

E, quando l'ebbe tra le mani, lo aperse con ansia e la prima cosa che gli saltò agli occhi fu il suo nome.

Tornò al paese sgomento e si chiuse in canonica. Non voleva vedere nessuno. Gli pareva che tutti ormai sapessero.

Non mangiò neppure, quella sera, e, invece di andare a letto, rimase nell'andito della canonica a camminare in su e in giù, macinando tristissimi pensieri.

Peppone e compagni avevano un'arma formidabile: don Camillo sentiva con orrore risuonargli all'orecchio le frasi che Peppone e compagni avrebbero, su quell'argomento, potuto dire nei comizi. Con orrore perché la gente avrebbe riso.

Bisognava muoversi, fare qualcosa.

E don Camillo si mosse.

Peppone stava ancora smartellando nella sua officina e, come si vide comparire davanti don Camillo, ebbe un sussulto.

— Si capisce che non hai la coscienza a posto — osservò don Camillo.

— Un prete, di notte, fa sempre un certo effetto anche ai galantuomini — gli rispose asciutto Peppone. — Cosa volete?

Non era il caso di tirare la cosa per le lunghe:

— Voglio parlare con te da uomo a uomo — spiegò don Camillo.

— Argomento?

— La cambiale.

Peppone buttò il martello in un angolo.

— Vorrei parlarne anche io, da uomo a uomo — disse Peppone. — E voglio ricordarvi che, se sono un vostro avversario, io non mi sono mai abbassato a sfruttare, per la propaganda politica, le vostre personali disgrazie.

— Lo stesso posso dire io — affermò don Camillo.

— Non lo so — esclamò Peppone. — Una cosa, però, la so per sicuro: se voi avete il coraggio di fare dello spirito sulla faccenda della mia cambiale io vi svito la testa!

Don Camillo credette di non aver capito bene.

— Cosa c'entra la tua cambiale? — domandò.

Peppone tirò fuori di tasca un fascicoletto spiegazzato che porse con malgarbo a don Camillo:

— C'entra — ruggì — perché, se non l'avete visto o non ve l'hanno detto, lo vedrete o ve lo diranno: qui tra le cambiali in protesto, ce n'è una intestata al signor Giuseppe Bottazzi sottoscritto.

Tra i protesti della lettera «b» figurava anche quello riguardante una cambiale di ventimila lire emessa da Peppone. Don Camillo non aveva potuto rendersene conto perché scorrendo l'elenco del Bollettino si era preoccupato soltanto di controllare se ci fosse o no il proprio nome.

— E non hai trovato niente altro di interessante qui dentro? — gli domandò don Camillo mostrandogli il Bollettino.

— A me interessano soltanto gli affari miei — rispose Peppone. — Ho guardato soltanto se c'ero anch'io. E c'ero.

Don Camillo gli mise davanti aperto il Bollettino indicandogli un nominativo. Peppone lesse la riga indicata, la rilesse poi guardò in faccia don Camillo.

— Ma no!

— Ma sì — esclamò don Camillo. — Anch'io ci sono. Al diavolo la « Libellula »!

Peppone ebbe uno scatto:

— « Libellula »?.. Un giovanotto simpatico con una gran borsa gialla?

— Sì.

— Frigorifero anche voi?

— No: televisore.

Peppone si mise a schiamazzare contro la vendita a rate in sé: è una cosa peggio della bomba atomica. Dài una sciocchezza subito, un'altra sciocchezza ogni mese, il debito si paga da solo, eccetera eccetera. Poi quando non hai i soldi della rata, ti accorgi che il debito lo devi pagare tu e che la sciocchezza l'hai fatta quando non hai pensato che, anche a dividerlo in tante rate, un debito di duecentomila lire rimane sempre un debito di duecentomila lire.

Poi si calmò:

— In fondo, dato che il frigo va bene e dato che non ci saranno conseguenze politiche perché anche voi ci siete per gli stracci, non è davvero il caso di rodersi il fegato. Non vi pare, reverendo?

— È quello che dico anch'io — rispose don Camillo.

Poi si ricordò di una cosa e diventò smorto.

— La terza lista! — gridò.

La terza lista era quella messa assieme dalle destre. Le quali destre erano contemporaneamente avversarie dei rossi di Peppone e dei crociati di don Camillo.

Quelli della terza lista adesso avevano un magnifico argomento contro gli uni e contro gli altri: la gente si sarebbe sbudellata dalle risa. Perché bisognava tener presente che Pietro Follini, il capolista della destra, era un tipo sveglio che sapeva spiegarsi magnificamente.

Peppone diventò smorto anche lui:

— L'idea che quelli là, per via di queste sporche cambiali, trattino me alla pari di un prete clericale, mi fa vedere rosso! — gridò.

— L'idea di essere messo alla pari di uno squinternato senza-Dio mi fa vedere nero! — replicò don Camillo.

Rimasero lì a ripensarci sopra in silenzio per una diecina di minuti e, alla fine, Peppone si infilò la giacca e disse deciso:

— Io vado per i campi, voi andate per l'argine. Appuntamento alla Pioppetta. Chi arriva prima aspetta. Andiamo a parlare con quel disgraziato di Pietro Follini. Prima gli parlate voi e cercate di fargli intendere la ragione. Se non la intende, gliela faccio intendere io senza parlare.

Follini era già a letto, ma scese subito sentendosi chiamare da don Camillo. Si stupì, una volta sceso ad aprire la porta, vedendo che, oltre a don Camillo, c'era anche Peppone.

— Avete stretto un patto di unità d'azione? — si informò. — Del resto era fatale; clericali e bolscevichi tendono allo stesso fine: la dittatura.

— Follini — lo consigliò Peppone — risparmia le tue barzellette per i comizi. E cerca di capire quello che il reverendo ti dirà.

Entrarono in saletta e si sedettero.

Don Camillo affrontò subito l'argomento; cavò di tasca il Bollettino e lo mise davanti a Follini:

— Hai visto già? — gli domandò.

— Sì, già visto — rispose Follini. — Stamattina sono andato apposta in città per comprarlo. In principio vedendo il mio nome ci sono rimasto male. Dopo, vedendo anche il nome del parroco e del sindaco, mi sono consolato...

Don Camillo agguantò il Bollettino dannato e prese a consultarlo con frenesia: e nella « f » trovò il nome di Follini Pietro con una cambiale di quarantamila lire.

Si guardarono in silenzio, poi don Camillo spiegò:

— Io « Libellula »: un televisore. Lui « Libellula »: un frigorifero. E tu?

— « Libellula »: un televisore e un frigorifero. Vanno benissimo.

— Anche il mio — disse Peppone.

— Anche il mio — disse don Camillo.

Follini stappò una bottiglia. Bevvero, poi don Camillo prima di andarsene per la via dell'argine borbottò:

— Per fortuna non c'è una quarta lista.

E, prima di andarsene per la via dei campi, Peppone borbottò:

— Combatteremo ad armi pari: frigo contro frigo, televisore contro televisore, cambiale contro cambiale. Sarà una manifestazione democratica esemplare!

OPERAZIONE SAN BABILA

S. Babila era sempre tra i piedi a don Camillo, ma don Camillo non sapeva come disfarsene.

Il giorno in cui, *temporibus illis*, don Camillo era venuto al paese a fare il parroco, aveva trovato S. Babila in sagristia e lì l'aveva lasciato.

Si limitava a spostarlo, ogni tanto, da un angolo all'altro: ma S. Babila impicciava dappertutto perché si trattava di una faccenda di terracotta alta quasi due metri, pesante come il piombo.

In origine, la statua doveva essere vestita e addobbata da capo a piedi e avere mani e viso pitturati per benino: ma, con l'andar del tempo, tutta la messinscena era andata in sfacelo lasciando la terracotta nuda e cruda. Tanto che, se sul basamento non fosse rimasta ben visibile la scritta «S. Babila v.», nessuno a prima vista avrebbe potuto capire che si trattava d'una immagine sacra.

Tanto più che alcune generazioni di chierichetti, trovando cosa naturale usare S. Babila come attaccapanni, erano riusciti a far sì che la testa, la faccia e le spalle di S. Babila sembrassero passate accuratamente con la carta vetrata. Per cui la statua dal petto in giù pareva modellata col badile e dal petto in su con una penna di gallina.

A don Camillo, S. Babila stava sullo stomaco da un sacco d'anni, dunque, e mille volte aveva pensato di disfarsene: ma un'immagine sacra, anche se di terracotta, non è una pentola.

Non la si può spaccare a martellate, non la si può buttare nel mucchio dei rottami. Non la si può neanche mettere in cantina o nella legnaia.

Don Camillo aveva pensato di portare la statua in granaio: ma un peso così greve avrebbe fatto crollare il soffitto.

Fosse stata di bronzo, l'avrebbe fatta fondere per cavarne una campana: ma come si può eliminare pulitamente, senza offendere la santità, una sacra immagine di terracotta?

Alla fine, don Camillo trovò la soluzione del grave problema. Allora corse in sagristia e andò a parlare con S. Babila.

S. Babila stava sempre lì, nel suo angolo. Le spalle e la testa, levigate dall'uso, emergevano dalla rustica veste che, coi suoi piegoni modellati da un fabbricatore di coppi, pareva un lamierone ondulato.

— Ecco — disse don Camillo a S. Babila — tutto andrà a posto nel migliore dei modi, per te e per me...

Uno screanzato chierichetto aveva appeso al collo di S. Babila l'incensiere; don Camillo lo tolse e poi continuò:

— Vedi? Questo non è il tuo posto: qui ogni

disgraziato ti può toccare con le sue sporche mani, ti può mancar di rispetto. Io ti porterò in un posto dove nessuno potrà mai toccarti, e là rimarrai fino alla consumazione dei secoli... No: non ti voglio seppellire sotto terra. Sotto terra è la morte e tu rimarrai nella vita. Perché l'acqua è roba viva...

Parve a don Camillo che una smorfia alterasse i consunti lineamenti di S. Babila e, allora, si spazientì:

— Dico: e il «Cristo degli abissi»? Non è una statua del Redentore calata in fondo al mare? Vediamo di non fare storie!...

S. Babila non fece storie e don Camillo agì la notte stessa.

Fu una fatica tremenda perché S. Babila era più d'un quintale e mezzo: ma alla fine, don Camillo riuscì a togliere la statua dalla sagristia e a caricarla sul biroccio senza essere visto da anima viva.

Poi, al momento giusto, s'intabarrò fino agli occhi, salì sul biroccio e prese la strada del fiume.

Una notte così pareva fabbricata apposta per l'operazione S. Babila: faceva un freddo crudo e non c'era un cane, in giro.

Giunto al fiume, don Camillo convinse il cavallo ad arrivare fino in riva all'acqua e, aiutandosi con due lunghe tavole che s'era portato sopra il biroccio, fece scivolare S. Babila dal biroccio ad un barcone.

Mollato l'ormeggio del barcone e agguantato il lungo remo don Camillo prese il largo.

Sapeva perfettamente dov'era diretto: il grande fiume in quel tratto si allargava e pareva il mare e, in mezzo a quel mare, c'era il fondone famoso, e qui doveva trovare definitiva sistemazione S. Babila.

In verità S. Babila all'ultimo momento non si comportò bene, e prima di smontare dalla barca fece tante e poi tante storie che don Camillo arrivò a un pelo dal cascare in acqua.

Alla fine, però, dovette tuffarsi e, difatti, si tuffò e scomparve.

Ritornato alla base, don Camillo ricoverò il cavallo nello stallino e, prima di andare a letto, andò a salutare il Cristo dell'altar maggiore.

— Signore — disse — vi ringrazio di non aver permesso che S. Babila mi facesse finire dentro l'acqua del fiume. Sono molto contento perché S. Babila è sistemato *per omnia saecula saeculorum*!

— Amen — sussurrò il Cristo sorridendo. — Ricordati però, don Camillo, che nelle umane faccende tutto è relativo.

L'operazione S. Babila si era svolta tra le ventitré e trenta e l'una e quarantacinque d'una gelida notte di novembre e non c'era, in giro, anima viva, e don Camillo aveva agito con estrema prudenza; sì che c'era da star tranquillissimi.

Ma, siccome nelle umane faccende tutto è relativo, accadde che alle ore una e quarantasette della stessa notte il compagno Peppone venisse svegliato di soprassalto dallo sbatacchiar d'un palo contro le gelosie della sua camera da letto.

E il compagno Peppone, levatosi dal letto e appressatosi alla finestra, socchiuse cautamente le gelosie e scoperse che alla parte inferiore del palo stava aggrappato lo Smilzo, tremante per il gran freddo e per la grandissima agitazione.

— Capo — ansimò lo Smilzo. — È gravissimo!

Peppone scese e fece entrare lo Smilzo e, appena entrato, lo Smilzo gridò:

— Sacrilegio!

— Sacrilegio? — balbettò Peppone. — Sacrilegio chi?

— Il prete! — urlò lo Smilzo...

Peppone lo agguantò per gli stracci e lo scrollò:

— Smilzo, tu sei ubriaco!

— No, capo! Sacrilegio! Il prete! L'ho visto io con questi miei occhi, l'ho seguito passo passo... La statua di Santa Babila, quella scura, che era nell'angolo della sagristia, ti ricordi?

Peppone si ricordava. Ricordi d'infanzia: «Santa Babila vergine»: cento volte l'aveva letto sul basamento della grande statua che aveva sempre la testa coperta di paramenti sacri.

— La statua di Santa Babila — continuò lo Smilzo — l'ho visto io: l'ha caricata sul biroccio, l'ha portata al fiume, l'ha caricata in barca ed è andato a buttarla nell'acqua... Sono sicuro: non ho visto dove l'ha buttata ma ho sentito il tonfo e poi, quando è tornato a riva, la statua non era più sulla barca... Capo, questo è un sacrilegio!

Si capisce che era un sacrilegio! Altrimenti don Camillo avrebbe agito apertamente alla luce del sole. Se aveva fatto una cosa così da solo, in piena notte, ciò significava che si trattava d'una sporca cosa.

Erano, quelli, i giorni detti della *"politica distensiva"* e i rossi avevano cambiato musica e si davano da fare per dimostrare che loro erano pacioccóni che cercavano soltanto la pace, che rispettavano le opinioni altrui e avevano il massimo rispetto per le cose della religione e via discorrendo.

Peppone, quindi, non perdette un minuto. Si rivestì in fretta e, accompagnato dallo Smilzo, iniziò gli accertamenti.

Spiando dalla finestrella della sagristia constatò che la statua era scomparsa. Rilevò le tracce del biroccio e del cavallo sul sagrato e le rilevò pure sulla riva del fiume.

Qui, anzi, trovò un pezzo importantissimo: durante il passaggio dal biroccio al barcone, la statua s'era scheggiata e la scheggia era rimasta lì a comprovare la verità del racconto dello Smilzo.

Peppone aveva tutto quanto gli occorreva: mandò quindi lo Smilzo a convocare lo stato maggiore.

E in tal modo la gente, alle undici del mattino seguente, trovò il borgo tappezzato di manifesti il cui testo era altamente significativo:

 « Cittadini!
 « Una mano sacrilega, approfittando del favore notturno, è entrata nel sacro Tempio e ha rubato l'Immagine Venerata di Santa Babila Vergine.
 « Laonde, con efferata scellerataggine, andava a gettare la Stessa Venerata Immagine nelle acque del fiume per disperderne la venerazione e il ricordo dei fedeli.
 « Davanti all'atto nefasto, la locale Sezione Comunista — lasciando da parte ogni giustificato risentimento politico nei riguardi degli intriganti clericali — si associa all'unanime esecrazione dei Buoni Cristiani e organizza spontaneamente la ricerca della Sacra Immagine di Santa Babila per riconsegnarla all'amore e alla venerazione dei fedeli.
 Giuseppe Bottazzi ».

Chiunque lesse il manifesto corse in chiesa e, siccome tutto il paese lesse il manifesto, tutto il paese corse in chiesa e don Camillo si trovò nei guai fino agli occhi.

Tutti volevano sapere il perché e il percome e don Camillo non poteva rispondere: «Niente è stato rubato. Nessun sacrilegio è stato consumato: la statua l'ho buttata io stesso nel fiume».

Non poteva rispondere così perché, improvvisamente, adesso che l'immagine di S. Babila era stata rubata e affogata, tutti, anche quelli che ne ignoravano perfino l'esistenza, scoprivano che era l'immagine più venerata, più cara e più importante. E tutti fremevano di sdegno contro l'ignoto che s'era macchiato di tanto sacrilegio.

Don Camillo non resse: si limitò ad allargare le braccia e a scapparsene in canonica per buttarsi a letto con la febbre.

E allora tutti dissero:

— Poveretto, è il gran dispiacere... È come se gli avessero strappato il cuore...

Intanto la *distensione* era entrata in campo a battaglioni affiancati e il paese, la mattina seguente, si trovò tutto sull'argine.

Sotto la direzione di Peppone che, insediato su una barca a motore, aveva il piglio e l'autorità di un ammiraglio, gli uomini della sezione comunista avevano iniziato lo scandaglio del fiume.

Non venne lasciato inesplorato un centimetro del fondo del fiume per il tratto indicato dallo Smilzo e a mezzogiorno, quando la squadra navale ritornò in porto per il desinare, Peppone disse solennemente alla folla:

— Se non riusciremo noi, faremo venire i compagni palombari. Ma ritroveremo Santa Babila: è un impegno morale che abbiamo assunto col popolo e con Dio!

Fu una bella frase che circolò per tutto il borgo nel corso del desinare.

Nel pomeriggio lo scandaglio riprese e, ben presto, le ricerche si circoscrissero al fondone grosso.

E, ad un tratto, un annuncio corse di bocca in bocca tra la gente che attendeva sopra l'argine:

«Pare che ci siamo!».

E, dopo mezz'ora d'attesa ansiosa, un urlo esplose improvviso:

«Santa Babila è stata ritrovata!».

Don Camillo era ancora a letto con la febbre e cercava disperatamente di non pensare a niente, ma disgraziatamente dovette, a un certo momento, pensare a qualcosa.

La sua stanza fu, d'improvviso, invasa da uomini e donne eccitatissimi:

— Reverendo, hanno ripescato la statua!...

— Reverendo, si è formata sull'argine una grande processione!...

— Sono diretti qui, per riconsegnarvi la statua!...

— C'è tutto il paese e anche gente dei paesi vicini!...

— Reverendo, fate un sacrificio e alzatevi: dovreste scendere a ricevere la statua!...

La grande processione stava effettivamente avvicinandosi e don Camillo, messosi a sedere sul letto, sbirciò dalla finestra e vide l'immensità di gente che arrivava, e udì cantare «Mira il tuo popolo Bella Signora...» e c'era anche la banda musicale del Comune.

Dovette saltar giù dal letto, rivestirsi e scendere.

Scese e, spalancata la grande porta della chiesa, si mise sulla soglia e aspettò S. Babila.

E S. Babila arrivò: avevano messo la statua su una portantina recata a spalle dagli otto satanassi più gagliardi della banda di Peppone; Peppone procedeva, attorniato dal suo stato maggiore, davanti a S. Babila.

Dietro la statua la banda musicale e due o tremila persone.

Dalle finestre, tutte addobbate, la gente lanciava fiori.

Giunse la testa della processione sul sagrato e, quando i portatori toccarono la soglia della grande porta, Peppone fece un cenno e la statua venne delicatamente deposta per terra.

La processione si frantumò e la folla si addensò davanti alla porta.

Allora, quando cioè tutti furono lì attorno, si fece avanti Peppone che, rivoltosi a don Camillo, disse con voce tonante:

— Reverendo, le mani callose e oneste del popolo vi riconsegnano la venerata immagine di Santa Babila, profanata dalle mani infami di un ignoto sacrilego delinquente, ma purificata dalle acque del più grande fiume della patria! Reverendo, riconsegnandovi questa venerata immagine, il popolo vi dice: custoditela e pregate per l'anima disgraziata del criminale sacrilego!

Don Camillo avrebbe voluto avere al posto degli occhi due mitragliatrici cariche: ma, non potendo fare altro, chinò lievemente il capo come per dire: «Grazie tante, signor sindaco, e che il cielo ti strafulmini!».

Una squadra di fedeli subentrò alla squadra di Peppone e S. Babila entrò trionfalmente in chiesa.

Naturalmente non si poteva rimettere la statua in sagristia e così, sloggiato da una cappelletta S. Lucio, protettore dei cascinai, S. Babila prese il suo posto.

Un'ora più tardi, tornata la calma in chiesa, arrivò la moglie del Bigio: veniva a battezzare l'ultimo suo prodotto. Era una bambina e, se non fosse stata figlia di uno stramaledetto senza-Dio, avrebbe potuto essere definita una bella bambina.

— Come la chiamiamo? — domandò don Camillo a denti stretti.

— Babila — rispose la madre con una cert'aria di sfida.

— No! — disse don Camillo.

— Oh, bella! — ridacchiò sarcastica la donna. — Perché non volete chiamarla Babila? Forse perché Santa Babila ve l'abbiamo ripescata noi?

— No! — esclamò torvo don Camillo. — Perché Babila è un nome da uomo!

La donna scosse il capo e si volse; la statua di S. Babila era lì e la scritta incisa sul piedistallo era stupendamente leggibile: «S. Babila v.».

— Santa Babila vergine — ridacchiò la donna.
— Sta scritto lì!

— No — muggì don Camillo. — Lì c'è scritto «San Babila vescovo».

La moglie del Bigio, la madrina e gli altri del piccolo corteggio si guardarono in faccia delusi.

— Un vescovo!... — borbottò di malumore la moglie del Bigio. — Allora era meglio che lo lasciavamo laggiù nel fondone!...

Don Camillo strinse i denti:

— Be' — disse cupo — come la chiamiamo, allora?

Quelli della piccola banda si guardarono.

— Palmira? — propose uno.

— È meglio Topazia — propose la madrina che era una lettrice appassionata di romanzi a fumetti.

E Topazia fu.

IL FISCHIO

Come ogni volta quando andava a caccia, don Camillo uscì dalla parte dell'orto. Nel prato subito dietro la chiesa, c'era un ragazzo che pareva l'aspettasse, seduto su una ceppaia.

— Posso venire? — domandò il ragazzo alzandosi e avvicinandosi.

— Venire dove?

— A caccia insieme a voi — spiegò il ragazzo.

Don Camillo lo squadrò e riconobbe il tipo.

— Via! — rispose brusco don Camillo. — Figuriamoci se voglio con me uno della banda di quei disgraziati senza-Dio! Via!

Il ragazzo rimase impassibile e, sedutosi sulla ceppaia, stette lì a guardare don Camillo e Ful allontanarsi in mezzo ai campi.

Pino dei Bassi non passava neppure i tredici anni, ma era già nella banda dei rossi: l'avevano iscritto nel reparto giovanile e lo adoperavano quando volevano distribuire i manifestini o quando si trattava di sporcare i muri con le solite stupidaggini contro questo o contro quest'altro.

Era un po' il galoppino della banda perché, mentre gli altri ragazzi avevano tutti da fare a casa loro, Pino dei Bassi stava tutto il santo giorno sulla strada. Sua madre, la vedova di Cino dei Bassi, continuava il mestiere del marito: tutte le mattine attaccava il cavallo al barroccio e andava in giro per i paesi a vendere pentolame, terraglia, biancheria e via discorrendo. Vita dura che il ragazzo non poteva fare per via dei polmoni poco sicuri: così restava a casa a tener compagnia alla vecchia. Ma andava a finire che la vecchia lo vedeva sì e no a mezzogiorno, all'ora di mangiare.

Don Camillo, una volta, aveva fermato la merciaia e le aveva detto che badasse di più a suo figlio se non voleva vederlo nei guai. Ma la vedova gli aveva risposto:

— Se va con loro significa che si diverte più là che in chiesa.

E don Camillo aveva capito che era inutile insistere. Né d'altra parte si sentiva di fare delle prediche a quella poveretta che, dalla mattina alla sera, sotto il sole o sotto l'acqua, si rompeva le ossa sul barroccio per guadagnarsi la giornata.

E quando vedeva passare il barroccio, gli veniva in mente il povero Cino dei Bassi che era stato forse il suo più grande amico, e che era morto lì sotto i suoi occhi.

Don Camillo pensava sempre al povero Cino dei Bassi ogni volta che andava a caccia assieme a Ful: se Cino avesse potuto conoscere Ful sarebbe diventato matto per l'entusiasmo. Cino l'aveva nel sangue, la caccia: era la doppietta più famosa di tutta la regione; una doppietta che non sbagliava mai e che arrivava dove nessuno sarebbe arrivato mai. Quando Cino andava a qualche gara di tiro al piccione o di tiro al piattello, mezzo paese lo seguiva, come se fosse una squadra di foot-ball. Cino era il compagno di caccia di don Camillo. Una volta nel saltare un fosso scivolò e, sa il demonio come successe, nel cadere partì un doppietto dal suo fucile e gli squarciò il ventre.

Morì tra le braccia di don Camillo. Ed era il tragico destino della famiglia dei Bassi, quello: perché il padre del padre di Cino, gran cacciatore anche lui, era stato ammazzato da un fucile che gli era scoppiato tra le mani; il padre di Cino, altra doppietta straordinaria, era stato ammazzato per isbaglio durante una battuta di caccia. E Cino aveva finito i suoi giorni così.

Lo schioppo di Cino, adesso, lo aveva lui, don Camillo; glielo aveva regalato Cino prima di chiudere gli occhi:

— Tienilo tu, don Camillo — aveva sussurrato Cino. — Fallo figurare bene...

Vedendosi davanti il ragazzo del povero Cino, don Camillo aveva pensato all'amico morto e, quando si era sentito chiedere di lasciarsi accompagnare a caccia, gli era venuta nel cervello soltanto una voglia matta di prendere a calci quel piccolo lazzarone screanzato che disonorava la memoria del galantuomo suo padre.

— Ful — aveva concluso don Camillo. — La prossima volta che ci troviamo quel vagabondo tra i piedi gli facciamo una tosatura all'americana a forza di scapaccioni. Non capisci che quel disgraziato è un piccolo agente provocatore ed è venuto a prenderci in giro?

Ful non si sbilanciò: si limitò a emettere un leggero mugolìo.

Passarono quattro o cinque giorni ed ecco che don Camillo, uscendo dalla parte dell'orto per andare a caccia, si ritrovò nel prato dietro la chiesa e di nuovo Pino dei Bassi stava là ad aspettarlo.

— Mi sono tirato via — disse il ragazzo avvicinandosi. — Posso venire?

Don Camillo non capì.

— Tirato via come?

— Non ci sono più con quelli là — spiegò il ragazzo. — Ho dato le dimissioni.

Don Camillo lo guardò perplesso: il ragazzo aveva un livido sotto l'occhio sinistro e, in generale, la faccia piuttosto malconcia.

— Cos'hai fatto? — domandò don Camillo.

Gli altri della squadra mi hanno picchiato. Ma oramai non ci sto più con loro. Posso venire?

— Cosa vuoi venire a fare?

— Mi piace vedere.

Don Camillo si incamminò e il ragazzo lo seguì in silenzio. Pareva un'ombra. Non impicciava, non faceva rumore camminando.

Girarono per ore ed ore: il ragazzo aveva le tasche piene di pane e non gli occorreva niente. Don Camillo sparò parecchio e, senza fare roba da campionato, non sparò male. Soltanto poche volte Ful si dimostrò seccato.

Perché Ful era un cane che sul lavoro era esigente. Ful faceva il suo lavoro a regola d'arte e quando a don Camillo scappava una padella, Ful mugugnava. Una volta che don Camillo, nei primi tempi, sbagliò una lepre facile come un vitello, Ful si piantò davanti a don Camillo e gli mostrò i denti ringhiando.

Comunque don Camillo sparò parecchio e mica male. Si mise perciò sulla strada del ritorno considerando conclusa la sua giornata quando, ad un tratto, Ful entrò in preallarme.

— Mi fate provare? — domandò il ragazzino sottovoce a don Camillo indicando la doppietta.

— Figurati! Se non sei neanche capace di tenerla su.

Ful fece alcuni passi cautissimi poi puntò qualcosa.

— Date qua! — sussurrò il ragazzo con tono imperioso.

Don Camillo obbedì e mise tra le mani del ragazzo la doppietta. Ma oramai era troppo tardi: in mezzo al campo un uccello si era già levato e soltanto uno di quei disgraziati che vanno a caccia per il bel gusto di sentire il botto dei colpi avrebbe sparato. Solo un disgraziato oppure un fenomeno come il povero Cino dei Bassi.

Il ragazzo imbracciò la doppietta e sparò. E l'uccello venne giù fulminato perché il ragazzo era il figlio di Cino dei Bassi e sparava con la doppietta di suo padre.

Don Camillo si sentì la fronte piena di sudore. Uno sgomento sottile gli strinse il cuore. Inorridì pensando che il ragazzo aveva tra le mani il fucile che aveva ammazzato suo padre.

Glielo tolse quasi con violenza.

Intanto Ful, che si era slanciato a tutta birra,

ritornò con la quaglia fra i denti e la depose ai piedi del ragazzo che, chinandosi a raccoglierla, accarezzò la testa del cane.

Allora Ful scattò ancora verso il prato e fece vedere al ragazzo che razza di fiato e di gambe possedesse. Poi, arrivato in fondo al campo, si fermò e attese.

Il ragazzo fece un fischio speciale, un fischio che don Camillo aveva sentito in vita sua soltanto quando andava a caccia col povero Cino. E anche questo gli mise un brivido nella schiena.

Ful scattò e, dopo un istante, era fermo davanti al ragazzo.

Il ragazzo porse la quaglia a don Camillo.

— L'hai ammazzata tu, tientela! — gli disse con malgarbo don Camillo.

— Mia mamma non vuole che spari — borbottò il ragazzo. Poi si mise a correre e, dopo due minuti, era già scomparso.

Don Camillo ficcò la quaglia nel carniere e s'incamminò preceduto da Ful. Andarono avanti un po' ed ecco che, ad un tratto, Ful si piantò in mezzo alla carraia. Si fermò anche don Camillo.

Si udì, lontano, quel fischio famoso che solo il povero Cino sapeva fare. E Ful partì come una schioppettata.

— Ful! — gridò don Camillo.

Il cane si fermò e volse il muso.

— Ful, qui! — ordinò don Camillo.

Ma il fischio si sentì ancora e allora Ful, dopo un breve mugolìo di spiegazione, partì come un fulmine piantando lì don Camillo.

Don Camillo non tirò diritto per la carraia; arrivato al fossato non lo passò, ma lo costeggiò e si fermò soltanto dopo circa mezzo chilometro.

Erano venute giù le prime brume della sera che riempivano i buchi lasciati nel cielo dai rami stecchiti degli alberi spogli.

In riva al fossato, dove avevano piantato una croce di legno nero, Cino era caduto e lo schioppo gli aveva squarciato il ventre.

Don Camillo si segnò, poi, tratta dal carniere la quaglia, la depose ai piedi della croce nera.

— Cino — sussurrò don Camillo. — Ho visto che sei sempre bravo. Ma accontentati di questo. Non farlo più.

Don Camillo non se la sentì più di andare a caccia. Quella faccenda gli aveva messo un tale freddo nelle ossa che, soltanto a guardare la doppietta appesa al chiodo nel tinello, gli venivano i brividi. E Ful rimase a fargli compagnia.

Ful si era preso una girata maiuscola da don Camillo e pareva che avesse capito tutto, dalla prima all'ultima parola tanto era abbacchiato. Se don Camillo usciva a prendere una boccata d'aria sul sagrato, lo seguiva sì, ma a coda bassa. Ma un pomeriggio Ful, accovacciato a terra, stava osservando don Camillo che fumava il suo mezzo toscano camminando in su e in giù, quando si sentì il fischio famoso.

Don Camillo si fermò e guardò Ful. Ful non si mosse.

Si udì ancora il fischio e Ful rimase lì appiccicato per terra: ma agitava la coda, l'infame. E sospese lo sconcio sventolìo solo quando don Camillo gli lanciò un urlaccio.

Risuonò per la terza volta il dannato fischio e allora don Camillo si chinò su Ful ben deciso ad agguantarlo per il collare e a trascinarlo in casa. Ma Ful gli scivolò via di sotto e, saltata la siepe dell'orto, scomparve.

Arrivato al prato dietro la chiesa, Ful si fermò in attesa di direttive. Un nuovo fischio arrivò e Ful ripartì.

Il ragazzo lo aspettava dietro un olmo. Si incamminarono assieme e arrivarono al Molinaccio. Il Molinaccio una volta era stato un mulino, ma da cinquanta o sessant'anni era semplicemente un mucchio di pietre in riva a un canale senz'acqua. Quando avevano fatto l'argine, il fiume era stato deviato e addio mulino.

Il ragazzo si aggirò fra le macerie seguito da Ful. Arrivati sotto una specie di portichetto, il ragazzo tolse alcune pietre dal muro e, dietro le pietre, c'era una cassetta stretta e lunga.

Dalla cassetta il ragazzo trasse della roba avvolta in stracci unti. Lavorò sotto lo sguardo perplesso di Ful. Ma ben presto capì di che cosa si trattava.

Era un vecchio schioppetto ad avancarica: vecchio ma lucido come se fosse appena uscito dall'armeria.

— L'ho trovato in solaio — spiegò il ragazzo. — Era di mio bisnonno. Un grande cacciatore. È un po' lungo da caricare perché bisogna mettere la polvere, poi lo stoppaccio, e poi ci vuole la capsula, ma spara bene.

Caricò lo schioppetto, si mise in tasca la fiaschetta della polvere e l'altra roba; poi, nascosta l'arma sotto la mantellina, si incamminò.

A dir la verità Ful aveva una scarsissima fiducia nell'arnese mostratogli dal ragazzo. E, quando sentì qualcosa, si mise in posta senza la minima convinzione.

Ma quando poi vide il beccaccino venir giù fulminato, allora Ful ce la mise tutta perché capiva che ne valeva la pena.

Il ragazzo sparava come Ful non aveva mai visto nessuno sparare: verso sera, quando tornarono al Molinaccio per rimettere a posto lo schioppo, le tasche del cacciatore erano gonfie di uccelli.

— Io non li posso portare a casa perché mia mamma e mia nonna se sanno che vado a caccia chissà che tragedia fanno — spiegò il ragazzo. — La roba la do a uno del Castelletto che vende polli, oche eccetera, e lui mi dà polvere, stoppaccio, pallini e capsule.

Il parere di Ful su questo speciale tipo di commercio non fu espresso chiaramente. E poi, sia Ful che il ragazzo erano anime di artisti, che amavano la caccia in sé e non ci andavano né per poter fare padellate o schidionate di roba selvatica, né per il gusto barbaro di ammazzare delle povere bestiole.

Incominciò per Ful il periodo della clandestinità. Se ne stava tranquillo e buono giorni e giorni; poi, appena sentiva il famoso fischio, schizzava verso il prato dietro la chiesa e non lo poteva tenere nessuno.

Don Camillo alla fine si era offeso e aveva cacciato Ful fuori dalla porta:

— In casa mia non ci metti più i piedi sino a quando non la pianterai di comportarti così vergognosamente — gli aveva detto allungandogli una pedata. E Ful, in fondo, ne aveva avuto piacere perché questa indipendenza gli facilitava moltissimo gli affari.

Adesso il ragazzo s'era ficcato in testa che voleva tirar giù un fagiano.

— Sono stufo di questa robetta — spiegava a Ful. — Io voglio sparare a qualcosa di serio. Bisogna trovare un fagiano. Se un cacciatore non tira giù un fagiano, non è un cacciatore.

Ful aveva fatto l'impossibile per scovare un fagiano: ma anche a essere il campione mondiale dei cani da caccia, se il fagiano non c'è, come si fa a scovarlo?

Eppure i fagiani c'erano. Non molto lontano, anche. Bastava arrivare alla riserva, fare un buco nella rete metallica ed entrare. Lì di fagiani ce n'erano a centinaia.

Però nella riserva c'erano tre guardiacaccia, e coi guardiacaccia non si scherza.

Ma la prospettiva di tirar giù un fagiano era troppo bella e così un giorno (un giorno scelto bene perché c'era quella mezza nebbiolina che lascia vedere quel tanto che basta per non essere veduti e copre d'ovatta i colpi dello schioppo) il ragazzo e Ful si trovarono davanti alla rete metallica della riserva.

Il ragazzo aveva un paio di pinze: si coricò per terra e scucì quel tanto di rete che avrebbe permesso di entrare a lui e a Ful.

Entrarono, si buttarono fra le piante, e non ebbero da girare molto. Il ragazzo sparò e il fagiano

venne giù come un gatto di piombo ma, appena toccato terra, trovò le forze per fare un voletto e andare a crepare in mezzo a un macchione.

Ful stava per slanciarsi quando sentì il richiamo del ragazzo.

Qualcuno stava sopraggiungendo correndo fra
le piante e si udì l'altolà. Il ragazzo partì come una
saetta, a testa bassa, e Ful lo seguì.

L'agitazione e la nebbia fecero perdere un po'
l'orizzonte al ragazzo che arrivò alla rete metallica
un po' più a destra del buco. Se ne accorse troppo
tardi e perdette del tempo. Quando trovò il buco e
fece per chinarsi, la schioppettata del guardiacaccia
lo inchiodò.

Cadde senza un grido. Per quanto sentis-
se mancarsi le forze, tentò di infilarsi nel buco e
uscire.

In quell'istante sopraggiunse il guardiacaccia
col fucile spianato.

Ful si pose davanti al ragazzo, e ringhiò mostrando i denti all'uomo. L'uomo ristette e, vedendo
il ragazzino per terra, pieno di sangue, impallidì.

Intanto il ragazzino tentava sempre di trascinarsi fuori raspando con le mani per terra. Il cane,
senza perdere d'occhio il guardiacaccia, uscì dal
buco e aiutò il ragazzo a uscire addentandogli il bavero della giacchetta e tirando come un trattore.

Il guardiacaccia rimase un po' lì come rimbecil-
lito, poi si diede alla fuga e scomparve in mezzo al
bosco.

Il ragazzo adesso era fuori dalla rete metallica,
ma giaceva immobile e pareva perfino che non re-
spirasse più.

Allora Ful incominciò a fare corse in lungo e in

largo e ad ululare come un'anima dannata. Ma non c'era nessuno e Ful si buttò a saetta verso il paese.

Don Camillo era in chiesa e stava battezzando un bambino. Ful entrò e, azzannatagli la sottana, lo trascinò verso la porta.

Non era più un cane, era un leone e don Camillo fu costretto a seguirlo per non lasciargli fra i denti tutta la sottana.

Sulla porta Ful abbandonò la presa, si allontanò di corsa, poi si fermò ed abbaiò. Ritornò, agguantò ancora don Camillo per la sottana e ancora lo stiracchiò. Poi lo lasciò e si allontanò di corsa.

Questa volta don Camillo lo seguì, ancora coi paramenti addosso e il libro in mano. E, mano a mano che don Camillo avanzava correndo per la strada principale, gente usciva e si accodava a lui.

Don Camillo riportò sulle braccia il ragazzo in paese e un lungo corteo lo seguiva in silenzio.

Andò a deporre dolcemente il ragazzo nel suo letto mentre la vecchia guardava sbalordita il nipotino morente e sussurrava: « È il destino! È il destino! Tutti così... ».

Il dottore disse che si poteva semplicemente lasciarlo morire tranquillo. Tutti si addossarono ai muri e rimasero lì come se fossero statue di gesso.

Ful intanto era scomparso. Ad un tratto riapparve: entrò come una schioppettata e ristette in mezzo alla grande stanza.

Aveva fra i denti il fagiano. Lo era andato a prendere là dove l'aveva visto cadere, in riserva.

Si avvicinò al letto, si drizzò appoggiando le

zampe sul legno della fiancata e depose il fagiano sopra la mano destra del ragazzo, che era lì, abbandonata sulla coperta, e pareva oramai di marmo. Allora il ragazzo aprì gli occhi, vide il fagiano, mosse le dita, lo carezzò e morì sorridendo.

Ful non fece tragedie: rimase lì accucciato per terra. E quando, il giorno dopo, vennero per mettere il ragazzo dentro la cassa, dovettero andare a chiamare don Camillo perché Ful non lasciava avvicinare nessuno.

Fu don Camillo a mettere nella cassa il ragazzo e allora Ful capì che, se il padrone faceva così, significava che doveva essere fatto così.

Al funerale c'era tutto il paese e don Camillo camminava davanti e diceva il bene dei morti. A un bel momento gli cadde lo sguardo per terra e Ful era lì che camminava al suo fianco col fagiano tra i denti.

Ful era anche in prima fila quando calarono la cassa nella buca. E quando buttarono sulla cassa le prime manate di terra, Ful lasciò cadere il fagiano nella buca.

Tutti avevano una paura matta vedendo un cane fare delle cose così e lasciarono subito il cimitero. L'ultimo ad uscire fu don Camillo e Ful lo seguì a testa bassa. Poi, appena fuori dal cimitero, scomparve.

I tre guardiacaccia della riserva vennero torchiati per due giorni e due notti dai carabinieri; ma la risposta era la stessa per tutti e tre: «Non so niente. Non ho visto niente e non ho sentito niente perché c'era la nebbia. Ero in giro per il mio servizio. Sarà stato qualche altro cacciatore di frodo».

Li dovettero rimandare a casa perché non c'era nessuna prova contro di loro.

Ma Ful rimaneva accucciato in canonica tutto il giorno; poi, quando veniva la notte, scappava via e ritornava all'alba.

Per venti notti continuò questa storia, e per venti notti, sotto le finestre di uno dei tre guardiacaccia, un cane continuò ad ululare. E non smetteva mai e non si poteva capire dove fosse nascosto.

La mattina che seguì l'ultima delle venti notti, uno dei tre guardiacaccia si presentò al maresciallo e disse:

— Mettetemi dentro. Non volevo ammazzarlo ma sono stato io. Mettetemi dentro, non voglio più sentire urlare quel cane maledetto!

Tutto ritornò com'era prima. Don Camillo riprese ad andare a caccia con Ful. Ogni tanto però, improvvisamente, quando si trovavano in mezzo a qualche pianoro deserto e remoto, Ful si piantava.

E nel silenzio si sentiva il famoso fischio che sapeva fare solo il povero Cino.

IL DIALOGO

Il vero dialogo coi lavoratori cattolici andrebbe fatto spennellandogli la schiena con un palo: ma gli ordini sono ordini, e allora useremo il sistema della piuma.

Così comunicò Peppone allo stato maggiore aggiungendo che i discorsi hanno una grande importanza ma, per ottenere qualcosa di positivo dai lavoratori cattolici e non cattolici, è necessario fargli il solletico al portafoglio.

— Quando è sul pulpito, il prete è imbattibile perché, se gli mancano gli argomenti, tira in ballo il dogma, i Comandamenti, l'Inferno, il Paradiso e via discorrendo. Ma, quando il prete sta dietro il banco della sua cooperativa, l'affare cambia — concluse Peppone. — Qui lo dobbiamo battere.

La Cooperativa del Popolo era come un chiodo piantato nel cuore di don Camillo: un chiodo che la cooperativa bianca, messa in piedi da don Camillo, non aveva potuto togliere perché, oltre allo spaccio di commestibili e «generi diversi», i rossi disponevano della mescita di vino, del bar, della rivendita tabacchi, della televisione e perfino di un distributore di benzina.

Si trattava d'una faccenda grossa, che, oltre al resto, funzionava bene in ogni settore, e don Camillo lo sapeva per certo che mai sarebbe riuscito a trasformare la sua barchetta in un vapore di quella stazza.

Così si rodeva il fegato, e ogni volta che lo informavano di qualche novità riguardante la cooperativa rossa, era come se gli appiccicassero una legnata sulla schiena.

Naturalmente, non appena il piano per il dialogo entrò nella fase esecutiva, le legnate presero immediatamente a piovere sulle spalle di don Camillo. Un temporale di legnate, perché un giorno i rossi ribassavano il lardo, l'altro il formaggio, l'altro ancora l'olio, eccetera eccetera.

Don Camillo non poteva seguire Peppone e soci in quella pazza corsa al ribasso e cercava semplicemente di tamponare alla bell'e meglio le falle per rimanere a galla.

Oramai aveva fatto il callo alle legnate e, quando era giù di giri e cercava il conforto del Cristo Crocifisso dell'altar maggiore, si limitava a spalancare sconsolatamente le braccia:

— Signore — diceva — voi sapete come stanno le cose. Io non vi chiedo d'interessarvi della mia botteguccia: vi prego semplicemente d'aiutarmi a non perdere la calma.

Dio l'aiutò e, per un bel pezzo, don Camillo riuscì a controllarsi: ma il giorno in cui seppe della nuova «sezione», il gatto vivo che pascolava nel suo stomaco si trasformò in una leonessa furiosa.

Non si appagò della descrizione: volle vedere coi suoi occhi. Perciò andò alla cooperativa e vide.

La vetrina dei « generi diversi » era stata liberata da tutte le consuete mercanzie e, adesso, serviva per presentare la grande novità.

Un cartello spiegava che la cooperativa, per venire incontro a tutte le esigenze dei lavoratori, aveva creato la « sezione speciale » con vasto assortimento di stoffe, veli, pizzi, tessuti vari e modelli per la confezione di abiti per Cresima, Prima Comunione, Nozze.

Inoltre, ceri finemente decorati.

« *Confrontate i prezzi e la qualità e poi diteci chi è che specula sul profondo senso religioso dei proletari cattolici.* »

Così concludeva il cartello, sistemato nel bel mezzo della vetrina, ai piedi di una grande statua di « San Giuseppe Lavoratore ».

Un altro cartello spiegava come la Cooperativa del Popolo mettesse a disposizione dei clienti santini per partecipazioni di Cresima e Prima Comunione, e come si impegnasse a fornirli, senza aumento di prezzo, completi del prestabilito testo a stampa.

Lo Smilzo, così per caso, comparve sulla porta della bottega e diede un confidenziale consiglio a don Camillo:

— Reverendo, approfitti: sono ceri speciali. Ai parroci in servizio attivo, pratichiamo lo sconto del quindici per cento. Ci perdiamo ma non importa: bisogna aiutare la Chiesa.

S'era radunata gente, davanti alla vetrina, e don Camillo non poteva sbilanciarsi: si limitò a serrare fra l'indice e il pollice della mano sinistra la visiera del berretto dello Smilzo e a tirar giù, in modo da incappucciarlo completamente fino al mento.

— Niente da fare, reverendo! I tempi dell'oscurantismo medievale sono finiti! — disse fieramente il berretto dello Smilzo.

Don Camillo, la mattina seguente, trovò che ardevano sull'altare della Madonna tre ceri «finemente decorati». Il giorno dopo ne trovò sei e non ebbe alcun dubbio: poteva trattarsi solo d'un tiro dei rossi. Li avevano messi lì per fargli dispetto.

Ad ogni modo volle averne la prova e si appostò dentro un confessionale. Non dovette prolungare troppo l'agguato; nel pomeriggio stesso entrò in chiesa un uomo attempato che, segnatosi, marciò deciso verso l'altare di Sant'Antonio. Qui giunto si fermò e cavò di sotto al tabarro uno dei famigerati ceri «finemente decorati».

Don Camillo gli capitò alle spalle mentre, dopo averlo acceso, l'ometto stava infilando il cero in un candelabro: ma non era uno dei rossi, era Marchetto Frossi, uno dei fedelissimi di don Camillo.

— Marchetto — esclamò don Camillo indignato — da voi non mi sarei mai aspettato una porcheria del genere!

— Porcheria accendere un cero davanti a Sant'Antonio? — si stupì il vecchio.

— Porcheria accendere in chiesa quel cero lì!

Il Frossi si strinse nelle spalle:

— Reverendo, se posso rendere grazie a Sant'Antonio risparmiando trenta lire e facendo una buona figura, perché me lo vorreste impedire? La cera di questo candelotto e la cera dei vostri candelotti escono dalla stessa fabbrica.

Il Frossi se ne andò e don Camillo, rimasto solo, si sfogò col Cristo dell'altar maggiore:

— Gesù — disse — l'umanità vale sempre di meno: Giuda vi ha tradito per trenta denari, costui vi tradisce per trenta miserabili lire!

— Di chi parli, don Camillo? — domandò il Cristo con voce lontana.

— Del Frossi; di quello che ha acceso il cero a Sant'Antonio.

— Don Camillo, non m'avevi detto che non m'avresti mai chiesto di interessarmi della tua botteguccia? Hai perso la memoria?

— No, Signore, ho perso la calma — sussurrò umilmente don Camillo chinando il capo.

Don Camillo ritrovò la calma. Ci impiegò parecchio tempo, ma ci riuscì. Disse dal pulpito, e giù dal pulpito, ciò che sentiva di dover dire circa i ridicoli sistemi usati da certa gente per trarre in inganno la gente timorata di Dio.

Spiegò che il demonio si serve di tutti i mezzi pur di conquistare la simpatia e la fiducia degli uomini. Bisogna diffidare del demonio specialmente quando dà. Il demonio dà dieci per aver mille e sfrutta astutamente la nostra avarizia e la nostra pigrizia.

Don Camillo non faceva il gioco del demonio: pur di non servirsi alla Cooperativa del Popolo, un giorno aveva mangiato la minestra senza sale, e una notte, sotto un diluvio d'inferno, si era macinati otto e otto sedici chilometri per andare a comprare un sigaro toscano a Torricella. Ma, pur di boicottare Peppone e la sua bottega, don Camillo era disposto a fare molto di più.

E, difatti, lo fece il giorno in cui diede la solita ripassatina ai benefattori dell'asilo. Fattosi prestare il solito camioncino del Filotti e preso a bordo un ragazzotto robusto, don Camillo iniziò il giro delle aie. Una volta caricato il camioncino con frumento, granoturco, patate, mele, legna e via discorrendo, riprese la via del paese.

Tutto funzionava a meraviglia e don Camillo pilotava allegramente: la macchina aveva marciato come un cronometro, la gente aveva dato senza fatica, la giornata era serena e il sole tiepido.

Arrivò al paese e imboccò la strada grande, quella che passava davanti alla Casa del Popolo, indi, duecento metri più oltre, sfiorava il sagrato; e proprio a trenta metri dalla Casa del Popolo, il motore incominciò a fare il pazzo.

Pareva una cosa organizzata dal demonio in persona perché il camioncino si arrestò proprio davanti al distributore di benzina della cooperativa.

Lasciato il volante, don Camillo scese, sollevò il coperchio del cofano, svitò il tappo del serbatoio.

— La benzina — spiegò don Camillo al ragazzotto.

— Siamo fortunati! — si rallegrò il ragazzotto. — Il distributore è proprio qui davanti...

Un ruggito di don Camillo lo fece zittire. Ma oramai il nemico aveva capito.

Il nemico era proprio sulla porta della cooperativa a godersi il solicello d'autunno e, oltre ad avere l'orecchio fine, aveva buon naso in fatto di motori.

— Buona sera, reverendo — disse allegramente il nemico.

— Buonasera signor sindaco — rispose a denti stretti don Camillo, mettendosi a confabulare col ragazzotto.

Un secondo dopo, tutto lo stato maggiore e un buon assortimento di compagni sciolti uscirono dalla cooperativa e attorniarono Peppone.

— Cosa succede, capo? — domandò lo Smilzo.

— Pare che manchi la benzina! — rispose Peppone.

— Peccato che non gli sia mancata in aperta campagna — esclamò lo Smilzo. — Qui con poco più di cento lire se la cava.

— Figurati! — borbottò il Bigio — vuoi che abbia la faccia di comprarne soltanto un litro?

— Quello è capace di farsene dare mezzo litro! — sghignazzò lo Smilzo. — Tu non sai che pellacce siano i preti!

Quelli della banda stavano parlando fra di loro disinteressandosi di don Camillo, ma lo facevano in modo che le loro parole potessero essere sentite almeno fino ai confini del Comune. Era logico quindi che a don Camillo incominciassero a gonfiarsi le vene del collo. Ma resistette e continuò a parlottare col ragazzotto: lui a terra, e il ragazzotto in cabina.

Intervenne Peppone:

— Mezzo litro? — disse. — Neanche una goccia! Non può: questa è benzina del demonio. Se dovesse usarne anche soltanto un cucchiaio l'Agip lo sospenderebbe *a divinis*.

— E allora come se la cava, capo? — s'informò lo Smilzo.

— Facile! — spiegò Peppone alla folla che

mano a mano s'era andata radunando. — Le macchine dei preti sono a doppio uso: possono andare a benzina e a paternoster. Adesso lui fa il pieno di paternoster, poi tira il pomello e lo Spirito Santo fa marciare il motore.

La banda si mise a sghignazzare forte e, allora, don Camillo dovette per forza cavar fuori la testa dalla cabina e guardare negli occhi il nemico.

Gonfiò il torace, strinse i pugni e rivolto a Peppone disse:

— Non occorre scomodare lo Spirito Santo, ce la faccio da solo.

Lo Smilzo trovò subito la replica che ci voleva:

— È una parola. Qui non ci vuole un don Camillo: ci vuole un don Caterpillar!

Don Camillo perdette la calma:

— Reggi il volante! — urlò al ragazzotto.

Con un balzo fu dietro l'autocarro e vi si puntellò contro.

Incominciò a scricchiolare della roba: forse le ossa di don Camillo, forse la sponda dell'autocarro. Forse tutt'e due.

Don Camillo non era più un uomo, era un crik e, adesso, tutta la banda tratteneva il fiato perché aveva capito che i casi erano due: o il camion si sarebbe mosso o don Camillo si sarebbe frantumato.

Si mosse, con l'aiuto di Dio, il camion, e cominciò la sua lenta marcia.

Peppone e la sua banda parevano incantati dallo spettacolo e seguivano il camion, muto e solenne corteo.

Dopo aver percorso cinquanta metri, don Camillo sentì il bisogno di tirare il fiato; si drizzò e si volse:

— Se ci sono quattro bulli che, tutti assieme, sono capaci di fare quello che ho fatto io da solo, vengano avanti — invitò don Camillo.

Naturalmente non si fecero avanti in quattro: si fece avanti, lento e potente, soltanto Peppone.

Fece cenno a don Camillo di togliersi dai piedi e piantò la spalla contro là dove l'aveva piantata don Camillo.

Anche allora ci furono degli scricchiolii, ma anche allora non si ruppe niente e anche sotto la spinta di Peppone il camion si mosse e riprese la marcia.

Dieci, venti, trenta, quaranta metri: Peppone non mollò ai cinquanta metri. E non mollò neppure quando arrivò ai cento metri.

Via via che il camion procedeva, la banda dei rossi si esaltava: presto tutti si misero a urlare, e presto la strada fu piena di gente piovuta da tutte le parti.

Peppone pareva un cingolato da ottanta cavalli: superò i centodieci, i centoventi. Si fermò solo quando il camion fu giunto ai duecento, sul sagrato.

Un urlo salutò il trionfo di Peppone.

Don Camillo non si scompose: lasciò che Peppone smettesse di ansimare e che la cagnara si calmasse. Poi levò in alto il braccio e chiese la parola.

— Bene — spiegò don Camillo quando li vide disposti ad ascoltarlo. — Mi serviva precisamente un pesce che si lasciasse pescare e mi spingesse gratis il camion fino a casa.

Peppone si riprese subito:

— Pesce fino a un certo punto! — gridò.

Capirono subito; lo Smilzo salì in cabina e,

scansato il ragazzotto, si mise al volante: gli altri si buttarono come vacche contro il radiatore del camion e, urlando, lo spinsero, all'indietro, fino a raggiungere il distributore. Qui si fermarono e, quando don Camillo fu arrivato, Peppone fece il punto della situazione:

— Ai più furbi gli cascano le brache. La strada per la canonica è quella lì: si accomodi, reverendo.

Don Camillo non si scompose: accese il suo mezzo sigaro toscano e tirò un paio di boccate.

— Serve benzina, reverendo? — gli domandò lo Smilzo avvicinandosi alla pompa.

— No, grazie, ce l'ho — rispose don Camillo.

Poi salì in cabina, aprì il rubinetto della riserva, tirò il pomello d'avviamento e il camion iniziò, con mezzi propri, la marcia trionfale verso il sagrato e la canonica.

Rimasero lì tutti a guardare a bocca aperta, poi Peppone buttò il cappello per terra e prese a schiamazzare:

— È già la seconda volta che quel maledetto mi frega col rubinetto della riserva!

Lo Smilzo fece una precisazione:

— Capo: tu hai fatto centocinquanta metri, però lui cinquanta se li è dovuti sciroppare. Hai perso per tre a uno: l'onore è salvo.

Si consolarono così e cercarono di non parlarne più. Ma la gente ne parla ancora e pare che intenda continuare a parlarne.

IL CAPOBANDA
PIOVUTO DAL CIELO

Don Camillo stava celebrando la Messa e, intanto, la banda lavorava al suo piano delittuoso.

Erano arrivati dalla parte dei campi, camminando sotto i filari, e, raggiunta la siepe dell'orto della canonica, l'avevano attaccata alla base, con le ronchette, per aprirsi un varco fra i prugnoli e i cagapoi.

Sei facce da galera guidate da un bullaccio con un gran ciuffo di capelli ricci che gli pencolava sull'occhio sinistro e una camiciola da teppista, a righe bianche e rosse: le gambe coperte di graffi e le brache spelacchiate e con uno strappo attraverso il quale si vedeva un pezzo di sedere spiegavano che si trattava d'un razziatore professionale.

Nella conca dell'abside, fra gli scanni del coro, s'aprivano due alte finestre a vetri gialli e blu e, siccome erano entrambe spalancate, l'impresa dei saltafossi risultava particolarmente rischiosa perché don Camillo, dall'altare, volgendo l'occhio a

destra, poteva controllare la parte superiore dell'o-
biettivo. Proprio quella che interessava la banda, in
quanto le mele da rapinare stavano lassù.

Aperto il passaggio nella siepe, a un cenno del
capobanda, uno dei criminali s'infilò nell'orto e,
strisciando fra le verze, raggiunse il melo, poi si ar-
rampicò lesto come una scimmia. Arrivato al castello, dove il tronco s'articolava in quattro grandi rami, s'affacciò a esplorare e subito ridiscese,
tornando a riferire ai complici rimasti di là dalla
siepe.

— Niente da fare — spiegò. — Fino alla forcella si va bene perché il tronco copre ma, dopo, bisogna lavorare allo scoperto e il prete può vedere.

Il capo sputò il prugnolo che stava biascicando:

— Che veda, quel macaco! — disse con voce
carica di disprezzo. — Vado io e butto giù. Voi rimanete attorno alla pianta e prendete al volo. Nessun fracasso: non un pomo deve cadere per terra.
Attenzione: se uno sbaglia, lo pesto.

Entrarono tutti nell'orto meno il "palo", e il
capo scaglionò i suoi uomini sotto il melo.

— Al primo allarme — concluse — ognuno
viaggi per conto suo. Poi ci troviamo al molino vecchi. Io mi arrangio da solo.

— Se il prete ti vede — obiettò uno della banda
— ti riconosce e, anche se riesci a scappargli, dopo
ti mette nei guai.

Il capo ridacchiò e, cavato di saccoccia il fazzoletto, se lo distese sulla faccia annodandolo dietro la
testa. Praticamente, dato il ciuffo pencolante sul-
l'occhio sinistro, rimaneva scoperto soltanto l'occhio destro e il bullo sussurrò:

— Mi riconosca, adesso, se è capace.

Don Camillo celebrava la Messa e, ad un tratto, udì sommessa la voce del Cristo:

— Don Camillo, hai sbagliato. Non è la pagina giusta.

— Scusatemi, Signore — rispose don Camillo dandosi da fare attorno al messale.

— Non è la pagina giusta neppure quella — disse ancora il Cristo.

— Perdonatemi — si dolse don Camillo. — Non so cosa mi stia succedendo.

— Forse dipende dal fatto che tu, mentre giri la pagine del messale, invece di guardare il messale guardi fuori da quella finestra.

Il bullo mascherato, arrivato nella zona dove pareva si fossero date convegno le mele più grosse e più belle, s'era sistemato a cavalcioni d'un ramo e lavorava tranquillo come se stesse sul balcone di casa sua. Staccava le mele e le lanciava ai complici, rapido, sicuro, senza un istante di perplessità.

— Don Camillo — ammonì ancora il Cristo — perché continui a guardar fuori?

— Signore — gemette don Camillo — sul melo dell'orto c'è qualcuno.

— Don Camillo — sussurrò con voce severa il Cristo — quattro mele ti fanno, dunque, dimenticare il tuo Dio?

— Non quattro, Signore! — ansimò don Camillo. — Ma quattrocento o quattromila! Sembra che abbia cento mani, quel demonio.

— Ti capisco, don Camillo — sospirò il Cristo. — Il fatto è assai grave e non ti resta che interrompere la Messa e correre a difendere le tue mele.

Don Camillo si ribellò:

— Signore — disse — non ho interrotto la

Santa Messa quando s'è rotto l'argine e l'acqua è entrata in chiesa. Niente e nessuno al mondo potrebbe farmi interrompere la Santa Messa. Le mie mele non m'importano. M'ha offeso il gesto provocatorio di quel piccolo bandito.

— Piccolo, hai detto?

— Piccolo per modo di dire: avrà i suoi otto o nove anni.

— Allora non lo chiamerei bandito, don Camillo. Ho conosciuto qualcuno che, da bambino, coglieva mele su quell'albero e, in seguito...

— *Orate fratres!* — tagliò corto don Camillo disinteressandosi di quel che accadeva sul melo.

Il melo che spalancava la sua grande ombrella sull'orto della canonica era vecchio come il cucco. Un melo quasi miracoloso perché, quarant'anni prima, dava tre grossi panieri di pomi fragranti ogni autunno e, adesso, ne dava quattro ed era sano come allora.

Anche quando il melo del parroco era giovane, giravano per la campagna bande di saltafossi che partivano la mattina, con un pezzaccio di pane in tasca, e tornavano, la sera, con le camicie gonfie di frutta da spaccarsi.

Anzi, a quei tempi, le bande che andavano in giro a razziare frutta erano mille volte più numerose e, parecchie volte, tagliavano addirittura le piante e se le portavano via con tutti i frutti.

Dal borgo grosso, partivano — alla stagione giusta — decine e decine di bande che si sparpagliavano per la campagna e, dove passavano, non lasciavano nemmeno le foglie sugli alberi. Una delle più tremende era quella chiamata del Chiavicone perché aveva la base presso la paratia di sbarramento dello Stivone: una dozzina di galere d'ogni risma, sui nove o dieci anni, ma pericolosi come se ne avessero diciotto.

La frutta li interessava parecchio, ma, più ancora della frutta, li interessava il "lavoro" in sé. Agivano dovunque si presentasse una favorevole occasione, cercando di battere le bande concorrenti, però ciò che più li appassionava era il lavoro nella loro riserva. Possedevano, cioè, un settore riservato nel quale nessuna banda osava sconfinare perché quelli del Chiavicone sapevano farsi rispettare e, soprattutto, perché comprendeva i dieci punti più pericolosi di tutta la zona. Ne facevano una questione di prestigio, d'onore addirittura, e, quanto più i disgraziati padroni delle piante s'arrabbiavano e cercavano d'aumentare la sorveglianza e le difese, tanto più i ragazzi del Chiavicone pigliavano gusto alla faccenda.

Fra i dieci obiettivi, c'era il melo del parroco. Obiettivo rischiosissimo perché situato vicino all'abitato, perché lo custodiva un canchero di campanaro che non ci metteva niente a sparare schioppettate a sale e, infine, perché, quando il melo veniva spogliato, il vecchio parroco, durante la predica, tirava fuori tante di quelle lagne da far nascere nei genitori l'ardente desiderio di spellare, a scapaccioni, le zucche dei figlioli.

La banda del Chiavicone era una organizzazione a numero chiuso e funzionava meglio di tutte le altre perché uno solo comandava e gli altri si limitavano a eseguire gli ordini.

Dopo tre anni di attività, la banda del Chiavicone, improvvisamente, perdette uno dei suoi uomini. Scomparve e nessuno ne seppe più niente.

Ciò accadde quando i piccoli saltafossi avevano sette anni. Per tre anni, il socio non si fece più vivo.

Tornò a galla, appunto, nell'estate di tre anni dopo, ma stentavano a riconoscerlo perché, se la faccia era sempre la stessa di prima, tutto il resto non combinava più.

Il socio, infatti, era vestito da prete.

L'avevano messo in seminario e, adesso, gli avevano concesso di passare a casa dei suoi le vacanze estive.

Tutti quelli del Chiavicone si trovarono d'accordo col capobanda: non doveva nemmeno avere il coraggio di guardarli in faccia. Lo avevano aspettato per tre anni. Era tornato vestito da prete e lo consideravano peggio che morto. Quindi, avrebbero preso, al suo posto, il Rossetto della Casa Bruciata.

Arrivò il momento delle ciliege e la banda si mise al lavoro.

Gli undici, una mattina, si ritrovarono alla chiavica per studiare la prima impresa della nuova stagione, e stavano discutendo da un quarto d'ora quando l'uomo di guardia diede l'allarme: « Nemico in vista ».

Si appostarono dietro i cespugli di gaggìa e, di lì a poco, apparve sulla strada dell'argine il pretino.

A un fischio del capobanda, lo circondarono e lo trascinarono alla chiavica.

— Cosa fai da queste parti? — domandò minaccioso il capo al pretino. — Vieni a spiare?

— No — rispose il pretino — mi hanno detto che prendete il Rossetto della Casa Bruciata, al mio posto. Questo non è giusto: fin che sono vivo quel posto è mio.

Gli risero in faccia.

— Vai a dire il Rosario dal parroco — gli rispose il capobanda. — Noi non abbiamo bisogno di preti. I preti sono nemici del popolo.

Erano parole grosse, per un moccioso di dieci anni, ma si trattava di discorsi che il ragazzo aveva sentito un milione di volte in casa sua, o nei comizi dei rossi, e, perciò, contavano fino a un certo punto.

— I preti sono ministri del Signore e, quindi, amici specialmente dei poveretti — rispose compunto il pretino.

Lo copersero con una valanga di parolacce e, quando il capo fece loro un segno, gli saltarono addosso e l'immobilizzarono.

— Adesso — spiegò il capobanda — te ne torni a casa tua e, se incontri uno di noi, abbassi gli occhi. Però, il tuo vestito da pretaccio ci serve e allora, senza far fracasso, ti spogli e te ne vai in camicia.

L'idea entusiasmò i soci della banda, ma il pretino non si trovò d'accordo. Agitandosi come una tigre presa nella rete, riuscì a scivolar via dalle grinfie dei suoi aggressori e a tagliare la corda.

Si sosteneva la sottana con tutt'e due le mani e correva come un maledetto. Disgraziatamente, correva verso il fiume e gli altri, inseguendolo, si distendevano in modo da bloccarlo sulla riva. Lo insaccarono e il pretino non ebbe più scampo perché stava già coi piedi dentro l'acqua.

Il capobanda ordinò agli altri di star fermi e avanzò verso la vittima.

— Me lo cucino io — spiegò con aria feroce. — Lo manderemo al paese nudo e, se vorrà arrivarci, dovrà nuotare.

Ma il grande fiume ebbe pietà del pretino e gli spedì, a cavalcioni di un'onda-espresso, un legno di robinia lungo un metro e d'un paio di pollici di diametro.

Il capobanda s'era fatto un concetto sbagliato dei preti e non immaginava cos'avrebbe trovato, in riva all'acqua. Il pretino, infatti, per ingannare l'avversario, fece una faccia ancora più spaurita e poi, appena la zucca del capobanda gli arrivò a tiro, si chinò, pescò il legno e sparò una stangata maiuscola.

Il capobanda crollò, ma il pretino non perse di vista gli altri dieci scalcagnati e, prima ancora che si fossero resi conto di che cosa stesse succedendo, si videro investiti da un ossesso che faceva, col suo micidiale bastone, mulinelli da togliere il fiato.

Si dispersero fra i pioppi e, riprendendo contatto col mondo circostante, il capobanda si trovò con un bernoccolo da fiera campionaria in testa e alla mercé del pretino che pareva dispostissimo a continuare il ballo.

— Pace — borbottò il capobanda tirandosi su.

— Pace — rispose il pretino.

Gli altri tornarono a galla un po' alla volta e, quando ci furono tutti, si trovarono d'accordo col capo: il posto nella banda era del pretino.

Partirono subito per raggiungere l'obiettivo stabilito e il pretino li seguì; sempre tirandosi dietro il suo legno di robinia.

In vista della pianta da "lavorare", il capo si volse al pretino e borbottò:

— La veste t'impiccia: come fai a salire?

— Non salgo — spiegò il pretino. — Io appartengo alla banda, ma non partecipo. Intanto che voi fate il lavoro, io pregherò.

La banda si scaglionò sui ciliegi e, inginocchiato dall'altra parte della siepe, il pretino pregava.

Tornarono alla base in ordine sparso per la giusta divisione del bottino.

— Lui — disse uno della banda indicando il pretino — non ha fatto niente e non avrebbe diritto a niente.

— Io non voglio niente, difatti — rispose il pretino. — Io non posso trasgredire i Comandamenti. Settimo, non rubare.

— E allora cosa ci vieni a fare, con noi?

— Prego Dio che vi perdoni.

Il capobanda fece undici mucchi e, alla fine, borbottò:

— Però non è giusto che lui non abbia proprio niente.

— Non mi spetta niente — insisté il pretino. — Si capisce che, se uno fa un'offerta spontanea, io non posso rifiutare.

Ognuno diede una manciata di ciliegioni al pretino e tutto andò a posto.

La banda del Chiavicone, quell'anno, fece una campagna brillantissima e si tenne, come ultima operazione di prestigio, il saccheggio del melo del parroco.

— Stavolta non posso venire con voi — spiegò il pretino. — Io rimarrò a pregare in chiesa.

E, puntualmente, all'una e mezzo del pomeriggio, mentre la banda assaltava il melo dell'orto, il pretino s'inginocchiava davanti all'altar maggiore.

A un tratto udì una voce lontana:

— Cosa fai?

Il pretino capì subito che quella era la voce del Cristo dell'altar maggiore e chinò umilmente il capo:

— Signore — rispose — prego.

— E per chi?

— Per i ragazzi che non capiscono l'importanza dei Comandamenti e rubano la frutta.

— Per tutti i ragazzi che rubano la frutta?

— Sì, Signore. Ma particolarmente per i miei amici che la stanno rubando ora. Signore: essi non hanno studiato e non possono ragionare giusto. Non sono cattivi. Perdonateli!

— Se i tuoi amici hanno il brutto vizio di rubare la frutta, perché non li convinci a non rubarla? Non vogliono ascoltarti forse?

— No, Signore: mi ascoltano. Ma se li convinco a non rubare frutta, come possono fare a darmi, poi, la mia parte?

Il Cristo sorrise:

— Io apprezzo la tua sincerità e la tua innocenza, ma non posso approvare il tuo modo di agire. Non è così che si riportano i peccatori sulla via del bene.

Al pretino vennero le lagrime agli occhi:

— Lo so, Signore. Ma la frutta mi piace tanto e in seminario ne danno così poca...

— La via che tu vuoi percorrere è dura e piena di sacrifici...

S'udì, nell'orto, del putiferio e il pretino, saltato

su uno scanno del coro, andò ad affacciarsi a una delle due finestre dell'abside: il campanaro aveva scoperto la banda in azione e ora stava scendendo al piano urlando. I ragazzi della banda saltavano lestamente giù dal melo e tagliavano la corda. Il capobanda, che lavorava in vetta, non poteva affrettarsi come gli altri perché, lassù, i rami erano piccoli e fragili; disgraziatamente, preso dall'agitazione, s'affrettò e, ad un tratto, un ramo gli si spezzò sotto i piedi. Non precipitò perché riuscì ad agguantare un altro ramo, ma rimase penzoloni nel vuoto, e anche il ramo della salvezza dava l'idea di volersi spezzare da un istante all'altro.

— Signore — esclamò il pretino. — Mentre parlavo con voi, ho smesso di pregare ed ecco cos'è successo a quel poverino. Signore, perdonatemi: ma quando uno sta pregando, non bisogna distrarlo!

Il ramo al quale era aggrappato il ragazzo scricchiolò e il pretino, issatosi sul davanzale della finestra, con un balzo fu nell'orto.

Era una pazzia quella che aveva in mente di fare ma il Cristo lo aveva distratto mentre pregava, rendendosi corresponsabile del guaio, e doveva per forza aiutare il pretino.

Il pretino arrivò sotto il melo proprio quando il ramo si spezzava e il ragazzo precipitava.

L'agguantò al volo prima che toccasse terra e tutt'e due finirono in mezzo alle verze.

Il pretino dovette stare a letto quindici giorni perché era tutto ammaccato e con un sacco d'ossi fuori posto, ma Dio solo sa come se la poté cavare senza spezzarsi le braccia, o l'osso del collo o la spina dorsale.

Quando il pretino poté rimettersi in piedi, andò

a inginocchiarsi davanti al Cristo dell'altar maggiore.

— Signore — disse — grazie d'aver salvato il mio amico e me. In quanto alla frutta comprendo...

— Non ti preoccupare — lo interruppe il Cristo. — Torneremo sull'argomento della frutta in seguito. Abbiamo tempo...

Don Camillo continuava a celebrare la Messa e faceva sforzi tremendi per non tenere in considerazione il fatto che un criminale stava spogliandogli il melo, lì davanti al naso. E lo vedeva.

Non si sa come fu: la gente che era in chiesa, quella mattina, ricordò per tutta la vita ciò che accadde. D'improvviso, don Camillo schizzò via dall'altare come fosse stato succhiato da una tromba d'aria: in un baleno fu nell'orto sotto il melo, e il disgraziato capobanda rimasto — come l'altro capobanda della nostra storia — appeso a un ramo che stava spezzandosi, gli cadde tra le braccia.

Lo mise a terra e gli strappò il fazzoletto dalla faccia.

— Se non altro sei più leggero di tuo padre — ruggì allentando al ragazzino una pedata atomica.

Poi ritornò in chiesa e finì di celebrare la Messa.

Non fece notare al Cristo Crocifisso che il figliolo di Peppone, piovendogli addosso, gli aveva spezzato una costola.

Ma il Cristo lo sapeva benissimo.

IL VOTO

Non s'era mai visto un autunno così vigliacco e traditore: quando non pioveva a scroscio, piovigginava. E se, per miracolo, durante la mattinata veniva fuori una spera di sole, nel pomeriggio piombava giù una nebbia da tagliare col coltello. Una nebbia che bagnava più dell'acqua.

La terra era fradicia, marcia patocca, e tutti parevano matti perché non si riusciva a seminare il grano.

Le bestie si piantavano nelle colture fino alla pancia, i trattori macinavano a vuoto perché le ruote a gabbia si riempivano di terra e diventavano pesanti una tonnellata l'una.

Soltanto i pazzi potevano girare per i campi. I pazzi o i cacciatori perché i cacciatori non sono, in definitiva, che dei pazzi a piede libero.

In quel pomeriggio di mezzo novembre, lungo il Canalaccio, camminava un cacciatore: portava alti stivaloni di gomma e, ogni tanto, doveva fermarsi e lavarli nell'acqua del canale per via del fango che era così maledetto da cavarcela ad appiccicarsi perfino sulla gomma.

Il cacciatore non aveva ancora potuto tirare una schioppettata: probabilmente non avrebbe avuto occasione di tirarne, tuttavia continuava a girovagare.

Il cane lo accompagnava senza il minimo entusiasmo: anzi con palese disgusto. Tanto che, a un bel momento, fece un deciso dietro-front e prese la strada di casa.

— Ful!

Il cane si fermò, si volse a guardare il padrone, poi riprese il suo cammino.

— Ful! Qui!

La voce del cacciatore era carica di tempesta e il cane, mugugnando, tornò indietro.

— Se ci sto io, qui, ci devi stare anche tu! — gridò il cacciatore quando il cane gli fu di nuovo vicino.

E Ful, se avesse potuto parlare, gli avrebbe risposto:

— Reverendo, se tu sei scemo non è una buona ragione perché lo debba essere anch'io.

Il cacciatore borbottò ancora un bel pezzettino poi, visto che la nebbia incominciava a calare, pensò che l'idea del cane non era poi da buttar via e, dopo un'adeguata pausa di silenzio, disse:

— Se vuoi andare a casa, fila. Sono stufo di averti tra i piedi.

Scaricò la doppietta e se la appese canna in giù, alla spalla destra, sotto il tabarro.

Ed ecco che, proprio in quel momento, Ful tende tutti i nervi e fatti tre passi si mette in posta.

— Proprio adesso, disgraziato! — borbottò il cacciatore tentando di sbarazzarsi del tabarro per rimettere in batteria l'archibugio.

Ma appena sbrogliata la doppietta, si rese conto che non doveva trattarsi di selvaggina normale: infatti Ful s'era messo a ringhiare in tono cupo, sempre proteso verso un gran macchione di gaggìa.

Don Camillo disse al cane di star zitto e aspettò appostato dietro il tronco di un gelso.

Vide movimento di ramaglia nel macchione e, pochi momenti dopo, sbucò dall'intrico il nero fantasma di un uomo altissimo e senza testa.

Il tenebroso gigante senza testa avanzava verso il gelso dietro il quale stava tremando don Camillo assieme a Ful.

Ma, improvvisamente, Ful fece un balzo e si slanciò verso il mostro abbaiando allegramente, e allora anche don Camillo dovette accorgersi che non si trattava d'un fantasma senza testa ma d'un omaccio che camminava tenendo il tabarro sopra la testa.

Anzi: il tabarro era sopra la testa del bambinello che l'omaccio portava a cavalcioni sulle spalle, tenendolo saldo per i polpacci.

L'omaccio si fermò davanti a don Camillo:

— Ti avevo scambiato per un uomo senza testa — disse don Camillo. — Considerando che la testa ti serve così poco, non sono andato lontano dalla verità.

L'omaccio aprì il sipario e mise fuori la testa dal tabarro:

— Reverendo — affermò — se non fosse per la stima e il rispetto che ho per il vostro cane, vi risponderei come meritate.

— Peppone, non arrabbiarti — ridacchiò don Camillo — non ho nessuna intenzione di offenderti.

— Io invece, se non vi togliete di mezzo, l'intenzione di offendervi ce l'ho — rispose cupo Peppone. — Lasciate andare i galantuomini per la loro strada.

— Veramente tu non stai andando per la tua strada ma per i campi degli altri: comunque, nessuno ti impedisce di continuare il tuo cammino.

— Allora spostatevi dal sentiero: io non ho nessuna voglia di andarmi a impantanare in mezzo alla coltura. Invece di far perdere del tempo inutile al vostro cane, sarebbe meglio se steste in ufficio a pregare il vostro principale di far venire il sole.

Don Camillo si spostò dal sentiero:

— Il mio principale non ha bisogno di consigli: lo sa lui quando deve far piovere e quando deve far venire il sole.

— A me pare di no — replicò Peppone incamminandosi per il sentiero. — Il vostro principale si è dato troppo alla politica e così trascura l'amministrazione.

Don Camillo non si curò di rispondergli e, rimessa la doppietta sotto il tabarro, si incamminò anche lui, dietro a Peppone.

Passato il Canalaccio, Peppone disse senza voltarsi:

— Si può sapere quando la pianterete di pedinarmi?

— Io vado per la mia strada — rispose don Camillo. — La mia strada perché i campi sono la strada dei cacciatori. Tu, piuttosto, dov'è che vai?

— Vado dove mi pare — urlò sempre continuando a camminare Peppone. — Lo avete soltanto voi il diritto di viaggiare in mezzo ai campi?

— No: io ho soltanto il diritto di trovare strano il fatto di un uomo il quale, volendo passeggiare tra i campi, in mezzo al fango, in una giornata schifosa come questa, porti con sé un bambino di cinque anni che starebbe tanto bene al caldo in casa.

Peppone ruggì:

— Di mio figlio dispongo io. Impicciatevi dei fatti vostri.

— Appunto: siccome quel poverino l'ho battezzato io, ce l'ho in carico sul mio registro e ho perciò il dovere di dirti che bisogna avere una zucca piena di crusca per portarlo in giro in queste condizioni.

Peppone non poté rispondere perché slittò nella fanghiglia e sarebbe finito con la schiena per terra se don Camillo non l'avesse puntellato alle spalle.

— Lo vedi se ho ragione? — disse don Camillo. — Roba da fargli spaccare il cervelletto.

— La colpa è vostra! — urlò Peppone mentre scalpitava per veder di liberarsi del piastrone di fango che s'era appiccicato sotto le suole degli stivali. — Mi fate imbestialire e non posso badare a dove metto i piedi.

Don Camillo aprì il tabarro e si tolse la doppietta appoggiandola a un gelso.

— Dai qui a me intanto che ti pulisci i ferri degli zoccoli — borbottò levandogli di dosso il bambino e prendendolo in braccio.

Peppone bestemmiando raccolse uno sterpo e si diede da fare rabbiosamente per alleggerire gli stivali.

Era un lavoro difficile e il bambino, visto che la

faccenda andava un po' per le lunghe, sussurrò a don Camillo:

— In groppa.

— Silenzio! — gli rispose burbero don Camillo.

Il bambino incominciò a buttar fuori il labbro di sotto e a tirar su il fiato lungo.

Allora, per evitare scenate disgustose, don Camillo si mise il marmocchio a cavalcioni sul collo. Nel levare le braccia, il mantello gli scivolò giù dalle spalle e don Camillo fece appena a tempo ad appoggiarsi all'albero che gli stava dietro, bloccando a metà della discesa il tabarro.

— Piglia! — urlò don Camillo.

— Cosa? — domandò aggressivo Peppone volgendosi.

— Piglia il mio tabarro se no mi casca nel fango!

Peppone smise il suo lavoro e andò a ricuperare il mantello.

Dall'alto, il bambino fece dei gesti a Peppone, e si toccò ripetutamente la testa.

— No — gli rispose Peppone. — Dopo, quando ti riprendo io. Lui non vuole.

— Cos'è che non voglio? — muggì don Camillo.

— Che il bambino si metta in testa il vostro tabarro.

— Butta su, e vedi di sbrigarti! — urlò don Camillo stringendo con le manacce le gambette che gli penzolavano sul petto.

Peppone mise il tabarro in testa al bambino e don Camillo si trovò per un momento al buio.

Quando il sipario si riaprì, don Camillo vide

Peppone che, dopo aver ballonzolato qualche istante su un piede solo, precipitava all'indietro piantando il posteriore dentro una pozzanghera.

— Bel colpo! — esclamò entusiasmandosi don Camillo. — Se i *quadri* sono a posto come la *base*, la rivoluzione proletaria è cosa di pochi giorni.

— Se voi aveste il sedere bagnato come ce l'ho io adesso — urlò Peppone rialzandosi — ragionereste con un po' più di carità cristiana.

Peppone si avvicinò per riprendersi il bambino, ma don Camillo fece un passo indietro:

— Lascialo qui: io ho gli stivaloni di gomma e riesco a camminare mentre tu non ce la fai. Prendi su il mio schioppo. Poi, quando saremo sulla strada, ti restituirò questo macaco!

— Io non vado alla strada — spiegò Peppone cupo.

— Non vai alla strada? — si stupì don Camillo. — E dove sei diretto, allora?

— Sono diretto dove voglio io! Ridatemi il mio piccolino e lasciatemi tranquillo.

Don Camillo aprì un momentino il sipario del tabarro per guardare in faccia Peppone:

— Senti, pazzo scatenato: questo bambino scotta e, se tu non lo riporti a casa subito...

— Anche se lo riporto a casa subito non cambierà niente! — urlò imbestialito Peppone. — Sono due mesi che, tutti i santi giorni, verso sera, gli viene la febbre e il dottore non sa cosa farci! Ridatemelo e non avvelenatemi più l'anima!

Don Camillo scosse il capo:

— *Quo vadis*, Peppone?

— *Quo vadis* dove voglio io e *quo vienis* un accidente a voi e a tutti i clericali dell'universo! —

ruggì Peppone. — Vado in un posto dove devo andare!

— Sta bene: e non ci puoi andare per la strada?

— No! No! Devo andarci per i campi. Per la strada non posso andarci. Io posso umiliarmi davanti al Padreterno ma non davanti ai preti e ai loro complici!

Don Camillo guardò la faccia sconvolta di Peppone.

— Non parlo più — borbottò. — Andiamo.

— Il bambino lo devo portare io.

— Non occorre; piglia su in spalla quel ciocco: è più pesante del bambino e, anche se caschi, non si fa male. Io ho gli stivaloni e il bambino è al sicuro.

Peppone raccolse il ciocco che era lì, a lato della carrareccia, e se lo caricò in spalla.

— Lo schioppo lascialo: lo riprenderemo al ritorno — disse don Camillo incamminandosi. — Ful resterà di guardia.

La nebbia diventava sempre più fitta e la terra sempre più fradicia, ma i due uomini continuavano a camminare in mezzo al fango. Per un mezzo chilometro fiancheggiarono la strada comunale ma nessuno dei due parlò di cambiare itinerario.

Come erano lunghi quei chilometri.

E dovettero contarne quindici di chilometri, prima di arrivare.

Finalmente, quando oramai la nebbia era diventata opaca, apparve la mole scura.

Una gran fabbrica di mattoni anneriti dagli anni, una fabbrica massiccia e alta, che si levava a lato d'una strada deserta e solitaria e, tutt'attorno, erano campi nudi e crudi. Prati che, un tempo, erano risaie.

Una gran fabbrica che, trecent'anni prima, era soltanto una cappelletta e poi era diventata il santuario della *Madonna dei campi*.

Peppone gettò il ciocco e riprese il bambino.

— Voi — disse con ferocia a don Camillo — voi rimanete fuori. Non voglio che voi veniate dentro a spiare.

Don Camillo rimase ad attendere davanti alla porta e Peppone entrò col suo bambino in groppa.

La chiesa era fredda e semibuia e non c'era anima viva.

Soltanto la *Madonna dei campi* c'era, di vivo, e i suoi occhi guardavano dolci dall'alto dell'altare.

Don Camillo rimase a far la guardia fuori dalla porta. Poi, per star più comodo, si inginocchiò su un sasso e disse alla *Madonna dei campi* le cose che Peppone non avrebbe saputo dirle.

Si rialzò quando sentì cigolare la porta.

— Se dovete dirle qualcosa, potete entrare — borbottò Peppone.

— Già fatto — rispose don Camillo.

Ripresero la via dei campi: don Camillo ricuperò il bambino e se lo collocò sul collo e gli mise il mantello in testa.

Peppone ricuperò il suo ciocco e se lo caricò in spalla.

La nebbia diventava sempre più cupa: don Camillo, a un bel momento, dovette chiedere aiuto. Fischiò e, da lontano, Ful rispose.

Adesso, con Ful per guida, non era più difficile ritrovare la strada di casa.

Giunsero che era notte. Davanti alla porta della canonica Peppone scaricò il ciocco:

— Cambio merci — borbottò.

Tolse il mantello e vide che il bambino aveva reclinato la testa sul testone di don Camillo.

— Dorme! — sussurrò Peppone.

— Sì, ma non tutto — rispose cupo don Camillo.

— In che senso, reverendo?

— Se tu avessi il collo bagnato come il mio, non avresti bisogno di domandarlo — spiegò don Camillo restituendo il bambino a Peppone.

— Sarebbe bene che non andaste in giro a raccontare che noi facciamo i bulli e poi, quando abbiamo bisogno di qualcosa... E via discorrendo — ammonì Peppone.

— Sarebbe ancora meglio che tu non fossi stupido — replicò don Camillo asciutto per quel tanto che poteva.

— Il meglio è nemico del bene — affermò Peppone autorevolmente.

Don Camillo corse in chiesa a inginocchiarsi davanti al Cristo dell'altar maggiore:

— Gesù! — esclamò desolato. — Perdonatemi se alla funzione serale io non c'ero.

— Assenza giustificata — rispose sorridendo il Cristo.

PEPPONE MARCA VISITA

Questa non è un'ora da cristiani — disse don Camillo quando si trovò davanti la moglie di Peppone.

— Credevo che i preti e i medici non avessero orario d'ufficio — replicò la donna.

— Parla, ma senza sederti — borbottò don Camillo. — Così fai più presto ad andartene. Cosa vuoi?

— È per la casa nuova. Dovreste benedirla.

Don Camillo strinse i pugni.

— Hai sbagliato sportello — esclamò con voce dura. — Buona notte.

La donna si strinse nelle spalle:

— Reverendo, acqua passata. Era pieno di guai.

Don Camillo scosse il capo. La cosa era stata troppo grossa per poterla dimenticare anche se erano trascorsi già sei mesi.

Peppone aveva fatto il colpo di testa: aveva chiuso la vecchia officina scalcagnata e, impegnandosi fino agli occhi, aveva tirato su una casa nuova al margine del paese, a lato della strada maestra. Un bel fabbricato con officina attrezzata come quelle di città e, al primo piano, l'abitazione.

Era riuscito a procurarsi la concessione di un distributore di benzina e questo doveva facilitargli il lavoro col traffico della strada grande, quella che passava sull'argine e tagliava fuori completamente il paese.

Don Camillo, si capisce, non aveva potuto resistere alla tentazione e, una bella mattina, aveva messo il naso dentro la nuova officina. Peppone stava cercando di capire qualcosa in un maledetto motore d'automobile e non aveva una gran voglia di chiacchierare.

— Bello — disse don Camillo guardandosi attorno.

— Lo so — rispose Peppone.

— L'abitazione al primo piano, il cortile, il distributore: c'è proprio tutto — continuò don Camillo. — Manca solo una cosa.

— E cos'è che mancherebbe?

Don Camillo allargò le braccia:

— Un tempo, quando si inaugurava una nuova casa, c'era l'usanza di chiamare il prete per benedirla...

Peppone si drizzò e con la mano si tirò via il sudore della fronte:

— L'acqua santa dei giorni nostri è questa! — affermò aggressivo. — Benedetta dal lavoro e non dal prete.

Don Camillo se ne era andato senza fiatare e la cosa gli aveva fatto una impressione enorme, perché aveva sentito nelle parole di Peppone qualcosa che non aveva sentito mai. E, adesso, la moglie di Peppone, venendo a parlargli di benedirle la casa, gli aveva fatto riprovare il disgusto di quel giorno lontano.

— No — rispose don Camillo alla donna.

Ma la moglie di Peppone non si scoraggiò:

— Dovete venire; nella casa non abita soltanto mio marito: ci abito io, ci abitano i miei figli. Che colpa ne abbiamo noi se Peppone vi ha trattato male? Se Cristo avesse...

— Cristo non c'entra! — la interruppe don Camillo.

— Invece mi pare di sì — replicò convinta la donna.

E così don Camillo, dopo aver girato un bel pezzo in su e in giù per la stanza, rispose:

— Va bene. Verrò domani.

La donna scosse il capo:

— Non domani. Dovete venire subito, intanto che mio marito è fuori: non voglio che lo sappia lui e che la gente veda.

Allora don Camillo scoppiò.

— Ecco: io mi metto a fare il prete clandestino; magari mi travesto da guardiacaccia per andare a benedire una casa. Come se si trattasse di un atto disonesto, di una porcheria da nascondere. Tu bestemmi peggio di quel disgraziato di tuo marito.

— Don Camillo, cercate di capirmi: se la gente vi vedesse, malignerebbe che noi, adesso, ci facciamo benedire la casa perché siamo nei guai.

— Già, la gente malignerebbe che siete nei guai... Mentre se tu vuoi farmi benedire la casa nuova la ragione è completamente diversa... E quale?

— Che siamo nei guai — spiegò la donna. — Da quando ci troviamo nell'officina nuova non ce ne va più nessuna per il diritto.

— Capisco: e allora, non sapendo più dove sbattere la testa, tu pensi a Dio.

— Certo, mica posso pensare al farmacista.

— Se, invece, tutto avesse funzionato bene non ti saresti mai sognata di venirmi a chiedere la benedizione della casa.

— Certo: quando le cose vanno bene ci si arrangia da soli e il Padreterno non serve.

Don Camillo cavò un grosso bastone dalla fascina che stava appoggiata al muro, a fianco del caminetto:

— Se fra due secondi non sei, almeno almeno, in piazza te lo rompo sulla testa.

La donna uscì senza parlare. Però rimise dentro la testa.

— Me ne vado non perché mi faccia paura il vostro bastone, ma perché mi fa paura la vostra cattiveria.

Don Camillo buttò il bastone sul fuoco e lo guardò incendiarsi e ardere. Poi, ad un tratto, si buttò il tabarro sulle spalle e uscì.

Camminò nel buio della notte e, arrivato alla porta della casa nuova di Peppone, bussò.

Gli aprirono la porta subito:

— Sapevo che sareste venuto — disse la moglie di Peppone. — Vi aspettavo.

Don Camillo trasse di tasca il breviario ma non fece a tempo ad aprirlo.

Peppone entrò infatti come un turbine nell'andito.

— Reverendo, cosa fate qui a quest'ora?

Don Camillo non seppe cosa rispondere e, allora, intervenne la donna:

— Sono andata a chiamarlo io perché benedica la casa.

Peppone si volse cupo alla moglie:

— Con te faremo i conti dopo. In quanto a voi, reverendo, potete andarvene: non ho bisogno né di voi né del vostro Dio!

A don Camillo parve di udire, stavolta, una voce addirittura completamente sconosciuta. E in verità Peppone non era più quello di prima.

Peppone aveva fatto il passo più lungo della gamba: si era buttato a capofitto nella sua avventura impegnando tutto quello che possedeva e anche quello che non possedeva. Adesso non ce la faceva più: aveva l'acqua alla gola e non trovava più la forza di rimettersi a galla. E quella sera si era arreso e, per la prima volta in vita sua, aveva marcato visita.

Quando don Camillo fu uscito Peppone riversò la sua ira sulla moglie:

— Anche tu mi tradisci!

— Non ti tradisco: questa è una casa maledetta e ho cercato di rompere il cerchio della maledizione. Non ho fatto niente di male.

Peppone entrò nella grande cucina e si sedette alla tavola.

— Benedire! — gridò. — Non capisci che egli non viene qui per benedire ma per spiare? Per vedere come vanno le cose. Per poter trovare qualche prova della situazione schifosa nella quale ci troviamo. Se fosse riuscito ad entrare in officina si sarebbe accorto che il tornio nuovo non c'è più...

La moglie gli si appressò:

— Com'è andata?

— Tutto bene: adesso il tornio è già sistemato. Non se ne è accorto nessuno che l'ho portato via.

La donna sospirò.

— Se ne accorgeranno domani. Il primo che entrerà in officina scoprirà che il tornio non c'è più.

— Non scopriranno niente — spiegò Peppone. — Coi soldi che ho ricavato dal tornio ho tacitato i due creditori più pericolosi, e domani non aprirò bottega. Mi sono messo a posto anche di lì.

La donna lo guardò sbalordita.

— Ho fatto adunare d'urgenza il Consiglio comunale e ho spiegato che sono malato e mi occorre un lungo periodo di riposo. Rimarrò chiuso in casa e non mi farò più vedere.

— Questo non servirà a niente — replicò la donna. — Le cambiali scadono lo stesso anche se tu stai chiuso in casa.

— Le cambiali vanno in scadenza fra un mese, il tornio se ne è andato oggi e bisogna tamponare subito il buco del tornio. Non devono sapere niente in paese. C'è un sacco di maledetti che sarebbero troppo contenti di sapermi nei guai.

Peppone si fece portare un largo foglio di carta e col pennellino scrisse a stampatello:

Chiuso per malattia
del proprietario

— Vallo a incollare subito sulla saracinesca dell'officina — disse alla moglie porgendole il foglio.

La donna trovò il boccetto della colla e si avviò, ma Peppone la richiamò subito.

— Così non può andare — si rammaricò — «*Proprietario*» è un'espressione troppo borghese.

Cercò affannosamente qualcosa di meno reazionario poi dovette accontentarsi di un quanto mai generico:

Chiuso per malattia

E, in verità, era malata tutta l'azienda, non soltanto Peppone.

Peppone non mise più il naso fuori di casa e la moglie continuava a spiegare a tutti che Peppone aveva l'esaurimento e bisognava lasciarlo tranquillo fin che non si fosse rimesso. E così passarono dieci giorni, ma l'undicesimo portò una brutta novità: sul giornale degli agrari, nella pagina della provincia, c'era un trafiletto che riguardava il paese:

«*Concittadini che si fanno onore. Siamo lieti di comunicare che la popolarità del nostro sindaco Giuseppe Bottazzi diventa sempre più grande: l'odierno bollettino dei protesti cambiari reca infatti per ben tre volte il nome del compagno Giuseppe Bottazzi. Molte felicitazioni per la meritata affermazione*».

A Peppone venne la febbre sul serio e si buttò a letto dicendo alla moglie che, qualsiasi cosa accadesse, non gli parlasse di niente:

— Non voglio vedere lettere, non voglio leggere giornali. Lasciami dormire.

Ma, tre giorni dopo, la moglie entrò singhiozzando nella stanza e lo svegliò:

— Bisogna che te lo dica — gemette. — Sono venuti a pignorare tutte le macchine nuove dell'officina.

Peppone buttò la testa sotto il cuscino, ma oramai le sue orecchie avevano udito.

Sudò tutto quello che era umanamente possibile sudare. Poi ebbe una improvvisa decisione e balzò giù dal letto.

— Non c'è che un rimedio — esclamò. — Me ne vado.

La moglie cercò di ricondurlo alla ragione:

— Lascia perdere ogni cosa. Sequestrino, vendano tutto. Roba maledetta. Ci restano sempre la vecchia casa e la vecchia officina. Ricominciamo da capo.

— No! — urlò sgomento Peppone. — Non posso ritornare alla vecchia officina e alla vecchia casa. Non posso. È una umiliazione spaventosa. Bisogna che me ne vada. Dirai che ho dovuto andare a curarmi in montagna: intanto io cercherò di rimediare le cose. Qui non posso pensare. Non ho nessuno col quale consigliarmi. Non tronco niente qui: lascio tutto in sospeso... Se le cose vanno male diranno che è a causa della mia malattia... Non è possibile ritornare indietro, dare una soddisfazione così grossa a tutti i maledetti che ce l'hanno con me.

La donna non insistette:

— Fai tu.

— Mi resta il mio camion — spiegò Peppone.

— Mi servirà. Non so dove finirò ma avrai mie notizie. Non dire niente a nessuno, neppure se ti scannano.

Alle due di notte Peppone mise in moto il camion e partì: nessuno lo vide, ma, a quell'ora, in paese c'era ancora gente che continuava a parlare di lui.

— Gli sono saltati addosso come maledetti approfittando che è malato — dicevano gli uni.

— La malattia è una scusa per coprire le magagne — dicevano gli altri di parte avversa.

— È una vigliaccata.

— Gli sta bene.

— L'importante è che guarisca e torni al suo posto in Comune.

— Se ha un minimo di faccia dovrà dare le dimissioni da sindaco!

Cento e cento bocche parlavano ancora di Peppone e Peppone, sul suo vecchio camion, fuggiva inseguito dal terribile *complesso del borghese*, che nei paesi miete vittime in tutti i ceti, anche in quello proletario.

Passarono dei giorni e, dopo la notizia del pignoramento, arrivò in paese il bando della vendita all'asta delle nuove macchine di Peppone.

— Gesù — disse don Camillo al Cristo mostrandogli il comunicato sul giornale — come vedete, un Dio c'è!

— Dillo a me — rispose sorridendo il Cristo.

Don Camillo abbassò confuso il capo:

— Perdonate la mia balordaggine — mormorò.

— La balordaggine causata dalla tua lingua maldestra, don Camillo, è perdonabile. Non l'altra, quella che scaturisce dal tuo intimo convincimento. Dio non si occupa di sequestri e di vendite all'asta. Quello che sta accadendo a Peppone è indipendente dalle sue colpe. Come non dipende da nessun merito nascosto se uomini disonesti hanno fortuna negli affari.

— Gesù, egli ha bestemmiato il vostro nome ed è giusto che abbia una punizione. Tutta la brava gente del paese è convinta che questi guai gli siano accaduti perché ha respinto la benedizione della casa.

Il Cristo sospirò:

— E cosa direbbe tutta la brava gente del paese se, invece, gli affari di Peppone fossero andati bene? Che ciò è accaduto perché ha rifiutato la benedizione della casa?

Don Camillo allargò le braccia:

— Gesù: *relata refero*... La gente...

— La gente? Cosa significa «la gente»? In Paradiso la gente non entrerà mai perché Dio giudica ciascuno secondo i suoi meriti e le sue colpe e non esistono meriti o colpe di massa. Non esistono i peccati di comitiva, ma solo quelli personali. Non esistono anime collettive. Ognuno nasce e muore per conto proprio e Dio considera gli uomini uno per uno e non gregge per gregge. Guai a chi rinuncia alla sua coscienza personale per partecipare a una coscienza e a una responsabilità collettiva.

Don Camillo abbassò il capo:

— Gesù, l'opinione pubblica ha un valore...

— Lo so: fu l'opinione pubblica a inchiodarmi sulla croce.

Venne il giorno della vendita all'asta e piombarono come falchi in paese gli avvoltoi della città: erano organizzati perfettamente e, con quattro soldi, si divisero le spoglie di Peppone. Don Camillo che, come gli altri, era andato ad assistere al grande spettacolo, tornò piuttosto cupo.

— Cosa dice la gente, don Camillo? — gli domandò il Cristo. — È contenta?

— No — rispose don Camillo. — Trovano brutto che si rovini così un poveretto approfittando del fatto che è malato, lontano e non può occuparsi dei suoi affari.

— Don Camillo, sii sincero, cosa dice con precisione, la gente?

Don Camillo allargò le braccia:

— Dice che, se ci fosse un Dio, queste cose non succederebbero.

Il Cristo sorrise:

— Dall'*osanna* al *crucifige* il passo è breve, don Camillo...

La sera stessa in Consiglio comunale ci fu burrasca grossa; l'unico consigliere d'opposizione, Spiletti, portò il discorso sul sindaco:

— Sono oramai due mesi che non si ha più nessuna notizia del sindaco: egli si disinteressa di ogni cosa che accade nel paese, anche di quelle che lo riguardano direttamente. Dov'è? Come sta? Cosa fa? Facendomi interprete di un vasto strato della cittadinanza, esigo una precisa risposta.

Il Brusco, che fungeva da vicesindaco, si alzò:

— Mi riservo di rispondere dettagliatamente domani.

— Non credo di aver chiesto di venire a conoscenza di segreti di Stato! — replicò Spiletti. — Esigo una risposta immediata: dov'è il sindaco?

Il Brusco si strinse nelle spalle:

— Non lo sappiamo.

La gente che assisteva alla seduta rumoreggiò: era una cosa incredibile.

— Non si sa dove sia il sindaco! — urlò Spiletti. — Allora si metta un annuncio sui giornali: «*Competente mancia a chi riporterà un sindaco di colore rosso smarrito due mesi fa*».

— C'è poco da fare gli spiritosi! — gridò il Brusco. — Nessuno sa dove sia il sindaco: neanche sua moglie.

— Io però lo so — disse una voce. Ed era don Camillo.

La gente ammutolì. Il Brusco impallidì:

— Ditelo, se lo sapete.

— No — rispose don Camillo. — Però vi ci posso portare domattina.

Nella triste periferia di Milano, nel cantiere di un grosso casamento in demolizione, Peppone stava sbadilando cupo a fianco del suo camion che andava riempiendo di calcinacci e rottami.

Suonò la sirena del mezzogiorno e Peppone, buttato il badile lontano, trasse fuori dalla giacca appesa nella cabina dell'autocarro un grosso pane imbottito di mortadella e l'*Unità*, andò a sedersi con la schiena alla palizzata, a fianco degli altri manovali, e incominciò a mangiare leggendo il suo giornale.

— Signor sindaco!

La voce acuta di Spiletti lo riscosse facendolo balzare in piedi. Si trovò davanti al Consiglio comunale al completo.

— Non ci sono sindaci, qui! — rispose.

— Il guaio è che non ci sono sindaci neppure al paese — replicò lo Spiletti. — Vuol dirci dove possiamo trovarne uno?

— Affari che non mi riguardano — affermò Peppone rimettendosi a sedere.

— Ho l'impressione che lei sia guarito completamente — disse lo Spiletti. — E che, comunque, sia in grado di scriverci una cartolina di saluti.

— A chi? A lei? — esclamò Peppone. — Al rappresentante della cricca clericale? Lei non ha un'idea di come io stia bene non pensando a lei.

— Il suo non è linguaggio da sindaco — protestò lo Spiletti.

— Il mio è il linguaggio di un uomo libero!

— Bene! — dissero i manovali che avevano smesso di mangiare e si erano affollati attorno a Peppone e al Consiglio.

— Se vuole essere libero dia le sue dimissioni! — urlò Spiletti.

— Già, per far piacere a te! — commentò ironica la massa dei manovali. — Tieni duro, compagno.

— Se non vuol dare le dimissioni, desidereremmo sapere quali siano le sue intenzioni!

Peppone scrollò le spalle.

— Se lei invece di fare il suo dovere in paese, preferisce rimanersene a divertirsi a Milano, si diverta! — urlò lo Spiletti. — E dia le dimissioni!

— Te le facciamo dare a te le dimissioni! — commentò la massa. Ma Peppone si volse:

— Silenzio, ragazzi — disse con voce autoritaria. — Qui siamo in una amministrazione democratica e le minacce non funzionano.

Il Brusco, il Bigio e il resto della banda si erano seduti attorno a Peppone e lo stavano guardando in silenzio.

— Capo — disse il Brusco cupo — perché ci hai abbandonato?

— Io non abbandono nessuno!

— Come facciamo per la strada nuova? Qui c'è la risposta del Ministero.

Il Brusco porse un foglio a Peppone che lo prese e lo lesse.

— Fino a quando al Governo ci sarà certa gente non si combinerà mai niente di buono! — affermò Peppone.

— Lei non butti in politica l'amministrazione! — urlò Spiletti. — Faccia invece una proposta concreta.

— L'abbiamo già fatta a suo tempo — disse il Bigio.

— Sotto le sparate demagogiche non c'è niente di concreto! — strillò lo Spiletti.

Lo Smilzo replicò.

Intervenne Peppone e la discussione si fece serrata.

E così si svolse, fra le macerie di una casa milanese in demolizione, la più straordinaria seduta di Consiglio comunale dell'universo.

E fu una cosa lunga e, quando furono le cinque e il guardiano disse che lui non voleva sapere storie e che doveva chiudere il cantiere, il Consiglio si trasferì, opposizione compresa, sul cassone del ca-

mion e Peppone montò sulla cabina e mise in moto
il motore:

— Andiamo a cercare un posto più tranquillo
— disse.

Non si sa come accadde, forse per la scarsa conoscenza della topografia di Milano: il fatto è che,
a un bel momento, il camion si trovò a navigare
sull'asfalto della via Emilia.

Peppone guidava a denti stretti: voleva dire qualcosa da un sacco di tempo e non riusciva a
dirla.

Ad un tratto diede una brusca frenata.

Uno dei soliti maledetti dell'auto-stop gli si era
parato davanti e col pollice faceva segno che voleva
andare in giù anche lui.

Aveva nella mano sinistra un panettone e un
palloncino della « Rinascente ». In testa portava un
cappello da prete.

Lo Smilzo che stava seduto al fianco di Peppone scese e prese posto sul cassone assieme al Consiglio.

Don Camillo salì e Peppone innestò la marcia e
partì con uno strattone da carro armato.

— Che io debba sempre aver certa gente tra i
piedi? — borbottò.

Il camion pareva una sedici cilindri da corsa e
dava l'idea che dentro il cofano, al posto di un motore, ci fosse tutta l'orchestra di Toscanini.

Apparve ad un tratto, lontano, dietro l'argine,
il fiume.

Il fiume era sempre lo stesso di centomila anni
prima. Anche il sole: tramontava ma, l'indomani,

sarebbe risorto dalla parte opposta. Peppone, chissà perché, si trovò appunto a pensare a questo fatto straordinario e concluse tra sé e sé che, diciamo la verità, Dio è uno che ci sa fare.

— Mah... — sospirò.

— Insomma... — rispose don Camillo allargando le braccia.

Il grande fiume, gonfio d'acqua limacciosa, luccicava tra i pioppi e, dopo aver sentito tutto quel discorso, sussurrò compiaciuto: « Però, come parla bene questa gente ».

Roba che succede in quel paese in riva al fiume, in quel piccolo paese che dovrebbe essere grande come il mondo.

SOMMARIO

INVERNO

PRIMAVERA

ESTATE

AUTUNNO

Appendici

Giovannino Guareschi
note biografiche

La nascita, l'infanzia e gli studi

Giovannino Oliviero Giuseppe Guareschi nasce a Fontanelle di Rocca-bianca (PR) il 1° maggio 1908. La madre è Lina Maghenzani, maestra elementare del paese, il padre è Primo Augusto, negoziante di biciclet-te, macchine da cucire e macchine agricole.

Nel 1914 la famiglia di Giovannino Guareschi si trasferisce a Parma, in Vicolo di Volta Ortalli. La madre maestra è stata trasferita a Marore, un paesino confinante con Parma e fa la spola tra la città e il paese.

Giovannino Guareschi frequenta la Scuola elementare «Jacopo Sanvita-le». La sua chiesa - San Bartolomeo - è retta da don Pietro Zarotto. Fre-quenta per due anni il Regio Istituto Tecnico «Pietro Giordani» (ripete la prima poi viene ritirato). In seguito diventa convittore al «Maria Luigia» e frequenta il Regio Ginnasio «Romagnosi». Il suo professore di greco e di latino è Ferdinando Bernini, traduttore delle «Croniche» di fra Salimbene de Adam e profondo conoscitore dell'umorismo europeo: anche in lui, co-me in altri ginnasiali che diverranno illustri, imprime il marchio indelebile della curiosità intellettuale. Suo istitutore è Cesare Zavattini - di pochi anni più vecchio – che ne intuisce le doti di irrefrenabile umorismo. Per traver-sie familiari abbandona il Convitto «Maria Luigia» frequentando da ester-no il Regio Liceo «Romagnosi». Nel 1929 si iscrive all'Università di Parma alla facoltà di legge rimanendo iscritto per tre anni ma senza frequentare.

Nel 1921 la famiglia si trasferisce da Parma nel nuovo palazzo delle Scuole di Marore.

Le prime esperienze giornalistiche

Nel 1928 Giovannino Guareschi inizia la sua carriera di giornalista co-me correttore di bozze al «Corriere Emiliano» che, il 30 giugno, ha as-sorbito la «Gazzetta di Parma».

Nel **1929** inizia la sua collaborazione al settimanale «La Voce di Parma» con articoli, poesie e disegni. Il primo articolo è la cronaca del viaggio degli universitari di Parma a Roma. Firma i suoi pezzi "Michelaccio". Vince il concorso indetto dalla «Voce di Parma» con la novella *Silvania, dolce terra*. Incide il linoleum per creare testate e cliché per giornali e numeri unici come il «Bazar», che curerà per diversi anni. Appaiono sul «Tevere» un suo pezzo firmato "Petronio" e le sue illustrazioni di cinque racconti brevi di Cesare Zavattini. Si tratta di lavori che non danno da vivere e Giovannino Guareschi, per mantenersi, fa la stagione estiva come portiere allo zuccherificio di Parma della «Ligure Lombarda» e continuerà a farlo per altre quattro estati.

Nel **1931** passa dalla correzione di bozze a una collaborazione fissa al «Corriere Emiliano», diventando redattore con articoli, cronaca, capicronaca, corsivetti, novelle e disegni (anche politici), e iniziando come aiuto cronista poi cronista e infine capocronista, e tale durerà fino al giugno del 1935. Si trasferisce da Marore a Parma, nella soffitta di Borgo del Gesso, e nel **1933** conosce Ennia, la futura moglie e compagna per tutta la vita.

Il servizio militare

Nel novembre del **1934** parte per il servizio militare, destinazione la Scuola Allievi Ufficiali di complemento di Potenza, rimanendo in forza al «Corriere Emiliano».

Nel maggio del **1935** torna a Parma, in attesa di effettuare il servizio di prima nomina, e collabora con disegni al «Secolo Illustrato» (continua fino al febbraio 1936). In settembre inizia la sua collaborazione a «Cinema Illustrazione» – diretto da Cesare Zavattini – dove pubblica un disegno settimanalmente fino a dicembre.

Nel febbraio del **1936** inizia il servizio di prima nomina al 6° Reggimento di Corpo d'Armata di Modena come aspirante ufficiale. In luglio termina il servizio e contemporaneamente viene licenziato dal «Corriere Emiliano».

A Milano: il «Bertoldo», le collaborazioni, l'E.I.A.R.

In agosto Angelo Rizzoli, su segnalazione di Cesare Zavattini, gli scrive proponendogli il posto di redattore al «Bertoldo». Si trasferisce a Milano assieme a Ennia e inizia a lavorare alla rivista come redattore, collaborando con pezzi e disegni. Abita in una stanza in affitto in via Gustavo Modena. Nel febbraio del **1937** viene promosso redattore capo.

Nel **1938** si trasferisce in via Ciro Menotti. Collabora come illustratore di novelle, con rubriche e vignette, all'«Ambrosiano», ad «Annabella», «Kines» e «Kinema», «Piccola», «Tutto». Scrive per l'E.I.A.R. i testi di rubriche. Inizia la sua collaborazione alla «Stampa» con delle strip.

Nel **1939** collabora alla sceneggiatura del film di Francini *Imputato, alzatevi*, che sarà interpretato da Macario.

Richiamato alle armi è in forza al 2° Reggimento di Artiglieria di Corpo d'Armata nella caserma di Acqui (Al) e si sposta in vari campi: Carcare, Spotorno, Albissola, Finale Ligure, Alassio, Cairo M. Viene trasferito a Sambuco (Cn) e successivamente a Pietraporzio.

Nel **1940** si sposa con Ennia. Collabora come redattore al «Marc'Aurelio», come redattore e con pezzi e disegni al «Settebello». Scrive testi per riviste, collabora a «Novella-Film» con disegni e novelle. Inizia la collaborazione con elzeviri e novelle al «Corriere della Sera».

La guerra e la prigionia

Le collaborazioni al «Corriere della Sera», «La Stampa» e all'E.I.A.R. terminano dopo il suo arresto del 14 ottobre **1942** dovuto a denuncia per aver diffamato Mussolini e il Regime nel corso di una sbornia. Richiamato alle armi per punizione viene destinato all'11° Artiglieria di Alessandria. Inizia a collaborare con pezzi e disegni all'«Illustrazione del Popolo» pubblicando a puntate *Il marito in collegio*.

Nel **1943** i bombardamenti alleati gli distruggono la casa di via Ciro Menotti e Giovannino Guareschi, a Milano in licenza di convalescenza, partecipa allo spegnimento delle fiamme andando sul tetto. Tornato al Reggimento ad Alessandria, il 9 settembre viene catturato dai tedeschi e internato nei Lager. Queste le tappe: il 13 parte dalla stazione di Alessandria e arriva a Sandbostel, il primo dei Lager tedeschi e polacchi. Successivamente viene internato nei Lager di Czestokowa e Beniaminowo (Polonia), ancora a Sandbostel e infine a Wietzendorf. Nell'agosto del **1945** viene rimpatriato e il 29 agosto arriva a Parma dove sono sfollati in casa dei genitori la moglie, il figlio Alberto e la figlia Carlotta, nata due mesi dopo la sua cattura. Nel settembre si trasferisce con la famiglia nell'appartamento di via Pinturicchio a Milano. Collabora con pezzi e disegni a «Tempo Perduto», lavora come redattore a «Milano Sera», e in dicembre fonda assieme a Giovanni Mosca e Giaci Mondaini il settimanale «Candido» collaborando con scritti e disegni. Rimane condirettore del settimanale assieme a Giovanni Mosca fino al 1950, poi Giovannino Guareschi resta unico direttore fino al 10 novembre 1957, data in cui gli subentra Alessandro Minardi.

Il «Candido», *Don Camillo*, il processo Einaudi

Nel **1946** conduce su «Candido» (senza successo) una forte battaglia a favore della Monarchia in occasione del Referendum Istituzionale.

Nel **1948** conduce su «Candido» con successo una forte battaglia contro il Fronte Popolare per le elezioni politiche. Scrive in quegli anni una serie pubblicitaria per la Gazzoni: i Radioprocessi *Signori, entra la corte*.

Nel **1950** con la famiglia e i genitori si trasferisce nella casa di via Augusto Righi dove scrive soggetto, sceneggiatura e dialoghi per il film *Gente così*. Nell'estate gli muoiono i genitori a distanza di quaranta giorni uno dall'altro. Per una vignetta di Carlo Manzoni pubblicata su «Candido» viene querelato come direttore responsabile assieme a Manzoni dagli onorevoli Paolo Treves e Giuseppe Bettiol, che ravvisano gli estremi per vilipendio a mezzo stampa del Presidente della Repubblica Luigi Einaudi. I due vengono assolti in primo grado, ma il Procuratore Generale della Repubblica ricorre in appello e il 10 aprile 1950 vengono condannati a otto mesi con la condizionale.

Nel **1951** scrive il soggetto, la sceneggiatura e i dialoghi per il film *Don Camillo*. Scriverà anche quelle delle altre quattro pellicole ma, a causa delle modifiche e delle mutilazioni volute dai registi, ritira la firma da quelle di tre film.

Nel **1952** si trasferisce con la famiglia alle Roncole, in provincia di Parma, e fa il pendolare con Milano, dove vive tre giorni alla settimana lavorando per il «Candido». Giovannino Guareschi ama la campagna e le macchine. Dopo aver cercato di riacquistare, senza successo, le vecchie ex proprietà dei suoi, compra diversi poderi, risistemando, dove necessario, i terreni, rimodernando e ampliando le abitazioni dei mezzadri e affittuari e costruendo – quasi sempre *ex novo* – stalle moderne, barchesse, rustici. Li attrezza con macchine moderne. Ma la nuova politica agraria pare voglia penalizzare le persone come lui che hanno investito danaro nella terra. Dopo pochi anni Giovannino Guareschi, deluso, inizierà a svendere i suoi poderi.

La vicenda Guareschi – De Gasperi

Nel **1954** inizia la vicenda Guareschi - De Gasperi: Guareschi pubblica su «Candido» con un duro commento due lettere attribuite a De Gasperi. De Gasperi lo querela con ampia facoltà di prova. Nel corso del processo Giovannino Guareschi consegna al Tribunale le due lettere accompagnate da una perizia calligrafica che non viene tenuta in considerazione dal Tribunale. Nel procedimento l'ampia facoltà di prova, in pratica, gli viene negata perché non gli sono concessi né le nuove perizie richieste né l'ascolto di testimoni a suo favore. Sulla base delle testimonianze a favore di De Gasperi, del suo alibi morale e del suo giuramento circa la falsità delle lettere, il Tribunale decide di aver raggiunto la prova storica del falso condannando Giovannino Guareschi a dodici mesi di reclusione per diffamazione a mezzo stampa. La sentenza mette in evidenza il fatto che, anche nel caso di una perizia grafica favorevole all'imputato, «una semplice affermazione del perito non avrebbe potuto far diventare credibile e certo ciò che obiettivamente è risultato impossibile e inverosimile». Ritenendosi vittima di un discutibile procedimento giudiziario Giovannino Guareschi non ricorre in appello e, avendo perso in precedenza la condizionale, il 26 maggio entra nelle Carceri di San Francesco a Parma, da dove esce il 4 luglio **1955** – dopo 405 giorni – in libertà vigilata. Il 26 gennaio 1956 termina la libertà vigilata. Non chiede grazie o agevolazioni, non usufruisce di condoni, gli viene comminata la pena per la prima condanna ("Nebiolo") nonostante sia stata nel frattempo decretata un'amnistia che riguardava reati ben più gravi. Esce dal carcere in libertà vigilata in forza di legge e grazie alla qualifica di "buono" ottenuta in carcere. Nel **1956**, nel corso del processo intentato in contumacia contro Enrico De Toma, il fornitore delle due famose lettere a Giovannino Guareschi, il Tribunale di Milano affida a un collegio di tre periti l'esame delle due lettere negato due anni prima. La conclusione dei periti è che «non esistevano prove tali da stabilire inequivocabilmente la falsità delle lettere». Il Tribunale incarica un successivo superperito che dichiara le lettere «sicuramente false». La difesa di Enrico De Toma impugna la superperizia e ne chiede una di parte. Sconcertante il responso dei periti della difesa che dichiarano di rilevare «palesi diversità fra dette lettere e quelle pubblicate su "Candido"». Nessuna delle perizie è ritenuta probante e il 17 dicembre **1958** il Tribunale dichiara estinto per amnistia il reato di falso assolvendo Enrico De Toma dall'accusa di truffa per insufficienza di prove, con l'ordine di distruggere i documenti.

«La Notte», *La rabbia,* «Il Borghese», «Il Giorno»

Nel **1961** Giovannino Guareschi lascia il «Candido» per divergenze con l'editore Angelo Rizzoli che decreta la chiusura del giornale.

Nel **1962** inizia a collaborare con disegni al quotidiano «La Notte» diretto da Nino Nutrizio. Nel luglio viene colpito da infarto.

Nel **1963**, ancora convalescente, scrive il soggetto, la sceneggiatura, i dialoghi e la regia della seconda parte del film *La Rabbia*: la prima parte è di Pier Paolo Pasolini. Inizia a collaborare con testi e disegni al «Borghese» diretto da Mario Tedeschi.

Nel **1964** aggiunge alle due collaborazioni alla «Notte» e al «Borghese» quella a «Oggi», diretto da Vittorio Buttafava, con una rubrica di critica televisiva e di costume, disegni e la "teleposta".

Nel **1965** collabora anche con Paul Film scrivendo i testi per caroselli pubblicitari «Motta» e «Tanara». Nasce così il personaggio di Gigino Pestifero.

Il 22 luglio **1968** muore a Cervia (Ra) per infarto cardiaco.

Alberto e Carlotta Guareschi
Club dei Ventitré

ELENCO IN ORDINE CRONOLOGICO
DELLE OPERE DI GIOVANNINO GUARESCHI

1941   LA SCOPERTA DI MILANO
Umoristico e con intenzioni autobiografiche.

1942   IL DESTINO SI CHIAMA CLOTILDE
Decisamente umoristico. Talvolta violentemente umoristico. Scritto con l'intenzione di tenere un po' allegro il lettore.

1944   IL MARITO IN COLLEGIO
Umoristico, ma assai più blando di *Clotilde.* Scritto con l'intenzione di far sorridere.

1945   LA FAVOLA DI NATALE
Scritto nel dicembre 1944 quando era prigioniero in un Lager tedesco.

1947   ITALIA PROVVISORIA
Album di ricordi del dopoguerra italiano.

1948   DON CAMILLO

1948   LO ZIBALDINO
Racconti di vita familiare e storie amene.

1949   DIARIO CLANDESTINO
Ricordi speciali di prigionìa.

1953   DON CAMILLO E IL SUO GREGGE

1954   CORRIERINO DELLE FAMIGLIE
Racconti di vita familiare.

1963   IL COMPAGNO DON CAMILLO

1967   LA CALDA ESTATE DEL PESTIFERO
Favola per bambini.

OPERE POSTUME

1986   L'ANNO DI DON CAMILLO
        Un anno assieme a don Camillo e Peppone.

1988   OSSERVAZIONI DI UNO QUALUNQUE
        Racconti di vita familiare.

1989   RITORNO ALLA BASE
        Favole, racconti e ricordi speciali di prigionìa. Inoltre cronaca di un ritorno, dodici anni dopo, alla ricerca delle speranze e dei pensieri del Giovannino di allora, vestito di sogni.

1991   MONDO CANDIDO 1946-1948
        Il racconto di un periodo importante dell'Italia fatto con i migliori articoli, rubriche e vignette di Guareschi apparsi su «Candido» dal 1946 al 1948.

1992   MONDO CANDIDO 1948-1951

1993   CHI SOGNA NUOVI GERANI?
        GIOVANNINO GUARESCHI
        «Autobiografia» a cura di Carlotta e Alberto Guareschi.

1995   VITA CON GIO'
        Vita in famiglia & altri racconti.

1996   CIAO, DON CAMILLO
        Storie di don Camillo e Peppone.

1996   DON CAMILLO E DON CHICHÌ
        Edizione integrale di *Don Camillo e i giovani d'oggi* (1969).

1997   MONDO CANDIDO 1951-1953

1997   DON CAMILLO DELLA BASSA
        Comprende *Gente così* (1980) e *Lo spumarino pallido* (1981).

1998   PICCOLO MONDO BORGHESE
        Comprende *Il decimo clandestino* (1982) e *Noi del Boscaccio* (1983).

1998   TUTTO DON CAMILLO
        Raccoglie tutti i trecentoquarantasei racconti del «Mondo piccolo» corredati da una scheda illustrativa, indici e appendici.

BIBLIOGRAFIA ESSENZIALE

AA.VV. *Testimonio – Una voz de simples católicos*: («Entre los grandes humoristas de Italia... esta sin duda Guareschi...») n. 20, Bogotá, ottobre 1949, pp. 45-51.

AA.VV. *La prima antologia di scrittori italiani pubblicata in USA*: («Solo due italiani noti: Verga e Guareschi»), da «Il Mezzogiorno», 22 maggio 1950.

AA.VV. *Feux sur don Camillo: Mon curé chez les producteurs*, di Xavier Tilliette: («Qui parlera de *Don Camillo* dans deux ans?»); *Le monde de don Peppone*, di Luis Piollet: («Que le "Petit monde" ne soit pas un révélation... c'est certaine»); *L'abstentioniste et les dupes* di A. B.: («Curé en carton, communiste en carton, et, il va de soi, l'auteur...»), da «Positiv» n. 4, 1952, pp. 39-42.

AA.VV. *Aux quatre vents* (estratto) – *Les lumières de la ville*, da «Le Figaro Litteraire», 26 aprile 1952, p. 2.

AA.VV. *Giovannino Guareschi – Bibliografia*, da «Relleu», Butlleti del Grup d'Estudis Nacionalistes, Barcelona, n. 37, estate 1992.

AA.VV. *Nuovissima Enciclopedia Generale De Agostini*: «Guareschi Giovanni», Ist. Geogr. De Agostini, Novara 1995 (Vol. 10), p. 3468.

AA.VV. *Dopo il Lager. La memoria della prigionia e dell'internamento nei reduci e negli «altri»*, a cura di V.E. Giuntella, Guisco, Napoli 1995, pp. 83, 167, 208, 326, 327.

AA.VV. *La nostra Repubblica. 50 anni di storia vista dal Nord-est (1° fascicolo, 1945-1960)* a cura di Edoardo Pittalis: «Tra don Camillo e il Nobel», di Giovanni Lugaresi, Ed. San Marco SpA «Il Gazzettino», Venezia, giugno 1996, p. 87.

AA.VV. *Novecento padano. Arte, cinema, letteratura del Po*, Ist. Beni Culturali, Grafis Edizioni, Bologna 1996, pp. 5, 36, 43, 45.

AA.VV. *Un «Candido» nell'*Italia provvisoria – *Giovannino Guareschi e l'Italia del «mondo piccolo»*, a cura di Giuseppe Parlato (segreteria@fondazionespirito.it). Atti del Convegno organizzato dalla Fondazione «Ugo Spirito di Roma» e voluto dall'Assessorato Cultura e Trasparenza della Regione Lombardia svoltosi a Milano l'11-12 dicembre 1998. Gli interventi critici sono di: Francesco Perfetti: *Guareschi, il "mondo piccolo" e la "politica grande"*; Rossana Bossaglia: *La stagione del «Bertoldo»*; Simonetta Bartolini: *Guareschi romanziere*; Paolo Nello: *Guareschi, gli Internati Militari Italiani e il* Diario Clandestino; Roberto Chiarini: *Guareschi, la destra e il mito della Resistenza*; Alessandro Gnocchi: *Guareschi e la Democrazia Cristiana*; Giuseppe Parlato: *La società italiana degli anni '40 e '50 negli scritti di Guareschi*; Claudio Quarantotto: *La rabbia di Don Camillo: Guareschi e il cinema*; Massimo Greco: *Guareschi e il grande fiume*; Marco Ferrazzoli: *Guareschi intellettuale borghese*; Giovanni Lugaresi: *La fortuna di Guareschi*; Lucio Lami, Indro Montanelli e Francesco Perfetti: *Tavola rotonda*.

AA.VV. *Contrordine Guareschi! Guareschi nel mondo della comunicazione*, Atti del convegno omonimo organizzato dalla Fondazione Arnoldo e Alberto Mondadori in collaborazione con la Regione Lombardia e RCS Rizzoli nella Sala Napoleonica dell'Università degli Studi di Milano nel marzo 2000.

AA.VV. *Gli alieni di Karel Thole* (illustratore delle traduzioni olandesi delle opere di GG), da *Alieni creature di altri mondi*, Catalogo della Mostra omonima tenuta a Palazzo Bagatti Valsecchi (14 dic. 2000-11 febb. 2001), Casa Ed. Nord, Milano 2000, p. 64.

AA.VV. *L'universo di Mondo piccolo*, numero speciale monografico del periodico della Famiija Pramzana «Al pont ǎd mez», dicembre 2001, con interventi critici di Gian Carlo Mezzadri, Giorgio Torelli, Fabio Marri, Pietro Tagliavini, Alan R. Perry, Augusto Luca, Giuseppe Pigozzi, Raffaella Bonori, Giovanni Fontechiari, Giorgio Cusatelli, Alessandra Fadani, Giuseppe Calzolari, Riccardo Moretti, Giuseppe Menoni, Baldassarre Molossi, Marzio Dall'Acqua, Lorenzo Sartorio, Egidio Bandini.

AA. VV. *Storia del Comune di S. Lazzaro Parmense* («Sulla lapide solo un nome: Maestra Lina Maghenzani Guareschi (...) la madre dello scrittore...»), a cura dell'Ist. Comprensivo «Alberelli-Newton» di Parma, Luigi Battei, Parma 2003, pp. 125-127.

AA.VV. *Il "Triangolo" dell'odio e della vergogna*, dossier sul "Triangolo della morte" illustrato da disegni di Guareschi, con un servizio su di lui di Alessandro Gnocchi, «Il Timone», gennaio 2005, pp. 34-46 (*cfr.* **Gnocchi, A.** *Un italiano coraggioso*).

AA.VV. *Omaggio a Giovannino Guareschi*, a cura di Francesca Laganà, Luigi Ceffalo e Marco Delpino, da «Bacherontius» n. 11/12 – dicembre 2006, pp. 19-20.

AA.VV. *Prefazione 1* a *Amici Nemici*, Brescello 2007: «La mia famiglia, come tante altre, talora divise per appartenenza e ideologia, ma accomunate da dolore e lutto, si riconosceva in Peppone e don Camillo perché i loro scontri erano forti, ma, poi, si ricomponevano con una stretta di mano... un perdono che sostituiva la logica della vendetta», di Elena Montecchi, 2007.

Prefazione 2 a *Amici Nemici*, Brescello 2007: «... molti milioni di noi italiani... sotto sotto, siamo un po' tutti figli della Bassa», di Bruno Tabacci.

Il cinema di don Camillo e Peppone. «Quello dell'ambiguità mi pare un buon criterio interpretativo dell'ideologia dello scrittore: che, da un lato, contribuì a far maturare una visione – come dire – laica della politica; ma, dall'altro, favorì la crescita di atteggiamenti improntati a qualunquismo, ovvero al disprezzo della politica», di Gianfranco Miro Gori, da *Amici Nemici*, Brescello 2007.

AA.VV. *«Non muoio neanche se mi ammazzano – gli internati militari a sessant'anni dalla loro liberazione*, da «Rassegna dell'ARNP», n. 5-6-7 maggio-luglio 2007, pp. 6-8.

AA.VV. *Il don Camillo che non avete mai visto*, scene, illustrazioni e dialoghi inediti degli eroi di Giovannino Guareschi, a cura di Egidio Bandini, Giorgio Casamatti e Guido Conti, MUP Editore, Parma 2007.

AA.VV. *Don Camillo nel mondo – Le copertine e le illustrazioni internazionali*, a cura del Rotary Club di Salsomaggiore, MUP Editore, Parma 2008.

AA.VV. *Una "candida" matita,* catalogo della mostra itinerante omonima curata dal Centro Filatelico Numismatico Banino di San Colombano al Lambro (MI), Editoriale Sometti, Mantova 2008, www.sometti.com.

AA.VV. *Dossier - Giovannino Guareschi libero e cattolico,* «Il Timone», dicembre 2008, pp. 36-46.

AA.VV. *«Non muoio neanche se mi ammazzano» – L'avventura umana di Guareschi,* catalogo della mostra omonima esposta al Meeting per l'amicizia fra i popoli a Rimini nell'agosto 2008, itaca@itacalibri.itlibri.

AA.VV. *"Il Mondo piccolo" – Un paesaggio d'autore: Fontanelle, Guareschi, Faraboli,* catalogo del Museo omonimo di Fontanelle, MUP Editore, Parma 2008, info@mupeditore.it.

AA.VV. *100 anni di Guareschi, Letteratura, Cinema, Giornalismo, Grafica,* Atti del convegno tenutosi a Parma il 21-22 novembre 2008, a cura di Alice Bergogni, testi di Rinaldo Rinaldi, Daniela Marcheschi, Alberto Bertoni, Roberto Barbolini, Fabio Marri, Alessandro Ferioli, Roberto Campari, Rosaria Campioni, Cristiano Dotti e Maria Parente, Luisa Finocchi, Giuseppina Benassati, Roberta Cristofori, Giorgio Casamatti, Gino Ruozzi, José Manuel Alonso Ibarrola, Luisa Marinho Antures, Olga Gurevich, Giuseppe Marchetti, Guido Conti, Marzio Dall'Acqua, MUP Editore, Parma 2009.

AA.VV. *I luoghi di Giovannino Guareschi - da Roncole a Brescello,* da *Parma, una provincia fuoriclasse, itinerari alla scoperta del territorio,* www.turismo.parma.it, 2009.

AA.VV. *«Camminare su e giù per l'alfabeto» - L'italiano tra Peppone e don Camillo,* Atti del convegno omonimo tenutosi a Pavia nel Collegio Santa Caterina da Siena il 1° dicembre 2008, a cura di Giuseppe Polimeni. Testi di Fabio Marri, Luigi Ganapini, Mirko Volpi, Rossano Pestarino, Giuseppe Polimeni, Nuccio Lodato, cura editoriale Interlinea, Edizioni Santa Caterina, Pavia 2010.

AA.VV. *Mondo piccolo, grande schermo - La fortuna internazionale di Giovannino Guareschi tra cinema e letteratura,* Atti del convegno tenutosi il 22 settembre 2009 allo Spazio Oberdan di Milano, a cura di Enrico Mannucci e Paolo Mereghetti, testi di Enrico Mannucci, Paolo Mereghetti, Peter Bondanella, Luigi Ganapini, Jean A. Gili, Gerhard Midding, Andrea Vitali, Giorgio Casamatti, Fondazione Arnoldo & Alberto Mondadori, Milano 2010.

Adnkronos (Agenzia): (Giovannino Guareschi... entra a pieno titolo nella schiera degli "italiani illustri"... nel *Dizionario Biografico degli Italiani* – Treccani), 5 dicembre 2003.

Afeltra, G. *Famosi a modo loro,* Rizzoli, Milano 1988.

Agnoli, S. *L'Anticristo alla luce delle Scritture e dei segni dei tempi:* («Nel 1966... uno dei più lucidi scrittori del XX secolo, Giovannino Guareschi, aveva pubblicato un'immaginaria lettera... attaccando impietosamente le innovazioni e gli esperimenti liturgici e sconfessando lo stesso Paolo VI...»), da «La Tradizione Cattolica», n. 1, 2006, pp. 22, 23.

Ajello, N. *Giovannino l'apostolo,* da «la Repubblica», 17 febbraio 1988.

Alberoni, F. *Sfidate la lobby dell'invidia, solo così sarete liberi:* («Perché tanti autori di valore non vengono apprezzati mentre vengono esaltati dei mediocri... Nel dopoguerra Giovanni[no] Guareschi, un grande scrittore italiano del Novecento, è stato disprezzato e denigrato... »), dal «Corriere della Sera», 17 novembre 2008, p. 1.

Allegri, R. *Teresa, la mamma di Calcutta* (citazione di una frase di GG in epigrafe), Edizioni Milesi, Modena 2003.

Allegri, R. *Il sarto di Guareschi - La straordinaria vita di Nicola Martinelli*, Àncora, Milano 2007, pp. 131-141.

Aloi, A. *Lui di sinistra? Ma mi faccia il piacere...*, da «Cuore», 13 agosto 1994.

Aloi, D. *Giovannino Guareschi: libera penna in libero cuore*, da *Giovannino Guareschi – vignette per "La Notte" 1964/1965*: («... è un artista dotato di una coerenza e di un'onestà intellettuale che ha pochi eguali nel mondo e in particolare nel mondo della satira»), Il Pennino, Torino 2004, pp. 5-7.

Altarocca, C. *«Bertoldo» contro i tromboni*, «Società, Cultura & Spettacoli» («La Stampa»), 29 novembre 1993.

Alvaro, C. *I drammi dei furbi*, da «Il Mondo», 29 marzo 1952.

Amadeo, M. *«Giovannino Guareschi»*, da *Umoristi (a tempo pieno e part-time)*, Golden Press, Genova 2008, pp. 225-227.

Ampollini, L. *La tv uccide? Pasolini lo diceva nel 1963*: (intervista a Giuseppe Bertolucci sulla «Rabbia» di PPP e GG: «Guareschi è un autore che ha avuto i suoi meriti. Ma qui il suo testo è insostenibile, addirittura razzista. Una delle sue cose peggiori. Gli abbiamo fatto un piacere a non recuperarlo»), da «Gazzetta di Parma», 30 agosto 2008.

Andreoli, V. *Anima e ceffoni - Ecco don Camillo*: («L'umorismo si pone in lui come terapia del dolore, quasi che il sorriso avesse un potere catartico. Come tutti i grandi satirici, egli richiama una vena malinconica e dà l'impressione di pescare proprio nel dolore...»), da *Luoghi dell'Infinito* («Avvenire»), maggio 2008.

Andreotti, G. *De Gasperi e il suo tempo*, Mondadori, Milano 1956, pp. 301, 404-412.

Andreotti, G. *Giovannino Guareschi, il credulone* (commenti al libro di Paolo Tritto *Il destino di Giovannino Guareschi* e curiose considerazioni sulla vicenda Guareschi-De Gasperi), da «Il Tempo», 14 settembre 2003, p.15.

Andrini, S. *Ecco il cuore della* Gaudium et Spes, intervista al cardinale Carlo Caffarra: («Il cuore della *Gaudium et Spes*? È nel *Mondo piccolo* di Giovanni[no] Guareschi...»), da «Avvenire», 18 ottobre 2009, p. 17.

Andriola, F. *Le bugie di De* Gasperi: («[De Gasperi] disse sotto giuramento nell'aula del Tribunale di Milano di non avere mai visto le lettere in questione, di non avere mai dato peso alla cosa e di avere "troppa fiducia nel buon senso del prossimo per pensare che qualcuno avrebbe potuto usare quei documenti contro di lui". Tre belle bugie...»), da *Carteggio segreto Churchill-Mussolini*, Sugarco Edizioni, Milano maggio 2007, pp. 340-352.

Angeloni, M. *Ritratto di un umorista*, da «Sesta Ora», Matera, giugno 1963.

Angrisano, F. *Sotto i baffi sorride Giovannino*, da «La Civetta», Torre Annunziata, novembre 1950.

«Annabella» *Intervista a Giovannino Guareschi e Enzo Tortora*, 26 febbraio e 4 marzo 1961.

Ansaldo, G. *Lettera aperta a Guareschi*, da «Il Borghese», 4 giugno 1954.

Ansaldo, G. *Diario di prigionìa*, (L'A. parla di testimonianze ricevute in Germania da un Guareschi che non è però GG; forse si tratta del fratello Lodovico), Il Mulino, Bologna 1993.

Antonelli, E. *Guareschi diede voce all'italiano mediocre*: («Fu in definitiva un corruttore; ma "nel suo tempo" e alla sua maniera un testimone scomodo. Da molto tempo non aveva più nulla da dire. Ed è morto per la seconda volta in questi giorni.»), da «Il Nostro Tempo», 28 luglio 1968.

Antonellini, M. *Guareschi: individuo, coscienza e ragione, un caso unico nella nostra letteratura*, da «clanDestino» n. 1/2010, pp. 18-25, Raffaelli Editore.

APB (Agenzia) *Chiesa – Un'antologia per riscoprire l'orgoglio di essere prete*: («Guareschi, lo scrittore emiliano che diede vita a don Camillo, il parroco... noto per il suo buon senso e la sua profondità spirituale»), 11 agosto 2003.

«Aral Journal» *Tocca tutti noi*: («Quando Guareschi parla... si rivolge a ognuno di noi»), Herbst – Austria, novembre 1954.

Arcidiacono, P. *La Bassa padana – Itinerario emozionale nelle terre di Verdi* /new/ 128 htm.

Arslan, A. *Don Camillo a Grenoble*: («... un giorno di luglio arrivai a Grenoble... avevo con me un solo libro in italiano: *Mondo piccolo*... lessi e rilessi le storie di don Camillo e del sindaco Peppone, e mi innamorai del piccolo paese sul grande fiume...»), da «Avvenire», 3 novembre 2010, p. 1.

Ascari, O. *Quei giorni a Sandbostel con Guareschi*, «Spettacolo & Cultura» da «il Giornale», 30 luglio 2002.

Ascari, O. *Il processo Sogno*, da «Nuova Storia Contemporanea», maggio – giugno 2009, p. 115.

Attalienti (& Magliozzi & Cotroneo) *Tre secoli di letteratura italiana*, Vol. II, «Il Novecento», Ferraro Ed.

Auriol, V. *(intervista a)*, da «Il Tempo», 22 giugno 1963.

Auriol, V. (*Cfr.* **Roncalli, A.G.**)

Avati, P. (*Cfr.* **D'Agostini, P.**)

Ballester, R. *Nota biográfica*, da *Obras de Giovanni Guareschi*, Plaza & Janes E.S.A. Ed., Barcelona, Buenos Aires, Mexico D.F., Bogotá 1969.

Ballini, P.L. (*Cfr.* **De Gasperi Catti, M.R.**)

Balocchi, A. *Giovannino, la semplice grandezza di un mondo piccolo*, da «Il Grande Fiume» n. 15, inverno 2002, pp. 21-22.

Balocchi, A. *Giovannino Guareschi racconta il Mondo piccolo di Roccabianca*: («Una ulteriore caratteristica fondamentale dell'atmosfera che accoglie il lettore fra le pagine di Guareschi. La sensazione, infatti, che si mescola spesso alla lettura è quella di essere calati in un luogo che, da un lato, ha propriamente più a che fare con la dimensione del sogno, e dall'altro si intesse, invece, con la speciale malia tipica dei ricordi d'infanzia.»), da Quaderni e dossier del «Corriere di Parma», 2008.

Bandinelli, A. *La satira politica e i vignettisti*: («Il vignettista Guareschi raggiunse, nei suoi momenti migliori, il grandissimo Daumier...»), Atti del Convegno Nazionale Premi Internazionali Ennio Flaiano, Pescara 9-11 maggio 2002, pp. 173-179.

Bandinelli, A. *I papà degli antipapa*: («Ma intanto avanzò un'altra ondata di satira a stampa. Giovanni[no] Guareschi, erede sul piano artistico dei grandi disegnatori ottocenteschi, dà slancio e popolarità al settimanale "Candido".»), da «Il Foglio Quotidiano», n. 221, 18 settembre 2010, p. IX.

Bandini, E. *Ma Guareschi è uno scrittore o no?*, da «Polis» n. 12, Parma, 31 marzo 2000.

Bandini, E. *Giovannino, l'attore mancato scartato per il ruolo di Peppone*, da «Libero», 8 maggio 2007, pp. 28, 29.

Bandini, E. *Don Camillo clonato in Siam diventa un bonzo buddista*: (*Il parroco di Lamotte* e *Don Camillo in penitenza*...), da «Libero, 5 agosto 2007, pp. 28, 29.

Bandini, E. *Guareschi inedito – amore guerra e avventura nel romanzo "sudafricano"*, da «Libero», 1° novembre 2007, pp. 1, 28-29.

Bandini, E. *«Quel Cervi è troppo bello per essere un comunista»*, da «Libero», 1° febbraio 2008, pp. 26-27.

Bandini, E. *Guareschi inedito – I dubbi di Peppone l'americano*, da «Libero», 7 marzo 2008, pp. 28-29.

Bandini E. *Diario del Lager – Il libro segreto di Guareschi per sopravvivere ai nazisti*, da «Libero», 26 marzo 2008, pp. 30-31.

Bandini, E. *La Matrioska di Guareschi*, da «Il Fogliaccio» n. 53, aprile 2008, p. 2.

Bandini, E. *Guareschi contro Pasolini per girare il film del secolo*, da «Libero», 18 maggio 2008, pp. 26 27.

Bandini, E. *Giovannino prigioniero: «Ho fame, Dio aiutami tu»*, («Esce il *Grande diario*, cruda testimonianza giorno per giorno della vita nei *Lager* tedeschi»), da «Libero», 27 maggio 2008.

Bandini, E. (**Casamatti, G. & Conti, G.**) *Fontanelle. Cuore del "Mondo piccolo"*, Monte Università Parma Editore, 2008, info@mupeditore.it.

Bandini, E. *Le scene mai viste, Le petit monde de don Camillo*, da *Le burrascose avventure di Giovannino Guareschi nel mondo del cinema*, catalogo della mostra omonima della Cineteca Bologna 24 giugno-19 ottobre, MUP Editore, www.mupeditore.it, pp. 118-151.

Bandini, E. *Il cinema ritrovato degli eroi di Guareschi*, da «Libero», 20 giugno 2008, p. 27.

Bandini, E. (*Cfr*. **Pizzi, C.**)

Bandini, E. *Quante storie, Giovannino!*, Luigi Battei, Parma 2009.

Bandini, E. *Disputa sull'identità del "vero" Peppone. Il nipote del cementista Giuseppe Bottazzi reclama i diritti sul nome. Ma il sindaco di Giovannino non è ispirato a suo nonno*, da «Libero», 22 luglio 2009, p. 37.

Bandini, E. *Scoop del «Corriere»: sotto sotto Guareschi era un comunistaccio*, commento all'articolo di Claudio Magris apparso sul «Corriere della Sera» del 23 luglio 2009, da «Libero», 24 luglio 2009, p. 35. (*Cfr*. **Magris, C.**)

Bandini, E. *Un festival [Fiuggi Family Festival] per Guareschi migliore di Pasolini*: (intervista ad Alessandro D'Alatri: «Guareschi è un autore straordinario capace di trarre il meglio da ogni mezzo di comunicazione che aveva a disposizione...»), da «Libero», 5 agosto 2009, p. 35.

Bandini, E. *E Giovannino rifiutò la provocante Sophia. Fra le migliaia di lettere inedite nell'archivio del Baffo, quelle a Rizzoli in cui bocciava la Loren per il terzo film di don Camillo*, da «Libero», 29 agosto 2009, p. 34.

Bandini, E. *Guareschi boicottato - E la CIA negò l'Oscar a Don Camillo*, da «Libero», 22 settembre 2009, pp. 34-35.

Bandini, E. *Guareschi in carcere per otto mesi – Il delitto: ironia sul vino di Einaudi*, da «Libero», 15 ottobre 2009, p. 37.

Bandini, E. *La rottura con il «Candido» per un articolo smentito. Tra il 1946 e il 1948 Indro [Montanelli] scrisse per il settimanale di Guareschi, di cui divenne amico. La collaborazione finì dopo lo scontro con i comunisti di "Omnibus"*, da «Libero», 6 novembre 2009, p. 37.

Bandini, E. *Guareschi - Processo illegale*, recensione al libro *Il carteggio Churchill-Mussolini alla luce del processo Guareschi* di Ubaldo Giuliani Balestrino, da «Libero», 5 marzo 2010, p. 35.

Bandini, E. *Inedito di Guareschi – Coca Cola, il peggior nemico dei comunisti*, da «Libero», 23 marzo 2010, pp. 1, 36.

Bandini, E. *Lettere a Guareschi – Peppone a teatro*, da «Libero», 18 luglio 2010, p. 34.

Bandini, E. *Lettere inedite – Così nacque il buon Peppone*, da «Libero», 27 luglio 2010, p. 33.

Bandini, E. *La bufala di «Avvenire»*, articolo che riassume tutte le accuse di plagio fatte a GG, da «Libero», 6 settembre 2010, pp. 22-23.

Bandini, E. *Guareschi e la Messa di Natale* ("scoperta" una bellissima lettera inviata a GG da padre Paolino Beltrame Quattrocchi che ricorda il loro incontro in occasione di un lontano Natale in carcere), da «Gazzetta di Parma», 2 ottobre 2010, p. 5.

Bandini, E. *Don Camillo e Peppone in una collana di fumetti*, da «Libero», 2 dicembre 2010, p. 37.

Bandini, F. *«Non potevi fare lo stagnaro?» chiede la moglie a Guareschi*, da «L'Europeo», 17 luglio 1955.

Bàrberi Squarotti, G. *Tutto Mondo piccolo*, un fragile monumento, da «Tuttolibri» n. 1147 («La Stampa»), 19 febbraio 1999.

Bariani, F. *Tutto il mondo di Guareschi* (cronaca delle manifestazioni per Guareschi a Como), da «La Tana del Re», giugno 2003.

Baricco, A. *Guareschi, petardi d'autore sotto le poltrone dei critici*, da «La Stampa», 17 giugno 1993, p. 20.

Baricco, A. (*cfr.* **Cappa, M.**)

Baricco, A. (*Cfr.* **Guidi, R.**)

Baricco, A. *"Giovannino? È un mio maestro"*: («C'è nella sua scrittura più di una profezia. Per esempio? E' uno scrittore di poche parole. Un talentaccio nell'essere essenziale ma potente. Un maestro dei dialoghi... E altrettanto grande è la sua capacità di creare paesaggi epici. Un mondo che non potrebbe esistere che è mito in movimento...»), dall'intervista di Rita Guidi, «Gazzetta di Parma», 23 novembre 2008.

Baricola, L. *Giovannino Guareschi: il «Mondo piccolo» di un uomo immenso*, da «Corale città di Acqui Terme» n. 2, dicembre 2000, pp. 4-5.

Barilli, A. *Una maschera di Guareschi e la statua dell'ultimo della classe*, da «Il Resto del Carlino», 1 novembre 1954.

Barilli, D. *Guareschi, la storia d'Italia*, dalla «Gazzetta di Parma», 23 marzo 2000.

Barilli, F. *«Guareschi si definiva anarchico monarchico. Mi è piaciuto subito»*: (intervista di Luc. Sol. sul documentario girato da Francesco Barilli sulla vita di GG), da «L'Informazione», Reggio Emilia, 1° novembre 2009, p. 27.

Barone, N. *La classifica dei best-seller in Francia capeggiata dal Don Camillo di Guareschi*: («798.000 esemplari andati a ruba. Si chiedono sempre nuove ristampe»), dal «Corriere della Nazione», 15 aprile 1955.

Bartolini, O. *Giovannino Guareschi tra Emilia e Romagna*, da «Confini, Arte ecc.», settembre-dicembre 2008.

Bartolini, S. *Guareschi romanziere* (*cfr.* **AA.VV.** *Un «Candido» nell'Italia provvisoria – Giovannino Guareschi e l'Italia del «Mondo piccolo»*, pp. 27-38).

Bartolini, S. (*& Parlato, G.*) *Guareschi l'umorismo e la storia*, Atti del convegno su Guareschi celebrato a Trieste nel 2003, voluto dall'Assessorato alla Cultura del Comune, Edizioni Comune di Trieste, 2008.

Bassoli, V. *Giovanni[no] Guareschi. Il «Mondo piccolo» dei sentimenti e i dialoghi con la coscienza*, da «Il Martedì» n. 8, Bologna, 1998, pp. 13-16.

Battei, A. *A tavola con Peppone e don Camillo*, Casa Editrice Luigi Battei, Parma 2008.

Battista, P. *Peppone e don Camillo riabilitati* (un convegno su Guareschi), da «La Stampa», 20 marzo 2000, p. 1.

Battista, P. *Aveva ragione Guareschi*, da «Società, Cultura & Spettacoli», «La Stampa», 23 marzo 2000.

Battista, P. *La trincea dell'ideologia*, commento alla decisione di Giuseppe Bertolucci di togliere la parte guareschiana de «La Rabbia»: «Rendere omaggio solo a una metà di un'opera concepita per due voci dissonanti (...) è insensato, oltreché profondamente ingiusto. E comprendere Guareschi nella galleria dei grandi della cultura italiana della seconda metà del Ventesimo secolo sarebbe un atto doveroso, che non dovrebbe turbare chi non vuole restare avvinghiato ai fantasmi della storia. Dovrebbe. Ma non succede così.», dal «Corriere della Sera», 31 agosto 2008, pp. 1, 40.

Bazin, J-F. «Le petit monde bourguignon de don Camillo», da *Mémoires de l'Académie des sciences, arts et belles-lettres de Dijon*, Tome 142 – Années 2007-2008, Dijon 2009, pp. 95-106. (note di A&C Guareschi)

Bedeschi, L. (don) *Il Cardinale Lercaro non è don Camillo – L'Arcivescovo di Bologna inibirà ai suoi diocesani la lettura di «Candido»*, da «Il Popolo del Veneto», 26 giugno 1953.

Bedeschi, L. (don) *Col «Ritorno di don Camillo» si è esaurito «Mondo piccolo»*, da «Vita Nova», 18 ottobre 1953.

Bedeschi, L. (don) *Le ragioni di un successo:* («Peppone e don Camillo sono premorti al loro creatore. Guareschi ne era consapevole»), da «L'Avvenire», 23 luglio 1968.

Belfiori, F. *Guareschi antiscrittore umoristico*, da «Pagine libere», Roma, aprile 1968, pp. 166-168.

Bellaspiga, L. *In cerca di Giovannino della Bassa*, da «L'Indipendente», 29 agosto 1995.

Belledi, G. *Il teatro di Saturnino Giampepe*, da *Il teatro dialettale a Parma*, Numero speciale di «Al pont åd mez», n. 3, 1999, p. 46.

Bellotti, F. *Testimonianza inedita.*

Beltrame Quattrocchi, P. (padre) *Gioie segrete di un Natale in carcere (25 dicembre 1954)*, da «Guareschi 25 anni dopo», Catalogo a cura dell'Associazione «Gaudium et Spes» e «Club dei Ventitré», Praglia, 1993, pp. 5-12.

Beltrami, S. (& Bertoldi, E.) *Bicarbonato & mentine – Giovannino Guareschi l'amico dei giorni difficili*, GAM Editrice, 2007, http://www.gamonline.it/index2.html

Beltrami, S. *Illustri sanitari?*: («Nei suoi libri Guareschi ci offre un efficace ripasso di deontologia medica»), da «Missione Salute», Milano, settembre-ottobre 2008.

Beltrami, S. *Il Guareschi che guarisce*, da «Missione Salute», Milano, marzo-aprile 2008, pp. 20-21.

Beltrami, S. *Ritornare alle fonti della vita*, da «Missione Salute», Milano, novembre-dicembre 2008, pp. 26-27.

Beltrami, S. *Il banco di prova della prigionia*, da «Missione Salute», Milano, gennaio-febbraio 2009, pp. 26-27.

Beltrami, S. *Il Corsaro grigio...*, da «Missione Salute», Milano, marzo-aprile 2009, pp. 22-23.

Beltrami, S. *Bel giorno davvero!*, da «Missione Salute», Milano, maggio-giugno 2009, pp. 24-25.

Benassati, G. *Le carte di Giovannino*, Bononia University Press 2008.

Benedetti, A. *De Gasperi e Guareschi*, da «L'Europeo», 25 aprile 1954.

Benedetto XVI & Seewald, P. (Il Papa rispondendo alla domanda di Peter Seewald su come passa il suo tempo libero dice che, a volte, guarda un DVD e, fra questi: «... ci piacciono Don Camillo e Peppone»), da *Luce del Mondo*, Libreria Editrice Vaticana, Città del Vaticano 2010.

Beretta, R. *Il catechismo di Peppone – Il cardinale di Bologna difende la teologia di Peppone*, da «Agorà» («Avvenire»), 6 ottobre 1999.

Beretta, R. *Guareschi teologo – Autori cattolici rileggono lo scrittore parmigiano*, da «Agorà» («Avvenire»), 21 ottobre 2000.

Beretta, R. *Chesterton e Guareschi* (cronaca del convegno omonimo tenuto a Peschiera nel 2003), da «Agorà» («Avvenire»), 27 settembre 2003.

Beretta, R. *Triangolo della morte – E Peppone sparò a don Camillo.* («Don Tarozzi rientra tuttora nella categoria degli insepolti, per la quale Guareschi smosse tutta la sua *pietas* umana e cristiana, chiedendo dalle pagine di "Candido" a De Gasperi e Togliatti nel novembre del 1946 una "amnistia per i morti"...»), da «Agorà» («Avvenire»), 3 febbraio 2004, p. 22.

Beretta, R. *Guareschi contro De Gasperi, il «Ta-pum» continua:* («... Fu nel gennaio 1957 che Giovannino Guareschi pubblicò due lettere presunte autografe e risalenti al gennaio 1944 in cui De Gasperi chiedeva agli Alleati...», vedi N.d.R. in **De Gasperi Catti, M.R.**), da «Avvenire», 6 novembre 2008.

Berlusconi, S. messaggio inviato a Pier Franco Quaglieni del Circolo Pannunzio, organizzatore dell'incontro su Guareschi del 9 agosto 2008 ad Alassio: («Grande figura che esprime il meglio che l'Italia libera abbia saputo rappresentare in anni di conformismo plumbeo e di faziosità prevalente. A Guareschi, come al suo antagonista De Gasperi, l'Italia deve il mantenimento della libertà appena riconquistata dopo vent'anni di dittatura. Ricordo che al suo funerale nel luglio 1968 l'Italia ufficiale fu del tutto assente. Oggi mi sembra doveroso rendergli il giusto omaggio»).

Bernardi Guardi, M. *Giovannino Guareschi ed un grande mondo antico*, dal «Secolo d'Italia», 7 dicembre 1995.

Bernardi Guardi, M. *De Gasperi – Guareschi, il «Candido» duello*, «Cultura», da «Il Resto del Carlino», 8 gennaio 2000.

Bernardi Guardi, M. *Guareschi, un Nobel alla memoria*, da «Il Resto del Carlino», 21 marzo 2000.

Bernardi Guardi, M. *Peppone, un vandeano rosso*, da «7giorni7», 28 marzo 2000.

Bernardi Guardi, M. *Sui baffoni di Guareschi – Il destino si chiama Clotilde, sarabanda di umorismo schietto* (recensione), da «Il Tempo», Roma, 7 luglio 2003.

Bernardi Guardi, M. *Da Biagi giudizi strettamente ineleganti* (su GG), da «Il Secolo d'Italia», 6 gennaio 2004, pp. 1-14.

Bernardi Guardi, M. *Quel tipo "Candido" della Bassa.* («Bene, cari Biagi, Baricco, Serra ecc, trasformiamo amicali riscoperte e critiche rivalutazioni in una proposta: un italico Nobel alla memoria per Guareschi... per l'eternità dei suoi personaggi, per la scrittura povera ma pulita, limpida, efficace e, perché no?, per la coerenza e dirittura morale...»), da «Il Domenicale», 17 gennaio 2004, p. 2.

Bertelloni, M. *G.G. scrittore civile*, da «Il Fogliaccio» n. 2, novembre 1988.

Bertelloni, M. *Guareschi, un cronista nel campo di concentramento,* da «Il Secolo XIX», 28 maggio 2008.

Berto, G. *Un* Addio alle armi *non l'avevo proprio letto:* («"Guareschi? Non esiste" affermano i letterati italiani, ma per uno storico della letteratura, Guareschi, che ha milioni di lettori in tutto il mondo, ha la sua importanza: così pensa Heiney...»), da «L'Europa Letteraria», Marzo/Aprile 1965.

Bertoldi E. (*cfr.* **Beltrami, S.**)

Bertolucci, G. *La tv uccide? Pasolini lo diceva nel '63:* («E la parte di Guareschi? "Guareschi è un autore che ha avuto i suoi meriti. Ma qui il suo testo è insostenibile, addirittura razzista. Una delle sue cose peggiori. Gli abbiamo fatto un piacere a non recuperarlo"»), intervista di Lara Ampollini sulla presentazione a Venezia de «*La Rabbia*» nella sola parte pasoliniana, dalla «Gazzetta di Parma», 30 agosto 2008.

Bertrand, J. *Narrativa italiana in Francia* (intervista), dal «Notiziario Culturale italiano», Parigi, ottobre 1963.

Besozzi, T. *Vita e miracoli di Giovanni[no] Guareschi – Nato da un'ora conobbe Peppone* (servizio su GG), dalla «Gazzetta del Popolo», Torino, 13 gennaio 1953, p. 3; (idem) da «La Fiamma», Sidney, marzo 1953.

Bevilacqua, A. *Mercato e lettori stranieri conquista difficile per il libro italiano:* («in Germania una diffusione veramente massiccia l'hanno avuta soltanto tre opere: *La pelle* di Malaparte, *Don Camillo* di Guareschi e *Il Gattopardo...*»), da «Il Messaggero» di Roma, 28 novembre 1963.

Bevilacqua A. *Ciò che si fa e si deve fare per far conoscere i nostri scrittori,* da «Il Messaggero», 6 dicembre 1963.

Bevilacqua, A. *Don Camillo e Peppone, una prova di coraggio,* dal «Corriere della Sera», 2 luglio 1987.

Biagi, E. *Il sindaco di Bologna non teme gli umoristi,* dalla «Gazzetta del Popolo-Ed. sera», Torino, 3-4 febbraio 1949, p. 2.

Biagi, E. *Guareschi è il confidente della gente di tutti i giorni,* da «il Giornale dell'Emilia», 24 marzo 1953, p. 3.

Biagi, E. *Quante donne,* ERI-Rizzoli, Roma-Milano 1996, pp. 96, 166.

Biagi, E. *La morte di un anarchico sentimentale,* da «La Stampa», 23 luglio 1968.

Biagi, E. *«I» come Italiani,* Nuova ERI-Rizzoli, Roma-Milano 1993, pp. 87-89.

Biagi, E. *Che felicità, che vertigini! "Oggi" è a quota 2 miliardi:* («Cominciai a collaborare sin dal dopoguerra con le cronache dall'Emilia... del Triangolo della morte, quella che ispirava resoconti angosciosi e suggeriva, proprio su "Oggi" a Giovannino Guareschi le imprese di un sindaco "rosso" e di un prete combattivo»), da «Oggi» n. 26, 23 giugno 2004.

Biagi, E. *Le penne all'arrabbiata? I potenti di ogni colore non le digeriscono:* («Aveva attribuito a De Gasperi una lettera apocrifa con la quale lo statista chiedeva agli Alleati, nientemeno, di bombardare Milano»), «Il fatto di oggi», da «Oggi» n. 17, 16 febbraio 2005, p. 17.

Bianchi A. *I giovani hanno sempre ragione soprattutto quando hanno torto,* relazione sulla conferenza di Gianfranco Morra su Guareschi e *L'Italia provvisoria* a Milano, «Cultura, Scienza e Spettacoli» da «Libero» 29 ottobre 2002, p. 20.

Bianchi, P. (Volpone) *Shakespeare e Giovannino,* da «Candido» n. 8, 1950.

Bianchino, G. *Giovannino Guareschi: l'immagine della satira e il racconto letterario,* dal Catalogo *La parola all'immagine/due*, della Mostra omonima esposta al Museo Bocchi di Parma dal 21 maggio al 28 novembre 2004, MUP Editore, Parma, pp. 8-9.

Biffi, G. (mons.) *Pinocchio, Peppone, l'Anticristo e altre divagazioni*, Cantagalli Edizioni, Siena 2005.

Biffi, G. (mons.) *Collodi e l'Anticristo – Il cardinal Biffi fuori dai «sacri recinti»:* («... Collodi, Guareschi, Solovev, Chesterton, Bacchelli, Tolkien – tutti "laici" nel senso migliore e più autentico del termine – mi hanno davvero fatto crescere nella "intelligenza della fede"»), «Album Cultura & Spettacoli», da «Libero», 26 maggio 2005.

Bignardi, I. *C'era una volta la prigionia*, da «la Repubblica», 24 dicembre 1992.

Biscossa, G. *Faceva nascere il sorriso entro i cupi «verboten» dei reticolati*, dal «Corriere del Ticino», 21 ottobre 1988.

Biscossa, G. *Lettera esplicativa dell'estratto (Introduzione) del libro* Red bamboo di Kukrit Pramoj (Progres Bookstore, Bangkok, Thailand, 1961) – Massagno (Svizzera), 6 ottobre 1994.

Bishop, M. G. H. *Language, medicine and diplomacy*, dal «Journal of the Royal Society of Medicine», Vol. 85, dicembre 1992, pp. 715-716.

Bo, C. *Guareschi: nel suo mondo c'era solo la pace*, da «Gente», 21 gennaio 1988.

Bo, C. *Maupassant cent'anni dopo attende ancora il vero successo*, da «Gente», 26 luglio 1993.

Bocca, G. *Trapezisti e mentitori*, da «la Repubblica», 6 marzo 1981.

Bocca, G. *La morale corrente* («Quando la morale corrente aveva un minimo di rispondenza alla morale tout court (...) Luigi Einaudi e Alcide De Gasperi accettavano di venire processati [sic] per le accuse di lesa patria di un giornalista come Guareschi.», da «L'Espresso», 7 luglio 2009. (Cfr. **Paradisi, R.** *Secondo Bocca fu il Baffo a processare Einaudi e de Gasperi.*)

Bocchi, N. (Nibbio) *Il Nino dell'anteguerra e il Giovannino di dopo*, dalla «Gazzetta di Parma», 22 agosto 1968.

Boffi, E. *L'embrione che chiede giustizia al giudice. Un Guareschi censurato nel 1967 e stampato oggi*, da «Il Foglio», 1° dic. 2004, p. III.

Bolmida, A. *Omero, Platone e Aristotele, gli autori più venduti al mondo (...). Lo scrittore italiano più tradotto nel 1953 è stato Guareschi*, da «Il Nostro Tempo», Torino, 27 febbraio 1955.

Bondi, S. *Guareschi:* («Un grande esempio di "scrittore popolare" della nostra storia letteraria – tra i pochissimi nell'Italia del dopoguerra – e un grande esempio di moralista, nel senso più nobile del termine»), «Italiani globali» da «L'Italia globale», numero speciale di «IdeAzione» n. 6, novembre/dicembre 2002, pp. 302-303.

Bonitatibus, E. «Guareschi a Potenza», da *Potenza 2009*, catalogo della manifestazione promossa dall'Ass. Filatelica Culturale «Isabella Mora» a cura di Umberto Savoia, Potenza 2009, pp. 22-27.

Bonura, G. *Dammi uno scrittore te ne do un altro.* («si assiste al via libera della sinistra per Guareschi... si è passati da un eccesso all'altro valorizzando Guareschi al di là dei propri meriti»), «Letture» («Famiglia Cristiana»), n. 568, giugno-luglio 2000.

Borgese, G. *Quando i comunisti divennero trinariciuti*, dal «Corriere della Sera», 11 dicembre 1992.

Borghese, A. Intervista al cardinale Carlo Caffarra (D.: «Nel campo letterario ci sono autori cattolici [nel XX Secolo] degni di essere letti?» R. del cardinale: «Penso... soprattutto a Giovannino Guareschi. I famosi film della serie su don Camillo e Peppone non rendono giustizia alla sua opera di scrittore che non esito a qualificare sommo. Ha elevato lo spaccato di una piccola comunità... a sublime epopea universale. La cosa era riuscita solo a Manzoni.»), da *La verità chiede di essere conosciuta - Carlo Caffarra*, Rizzoli, Milano 2009, pp. 160-161.

Borgia, P.F. «*Chiara? No, il mio maestro è Guareschi*»: (intervista ad Andrea Vitali: «Per me Chiara è stata una salvezza. In tempi di forte sperimentalismo letterario, Chiara offriva racconti ben scritti che il lettore proprio non voleva abbandonare. Però il mio vero maestro è un altro... Giovannino Guareschi. I suoi testi sono piccoli capolavori»), da «Il Giornale», 10 giugno 2009, p. 33.

Borgonovo, F. *Lucarelli - Troppe storie sono ancora tabù:* (intervista a Carlo Lucarelli: «In Italia abbiamo un patrimonio di narratori che per tanti motivi sono stati dimenticati. Scerbanenco era uno di questi, ma anche Guareschi era un genio»), da «Libero», 22 maggio 2008, p. 27.

Borgsen, W. (& Volland, R.) *Stalag XB Sandbostel*, Edition Temmen, Bremen 1991, pp. 141, 142, 149, 276.

Borlandi, B. *Addio, Giovannino*, da «La Notte», 22 luglio 1968.

Boselli, P. *Bossi-Guareschi. Sarebbe stato amore?*, da «il Giornale», 24 giugno 1996, p. 8.

Bossaglia, R. *Il mio «Bertoldo».* Dalle emozioni giovanili alla riflessione critica, prefazione a *Milano 1936-1943: Guareschi e il «Bertoldo»*, Rizzoli, Milano 1994.

Bossaglia, R. *La stagione del «Bertoldo»* (*cfr.* AA.VV. *Un «Candido» nell'*Italia provvisoria – *Giovannino Guareschi e l'Italia del «mondo piccolo»*, pp. 21-26).

Botrot, J. *Le Vaticain à l'heure des "blocs":* («Giono écrivait, il y a quelques années, dans un *Voyage en Italie*...: "On est fou, par ici, d'un feuilleton qui parait en ce moment dans le journal. On y reconte les démêlés, dans un village, d'un chef de parti et du curé... Si l'on publiait ce feuilleton en volume, il aurait un succès mondial...»), da «Le Progres», Lione, 31 luglio 1957.

Bottura, L. *Una galera coi baffi*, da «Cuore», 13 agosto 1994.

Bozzi Sentieri, M. *Tex, Linus, Mickey e gli altri – satira e fumetti "visti da destra":* («L'inventiva non vien meno di fronte all'impegno politico. Guareschi "inventa" i compagni trinariciuti...»), Sveva Editrice, 1992, pp. 117-111.

Braga, E. *Un secolo da romanzo – Venti capolavori italiani da portare nel 2000*, da «Anna» n. 1, 2 gennaio 2000, pp. 111-112.

Brambilla, M. *L'Eskimo in redazione:* («Il lettore più giovane, o quello che non ricorda bene, si stupirà nel leggere che in quell'Italia degli anni Settanta non aveva diritto di cittadinanza nemmeno don Camillo, il popolare personaggio creato da uno scrittore, Guareschi, messo al bando da chiunque non volesse essere considerato un "fascista"»), Edizioni Ares, Milano 1991, pp. 7-8, 62-66.

Brambilla, M. *La ballata del Signore riconosciuto – Un imbarazzante desiderio di eternità*, da *Qua la mano don Camillo. – La teologia secondo Peppone*, a cura di Alessandro Gnocchi e Mario Palmaro, Àncora Editrice, Milano 2000.

Brambilla, M. *Io, comunista, voto rifondazione guareschiana*, da «Sette» («Corriere della Sera») n. 183, maggio 2001.

Brambilla, M. *Ci vorrebbe un Giovannino:* («Per i guai dell'Italia di oggi... un tradizionalista, un uomo che non si arrese mai alle storture della modernità; ma forse proprio per questo rimase sempre un uomo del popolo. Un uomo vero, soprattutto»), da «La Provincia», Como, 15 dicembre 2002, p. 1.

Brambilla, M. *Guareschi l'anticomunista – l'unico in carcere per satira*, da «Libero», 30 ottobre 2005, p. 6.

Brambilla, M. *Cari Benigni e soci, imparate da Guareschi il coraggio della satira*, da «Libero», 30 luglio 2006, p. 1, 34.

Brambilla, M. *Giù le mani dal profetico Giovannino*, da «Il Giornale», 28 ottobre 2007, pp. 1, 21.

Brambilla, M. prefazione all'opera di Paolo Gulisano *Quel cristiano di Guareschi*, Àncora Editore, Milano 2008.

Brambilla, M. *Giovannino schiena dritta*, da *Sempre meglio che lavorare – Il mestiere del giornalista*, Piemme, Milano 2008, pp. 160-168.

Brambilla, M. *«E De Sica disse all'"Unità": "Non giro Don Camillo "»*, da «Il Giornale», 20 giugno 2008, pp. 1, 30.

Briganti, P. *Narratori a Parma: da Barilli a Colombi Guidotti*, da *Officina parmigiana* (a cura di Paolo Lagazzi), Ugo Guanda Ed., Parma 1994.

Broglia, A. (*alias Ugolino*) *Les idiots savants e i quacquaraquà*, da www.dabicesidice.it, 29 luglio 2008.

Brunetta, G. P. *Don Camillo e Peppone tra guerra fredda e disgelo*, da *Storia del cinema italiano – Dal neorealismo al miracolo economico 1945-1959*, Vol. III, Editori Riuniti, Roma 1982, pp. 561-565.

Bruni, P. (**& Picardo, G.**) *Giovannino Guareschi, il sentimento della terra*, da *Voci del Mediterraneo*, Mauro Pagliai Editore, Edizioni Polistampa Firenze 2009, pp. 181-186.

Brunoro, G. *All'alba, un illustratore* (saggio sulle illustrazioni di Guareschi per l'opera di Mario Puccini *Le novantanove disgrazie di Saverio Acca*), Fondazione Rosellini, Senigallia 2005, pp. 21-34.

Bulgarelli, S. *Paul Campani dai fumetti ai cartoon di Carosello*, catalogo della mostra omonima tenuta a Modena al Foro Boario dal 1 settembre al 28 ottobre 2007.

Bulgari, S. *L'altro Bulgari* (omaggio a GG: riprodotti in argento l'angioletto e il diavoletto), catalogo a cura di Maria Cristina Improta della Mostra di sculture e gioielli di Silvano Bulgari, Fondazione di Studi di Storia dell'Arte «Roberto Longhi», 2003.

Buonuomo, B. *Giovannino Guareschi lo scrittore occultato*, inedito.

Bussoni, M. *A spasso con don Camillo – Guida al Mondo piccolo di Giovannino Guareschi*, con foto di Marcello Calzolari e Simone Pisi, Mattioli 1885, Fidenza 2010.

Buttafuoco, P. *Guareschi nello Stalag, una vita così bella da ispirare Benigni*, da «Il Foglio Quotidiano», 17 febbraio 1998, p. 2.

Bux, N. *La riforma di Benedetto XVI*: («Non accada ai cattolici di parlare di dialogo, anche con quelli che non ne vogliono sapere, ma, come diceva Giovanni[no] Guareschi, gli unici ad essere esclusi dal loro "dialogo" sono i cattolici tutti d'un pezzo.»; «L'equivoco della chiesa tutta ministeriale ha portato ad abolire la distinzione tra navata e presbiterio - impressionanti la previsione fatta da Benson e le osservazioni di Guareschi in alcune lettere a don Camillo scritte dopo il concilio.»), Piemme, Milano 2008, pp. 73, 105.

Cabona, M. *Piace a tutti, anche a chi non lo conosce*, da «il Giornale», 23 marzo 2000.

Cabona, M. (**& Carafòli, D. & Romani, C.**) *Quando Guareschi fuggiva da Indro*, da «Il Giornale», 20 giugno 2008.

Cabona, M. *Il sangue dei vinti:* («Guareschi scrisse anche del triangolo della morte quando gli assassini erano ancora all'opera»), intervista a Giampaolo Pansa, da «Il Giornale», 27 ottobre 2008.

Cadoni, A. *Ridere con Guareschi e la famiglia Brambilla,* da «Il fumetto d'antiquariato», n. 10, novembre 2006.

Caffarra, C. (mons.) *La figura del sacerdote in Guareschi:* («Ciò che affascina così profondamente il lettore delle sue pagine è che il prete don Camillo, il sindaco Peppone e tutti gli altri personaggi vivono la loro piccola-grande giornata dentro a un legame con un significato, direi con un mistero che non è un orizzonte sfuggente, ma una Presenza»), da «Studi Cattolici» n. 485/86 – luglio-agosto 2001, pp. 556-558.

Caffarra, C. (mons.) *Io vescovo e teologo con la vocazione del piccolo parroco,* intervista di Pierluigi Visci: («L'amicizia con G. Guareschi fu propiziata dal parroco di Roncole Verdi... ogni tanto lo rimproveravo perché la domenica non andava a messa. Mi rispondeva che si sarebbe confessato»), da «Il Resto del Carlino», 14 febbraio 2004, p. 2.

Caffarra, C. (mons.) *Né valori né desiderio, Caffarra preferisce ragione e realtà,* intervista: (Caffarra cita i classici del pensiero cristiano «ma c'è un altro maestro cui sono debitore, Giovannino Guareschi, mio conterraneo, che ho a lungo frequentato quando ero giovane prete»), da «Il Foglio Quotidiano», 15 maggio 2004, p. 3.

Caffarra, C. (mons.) *Intervista di Aldo Cazzullo:* («"Guareschi era stato in campo di concentramento e aveva maturato il timore per ciò di cui l'uomo è capace. Però ha raccontato Peppone con le mani riscaldate dal Bambino dopo aver fatto il presepe, in una delle pagine più belle mai scritte sull'amore divino"»), dal «Corriere della Sera», 2 giugno 2004, p. 16.

Caffarra, C. (mons.) *Sì, nell'attenzione all'uomo mi sento un po' don Camillo* (da un'intervista. *Domanda:* In questa Bologna che è cambiata si sente un po' don Camillo o no? *Risposta:* «La figura del sacerdote che Guareschi dipinge ha una profonda passione per la persona umana e per le sue necessità: in questo senso lo sento vicino»), «Chiesa e Società» da «Quotidiano Nazionale», 7 ottobre 2004, p. 14.

Caffarra, C. (*Cfr.* **Andrini, S.**)

Calcagno, G. *Gli ultras della latinità,* da «Leggere», giugno 1962.

Calcagno, G. *I «casi».* Da *Don Camillo* ai Porci con le ali, da «La Stampa» (Società & Cultura), 27 luglio 1996.

Calcagno, G. *Don Camillo, Peppone e "democrazia"* (presentazione edizione della «Stampa» di *Don Camillo e don Chichì*), «Comicamente» – «Cultura e Spettacoli» («La Stampa»), 13 agosto 2004.

Calidoni, M. (**& Concari, M.**) *(Guareschi) il grande racconto delle piccole cose – La scuola in dialogo con Giovannino Guareschi,* Monte Università Parma Editore, 2008, info@mupeditore.it.

Camera, A. (**& Fabietti, R.**) *Elementi di storia 3 (XX secolo)* (citazione di Guareschi a margine delle battaglie elettorali a proposito del film *Don Camillo:* il cui «finale alla "volemose bene" accentua il qualunquismo già presente nel romanzo...»), Ed. Zanichelli, 4ª edizione – marzo 1999, p. 1649.

Cammarano, C. *Dalle strade di Montaletto a giramondo per la fede,* profilo di padre Tommaso Toschi: («i rapporti tra Dozza e Lercaro furono molto complessi. Alcuni vedrebbero nel loro confronto una riedizione del *Don Camillo*. Certo è che il comunista cattolico Guareschi dichiarò...»), Libera Università per gli adulti e la terza età – Sede di Cervia, 2003, pp. 14-15.

Camnasio, U. *Storia di un fatto di cronaca – la vicenda Carteggio Mussolini*, Paneuropa, Milano 1956, pp. 15, 18, 20, 21, 23, 24, 29-32, 36, 114, 130, 148, 190, 362, 363.

Canali, D. *Atmosfere, sapori, ricette*, da *Nel mio piatto*, Edizioni Studio Guidotti, Riccò di Fornovo (Pr) 2007, pp. 53-57.

Cancogni, M. *L'epoca di Guareschi*, da «La Fiera letteraria», 1° agosto 1968.

«Candido» (redazionale) *Guareschi e la condanna del Nebiolo*, n. 20, 1955, p. 5.

Canepa, O. *Orazione funebre «in die septima»*, inedita, 1968.

Capasso, L. *Schedario – Contributi*: («... nel saggio di Marri... un posto di rilievo tra gli scrittori satirici di quegli anni ha Guareschi, scrittore "capace di incidere sugli istituti linguistici con effetti che si prolungano fin ai nostri anni"»), recensione a un saggio di Fabio Marri da *Studi linguistici italiani*, 2003, p. 139.

Capovilla, L. F. (mons.) *(cfr.* **Roncalli, M.**)

Cappa, M. *La nona di Baricco*: («Per me De André è davvero il migliore di tutti. La velocità narrativa del *Pescatore* allora ce l'avevano solo pochissimi scrittori, Buzzati o Guareschi»), intervista ad Alessandro Baricco, da «Vanity Fair» n. 43, 15 ottobre 2008.

Caprara, M. *(intervista)* Massimo Caprara: noi, «trinariciuti», da «Agorà» («Avvenire»), 18 novembre 2000.

Caprara, M. *Italia libera? Sì, grazie ai cattolici*, intervista di Alessandro Gnocchi: («Vinsero i cattolici come Guareschi, che non rinunciarono mai a interpellare la propria coscienza...»), www.storialibera.it, 7 febbraio 2006.

Carabba, C. *Ma i giudizi netti non si addicono a Guareschi*, da «Cultura e Spettacoli» («Corriere della Sera»), 1° aprile 2000.

«Carattere» *L'arma di «don Camillo»* Verona 1955.

Cardini, F. *La sinistra e la cultura «cosa nostra»*: («La sinistra... impose a una società civile... la sua censura e i suoi tabù... Per lunghi anni solo personaggi come Longanesi, Flajano, Guareschi e magari Totò ebbero il coraggio di smascherare tutto ciò e vennero emarginati per questo»), da «Agorà» («Avvenire»), 10 agosto 2004.

Carnazzi, G. *La satira politica nell'Italia del Novecento*: (Critica a «Candido»: «Ma quando la satira diviena troppo scoperta... attingeva a un repertorio di trivialità e di frasi fatte, si buttava su un anticomunismo stantio, basato su una serie di discutibili invenzioni – si pensi ai "trinariciuti" militanti del PCI creati da Guareschi»), Principato – collana «La ricerca storico-letteraria», Milano 1975.

Carnero, R. *Tracce evangeliche nei testi di Guareschi*, da «Jesus», gennaio 2001.

Carnero, R. *La vita è una favola – lo dice Guareschi*: (recensione a *Chico e altri racconti*: «... un'autentica vena poetica che sa trasfigurare gli spunti della quotidianità in un'atmosfera da favola»), da «Cultura – Terza Pagina» («Famiglia Cristiana»), n. 45, 2005, p. 110.

Carnero, R. *Belle riscoperte*: («Realismo fiabesco: potremmo chiamarla così la cifra poetica e stilistica dei racconti di Giovanni Guareschi»), http://www.treccani.it/site/Scuola/nellascuola/area_lingua_letteratura/letture2006/8.htm.

Carnero, R. *Guareschi? Piaceva anche ai comunisti*, dichiarazioni di Vittorio Spinazzola: («... bisogna prendere Guareschi sul serio... però senza giungere ad affermare...

che Guareschi è un grande scrittore: ha svolto un lavoro dignitoso e interessante, ma non è Moravia, non è Calvino, non è la Morante. È necessario... mantenere il senso delle proporzioni.»), da «L'Unità», 3 maggio 2008, p. 25.

Caroli, S. *Letteratura libera dietro le sbarre*, da «Cultura & Società» («Giornale di Vicenza»), 2 gennaio 2001.

Caroli, S. *Guareschi con la saga di don Camillo e Peppone macchiettista del compromesso storico*, dal «Giornale Di Brescia», 18 gennaio 2008, p. 46.

Casadei, A. (& Santagata, M.) *Manuale di letteratura italiana contemporanea:* (*La narrativa di consumo*: «È il caso della serie di storie scritte... dal giornalista emiliano Giovanni[no] Guareschi»), Editori Laterza, Roma-Bari, 2007, pp. 248, 269, 273.

Casalbore, M. *Guareschi il prigioniero con le ali*, da «Globarte» n. 5, Milano, agosto 1968, pp. 18-19.

Casamatti, G. *Giovannino Guareschi: la formazione e le prime collaborazioni nella Parma degli anni Venti*, da *La parola all'immagine/uno - Illustrazione e satira a Parma tra le due guerre*, Catalogo della Mostra omonima esposta al Museo Bocchi di Parma dal 6 febbraio al 30 aprile 2004, MUP Editore, Parma 2004, pp. 56-57.

Casamatti, G. *Il segno satirico di Giovannino Guareschi*, da *La parola all'immagine/due*, Catalogo della Mostra omonima esposta al Museo Bocchi di Parma dal 21 maggio al 28 novembre 2004, MUP Editore, pp. 33-49.

Casamatti, G. (& Conti G. & Sassi, F.) *Don Camillo, Peppone e il Crocifisso che parla*, catalogo della mostra fotografica omonima (storia della saga cinematografica girata sul "set" di Brescello dal 1951 al 1972, curiosità ed episodi sconosciuti), MUP Editore, Parma 2004, tel. 0521 386014, info@mupeditore.it.

Casamatti, G. *Giovannino Guareschi, giornalista e filosofo in bicicletta*, da *Biciclette – Lavoro, storie e vita quotidiana*, a cura di Guido Conti, MUP editore, Parma 2007 info@mupeditore.it, pp. 109-119.

Casamatti, G. *Icone, parole e lettere figurate nelle opere grafiche di Giovannino Guareschi*, dal *Bollettino* n. 12 – 2006, *Lettere in libertà*, a cura di Roberta Cristofori e Grazia Maria De Rubeis, del Museo Bodoniano, Parma, anno 2007.

Casamatti, G. (*cfr.* **Bandini, E. & Conti, G.**)

Casamatti, G. *Dalla vignetta alla strip, dal fumetto al cinema*, da *Le burrascose avventure di Giovannino Guareschi nel mondo del cinema*, catalogo della mostra omonima della Cineteca Bologna 24 giugno-19 ottobre, MUP Editore, www.mupeditore.it, pp. 34-50.

Casamatti, G. (**& Conti, G.**) *Guareschi – Nascita di un umorista - "Bazar" e la satira a Parma dal 1908 al 1937*, MUP Editore, Parma 2008, www.mupeditore.it.

Casamatti, G. *Giovannino Guareschi – L'opera grafica 1925-1968*, Rizzoli, Milano 2008.

Casamatti, G. *L'umorismo profetico di Giovannino Guareschi nelle vignette degli anni Sessanta*, da «Palazzo Sanvitale» n. 23-24, 2008, pp. 145-159.

Casolari, G. *Guareschi giullare dell'oggi e di Cristo?*, da «Letture», 1970, pp. 27-30.

Casoli, G. *Ricordo di Guareschi*: («La stampa italiana ha ignorato o quasi la morte e i meriti dell'uomo: ma quella estera è stata più generosa. "Le Monde" di Parigi l'ha messo tra gli scrittori più significativi del Novecento»), da «Città Nuova», Roma, 25 settembre 1968.

Casoli, G. *Perché Guareschi è un classico*, da «Città Nuova» n. 17, 1998.

Casoli, G. *Giovannino Guareschi*: («Guareschi non lo si trova nelle storie letterarie né nelle antologie scolastiche correnti, ma non ci è difficile qui incominciare un atto di riparazione nei confronti di uno dei maggiori scrittori del Novecento italiano, definendolo un classico»), da Novecento letterario italiano ed europeo – Autori e testi scelti, vol. 2: Dalla Seconda Guerra mondiale alla fine del secolo, Cittanuova Editrice, Roma 2002, pp. 11, 51-67.

Casoli, G. *Guareschi padre e poeta*: («... scopriamo che quest'uomo sanguigno e soave, dalla faccia terragna e dall'anima evangelica... è stato... uno dei massimi scrittori mondiali del secolo.»), da «Città Nuova» n. 1/2010, pp. 72, 73.

Cassinotti, C. (& Gilli, F.) *Giovannino Guareschi e il suo mondo, antologia per le medie inferiori, apparato didattico di G. Airoldi*, Atlas, Bergamo 1991.

Castelli F. (padre) *Il "Mondo piccolo" di Guareschi – La storia del Paese riflessa nella cronaca del paesello*, da «La Civiltà Cattolica – Sommario del quaderno 3818, 18 luglio 2009, pp. 107-117.

Castellini, F. *(cfr.* **Lombardo, M.**)

Cavalleri, G. *Ombre sul lago*, Piemme, Casale M. (AL) 1995.

Cavallo, P. (& Iaccio, P.) *Vincere! Vincere! Vincere! Fascismo e società italiana nelle canzoni e nelle riviste di varietà 1935-1943*: (Nella rivista «Tutto per tutti e niente per nessuno» di Guareschi e Manzoni «si metteva in luce l'impreparazione dell'Italia alla guerra. Il tragico presentimento dell'inevitabile catastrofe, non attenuato dall'allegoria, faceva sì che il quadro in questione fosse vietato dalla censura»), Editrice Janua 1985, pp. 84, 102, 158-160.

Cavallotti, G. *Il riso amaro di Guareschi*, da «Oggi» n. 44, 1958.

Cavazzini, G. *Quel sorriso è una smorfia – Il segno satirico di Guareschi in mostra al Museo Bocchi (Parma)*: («Ed è davvero un maestro della grafica, Giovannino Guareschi...»), dalla «Gazzetta di Parma», 21 maggio 2004, p. 5.

Cereda, M. *Il deportato 6865 Giovannino Guareschi*, da *Storie dai Lager – I Militari Italiani Internati dopo l'8 settembre*, Edizioni Lavoro, Roma 2004, pp. 137-167.

Cerioli, L. *Quando il vino diventa satira politica*: («Accusati di "lesa nebiolità" Guareschi e Manzoni condannati a otto mesi con la condizionale»), da concertodivino.it/numero01/personaggio, 18 gennaio 2004.

Ceronetti, G. *L'italiano che ride*, da «La Stampa», 28 gennaio 1987.

Cervi, M. *Lo statista irripetibile*: («Guareschi aveva pubblicato due lettere a firma Alcide De Gasperi incluse nel cosiddetto carteggio Mussolini-Churchill: lettere appartenenti all'attività di falsificazione che aveva inondato l'Italia di pseudodocumenti tanto clamorosi quanto inaffidabili»), «Album Cultura & Spettacoli», «Il Giornale», 17 agosto 2004, pp. 1, 33.

Cervi, M. *Guareschi, il refuso e un'Italia migliore*: («Senza De Gasperi l'Italia sarebbe stata diversa e probabilmente peggiore. Ma anche senza Guareschi.»), da «Il Giornale», 24 giugno 2006, p. 27.

Cervi, M. *Guareschi si sbagliò su De Gasperi e ne pagò il prezzo*: («... carte false (...) sprovvedutezza di Guareschi (...) testardaggine contadina»), da «La stanza di Mario Cervi» («Il Giornale»), 7 maggio 2010, p. 59 (*Cfr.* **Guareschi, A.&C.** Lettera al direttore del «Giornale», 13 maggio 2010, p. 50).

Cervo, M. *«La sinistra sta sparendo ostaggio delle sue bugie»*: (intervista a Giampaolo Pansa: «... nel suo "Candido" Guareschi aveva visto cose di cui noi, a sinistra, non ci rendevamo conto...»), da «Libero», 29 settembre 2006, p. 32.

Cervo, M. *Don Camillo – L'educazione secondo Guareschi:* (recensione di *Don Camillo*), da «Libero», 14 febbraio 2007, p. 31.

Cervo, M. *Guareschi – memorie di un umorista nel Lager.* (recensione del *Diario clandestino*), da «Libero», 7 marzo 2007, p. 31.

Chessa, P. *Il nodo di Gordio,* prefazione a *Comunista sarà lei! Dai trinariciuti di ieri alla sinistra di oggi: un viaggio attraverso i disegni di Guareschi e dei disegnatori satirici contemporanei,* Catalogo della mostra omonima esposta a Forte dei Marmi, Busseto e Cervia, Fondazione Città di Forte dei Marmi (LU), 2004.

Chemotti, S. *Guareschi Giovanni,* dal *Dizionario della Letteratura Italiana,* diretto da Vittore Branca: («... Peppone e don Camillo... appartengono a quella letteratura popolare piccoloborghese che ha suscitato spesso il disprezzo dei letterati italiani tradizionalisti...»), UTET, Torino 1986 – Vol. II, pp. 455-456.

Chiappetti, F. *Guareschi inedito genio della penna e della matita,* da «L'Indipendente delle Idee», 12 febbraio 2006, p. 1.

Chiaretti, T. *Lettera a Duvivier,* da «l'Unità», Roma 18 marzo 1952, p. 3.

Chiarini, R. *Guareschi e i guai di un popolo gregario,* dal «Giornale di Brescia», 22 marzo 2000.

Chiarini, R. *Guareschi, la destra e l'antimito della Resistenza,* da «Nuova Storia Contemporanea» n. 2, marzo/aprile 2000, pp. 27-58.

Chiarini, R. *Guareschi, la destra e il mito della Resistenza* (*cfr.* **AA.VV.** *Un «Candido» nell'Italia provvisoria* – *Giovannino Guareschi e l'Italia del «mondo piccolo»,* pp. 59-106).

Chierici, M. *Peppone è tornato a casa,* dal «Corriere Lombardo», 17-18 ottobre 1961.

Chiesa, A. *Torna Guareschi: parliamone male,* da «Paese Sera», 15 febbraio 1980.

Chiesa, A. *Come ridevano gli italiani,* Newton & Compton, Roma 1984.

Chiesa, A. *Così ridono gli italiani,* Newton & Compton, Roma 1985.

Chiesa, A. *La satira politica in Italia,* Laterza, Roma-Bari 1990.

Chiesi, R. *Lontano dalla città del cinema, Giovannino Guareschi e Julien Duvivier,* da *Le burrascose avventure di Giovannino Guareschi nel mondo del cinema,* catalogo della mostra omonima della Cineteca Bologna 24 giugno-19 ottobre, MUP Editore www.mupeditore.it, pp. 68-73, 98-113.

Chiocchietti, P. *«Per vostra distrazione... e diletto spirituale... Gli auguri di "Mondo piccolo" di Giovannino Guareschi nell'ottica di Papa Giovanni XXIII,* Grafiche Aurora, agosto 2008.

Civirani, O. *Un fotografo a Cinecittà,* Gremese Editore, Roma 1995, pp. 108-109, 117.

Clark, H. M. *Talk with Giovanni[no] Guareschi,* da «New York Times», 17 dicembre 1950.

Clements, R. J. *European Literary Scene* (estratto), da «Saturday Review», 5 ottobre 1968, New York, p. 25.

Clerici, L. (**& Falcetto, B.**) *Il successo letterario,* UNICOPLI, Milano 1985.

Club dei Ventitré *Ricerca effettuata a favore del prof. A. per una conferenza,* Roncole Verdi 1992.

Club dei Ventitré *Ricerca sugli spostamenti di Guareschi nei Lager del Terzo Reich effettuata a favore dello studente dell'Università di Saarbrücken Oliver K. per Tesi di Laurea,* Roncole Verdi, febbraio 1994.

Coco, M. *Riscoprire Guareschi un po' don Camillo un po' Peppone,* da «Giannoniana», S. Marco in Lamis, dicembre 2008.

Coderch, J. *The Procession. A tale taken from the book* Don Camillo, *by Giovannino[no] Guare-*

schi, translated into Classical Greek by J. Coderch – Senior Lector in Latin and Greek – Faculty of Classics Oxford University, 2005.

Collura, M. *Festival della Lingua nel nome di Dante* (dichiarazioni di Sergio Pautasso su Guareschi), da «Cultura» («Corriere della Sera»), 27 settembre 2001.

Colombo, S. *Il dramma e l'umorismo: lo scrittore domina la Kermesse del racconto [a Cremona]:* (recensione del *Grande Diario - Giovannino cronista del Lager 1943 1945*), dal «Corriere della Sera», 26 maggio 2008, pp. 1, 33.

Columbia Enciclopedia (*The*) *Guareschi, Giovanni*, Sixth Edition 2001.

Comoglio, A. *Don Camillo*, dall'*Enciclopedia Universale dei capolavori – Letteratura A-MAN*, UTET Torino 2005, pp. 407-408.

Comune di Trieste, *Guareschi e le elezioni del 1948*, Edizioni Comune di Trieste 2008.

Concari, A. *Guareschi, un centenario fitto di eventi per far riscoprire un autore dimenticato*, da «Il Risveglio», 5 giugno 2009.

Concari, M. (*cfr.* **Calidoni, M.**)

Consiglio, A. *Guareschi l'individualista*, da «Il Tempo», 23 luglio 1968.

Conti, G. *Giovannino: l'umorismo coi baffi*, da «Qui Parma», 21 gennaio 1995.

Conti, G. *Ma come scriveva Guareschi?*, da «Qui Parma», 27 maggio 1995.

Conti, G. *Guareschi verrà riabilitato dai giovani lettori*, da «Cultura e Spettacoli» («Corriere della Sera»), 4 aprile 2000.

Conti, G. Prefazione al *Diario clandestino* di Giovannino Guareschi, Biblioteca parmigiana del Novecento, MUP Editore, Parma 2003, pp. V-VII.

Conti, G. *Umoristi a Parma:* («Il periodo di formazione parmigiana è stato molto importante per Guareschi»), da «Palazzo Sanvitale» n. 10/2003, pp. 15 16.

Conti, G. *Guareschi letto in classe – Per un'antologia di racconti di Giovannino*, da «Il Fogliaccio» n. 41, aprile 2004 p. 1.

Conti, G. *Parma, alla ricerca dello humour perduto*, «Album Cultura & Spettacoli», da «Il Giornale», 14 novembre 2004, p. 18.

Conti, G. *Giovannino Guareschi dal «Bertoldo» al «Candido»*, da «Palazzo Sanvitale», n. 11/2004, pp.111-115.

Conti, G. *Per una storia delle riviste e dei numeri unici goliardici dell'Università di Parma:* («Il caso di Giovannino Guareschi e di "Bazar" negli anni Trenta»), da *Annali di storia delle università italiane* (estratto), 9/2005 pp. 107-119.

Conti G. *Giovannino Guareschi – biografia di uno scrittore*, Rizzoli, Milano 2008.

Conti, G. (*cfr.* **Bandini, E. & Casamatti, G.**)

Conti, G. *La scoperta del cinema come arte*, da *Le burrascose avventure di Giovannino Guareschi nel mondo del cinema*, catalogo della mostra omonima della Cineteca Bologna, 24 giugno-19 ottobre, MUP Editore www.mupeditore.it, pp. 18-33.

Conti G. & Sassi, F. (*cfr.* **Casamatti, G.**)

Conti. G. (**& Dubini, P.**) *Guareschi: un bestseller* «*internazional-popolare*», da *Copy Italy – Autori - Autori italiani nel mondo dal 1945 ad oggi*, a cura della Fondazione Alberto & Arnoldo Mondadori, agosto 2009, pp. 165-171.

Conti, G. (**& Dubini, P.**) *L'uomo dei bestseller*, da «E-R Reg. Emilia-Romagna» n. 1 marzo 2010, pp. 34-37.

Conti, G. *Don Camillo siam figli tuoi*, da «Tuttolibri» («La Stampa»), 13 marzo 2010, VII, p. 6.

Controrivoluzione, *Don Camillo, il Vangelo dei semplici*, n. 67, aprile-luglio 2001, p. 59.

Coppi, M.&F. *L'aiuto di Peppone e don Camillo:* (la figlia di Fausto Coppi racconta che, immobilizzato a letto per un grave incidente, «papà si rasserenava leggendo i libri del "Mondo piccolo" di Guareschi ... "L'ho sentito ridere" diceva mia mamma quando papà riuscìva a superare con la lettura la delusione per l'incidente»), da *Il nostro Coppi - Il campionissimo nel ricordo dei figli Marina e Fausto*, Album della Stanza 6, Fondazione Cassa di Risparmio di Tortona, Edo Edizioni Oltrepò, Voghera 2010.

Cordelli, F. *La felicità di Guareschi*: «Tatti Sanguineti appare esacerbato nei confronti dei critici che relegarono l'autore di *Don Camillo* nel sottoscala...» (e commentando la recente trasmissione di due radio-drammi di Guareschi): «Erano chiarissime le ragioni e le disragioni del rifiuto [da parte dei critici, *NdR*] di Guareschi. Il mondo di Giovannino resta, anche nei momenti più felici, un mondo piccolo. Quei momenti felici sono però felici, hanno la felicità dell'incorrotto, del coraggio, dello *humour*», dal «Corriere della Sera», 9 luglio 2008, p. 37.

Corradi, M. *Quel granello di polvere che ancora inchioda a un vecchio film di don Camillo*, da «Tempi», 12 ottobre 2006, p. 25.

Corticelli, G. *Risposta all'interrogazione n. 1993 del Consigliere S. De Carolis per sapere quali iniziative la Giunta intenda predisporre per celebrare GG al quale è stata dedicata una mostra antologica a Busseto*, Ass. alla Cultura Regione Emilia-Romagna (Servizio Cultura), Bologna, 28 maggio 1986.

Cotroneo *(cfr.* Attalienti & Magliozzi & Cotroneo).

Cretì, G. *A tavola con don Camillo e Peppone, il territorio, la gente e le ricette del Mondo piccolo*, Idealibri, Rimini 2000.

Cretì, G. *Buon appetito, don Camillo! - La cucina nel Mondo piccolo di Guareschi*, MUP Editore, Parma 2008.

«Cronache» *Don Camillo: chi era costui?*: («Guareschi è ritenuto oggi in Inghilterra il massimo scrittore italiano vivente dai critici di tutti i giornali a grande tiratura»), Roma, 19 ottobre 1954.

D'Agostini, P. *Pupi Avati - quando eravamo giovani, liberi e indifferenti*: (*D'A*: «Non ha mai rivisitato il mondo di Guareschi?» *P.A.*: «Un po' l'ho fatto in *Dichiarazione d'amore...* Ho ricevuto la proposta di fare un film su Guareschi, che ho rifiutato».), intervista a Pupi Avati, da «la Repubblica», 25 marzo 2009, p. 38.

D'Andrea, D. *Ricordo di Giovannino Guareschi nel centenario della nascita*, da «La Farfalla» - Numero Unico di attualità e di cultura italo-francese a cura di Domenico D'Andrea, Arte Tipografica, Napoli 2008 pp. 7-10.

D'Esposito, F. *Clerico-fascista?*, dichiarazione di *Ffwebmagazine*: «Ancora don Camillo e Peppone? Basta, abbiate pietà di noi e, soprattutto, abbiate pietà dell'Italia...», da «Il Riformista», 14 marzo 2009, p. 1.

Dall'Acqua, M. *Luigi Froni, scultore pirandelliano*, dal *Catalogo della Mostra di sculture di Luigi Froni a Sorbolo (PR)*, Arti Grafiche Castello, Viadana (MN) 1990.

Dall'Acqua, M. *La fotografia fatta libro*, Estratto di «Aurea Parma», Fascicolo III, settembre-dicembre 2004, pp. 449, 458.

Dall'Acqua, M. *"Cosa di puro piacere e delizia" – nota per una storia del gelato a Parma*, da *Fredde dolcezze – sorbetti, gelati e gelatieri parmigiani*, di **AA.VV.**, Gazzetta di Parma editore, 2005, pp. 13-36.

Dall'Argine, D. *Scopriamo lo straordinario archivio di Giovannino Guareschi*, intervista a Cristiano Dotti, da «È in Comune - Magazine», giugno 2009, pp. 05-09.

Dalma, A. *Giovanni[no] Guareschi à la conquête du monde*, da «Le Soir Illustré», Paris – Bruxelles, 29 aprile 1954.

Dal Monte, L. *Giovannino Guareschi, Hemingway della Bassa*, da «La Provincia», 24 dicembre 2008, p. 63.

Damascelli, T. *«Omicidio Mussolini. Il caso è da riaprire, sono troppi i lati oscuri»*, intervista a Ubaldo Giuliani Balestrino, autore del libro *Il carteggio Churchill-Mussolini alla luce del processo Guareschi* («Nel mio libro sostengo le grandi numerose illegalità avvenute nel processo Guareschi»), da «Il Giornale», 22 settembre 2010, p. 31.

Damilano, M. *Democristiani immaginari:* («Don Camillo era il precursore del compromesso storico? ... Mario Scelba lo detestava...»), Vallecchi SpA, Firenze 2006, pp. 84, 86, 91, 92, 130, 210, 222.

De Gaetano, A. *Sulle orme del grande Guareschi* (intervista a Giovanni Lugaresi), da «Vertigo - Fil Rouge» n. 3, 2009.

De Gasperi Catti, M. R. *De Gasperi uomo solo*, Mondadori, Milano 1964, pp. 397-404.

De Gasperi Catti, M. R. *Fra De Gasperi e Guareschi*, da «Ieri e domani» («Avvenire»), 1° agosto 1998.

De Gasperi Catti, M.R. *De Gasperi: graziate Guareschi:* («... *Candido*... uscì con un violento attacco contro De Gasperi riproducendo su un'intera pagina una lettera dattiloscritta con firma che veniva presentata, come autografa, di De Gasperi. Lo scritto era su carta intestata della Segreteria di Stato di Sua Santità e diretta al tenente colonnello Bonham Carter, al recapito del «Peninsular Base Section» di Salerno in data 12 gennaio 1944... Una settimana dopo lo stesso giornale pubblicava una seconda lettera che portava la data del 19 gennaio 1944, attribuendo anche questa a De Gasperi e che iniziava così...» N.d.R. notizia errata: GG pubblicò solo una lettera su carta intestata, quella del 19 gennaio 1944. L'altra era su carta libera indirizzata ad un non precisato compagno del CLN.), da «Ieri e domani» («Avvenire»), 6 novembre 2001.

De Gasperi Catti, M.R. (**& Ballini, P.L.**) *Alcide De Gasperi. Un europeo venuto dal futuro*, catalogo dell'omonima mostra itinerante in occasione del 50° anniversario della scomparsa dello Statista, Rubbettino Editore, Catanzaro 2008.

De Gasperi Catti, M.R. *De Gasperi contro Guareschi: tutta la verità su un processo fatto «di malavoglia»:* («... Guareschi aveva pubblicato due lettere dattiloscritte su carta intestata della segreteria di Stato del Vaticano...» N.d.R. *repetita juvant*), da «Ieri e domani» («Avvenire»), 18 ottobre 2008.

   Cfr. **Guareschi, A.&C.** Lettera al direttore di «Avvenire», 23 ottobre 2008;

   Beretta, R. *Guareschi contro De Gasperi, il "Ta-pum continua"*, da «Agorà» («Avvenire»), 6 novembre 2008;

   Vedovato, G. *Guareschi, De Gasperi e il bombardamento di Roma*, da «Forum» («Avvenire»), 7 febbraio 2009;

   Guareschi, A.&C. Lettera al direttore di «Avvenire» del 7 febbraio 2009 (senza riscontro);

   Guareschi, A.&C. Lettera a Giuseppe Vedovato del 2 marzo 2009 (senza riscontro).

Del Bo, M. *In viaggio con Giovannino Guareschi*, Il Torchio Edizioni, Milano 1996.

Del Boca, A. *È costato cinque lire il matrimonio di Guareschi*, da «Gazzetta Sera», 29-30 settembre 1953, p. 3.

del Buono, O. *E Guareschi tornò in prigione*, dal «Corriere della Sera», 28 maggio 1989.

del Buono, O. *Introduzione a* La scoperta di Milano, Rizzoli, Milano 1989.

del Buono, O. *Eia, Eia, Eia, alalà!* – *La stampa italiana sotto il fascismo 1919-1943*: («Un foglio umoristico come il "Bertoldo" prima lievemente di fronda non mancò di registrare certi eccessi retorici attraverso le vignette di Guareschi, Manzoni e Mosca...»), Feltrinelli, novembre 1971, p. 474.

del Buono, O. *Guareschi, il presidente e il re,* da «La Stampa», 23 giugno 1991.

del Buono, O. *Amici maestri* (serie), da «Tuttolibri» («La Stampa») dicembre 1994 -21 gennaio 1995.

del Buono, O. (& **Boatti, G.**) *Un secolo a passo di romanzo,* da «TuttolibriTempoLibero» («La Stampa»), 12 agosto 2000.

Delpech, J. *Don Camillo à Paris* (intervista a GG), da «Les Nouvelles Litteraires», 28 giugno 1951.

Demetrio, G. *Ma Guareschi sarebbe andato a San Giovanni con il popolo del PDL?,* da www.l'occidentale.it, 29 marzo 2010.

Dentice, F. *Obiettivo centomila. I Best-sellers degli ultimi cent'anni,* da «L'Espresso», 22 luglio 1962.

Desiderio, G. *Un mito "inattuale":* («Guareschi fu reazionario e conservatore con l'orgoglio di chi rivendicava il diritto di essere comunque contro»), da «L'Indipendente delle Idee», 12 febbraio 2006, p. 1.

Desmaele, F. *Il giallo della "bufala" di Guareschi. Risponde un nipote di De Gasperi* (e seguito), da «Il Legno Storto», 31 luglio-14 agosto 2006, www.legnostorto.com.

«Die Tat» *Don Camillo e Peppone,* Zurigo, 18 ottobre 1952.

Di Mauro, E. *Il posto di Guareschi nella storia del costume.* («Il suo posto resta semmai nella storia del costume, e sarebbe per chiunque impossibile provare ad abbatterne il mito. Pure, è da temere, sarà altrettanto difficile, come ha auspicato Pierluigi Battista, che egli venga recuperato e compreso "nella galleria dei grandi della cultura italiana della seconda metà del XX secolo".»), dal «Corriere della Sera», 6 settembre 2008.

Di Pietro, A. *Chi fa cortei contro i giudici impari dal grande Guareschi,* da «Domande di Oggi» («Oggi»), 29 luglio 1998.

Di Stefano, P. *L'immigrato mussulmano? Non è pastoralmente proficuo,* da «Io Donna» («Corriere della Sera»), 23 settembre 2000.

Dizionario Biografico degli Italiani, Istituto dell'Enciclopedia Italiana, Roma 1960, vol. 60-2003, pp. 317-321.

Dolfo, N. *Il fenomeno Guareschi e le lettere di De Gasperi,* relazione sulla conferenza di Giuseppe Parlato a Brescia: (G. Parlato conclude: «Erano false quelle lettere? Quel che ci rende sospettosi è che hanno fatto di tutto per farcelo credere»), da «Brescia Oggi», 23 marzo 2004, p. 7.

Donati, C. *E De Gasperi mandò don Camillo in carcere.* («Erano false le lettere? ... Montanelli ed Enzo Biagi si sono sempre detti sicuri che Guareschi avesse preso una cantonata... È una tesi che i figli Alberto e Carlotta hanno sempre rifiutato. Su internet www.giovanninoguareschi.com hanno messo a disposizione una pila di atti processuali, documenti giornalistici e pareri legali che meritano comunque di essere letti»), «Cultura e Società», «Quotidiano Nazionale», 27 luglio 2004, p. 31.

Dossena, G. *Oggi sono i giovani a scoprire Guareschi e Mosca,* da «Tuttolibri» («La Stampa»), 5 luglio 1985.

Dossena, G. *La fortuna di Guareschi copiato anche in thailandese*, da «Tuttolibri» («La Stampa»), 22 marzo 1986.

Dossena, G. *Ridete: è un ordine*, da «Mercurio» («la Repubblica»), 11 maggio 1991.

Dossena, G. *L'anagramma come un ritratto*: («Parlare male di Guareschi è da mezze calzette. Vi stupite se io parlo bene di Guareschi?... Non avete il minimo gusto della trasgressione»), da «La Repubblica», 6 febbraio 2009, p. 41.

Dotti, C. (*Cfr.* **Dall'Argine, D.**)

Dreyfus *La rivoluzione d'ottobre? Marinare la scuola con papà* (recensione del *Corrierino delle famiglie*), da «Libero», 28 febbraio 2007, p. 32.

Dubini, P. (*cfr.* **Conti, G.**)

Durando, G. *La giustizia al di là della sentenza* (osservazioni sulla sentenza di condanna di Guareschi al processo De Gasperi), da «Candido» n. 22, 1954 pp. 18-19.

Durando, G. *Qualche bandiera sventola ancora*: («Se la terza sessione di quel Tribunale penale di Milano ha ritenuto, pur condannando Guareschi, di non dichiarare false le famose lettere attribuite a Degasperi buonanima, avrà avuto le sue brave ragioni anche se queste non sono state espresse nella pur lunga motivazione della sentenza»), da «Candido» n. 43, 24 ottobre 1954, p. 27.

Durando, G. *A Milano si celebra il processo De Gasperi-Guareschi*, da *Io no!* Vol. III (1952-1955), Tip. Toso, Torino 1994.

Durando, G. In margine alla rinata polemica sul processo intentatogli da De Gasperi – GUARESCHI INNOCENTE, *Ibid.* Vol. VII (1975-1994).

«Eco di Bergamo» *Fu giusta la condanna di Guareschi? Su internet si riapre il dibattito*: («"Credeva in quel documento e in quanto aveva fatto" commenta l'ex direttore del "Corriere della Sera" [Paolo Mieli]»), di R. C., «Cultura & Spettacoli», 20 dicembre 2000, p. 47.

«Eco di Bergamo» *Il popolo di Peppone e don Camillo*, di C. C., 2 giugno 2001.

Emiliani, S. *Giovannino Guareschi: il processo De Gasperi*, da «Ordine dei Giornalisti Emilia-Romagna», n. 73, dicembre 2008.

Enciclopedia Universale dei Capolavori – Cinema Don Camillo, UTET, Torino 2005, pp. 241, 242.

Enna, L.D. *Il signore coi baffi - Omaggio a Giovannino Guareschi*: («Guareschi è stato soprattutto il cantore della propria libertà di espressione...»), da «Sentieri di Caccia», novembre 2008.

Erluison, G. *Il tempo lontano delle «Signore maestre»*, da «Al pont ãd mez», Natale 1988.

Escarpit, R. *Candidature*: («La belle chose que serait un Prix Nobel de l'humour! Mark Twain et Thurber pour l'Amerique; Leacock et Jerome K. Jerome pour le Commonwealth; Guareschi et Calvino pour l'Italie...»), da «Au jour le jour» («Le Monde»), 16 ottobre 1965.

Escarpit, R. *Dichiarazione su Guareschi*: «Umorista e non certamente rivoluzionario, aveva visto più giusto di molti specialisti seri», *da* Ricordo di Guareschi, «Panorama», Tortona, 31 luglio 1968.

Escarpit, R. *Sociologia della letteratura*, Tasc. Econ. Newton, Roma 1994.

Escobar, R. *L'ira poetica di Pasolini*: («Non c'è più la metà di Guareschi, nel film. Già questo è un buon risultato per così dire filologico... Purtroppo lontano dall'intelligenza e dall'ironia sarcastica della saga di Peppone e don Camillo, Guareschi è reazionario in senso letterale: ... la sua rabbia è appunto solo reattiva, qua e là astiosa e volgare»), da «Il Sole 24 Ore», 14 settembre 2008, p. 49.

Fabietti, R. (*cfr.* **Camera, A.**)

Fabbretti, N. (padre) *Un film su Gesù?*: («... per non dir nulla dell'equivoco enorme e banale di "Don Camillo" che ha mandato in visibilio chi non sa nulla di comunismo e meno di cristianesimo...»), 6 settembre 1952.

Fabbretti, N. (padre) *Cecoslovacchia: un esempio di coraggio per tutti:* («... mettere "il cervello all'ammasso" come diceva il povero Guareschi quando ancora scriveva cose giuste...»), da «Alba», Milano, 11 agosto 1968.

Fabbri, M. *Il surrealismo di Giovannino*, da «clanDestino» Raffaelli Editore n. 1/2010, pp. 26-28.

Faburel, D. *Le petit monde de don Camillo* («On aime le style de Guareschi, ses descriptions de paysages, ses dialogues ciselés ou burin de la malice italienne.»), da «La Croix» 24 dicembre 2009.

Faeti, A. *Piccolo mondo in lite*, da «l'Unità», 3 gennaio 1991.

Faeti, A. *Dal Po agli Appennini* (inedito), Bologna 1992.

Faeti, A. *Il candido Giovannino*, da «l'Unità», 21 giugno 1993.

Faeti, A. *La fresca estate di Giovannino il cantanovelle*, introduzione a *La calda estate del Pestifero* di Giovannino Guareschi, Rizzoli, Milano 1994.

Faeti, A. *E lo chiamava «Mondo piccolo» – Il paesaggio di Giovanni[no] Guareschi*, da «IBC» n. 2, Bologna, aprile-giugno 2000, p. 45.

Falcetto, B. (*cfr.* **Clerici, L.**)

Falcini, F. *Guareschi Giovanni[no] – Il compagno don Camillo* (recensione), da «Il Ragguaglio librario», marzo 1964.

Fanzaga, L. (padre) *Il Crocifisso scomodo* (citazione), Ed. Piemme, 2003, p. 35.

Farina, R. *Noi e il* Corrierino *di Guareschi* (recensione), da «Libero», 18 settembre 2005, pp. 1, 21.

Fasanella, G. (*cfr.* **Pellegrino, G.**)

Fazioli, M. *Il Diavolo e l'Acquasanta sono sempre tra noi:* («Guareschi fu scomodo, anarchico a modo suo, cattolico vero e sentimentalmente monarchico, anticomunista – e a ragione, come dimostrerà poi la storia ma anche diffidente e aspro nei confronti di certo mellifluo potere e strapotere democristiano e clericale.»), da «Ticino Welcome», n. 20, dicembre 2008 - febbraio 2009, pp. 82-84.

Feltri, V. *Candidamente Giovannino*: («Guareschi non solo ha dato una lezione di libertà. Egli ha anche fornito un esempio di umanità, che non significa essere buoni, ma capaci di ascoltare le ragioni altrui senza abbandonare le proprie convinzioni.»), da «Monsieur», ottobre 2008, p. 178.

Ferioli, A. *Giornalisti con le stellette* (estratto), dalla «Rivista Marittima», novembre 2004, pp. 75-88.

Ferioli, A. *Guareschi e la "resistenza senza armi"*, da «Nuova Storia Contemporanea», A. X, n. 2, marzo-aprile 2006.

Ferioli, A. *I militari italiani nei campi di prigionia del terzo Reich: 1943-1945*, Il Mascellaro, www.mascellaro.info.

Ferioli, A. *La lotta politico-sindacale nel Bolognese nel 1948 (e dintorni) e l'assassinio di Giuseppe Fanin*, da *Giuseppe Fanin Fedele a Cristo*, Il Mascellaro 2008, pp. 195, 198-199, 203, 207.

Ferrari Dossena, P. *Su qui e su qua l'accento non va* (citazione da un racconto di GG), Sperling & Kupfer, Milano 2010, p. 49.

Ferrazzoli, M. *Guareschi intellettuale borghese* (*cfr.* **AA.VV.** *Un «Candido» nell'Italia provvisoria – Giovannino Guareschi e l'Italia del «mondo piccolo»*, pp.157-166).

Ferrazzoli, M. *Guareschi, l'eretico della risata*, Costantino Marco Ed., Lungro (CS), 2001; www.costanet.it/marcoeditore.

Ferrazzoli, M. *Non solo* Don Camillo – *L'intellettuale civile Giovannino Guareschi*, L'Uomo Libero, www.luomolibero.it, 2008.

Ferrerio, L. (*cfr.* **AA.VV.** *Non muoio neanche se mi ammazzano*)

Ferrerio, M. (*cfr.* **AA.VV.** *Non muoio neanche se mi ammazzano*)

Ferri, F. *1948 e dintorni – Manifesti politici immagini e simboli dell'Italia repubblicana*, Insubria University Press, Varese 2008, pp. 66-75.

Ferroni, G. *Società e cultura del dopoguerra – epoca Ricostruzione e sviluppo nel dopoguerra*, da *Storia della Letteratura italiana, Il Novecento*: («Il duro scontro politico in atto nel paese... trova però talvolta nella vita della provincia esiti di respiro molto limitato, orizzonti ristretti e meschini di cui forniscono un'immagine rivelatrice, anche se di scarso valore letterario, i facili romanzi su *Don Camillo* di Guareschi»), Volume IV, Einaudi Scuola, 1991, p. 364.

Ferroni, G. *Bravo sceneggiatore di Fernandel*: («Non si può pretendere che... all'abilità inventiva e "seriale" di Guareschi si possa assegnare qualche particolare valore letterario»), da «Cultura» («L'Espresso»), 10 dicembre 1998, p. 114.

Figaro» («Le) *Mort de Guareschi le père de "don Camillo"*: («Nul doute que *Le petit monde de don Camillo* ne continue a tourner après la disparition de son créateur...»), Parigi, 23 luglio 1968.

Filippini, G. *Montanelli ha torto. Guareschi non è morto* (intervista a don A. Pronzato), da «L'Arena», 9 novembre 1994.

Finazzer Flory, M. *Giovanni[no] Guareschi – Italia provvisoria*: («Guareschi è un uomo che, coerentemente con le proprie idee, crede alla libertà, prima di tutto come libertà morale»), da *Conformisti – Anti-conformisti*, Marsilio, Venezia 2003, pp. 37-41.

Fiordelisi, D. *Giovannino Guareschi – La vicenda del "Ta-pum del Cecchino"*, collana Dispense di varia umanità n. 10, 2007.

Fiordelisi, D. *Giovannino Guareschi – Il suo umorismo su «La Notte» degli anni 1963-1966*, quaderni n. 1 (dicembre 1963-giugno 1964) – agosto 2009; n. 2 (luglio 1964-gennaio 1965) – giugno 2010; n. 3 (febbraio-ottobre 1965) – luglio 2010.

Fiorentino, M. *Spirito libero, scrittore scomodo*: («In *Diario clandestino* definisce il nazionalsocialismo una "epopea di gente in marcia contro i decreti del destino". Per esprimere un concetto analogo Ernst Nolte... scomoderà vent'anni più tardi Marx e Weber, Nietzsche ed Hegel. Riuscendo oltre tutto molto meno comprensibile e persuasivo»), «Cultura» 81°, da «Il Secolo d'Italia», Roma, 28 febbraio 1981.

Fontana, A. *Giovannino Guareschi nel 100° anniversario della nascita*, allegato a «Tricolore per la terza Repubblica», aprile 2008.

Fontaneto, J. *Offlag XB – Sandbostel 1944 – Favola per un Natale di guerra*, da «L'Iride» n. 10, dicembre 2000.

Formaz, D. (*cfr.* **Giroud, A.**)

Fortini, F. *Libri di massa*: («Nella patria di Voltaire, la storia di don Camillo e Peppone, quelle della Chiesa e delle scalate sull'Everest sono penetrate in milioni di famiglie: *bonjour, tristesse...*»), da «Il Contemporaneo», Roma, 28 maggio 1955.

Francescangeli, E. *Giovannino Guareschi e la sua opera*, dal catalogo del Museo «Il Mondo piccolo» di Fontanelle, Parma, pp. 33-38.

Franchi, P. *Le stragi post-liberazione? Leggete* Don Camillo: («Giacché si parla di colpevole rimozione... come la mettiamo con i milioni di italiani che, leggendo Guareschi, non rimossero?»), da «Sette», suppl. del «Corriere della Sera» n. 48, 27 novembre 2003, p. 161.

Franchi, L. *Lo* charme *e la scienza gastronomica*, da *Dalle Terre Traverse al Po*, GL Editrice, Piacenza 2010, pp. 72-74.

Francipane, M. *Dizionario degli aneddoti*: («Angelo Rizzoli non credeva che *Don Camillo* andasse bene per il mercato USA»), BUR Dizionari, 2002, p. 519.

Fresco, M. *Il coraggio della verità*, da «il Giornale», 16 febbraio 1996.

Freyrie, F. (& Salveti, L.) *La cipolla di Guareschi*, prefazione a *Don Camillo e il signor sindaco Peppone* di AA.VV., Collana LibriArena, www.arenadelsole.it, 2001, pp. 9-11.

Frigerio, L. *«Non muoio neanche se mi ammazzano!»*, da *Noi nel Lager*, Paoline Editoriale Libri, Milano 2008, pp. 215-224.

F&L (Fruttero & Lucentini), *Don Camillo, il* passe-partout *per l'Italia*: («Sì, sono passati cinquant'anni ma il libro che raccomandiamo agli stranieri che vogliano raccapezzarsi nell'Italia di oggi è ancora malgrado tutto *Don Camillo* di Guareschi»), da «Tuttolibri», supplemento n. 1089 de «La Stampa», dicembre 1997.

Fruttero, C. *È come Sordi per il cinema*: («... Non aveva una forte capacità immaginativa. I suoi personaggi sono stereotipi. Di letterario in Guareschi c'è molto poco...»), «Cultura», «L'Espresso», 10 dicembre 1998, p. 114.

Fruttero, C. Prefazione alla nuova edizione di *Don Camillo* e *Don Camillo e il suo gregge*, Éditions du Seuil, Parigi 2003.

Fruttero, C. (& Gramellini, M.) *7 giugno 1953 Destino cinico e baro*: («La nuova Camera nega a De Gasperi la fiducia. Perfino Guareschi lo pugnala, pubblicando – in buona fede – una lettera risalente alla guerra in cui il capo della Dc chiede agli alleati di bombardare Roma. È falsa e il papà di Don Camillo finirà in prigione.»), da «Storia d'Italia in 150 date» («La Stampa»), 27 agosto 2010, p. 48.

    Cfr. Lettera di A.&C. Guareschi agli A. del 27 agosto 2010;
    Risposta di Massimo Gramellini ad A.&C. Guareschi).

Furlotti, A. *Guareschi vorrebbe fare un film d'ambiente tipico parmigiano*, dalla «Gazzetta di Parma», 24 aprile 1958.

Fuschini, F. (don) *Vita da cani e da preti*, Marsilio, Venezia 1995.

Galeazzi, G. *«Don Camillo e Peppone sono francesi» - La sorprendente tesi di «Avvenire»*, da «Oltretevere» («La Stampa»), 5 settembre 2010.

Galli, G. *Enrico Mattei: petrolio e complotto italiano*, Baldini Castoldi Dalai editore, Milano 2005, pp. 99-101, 401 (nota).

Galli, L. *Il questore di Brescia della Repubblica Sociale Italiana*: («... esempio di come la carta stampata, il giornalismo in genere in Italia abbia "narcotizzato" per fini politici i cittadini, è ciò che è accaduto a Giovanni[no] Guareschi direttore del "Candido" nel processo intentato da Alcide De Gasperi nel 1954...»), stampa a cura dell'autore, 2005.

Gallo, A. *Don Camillo e Peppone, 50 anni dopo*, da «Ordine dei Giornalisti dell'Emilia-Romagna» n. 2, luglio 1996, pp. 32, 33.

Gallo, A. *Le "lettere" di De Gasperi: Guareschi condannato* (Dalla sentenza di condanna per diffamazione: («..."una semplice dichiarazione del perito non avrebbe mai potuto far diventare credibile e certo ciò che obiettivamente è risultato impossibile e inverosimile..."»), da «Ordine dei Giornalisti dell'Emilia-Romagna» n. 63, dicembre 2003, p. 89.

Gambarotta, B. *Guareschi, la rivincita dell'Italia che ride*, da «TuttoLibri» («La Stampa»), 1° marzo 2008.

Gandini, A. *Nel mondo di Guareschi*: («Trentasette anni fa moriva il grande scrittore padano...»), da «La Padania», 30 agosto 2005, p. 18.

Garofalo, P. *La rabbia di Pasolini – Guareschi: speranza e disperazione, convergenze e divergenze*, Edizioni del Museo L. Capuana, Mineo (CT) 2005.

Garreau, L. *Don Camillo ne pouvait pas rester neutre.* (alla domanda su chi era GG, Garreau risponde: «Ses idées étaient franchement à droite. Pour le résumer, un biographe de Fernandel a dit qu'"il est à la fois Alphons e Léon Daudet. Il écrit, comme le père, des contes amers et souriants que publient les journaux et, comme le fils, il va en prison pour ses idées monarchistes et la virulence avec laquelle il les défend.»), da «Télédoc - la petit guide télé pour la classe», 2008-2009.

Gatti, A. *Lettera a Guareschi: Caro Giovannino...*, da «Cittànuova» n. 12, 25 giugno 2008, pp. 60-61.

«Gazzetta di Parma» *Dalla Russia nel Mondo Piccolo* – Intervista alla prof. Olga Gurevich dell'Università Statale di Mosca che sta preparando la tesi conclusiva del dottorato di ricerca su Guareschi: («Mi stupisce il fatto che un grande scrittore come Guareschi non sia citato nelle vostre storie della Letteratura italiana»), di F. M., 23 gennaio 2003, p. 23.

Gerbi, S. *Intellettuali (La zona grigia del disimpegno)*, da «Cultura e Spettacolo» («Corriere della Sera»), 29 gennaio 2000.

Gerbi, S. (& Liucci, R.) *Lo stregone*, Einaudi, Torino 2006, pp. XIII, pp. 273-276, 282, 295, 315, 350, 365.

Gerosa, G. *Guareschi piace: un motivo c'è*, da «Il Giorno», 13 agosto 1986.

Ghezzer, A. *De Gasperi e la storia riletta*, da «L'Adige», 28 gennaio 2000. Risposta a Ghezzer: *Il carcere di De Gasperi e quello di Guareschi*, da «L'Adige», 4 febbraio 2000. *De Gasperi e Guareschi: una polemica*, da «Questo Trentino», 1° aprile 2000.

Ghini, C. *Prigionia con Guareschi*, Lettera a «Tracce – Litteræ Communionis», aprile 2001.

Ghislotti, S. *Guareschi scrittore di cinema: le sceneggiature del film «Don Camillo e l'onorevole Peppone»*, dai *«Quaderni del Dipartimento di Linguistica e Letteratura comparata»*, Università di Bergamo, n. 10, Guerini Editore, Milano 1994.

Ghislotti, S. *Guareschi scrittore di cinema*, da *Il cinema nella scrittura*, a cura di Benvenuto Cuminetti e Stefano Ghislotti, Bergamo University Press, 2000, pp. 153-194

Giacovelli, E. *La morte in bicicletta: «Una visita a Guareschi nella sua terra, tra la sua gente»*, da *Un Po per non morire*, Ananke, Torino 2003, pp. 148-178.

Gianolio, A. *Guareschi eroe tragico tra il Taro e il Po*, da «In Comune» n. 11, dicembre 2007, pp. 4-5.

Gilli, F. (*cfr.* **Cassinotti, C.**)

Gilli, F. *Attenti a quei due* (Scolastica), collana «Il piacere della lettura», Ghisetti e Corvi Ed., Sedes SpA, Milano 2000.

Ginsborg, P. *Storia d'Italia dal dopoguerra a oggi,* Einaudi, Torino 1989.

Giono, J. (*cfr.* **Botrot, J.**)

Giordano, M. G. *Una documentata ricostruzione dell'*Itinerarium ad Deum *di uno scrittore* (recensione delle *Lampade e la luce – Guareschi fede e umanità,* di Giovanni Lugaresi), «Terza Pagina» da «Osservatore Romano», domenica 22 settembre 2002, p. 3.

Giroud, A. (**& Formaz, D.**) *En attendant don Camillo,* la vita di GG e la genesi del *Don Camillo* in un lager tedesco illustrate dagli Allievi del Collège de St-Maurice, Martigny (Svizzera), 2004.

Giovannini, A. *Un poeta all'italiana,* da «Roma-Napoli», 23 luglio 1968.

Giugni, U. (don) *Don Camillo, Guareschi e il Concilio:* «*Cerchiamo di capire* (...) *ciò che Guareschi pensava del Concilio e della rivoluzione che esso portò nella Chiesa*», da «Sodalitium» n. 3/2002, Verrua Savoia pp. 41-55.

Giuliani Balestrino, U. *Il carteggio Churchill-Mussolini alla luce del processo Guareschi:* («La condanna di Guareschi fu un'infamia, forse necessitata, nel 1954. Ma non vi è più oggi ragione alcuna che quella condanna – basata sullo spergiuro di De Gasperi – rimanga.»), Edizioni Settimo Sigillo, Roma 2010.

Giuntella, V. E. *La resistenza dei militari italiani internati in Germania,* da «ANPI oggi», n. 3, marzo 1996, p. 25.

Gnocchi, A. *Guareschi, animaccia della Bassa,* da «Studi Cattolici» n. 388, giugno 1993, pp. 376-379.

Gnocchi, A. *Giovannino della Bassa,* da «Historia» n. 429, novembre 1993, pp. 70-77.

Gnocchi, A. *Don Camillo & Peppone: l'invenzione del vero,* Rizzoli, Milano 1995.

Gnocchi, A. *Ciao, don Camillo,* da «Studi Cattolici», luglio-agosto 1996, pp. 549-551.

Gnocchi, A. *Nella buona & nella cattiva sorte,* Edizioni Ares, Milano 1996, pp. 153-155.

Gnocchi, A. *Giovannino Guareschi – Una Storia Italiana,* Rizzoli, Milano 1998.

Gnocchi, A. *Guareschi e la Democrazia Cristiana* (*cfr.* **AA.VV.** *Un «Candido» nell'*Italia provvisoria – *Giovannino Guareschi e l'Italia del «mondo piccolo»,* pp. 107-115.)

Gnocchi, A. (**& Palmaro, M.**) *Formidabili quei Papi,* Àncora Editrice, Milano 2000, pp. 21-22.

Gnocchi, A. *Per via con frate Tommaso e frate Leone – Sublime, incantevole spreco,* da *Qua la mano don Camillo – La teologia secondo Peppone,* a cura di Alessandro Gnocchi e Mario Palmaro, Àncora Editrice, Milano 2000.

Gnocchi, A. *Italia libera? Sì, grazie ai cattolici,* da «Il Timone» n. 12, marzo-aprile 2001, pp. 16-18.

Gnocchi, A. *Il Catechismo secondo Guareschi* (lettura, in chiave catechistica, delle opere di Guareschi), Edizioni Piemme, Casale Monferrato (AL) 2003.

Gnocchi, A. *Viaggio sentimentale nel Mondo piccolo di Guareschi,* Rizzoli, Milano 2005.

Gnocchi, A. *Un italiano coraggioso,* da «Il Timone»: («Un bambino andò all'edicola a comprare il solito albo di Topolino. L'edicolante lo riconobbe e gli affidò il seguente messaggio minatorio per il babbo: "Di' a tuo padre di andare adagio con l'anticomunismo. Perché anche Mussolini faceva l'anticomunista ed è finito a piazzale Loreto". Il bambino era Albertino Guareschi...»), gennaio 2005, p. 46.

Gnocchi, A. (**& Palmaro, M.**) *Catholic pride – la fede e l'orgoglio:* («Tutto questo ragionamento teologico [sulla sostituzione dell'altare con la mensa] viene riassunto in un passo fulminante della *Lettera a don Camillo* che Guareschi scrisse nel 1968: "Cristo viene espulso dalla Casa di Dio, l'altare viene trasformato in tavola calda, l'Ostia viene trasformata in *sandwich* da consumare in piedi al banco"»), Edizioni Piemme, Casale Monferrato (AL) 2005, pp. 63, 157 158.

Gnocchi, A. *Uomini della tradizione – Guareschi uno di noi*, da «Controrivoluzione» n. 108/113, gennaio-dicembre 2006, pp. 29-31.

Gnocchi, A. *L'Ave Maria di don Camillo – pagine nate dai microfoni di Radio Maria*, Fede & Cultura, Verona 2006, edizioni@fedecultura.com

Gnocchi, A. (& Palmaro, M.) *Giovannino Guareschi – C'era una volta il padre di don Camillo e Peppone*, Piemme, Milano 2008.

Gnocchi, A. «L'anno di Guareschi – "Cammino nella terra degli affetti"», da *Viviparchi – È tempo di famiglia*, speciale 2008, pp. 121-136.

Gorra, M. *Don Camillo sfida i capelloni del '68*: (recensione di *Don Camillo e don Chichi*), da «Libero», 21 febbraio 2007, p. 31.

Gorresio, V. *Guareschi accanto a Verdi*, da «La Stampa», 26 agosto 1980.

Gorresio, V. *Ho parlato male di Garibaldi*, da «La Stampa», 30 settembre 1980.

Gorresio, V. *Una storia italiana: come a Busseto distruggono Verdi e De Gasperi per esaltare Guareschi*, da «Epoca», 30 settembre 1980, pp. 183, 184.

Govi, E. *Comunista sarà lei!* («La sua lotta non fu di tipo politico, la sua coerenza culturale non risiede in questo, bensì, al contrario, nella strenua battaglia contro ogni ideologia precostituita, che impedisca agli uomini di pensare liberamente, con coscienza e responsabilità»), da «Insieme Dove» n. 5, 2004, pp. 72-75.

Grande Dizionario Enciclopedico UTET, Guareschi Giovanni[no], vol. IX, Torino 1969, p. 563.

Gramellini, M. (*Cfr.* **Fruttero, C.**)

Granzotto, P. *Che nostalgia per il comunista Peppone*, da «Il Giornale», 3 ottobre 2005, p. 34.

Grassi, L.A. *Don Camillo*: («... il miglior consiglio che possa darvi per vedere i film su don Camillo è leggere i libri, scritti da Guareschi, che hanno come protagonista don Camillo.»), da «Il Timone», novembre 2006, p. 63.

Grasso Rossetti, A. *Psicologia del disegno di Giovannino Guareschi*:
Le donne di Giovannino, «Fogliaccio» n. 4 novembre 1989, n. 5 aprile 1990, n. 6 novembre 1990;
L'autorità, la "chiusura" e la fame da «Bertoldo» 1937, «Fogliaccio» n. 7 aprile 1991;
Giovannino e il Re, «Fogliaccio» n. 8 novembre 1991;
Il parere sugli influssi reciproci di stile tra i disegnatori del «Bertoldo», «Fogliaccio» n. 9 aprile 1992;
Steinberg al «Bertoldo», «Fogliaccio» n. 10 novembre 1992;
I disegni di Giovannino vestito di sogni nei Lager, «Fogliaccio» n. 11 aprile 1993.

Gravagnolo, B. *I «trinariciuti» e Peppone – Don Camillo*, da «Caffè Italia - Io Donna» («Corriere della Sera») n. 15, 2000.

Greco, M. *Guareschi e il grande fiume* (*cfr.* **AA.VV.** *Un «Candido» nell'Italia provvisoria – Giovannino Guareschi e l'Italia del «mondo piccolo»*, pp. 147-156).

Gregorj, L. *Un centenario: Giovannino Guareschi*: («In ogni sua riga ci prende per mano e non attribuisce il nostro valore al nostro partito politico, alla nostra laurea, se ce l'abbiamo, ma ci considera amici e capaci di grandi cose inaspettate. Per questo

Giovannino Guareschi non è mai morto.»), da *Che ne è accaduto dell'anitra bianca?*, La Versiliana Editrice, Firenze 2008, pp. 21-32.

Grignaffini, A. (*Cfr.* **Sisti, E.**)

Grignaffini, G. (*Cfr.* **Sisti, E.**)

Grisi, F. *Il «rebus» Guareschi*, da «Il Secolo d'Italia», 21 luglio 1989.

Grün, I & J *Am Tisch mit don Camillo & Peppone*, collection Rolf Heyne, München 2004.

Gualazzini, B. *Guareschi*, Editoriale Nuova, Milano 1981.

Gualazzini, B. *Vita e storie di Guareschi*, da «il Giornale» (serie), giugno-luglio 1995.

Gualazzini, B. *Contrordine, compagni! Ora Giovannino va bene!*, da «il Giornale», 23 marzo 2000.

Guareschi al «Corriere», a cura di Angelo Varni, Fondazione «Corriere della Sera», collana *Le carte del Corriere*, dicembre 2007.

Guareschi, A&C *Fantasie della Bionda – Scene da un romanzo all'antica*, Rizzoli, Milano 1993.

Guareschi, A&C *Milano 1936-1943: Guareschi e il «Bertoldo»*, Rizzoli, Milano 1994.

Guareschi, A&C *Un po' per gioco – Fotoappunti di Giovannino*, Rizzoli, Milano 2000.

Guareschi, A&C *Mai sul «Sereno»*, da *Angelo Rizzoli 1889-1970*, Rizzoli, Milano 2000, pp. 73-76.

Guareschi, A&C *Favola di un Natale lontano*, (postfazione a *La favola di Natale* di Giovannino Guareschi), Interlinea Novara 2000, pp. 75-78.

Guareschi, A&C *Giovannino e i comunisti*, da *"Comunista sarà lei!"*, catalogo della mostra omonima curata dal Museo della Satira di Forte dei Marmi, 2004, pp. 13-15.

Guareschi A&C *Lettera aperta al Presidente del Comitato Nazionale per il Centenario di GG*, Roncole Verdi, 30 agosto 2008.

Guareschi, A.&C. *Lettera al direttore di «Avvenire»* in seguito alle dichiarazioni di Maria Romana De Gasperi Catti, 23 ottobre 2008.

Guareschi A.&C. *Lettera a Paolo Bussagli* a proposito di quanto riportato da Wikipedia sul presunto appoggio alle leggi razziali del 1938, Roncole Verdi, 2 dicembre 2008.

Guareschi, A.&C. *Lettera al direttore di «Avvenire»* a proposito della lettera di Giuseppe Vedovato pubblicata su «Avvenire», 7 febbraio 2009 (senza riscontro).

Guareschi, A.&C. *Lettera a Giuseppe Vedovato*, 2 marzo 2009 (senza riscontro).

Guareschi, A&C *Giovannino nostro babbo*, Rizzoli, Milano 2009.

Guareschi, A&C *La famiglia Guareschi*, Rizzoli, Milano 2010.

Guareschi A.&C. *Il processo Guareschi fu una vicenda complessa*: («Si tratta... di un'opinione personale [di Mario Cervi] che noi rispettiamo pur senza condividere.»), da «Il Giornale, 13 maggio 2010, p. 50. (*Cfr.* **Cervi, M.** *Guareschi si sbagliò su De Gasperi*, «Il Giornale», 7 maggio 2010, p. 59)

Guareschi, A.&C. *Lettera a Carlo Fruttero e Massimo Gramellini* del 27 agosto 2010.

Guareschi, G. *Prefazione a «Attenti al filo»* di Berretti, A., Libreria Italiana Editrice, Genova 1946.

Guareschi, G. *Spiegazione del Mondo piccolo*, inedito, 1948.

Guareschi, G. *«All'"Anonima"»*, da «Candido» n. 3, 16 gennaio 1949.

Guareschi, G. *Introduzione al film «Gente così»* (auto-processo inedito), Milano 1950.

Guareschi, G. *Fegato* (stralcio), da «Candido» n. 2, 11 gennaio 1953.

Guareschi, G. *Quella chiara onesta faccia*, da «Candido» n. 7, 1953.

Guareschi G. *Ricordo di uno che [nei Lager], forse, c'è stato*, da «Epoca» n. 397, 11 maggio 1958, p. 26.

Guareschi, G. *Il «Premio Nobel» e le due facce della luna*, da «Candido» n. 44, 1° novembre 1959.

Guareschi, G. *Autointervista*, inedita, 8 luglio 1961.

Guareschi, G. *Lettera all'Istituto tecnico G. Beccelli di Civitavecchia*, Roncole Verdi, 13 giugno 1964.

Guareschi, G. *Chi sogna nuovi gerani?* "Autobiografia" a cura di A&C Guareschi, Rizzoli, Milano 1993.

Guareschi, G. *Bianco e nero – Giovannino Guareschi a Parma 1929-1938*, a cura di A&C Guareschi, Rizzoli, Milano 2001.

Guareschi, G. *Caffè antico*, Tallone Editore e Stampatore, Alpignano 2008.

Guareschi, G. *L'umorismo secondo me*, da «Panorama», 27 novembre 2008, pp. 188-192.

Guareschi, G. *Giovannino Guareschi – Il "Ta-pum" del cecchino*, da *Giornalismo italiano 1939-1968*, collana «I Meridiani », Mondadori, Milano 2009, pp. 772-780.

Guareschi, M. «"Nonno Baffi"? Ha lasciato il segno», da «La Padania», 22 luglio 2009.

Guareschi Taiten, F. *Guareschi e Guareschi*, da *Fatti di terra*, Casadeilibri Edizioni, Bologna 2008 (estratto).

Guidi, R. *«Autore d'avanguardia»*: («... dietro ai vetri della sua finestra il mondo piccolo non ci sta più. È esploso in un orizzonte infinito e attualissimo. Ha svelato l'essenza di quei suoi occhi caparbi e liberi capaci come pochi, classici e grandi, di leggere la vita.»), da «Gazzetta di Parma», 19 novembre 2008.

Guidi, R. *«Giovannino? È un mio maestro»*: («Di Guareschi sono un accanito lettore... è uno scrittore di poche parole. Un talentaccio nell'essere essenziale ma potente. Un maestro dei dialoghi.»), intervista ad Alessandro Baricco, da «Gazzetta di Parma», 23 novembre 2008, p. 5.

Gulisano, P. *Guareschi: il "tipo losco" della Bassa*, Edizioni vivere, Grottammare (AP), giugno 2001.

Gulisano, P. *Quel cristiano di Guareschi – Un profilo del creatore di don Camillo*, Àncora Editore, Milano 2008.

Gulisano, P. (*cfr.* AA.VV. *Non muoio neanche se mi ammazzano*)

Gurrado, A. «"Candido" era un settimanale reazionario quasi quanto Voltaire... Guareschi auspicava un'Italia prospera e modesta, capace di coltivare il proprio giardino.», da «Il Foglio Quotidiano», 3 ottobre 2009, p. 2.

Heiney, D. *America in modern Italian Literature*, New Brunswick, N. Y. Rutyers U. P., 1964, pp. 103-113.

Hillig, S. s. j. Don Camillo *rappresenta per il comunismo una battaglia perduta* (giudizio della rivista cattolica «Stimmen der Zeit», Freiburg im Bresgau) ripreso da «Candido» n. 37, 12 settembre 1954, p. 10.

Iaccio, P. (*cfr.* **Cavallo, P.**)

Ierace, G. *La "vipera cornuta" gli sparò senza ragione e senza pietà*: («L'agghiacciante cronaca di Giovannino Guareschi sull'esecuzione del calabrese Vincenzo Romeo nel Lager tedesco di Sandbostel»), da «Calabria News» n. 26 – 2006, p. 7.

Incerti, M. *Guareschi "antieroe" nei Lager* (intervista ai compagni di Lager di Guareschi), da «Reggio in primo piano», «Il Resto del Carlino», 23 giugno 2002, p. III.

Isgrò, P. *Duecento parole e un padre per il nostro mondo piccolo*: («In lui, come disse una volta il cardinale Carlo Caffarra, arcivescovo di Bologna, c'era la sintesi della sapienza cristiana e della sapienza umana.»), da «La Sicilia», 5 settembre 2008, p. 22.

Laganà, F. *Storie di un'Italia pulita impastate di saggezza e semplicità*, da «Bacherontius» n. 11-12, dicembre 2006, pp. 20, 21.

Lami, L. *Ricordo di Guareschi*: («... era un uomo aperto, combattivo ed intelligentissimo. Aveva solo delle idee politiche controcorrente. Per questo, il suo ritiro, da Cincinnato moderno, è stato un gesto di logica non comune»), da «Bella» n. 31, 4 agosto 1968. (*cfr. ibidem Giornalismo all'italiana*).

Lami, L. *Giornalismo all'italiana – Dalla contestazione al nuovo regime*: («Un giorno scrissi un corsivo per commemorare... Guareschi. Enzo Biagi, direttore editoriale della casa editrice, piombò nel mio ufficio rimproverandomi di aver commemorato un uomo di destra...»), Edizioni Ares, Milano 1997, p. 7.

Lami, L. (**& Montanelli, I.**), *Tavola rotonda* condotta da Francesco Perfetti – (*cfr.* **AA.VV.** *Un «Candido» nell'*Italia provvisoria – *Giovannino Guareschi e l'Italia del «mondo piccolo»*, pp. 137-146.)

Lanaro, S. *Storia dell'Italia repubblicana*: («Se poi si aggiunge l'avarizia del lessico, la stentatezza dei dialoghi e il periodare paratattico... si può affermare con qualche fondamento che l'appeal di *Mondo piccolo* non è letterario ma squisitamente ideologico»), pp. 110-117, Marsilio, Venezia 1992.

Landolfi, M. *Una vita in celluloide – Pietro Bianchi tra giornalismo e cinema*: («Ad avvicinarlo al cinema ... fu il padre di Giovannino Guareschi...»), Ibiskos di A. Ulivieri, Empoli 2006, pp. 66, 67.

Langone, C. *A Parma i nuovi scrittori sono tutti figli di Guareschi*, da «il Giornale», 22 aprile 2000.

Langone, C. *Preghiera* («Guareschi era un genio e in quella campagna elettorale [1948] si superò, coniando espressioni che reggono a sessant'anni di distanza: "trinariciuti", "contrordine compagni", "versare il cervello all'ammasso..."»), da «Il Foglio Quotidiano», 31 marzo 2006.

Lasagni, R. *Dizionario biografico dei parmigiani*, PPS Editrice, Parma 1999, vol. III, pp. 79 80.

Laurita, R. (don) *Le beatitudini di Mondo piccolo* (prefazione), da *Qua la mano don Camillo – La teologia secondo Peppone*, a cura di Alessandro Gnocchi e Mario Palmaro, Àncora Editrice, Milano 2000.

Lazzero, R. *Gli schiavi di Hitler*, Mondadori, Milano, 1996, pp. 280, 281, 297.

Leparulo, W. E. *La caricatura come critica del costume: radice umoristica essenziale dei racconti di Giovannino Guareschi*, da «Letteratura Italiana e Arti figurative» – I – Atti del XII Convegno dell'Associazione Internazionale per gli studi di lingua e letteratura italiana, a cura di Antonio Franceschetti, Leo S. Olschki Ed., Firenze 1988, pp. 1185-1191.

Levante, R.M. *Giovannino Guareschi: il giornalismo in carcere* I, ... *la prigione senza sbarre* II, ... *la libertà vigilata* III, ... *i baci del (nuovo cinema) Paradiso* IV, (4, 7, 14, 22 luglio 2010) http://culturainabruzzo.it.

Liala *Tutti contro*: («I suoi libri sono tradotti in tutte le lingue, eppure i critici italiani parlano di Guareschi con indifferenza, quando poi ne parlano»), da «Intimità», Milano, 4 marzo 1965.

«Libero» *Antologie equilibrate – Promossi e bocciati – Le sottili censure dei libri scolastici:* («Lodi sperticate per Fo e gli autori impegnati. Silenzio su Guareschi, Flaiano e troppi altri»), 4 ottobre 2006, p. 35.

«Libero» critica televisiva al film *Don Camillo monsignore, ma non troppo* («Quarto episodio della serie, che però ormai stava perdendo i colpi. Come il povero Guareschi del resto»), 4 novembre 2009, p. 42.

Limiti, S. *L'anello della Repubblica – La scoperta di un nuovo servizio segreto. Dal fascismo alle brigate rosse,* Chiarelettere, Milano 2009, pp. 76-80, 83, 87, 134.

Livorsi, F. *Giovanni Guareschi e i mulini a vento,* da «Gazzetta Padana», 2 dicembre 1960.

Livorsi, F. *Un vero umorista alle origini della Repubblica,* da «Avanti!», 8 gennaio 1992.

Lollo, R. *Guareschi e la* Favola di Natale, da *L'uomo repubblicano (1943-1956) nella letteratura per l'infanzia, Annali di storia dell'educazione e delle istituzioni scolastiche,* Editrice La Scuola, Brescia 2002, pp. 206-209.

Lombardi, L. *Scatti di vita dietro il filo spinato* (cronaca fotografica del Lager con foto d'epoca e citazione di Guareschi), da «Millenovecento» n. 6, aprile 2003, pp. 98-108.

Lombardo, M. *Ci sono tre punti deboli nella «verità» raccontata da De Gasperi,* da «Epoca» n. 38, 24 settembre 1995 (seconda parte del servizio sul Carteggio Mussolini-Churchill – «Epoca» n. 37, 38 – a cura di Lombardo, M. e Castellini, F.).

Longoni, R. *Caro Giovannino non ti abbiamo dimenticato,* dalla «Gazzetta di Parma» 28 marzo 2008, pp. 1, 15.

Loppoli, S. *«Non muoio neanche se mi ammazzano!»,* da *Proposte librarie 2007-2008* della libreria Melisa di Lugano, p. 1.

Lorenzetto, S. *Paola Malanotte* (intervista con citazione di Guareschi), da «Tipi italiani» («Il Giornale»), 3 luglio 2005, p. 18.

Lorenzetto, S. *Quei 129 preti trucidati dai partigiani* (intervista a Roberto Beretta: («...neppure ... Guareschi fu capace di denunciare efficacemente questa ecatombe di preti»), da «Tipi italiani» («Il Giornale»), 16 ottobre 2005, p. 18.

Lotto, G. *La Chiesa dei piccoli – All'insegna della veste candida,* da *Qua la mano don Camillo – La teologia secondo Peppone,* a cura di Alessandro Gnocchi e Mario Palmaro, Àncora Editrice, Milano 2000.

Loverso, G. *Peppone e i suoi lo stimano. E don Camillo? Ce ne sono due,* dal «Corriere Lombardo», 23 aprile 1954.

Lucarelli, C. (*Cfr.* **Borgonovo, F.**)

Lucarelli, C. intervista di Luciano Lanna («Giovannino Guareschi è stato dimenticato per tanto tempo. È stato un grave sbaglio dovuto non solo a un motivo ideologico... Ripeto: era un genio»), dal «Secolo d'Italia», 23 maggio 2008.

Lugaresi, G. (cfr. **AA.VV.** *La nostra Repubblica. 50 anni...*).

Lugaresi, G. *Guareschi, l'incompreso,* da «Il Gazzettino», 17 novembre 1983.

Lugaresi, G. *Scrivere per sopravvivere,* prefazione a *Ritorno alla base* di Giovannino Guareschi, Rizzoli, Milano 1989, pp. 5-11; *ibid.* da «Il Fogliaccio» n. 3, 1989.

Lugaresi, G. *Quel «piccolo grande mondo»,* dal Catalogo per la Mostra su Guareschi edito dalla Cassa di Risparmio di Verona, 1990.

Lugaresi, G. *Don Camillo, chi era costui,* conferenza (testo) tenuta a Bozzolo nella Fondazione «Don Primo Mazzolari», 1991.

Lugaresi, G. *In viaggio verso la libertà*, prefazione a *Mondo Candido 1946-1948*, Rizzoli, Milano 1991.

Lugaresi, G. *Da solo sempre (polemicamente) libero*, prefazione a *Mondo Candido 1948-1951*, Rizzoli, Milano 1992.

Lugaresi, G. *Guareschi, il cristiano*, testo della relazione per il Convegno di Praglia (PD) in occasione del 25° anniversario della scomparsa di GG, 12 giugno 1993.

Lugaresi, G. *Sulle orme di don Camillo nei luoghi del «Mondo piccolo»*, da «Omnibus» numero zero, Rovigo, marzo 1995.

Lugaresi, G. *Le lampade e la luce – Guareschi fede e umanità*, Rizzoli, Milano 1996.

Lugaresi, G. *Per essere europei bisogna essere italiani*, prefazione a *Mondo Candido 1951-1953*, di Giovannino Guareschi, Rizzoli, Milano, 1997, pp. V-VIII.

Lugaresi, G. *La fortuna di Guareschi* (cfr. **AA.VV.** *Un «Candido» nell'*Italia provvisoria – *Giovannino Guareschi e l'Italia del «mondo piccolo»*, pp. 167-176).

Lugaresi, G. *Dacci oggi il nostro mistero quotidiano – Bisogna cedere gentilmente*, da *Qua la mano don Camillo – La teologia secondo Peppone*, a cura di Alessandro Gnocchi e Mario Palmaro, Àncora Editrice, Milano 2000.

Lugaresi, G. *Michele Serra con... Guareschi nel «Cuore»*, da *Anarchico il pensier...*, Neri Pozza Editore, Vicenza 2000, pp. 108-112, 143.

Lugaresi, G. *Non solo Gedda. Anche Guareschi «padre» della vittoria Dc del 1948*, dal «Gazzettino», 29 settembre 2000.

Lugaresi, G. *Nel verde dei boschi sessant'anni fa c'era uno scatolone di sabbia coperto di malinconia»* (cronaca di un pellegrinaggio nei Lager di Guareschi), da «L'Osservatore Romano della Domenica», 28 settembre 2003.

Lugaresi, G. *Un'esemplare modernità in pagine lontane nel tempo* (recensione a *Baffo racconta*), da «L'Osservatore Romano», 22 gennaio 2005, p. 3.

Lugaresi, G. *Giovannino: coscienza, fede e libertà*, da «Il Fogliaccio» n. 53, aprile 2008, p. 1.

Lugaresi, G. *Guareschi cent'anni*, da «Cartevive», periodico dell'Archivio Prezzolini, Biblioteca cantonale Lugano, maggio 2008, pp. 55-59.

Lugaresi, G. *Quelle Favole che salvarono Guareschi*, dal «Messaggero di Sant'Antonio» Edizione italiana per l'estero, dicembre 2008, pp. 22-23.

Lugaresi, G. *Giovannino Guareschi*, da «Libro Aperto», gennaio – marzo 2009, p. 137.

Lugaresi, G. *Il perdono di un cuore libero: Giovannino Guareschi*, da «Vita Minorum», n. 45 luglio-ottobre 2009, pp. 189-193.

Lugaresi, G. *L'unico politico che merita gli altari è don Sturzo* (l'A. scrive che, per quel che riguarda De Gasperi c'è da parte sua una mancanza: «Quando Guareschi venne condannato ... questi se ne uscì con una battuta infelice» rivelando in lui «la più assoluta mancanza di carità cristiana»), da «La Voce di Romagna», 17 novembre 2009, p. 11.

Lugaresi, G. *Il sacerdote secondo Guareschi*, da «Vita Minorum», Verona n. 2 marzo-aprile 2010, pp. 169-174.

Lugaresi, G. *Quella lunga linea che unisce tanti pontefici a Guareschi*, da «La Voce di Romagna», 28 novembre 2010, p. 10.

Lugaresi, G. *Guareschi fede e libertà*, MUP Editore, Parma 2010.

Macario, M. *Vittorio De Sica – Un Maestro chiaro e sincero*: («Per *Umberto D*. De Sica resistette a un allettante "ricatto" di Angelo Rizzoli: cento milioni per la regia di *Don Ca-*

millo e poi si sarebbe parlato di *Umberto D.*»), da *Macario un comico caduto dalla luna*, Baldini & Castoldi ed. 1998, pp. 69, 225, 271-272.

Maffei, S. *Sogni, delusioni e sconfitte nelle lettere inedite di Giuseppe Marotta:* («Alberto e Carlotta Guareschi hanno pescato nell'oceano cartaceo di Roncole Verdi, dov'è situato il grande archivio paterno, sette lettere inedite scritte da Marotta tra il 1942 e il 1946 al suo grande amico Giovannino»), Stabilimento Arte Tipografica S.a.s. via S. Biagio dei librai, Napoli 2004.

Maggiolini, A. (mons.) *Del peccato e del perdono – Nel battesimo la salvezza*, da *Qua la mano don Camillo – La teologia secondo Peppone*, a cura di Alessandro Gnocchi e Mario Palmaro, Àncora Editrice, Milano 2000.

Magistro, E. (& Tinozzi-Mehrmand, N.) *Letture divertenti - Umorismo* (inserito il racconto di GG «Un mestiere anche per me»), Edizioni Farinelli, New York 2010, pp. 53-68.

Magliozzi (*cfr.* **Attalienti & Magliozzi & Cotroneo**)

Magrì, E. *Giovanni[no] Guareschi l'inventore del compromesso storico – Il tormentato episodio del carteggio Mussolini-Churchill:* («Guareschi si pose questi e altri quesiti. Tuttavia, affidandosi più alla biliosità suggerita dalla sua antipatia politica verso il leader trentino [De Gasperi] che al pacato equilibrio dell'intelligenza si rispose che le lettere erano autentiche»), da «Tabloid – Ordine dei Giornalisti della Lombardia» n. 12, dicembre 2004, pp. 24-26.

Magris, C. *Giovanni[no] Guareschi l'anticomunista che amava i compagni - È uno dei pochi autori realmente popolari, capace di parlare con semplicità a chi ha cuore* («Ma se il comunista attaccato da Guareschi in sede politica è un mangiabambini, nella saga di don Camillo sono i comunisti a incarnare quell'umanità vitale, generosa, animata da sentimenti schietti e perenni, in cui Guareschi stesso si riconosce.»), dal «Corriere della Sera», 23 luglio 2009, pp. 1, 35. (*Cfr.* **Bandini, E.** «Libero», 24 luglio 2009)

Maltese, C. *Il film-profezia di Pasolini* (parlando della genesi del film «*La Rabbia*» scrive che il produttore volle affidarne una parte a Guareschi che «diede nell'occasione il peggio del proprio qualunquismo»), da «la Repubblica», 24 agosto 2008.

Maltese, C. *L'Italia nostalgica di Peppone e don Camillo:* («... si può cogliere bene come l'intero immaginario visivo, antropologico del berlusconismo trovasse le sue radici negli anni Cinquanta... uno stereotipo da commedia all'italiana... la nostalgia dell'Italia di Peppone e don Camillo, non a caso la serie preferita dal *Leader*, strapaesana e arcitaliana.»), da «la Repubblica», 22 ottobre 2008, p. 44.

Manca di Villahermosa, R. *Vita di redazione*, da «Il Fogliaccio» n. 2, 1988.

Mangini, C. (*cfr.* **Pallottino, P.**)

Mannucci, E. *I bartlebysti, cioè quelli che "preferirebbero di no"* (citazione di Guareschi), da «Sette», suppl. del «Corriere della Sera» n. 49/50, 2002.

Mannucci, E. *Churchill e Mussolini: l'ultima lettera*, da «Nuova Storia Contemporanea», marzo-aprile 2009, pp. 117-119.

Manzoli, G. presentazione di GG nel *depliant* di presentazione del film *Il ritorno di don Camillo* proiettato a Cervia il 19 luglio 2008, a cura dell'Ordine dei Giornalisti Emilia-Romagna e dell'ASCOM di Cervia.

Manzoni, C. *Gli anni verdi del «Bertoldo»*, Rizzoli, Milano 1964.

Manzoni, C. *La settimana del signor Veneranda*, da «La Notte», 27 luglio 1968.

Manzoni, C. *Ricordo di Guareschi*, da «L'Europeo», 1° agosto 1968.

Manzoni, C. *Un vaso senza fiori*, dalla «Gazzetta di Parma», 22 luglio 1973.

Marabini, C. *Guareschi il lumbard*, da «Il Resto del Carlino – Vacanze», 5 agosto 2000.

Marabini, C. *Quel mondo piccolo aveva un cuore grande così*, da «Il Resto del Carlino», 28 dicembre 2000.

Marcheschi, D. *Giovannino riso amaro*, da «Il Sole -24 Ore», 16 marzo 2008 p. 37.

Marcheschi, D. *Giovannino Guareschi umorista*, da *Giovannino Guareschi al «Bertoldo»*, Monte Università Parma Editore 2008, pp. 16-29.

Marcheselli, T. *Parma di una volta*, n. 10 (monografia dedicata a Guareschi), «Gazzetta di Parma» Editore, 2007.

Marchetti, G. *Mondo piccolo e piccolo mondo in Giovanni[no] Guareschi*, da «Aurea Parma» (estratto), Fasc. II-Anno LXI, luglio-ottobre 1977.

Marchetti, G. *Perché sì perché no*, dalla «Gazzetta di Parma», 1° maggio 1978, p. 3.

Marchetti, G. *Giovanni[no] Guareschi scrittore giornalista e artista*, dalla «Gazzetta di Parma», 21 luglio 1988.

Marchetti, G. *Guareschi e don Camillo*, da «Il Cristallo», n. 1/99.

Marchi, C. *Il papà di don Camillo*, da «L'Arena», 24 luglio 1968.

Marino, M. *Storia dell'IMI 6865*, dalla «Gazzetta Sanitaria della Daunia», vol. 59 n. 1 2009, pp. 146-152.

Marotta, G. *Umiltà di Brescello e superbia di West Point*, da «L'Europeo», 30 ottobre 1955.

Marras, M. *Al cuore della mostra «Non muoio neanche se mi ammazzano» - Un caffè con Alessandro Gnocchi* (intervista su GG), da «Rivela» n. 4 2009, pp. 8-9.

Marri, F. *Guareschi scrittore e maestro di lingua*, da *L'universo di Mondo piccolo* – Numero speciale del periodico della Famijja Pramzana «Al pont äd mez», dicembre 2001, pp. 11-37.

Marri, F. *Sull'apporto di Giovannino Guareschi al lessico italiano*, da *Studi di storia della Lingua italiana offerti a Ghino Ghinassi*, a cura di P. Bongrani, A. Dardi, M. Fanfani e R. Tesi, Casa editrice Le Lettere, Firenze 2001, pp. 435-510.

Marri, F. *Guareschi scrittore e maestro di lingua*, da *Lingua Nostra*, vol. LXVI, fasc. 3-4, sett-dic 2005, p. 128.

Marri, F. *I cento anni di Giovannino Guareschi – Dalla «fettaccia di terra» alla fama internazionale*, da «Il Carrobbio – Tradizioni problemi immagini dell'Emilia-Romagna», XXXV, Patron Editore, Bologna 2009 (estratto), pp. 245-280.

Marri, F. *Cento anni dell'autore più letto d'Italia*, da «Nuovo Modena Flash», Speciale 71 Aprile 2009.

Matas, T. *Del petit mon de don Camillo al mon de Giovannino Guareschi*, da «Relleu», Butlleti del Grup d'Estudis Nocionalistes, Barcelona, n. 36, primavera 1992.

Mazzolari, P. *Addio don Camillo!*, da *Primo Mazzolari, il prete di «Adesso»* a cura Leonardo Sapienza, Editrice Rogate, 2009, pp. 57-60.

Mazzuca, G. *Caffara è cardinale: «Offro la mia vita al Papa»* (nel corso dell'intervista il cardinale, alla domanda «Lei divenne amico di Giovannino Guareschi», risponde: «Sì, spesso andavo a trovarlo con un altro sacerdote ... e con lui ci avventuravamo in discussioni anche molto animate...»), da «Il Resto del Carlino», 24 marzo 2006.

Mazzuca, G. *Testimoni del Novecento*, Poligrafici Editoriale SpA, Bologna 2008, pp. 41-52.

Mecenate, S. *La tetralogia di don Camillo*, da «Il Governo delle cose» n. 13, Firenze, settembre 2002, pp. 75-90.

Mecenate, S. *Il compagno don Camillo* (recensione), «Palomar» n. 3, Firenze, novembre 2002, pp. 121-124.

Mecenate, S. *Il '68 di Giovannino Guareschi*: («... aborrirà sempre, tenendole ben lontane dalla sua scrittura come dalla sua vita, la retorica e il melodrammatico, conscio del valore che deve avere la parola e l'esempio...»), da «Letteratura - Tradizione» n. 42, maggio 2008, p. 16.

Mecenate, S. *Auguri, Giovannino, indimenticabile "uomo contro"*: («... la vita e le opere di Guareschi sono un richiamo forte all'impegno individuale e collettivo, alle scelte coraggiose, alla coerenza...»), da «Il Porticciolo», giugno 2008, pp. 19-21

Mecenate, S. *Due parole da un vecchio amico che continua a cercarti nei tuoi scritti*, da Nuova Agenzia Radicale, www.agenziaradicale.com, 11 agosto 2008.

Mecenate, S. *A proposito di Giovannino Guareschi* (intervista ad Alessandro Gnocchi), da «Il Porticciolo», n. 2, giugno 2010, pp. 48-55.

Medail, C. *I cattolici scoprono le critiche della Chiesa per Don Camillo*, da «Dibattiti» («Corriere della Sera»), 1° giugno 2001.

Medina, J. *O meu amigo don Camillo*, da «JL – Jornal de Letras, Artes e Ideas», Lisbona, 12-25 aprile 2006-05-10.

Menarini, R. *«La Rabbia» ritrovata*, dal «Corriere di Bologna», 21 ottobre 2007, p. 12.

Mereghetti, P. (*Cfr.* **Mannucci, E.**)

Messori, V. *Un parroco che piace*, da «Vita Pastorale», n. 10, 1988.

Messori, V. *Pensare la storia*, Edizioni Paoline, Milano 1992, pp. 482-485.

Messori, V. *Il "Mondo piccolo" di Guareschi, scrittore vero e misconosciuto*: («Guareschi era uno scrittore. Perché solo uno scrittore, uno scrittore vero – e magari con un sospetto di grandezza – è in grado di creare un intero mondo, per quanto "piccolo": don Camillo e Peppone nonché la folla di personaggi e comparse che li attorniano, hanno creato nell'immaginario della gente un universo indimenticabile»), «I miei libri», «Jesus», luglio 2004, p. 60.

Mezzadri, G. C. *Guareschi negli USA – Docente della Pennsylvania a Parma per una ricerca sull'autore di don Camillo*, da «Tutta Parma» («Gazzetta di Parma»), 3 luglio 2000.

Mignemi, A. *Storia fotografica della prigionia dei militari italiani in Germania*, Bollati Boringhieri, Torino 2005.

Milani, M. *Intervista ai figli di Guareschi*, da «Rosa Bianca» n. 6, Milano marzo-aprile 2001.

Minardi, A. *Con la semplicità e l'umorismo ridimensionava i fatti della vita*, dalla «Gazzetta di Parma», 23 luglio 1968.

Minardi, A. *Il nostro amico Guareschi*, dalla «Gazzetta di Parma», 24 luglio 1968.

Minardi, A. *Tutto quello che non sapete e che vorreste sapere di lui*, dalla «Gazzetta di Parma», 1° maggio 1978, p. 3.

Minardi, A. *Giovannino: «No, non muoio neanche se mi ammazzano!»*, da «Prima pagina», gennaio 1981.

Minardi, A. *Guareschi a dodici anni dalla morte riesce ancora a far parlare di sé*, da «Prima pagina», gennaio 1981.

Mingardi, A. *Guareschi contro i preti no global*: («Nel mirino di Guareschi la sua Chiesa, diremmo, amata d'amore intensissimo»), da «Libero», 25 luglio 2002, pp. 1, 31.

Mingardi, C. *Inventario di una fine*, da *Mondo piccolo* – Fotografie di Paolo Simonazzi, Umberto Alemandi & C, Torino 2010, pp. 30-32.

«**Minute**» *Don Camillo leur fera voir rouge*, 11 settembre 1964.

«**Minute**» *Don Camillo au Vatican* (Papa Luciani, *N.d.R.*), n. 855, 30 agosto-5 settembre 1978.

Miro Gori, G. *Il mondo piccolo di Peppone e don Camillo*, «Cineforum n. 280, 1988, pp. 37-46.

Mola, A. A. *Gli sberleffi del «Bertoldo»*, da «Tuttocittà» (allegato alla Guida telefonica di Milano), 1995-1996.

Molossi, B. *Addio, Giovannino*, dalla «Gazzetta di Parma», 23 luglio 1968.

Molossi, B. *L'Italia meschina*, dalla «Gazzetta di Parma», 25 luglio 1968.

Monda, A. *La bellezza in antologia* (intervista a Giovanni Casoli sull'antologia *Novecento letterario italiano ed europeo*: «Nonostante i nasi arricciati di certa critica settentrionale, non si può non affermare che Guareschi è stato un grande scrittore popolare»), da «Rai Libro» n. 92, 11 gennaio 2010.

Mondrone, D. *Tre autori visti come uomini*, da «Civiltà Cattolica», Roma, 4 maggio 1968.

mondopiccolo... and strawberry fields *Giovannino Guareschi*, mondopiccolo.splinder.com.

Monicelli, F. *Se l'Italia piange*. («Cosa dovremmo pensare della Francia di Montesquieu e di Toqueville che scodella centinaia di migliaia di copie dei libri dell'umorista Guareschi...»), da «Paese Sera», Roma 18 dicembre 1957.

Montanelli, I. *Die Lügen des Neo-Realismus*, da «Die Zeit», Hamburg, 27 novembre 1952, pp. 4, 5.

Montanelli, I. *I rapaci in cortile*, Longanesi, Milano 1952.

Montanelli, I. *Sul caso Guareschi* (Carteggio con Enrico Lupinacci che ha brindato – con Eugenio Montale e altri – a Bagutta per la condanna di Guareschi), da «Il Borghese», Milano 20 agosto 1954 p. 112.

Montanelli, I. (*alias* **Coltano, A.**) *Lettera al Presidente della Repubblica*, da «Il Borghese», 29 ottobre 1954.

Montanelli, I. *Gli italiani si riconoscevano in lui*, dalla «Domenica del Corriere» n. 33, 1968.

Montanelli, I. *Giovannino Guareschi? Uno scrittore inimitabile*, «La stanza di Montanelli», «Corriere della Sera», 16 aprile 1998.

Montanelli, I. (Lettera a Giovannino: «il mio amico Kravcenko è un tuo grande ammiratore... aveva il *Don Camillo* in edizione americana e bofonchiava che un libro così lui non sarebbe riuscito a scriverlo mai. Il che è vero di Kravcenko ma è vero anche di Moravia, di Silone e di Vittorini, i quali sono soltanto meno sinceri nel riconoscerlo»), dalla biografia di GG di Alessandro Minardi, «L'Uomo Qualunque», 23 aprile 1998, p. 18.

Montanelli, I. (**& Lami, L.**) *Tavola rotonda* condotta da Francesco Perfetti (*cfr.* **AA.VV.** *Un «Candido» nell'*Italia provvisoria – *Giovannino Guareschi e l'Italia del «mondo piccolo»*, pp. 137-146).

Morganti, P. *Guareschi spacca l'Emilia in due*, dalla «Domenica del Corriere», 19 luglio 1986.

Morisi, A. *Per il debutto una platea appassionata* (dichiarazioni del cardinal Carlo Caffarra su GG), da «Bologna Sette» («Avvenire»), 30 agosto 2009, p. 1.

Mormino, I. *Addio Giovannino*, da «La Notte», 22 luglio 1968.

Morosini, N. *Sulle strade di Guareschi*, da «Tempi», 4 dicembre 2008, pp. 58-59.

Morra, G. *Dei preti così s'è perso lo stampo*, da «Cultura» («Libero»), 23 agosto 2001.

Morra, G. *Giovanni[no] Guareschi – Italia provvisoria*: («Guareschi ha intuito qualcosa che il grande scrittore Chesterton aveva già molto tempo prima compreso: quando l'uomo si libera della tradizione, quando smette di credere in qualcosa, non è che non crede più in niente, purtroppo crede in tutto...»), da *Conformisti – Anticonformisti*, Marsilio, Venezia 2003 pp. 41-54.

Morra, G. *L'Europa è cambiata in due notti di Natale*. («Nella loro antitesi don Camillo e Peppone trovano un punto in comune: il rispetto verso l'uomo»), da «Cultura & Scienza» («Libero»), 23 dicembre 2005, p. 23.

Mosca, B. *Appunti per un ritratto*. (Giovanni Mosca: «Metz ed io... avevamo bisogno di un redattore capo come Guareschi che saldamente tenesse le redini della compagnia. A Metz, però, di Guareschi dava fastidio il cercare di espandersi come i ricci. Non andarono mai d'accordo e giunsero, un giorno, a una memorabile scazzottatura.»), da *Giovanni Mosca - L'esordio al «Corriere» (1937)*, Fondazione *Corriere della Sera*, Milano 2008, pp. 12-13.

Mosca, G. *È morto Giovanni[no] Guareschi – Un uomo solo*, dal «Corriere della Sera», 23 luglio 1968.

Muccioli, L. *Geyser adolescenziale intorno al buon Giovannino Guareschi*, da «La Voce di Romagna», 17 novembre 2008, p. 25.

Munzi, U. *Preti e partigiani, i giorni dell'odio* (recensione al libro di Roberto Beretta *Storia dei preti uccisi dai partigiani*: («C'è solo un'astuzia nel libro che lascia la bocca amara. Giocando con le immagini di Peppone e don Camillo induce il lettore a immaginare Peppone che assassina don Camillo»), dal «Corriere della Sera», 29 maggio 2005, p. 33.

Nascimbeni, G. *C'erano una volta Peppone e don Camillo*, dal «Supplemento del Corriere della Sera», 8 maggio 1977.

Nascimbeni, G. *Tra piazza e argine riaffiora il passato*, dal «Corriere della Sera», 23 gennaio 1980.

Nello, P. *Guareschi, gli Internati Militari Italiani e il* Diario Clandestino (*cfr.* **AA.VV.** *Un «Candido» nell'*Italia provvisoria *– Giovannino Guareschi e l'Italia del «mondo piccolo»*, pp. 39-58).

Nguyen Van Chau, A. *Il miracolo della speranza – Il cardinale F.-X. Nguyen Van Thuan*: («Thuan scoprì anche *Il piccolo mondo di don Camillo* di Guareschi. Sosteneva che quel libro aveva avuto un'influenza straordinaria su di lui e sulla sua spiritualità e ne teneva sempre una copia a portata di mano»), San Paolo, Alba (CN) 2004, p. 111.

Nicolet, L. *Comment* Don Camillo *naquit dans un camp de concentration*: («C'est, en effet, en captivité que fleurit son esprit de profonde humanité qui le poussait sens cesse à mettre l'homme au centre de toute chose»), da «Le Temps», Ginevra, 17 aprile 2004, p. 40.

Nistri, E. *Trecento parole per descrivere il mondo*, da *Scopriamo il Guareschi del 2000* di **AA.VV.**, a cura del Circolo culturale «G. Guareschi» di Vercelli, Tipografia Ed. Saviolo, 2000, pp. 10, 11.

Nobécourt, J. *Une fable à l'italienne*, da «Le Monde», supplemento, 7 giugno 1987.

Novelli, S. *Le duecento parole di Guareschi nel triangolo emiliano*: «In un mondo segnato da tensioni cupe e da scontri non solo dialettici, dalle dure condizioni di vita delle classi subalterne e dai manicheismi politici, Guareschi scrittore reagisce facendo emergere "la comunanza di mentalità di un popolo che può anche prendere parti diverse, ma che poi finisce per essere d'accordo sulle questioni fondamentali della vita...."(Cristina Benussi e Giuseppe Zaccaria)», da www.treccani.it/site/lingua_linguaggi/percorsi.htm.

Nozza, M. *E l'anno di Guareschi: Contrordine, compagni!*, da «Il Giorno», 21 marzo 1986.

Nutrizio, N. «Caro Giovannino», da «La Notte», 23 luglio 1968.

Nuvolone, A. *Epitaffio troppo agro per Guareschi*, da «Il Nostro Tempo», 25 agosto 1968.

Olivieri, G. *Che rabbia questi censori:* («Contrordine compagni» sbraita il trinariciuto di corsa sventolando un giornale che forse non è più l'"Unità", «il compagno Guareschi non è uno scrittore di razza ma un volgare razzista. Bertolucci junior, figlio di Attilio e fratello di Bernardo *dixit*»), da «Monsieur», ottobre 2008, p. 180.

Olivieri, G. *Scarpe grosse, pensiero fino:* («... gli altri, a cominciare dagli amici democristiani, non glieli avevano certo risparmiati i dispiaceri. Nonostante avesse contribuito alla loro vittoria nel 1948, questi si erano incaponiti a querelarlo perché aveva diffamato Alcide De Gasperi.»), da «Monsieur», ottobre 2008, pp. 170-176.

Olivieri, R. *Il padre di don Camillo si è ritirato in campagna*, da «Il Tirreno», 18 ottobre 1952.

«Orbis» (Agenzia) *L'autore più venduto (in Francia) è Giovannino Guareschi: 800mila copie* Don Camillo, *300mila* Don Camillo e il suo gregge, *300mila* Il destino si chiama Clotilde, Firenze 23 novembre 1957.

Orlando, V. *Scriveva in italiano ma pensava in dialetto*, dalla «Gazzetta di Parma», 1° maggio 1978, p. 3.

Orlando, V. *Oreste del Buono rievoca la favolosa Parma di Guareschi, Pietrino Bianchi e Bertolucci*, dalla «Gazzetta di Parma», 22 luglio 1984.

Paccagnini, E. *Verosimili invenzioni di un cronista*, prefazione a *Don Camillo – Mondo piccolo*, edizione speciale, supplemento del «Corriere della Sera», 3 giugno 2003, pp. 7-22.

Pacchiano, G. *Anche i licei «sottosopra»* (risposta alla signora Maria Rita Antonelli che propone di inserire nelle scuole Guareschi al posto di Pavese o di Vittorini «noiosi e fumosi»: («... narrativa di divertente intrattenimento che non va certo disdegnata quella di Guareschi; narrativa di ricerca, sotto il profilo del linguaggio e della possibilità, da parte del romanzo, di rappresentare con efficacia il reale, quella di Vittorini e Pavese...»), «Fermo posta», da «Il Sole – 24 Ore», 22 maggio 2005, p. 34.

Paliotti, V. *Napoli liberò Guareschi dagli incubi della prigione*, da «Napoli Notte», 3-4 ottobre 1956.

Palladino, G. *Guareschi e don Sturzo* (dichiarazioni sui loro rapporti), da *Guareschi e il clero*, «Gazzetta di Parma», 19 settembre 2002 p. 18.

Pallottino, P. (**& Mangini, C.**) *«Bertoldo» e i suoi illustratori*, Ilisso Edizioni, Nuoro 1994.

Pallottino, P. *Pupazzetti con l'anima e coi baffi. L'opera caricaturale di Giovannino Guareschi*, intervento critico a *Milano 1936-1943: Guareschi e il «Bertoldo»*, Rizzoli, Milano 1994.

Pallottino, P. *Giovannino: il catalogo è questo. Piccolo atlante delle metafore iconografiche di Guareschi*, da *Seduzioni e miserie del potere – visto da sinistra, visto da destra (Galantara – Scalarini – Sironi – Guareschi – Altan*, Edizioni Gabriele Mazzotta, Milano 2003, pp. 175-226 (con la riproduzione di 97 disegni originali di Guareschi).

Palmaro, M. *La figura del sacerdote in Giovannino Guareschi*, conferenza tenuta nel Santuario di Madonna Prati (PR) il 19 maggio 2001.

Palmaro, M. *Una trappola benedetta – Bandiera vecchia la trionferà – L'Ave Maria del compa-*

gno, da *Qua la mano don Camillo – La teologia secondo Peppone*, a cura di Alessandro Gnocchi e Mario Palmaro, Àncora Editrice, Milano 2000.

Palmaro, M. (*cfr.* **Gnocchi, A.**)

Palumbo, P. *Un muro separa Giovannino da P.P.P.*, da «Lo Specchio», 10 febbraio 1963.

Pampaloni, G. *Modelli ed esperienze della prosa contemporanea*, da *Storia della letteratura italiana – Il Novecento*, di Cecchi-Sapegno, (dal capitolo «Isolati, eccentrici, dimenticati», nella parte dedicata a Marotta: «Qualche gradino più sotto è da collocare Giovanni[no] Guareschi... quei racconti hanno una scrittura elementare e senza pretese, un'eloquenza emotiva e canora; ma non sono privi di una loro cordialità...»), Garzanti, Milano 1987.

Pansa, G. (*Cfr.* **Cabona, M.**)

Pansa, G. *L'uomo che disse no*, prefazione a *Il Grande Diario – Giovannino cronista dei Lager, 1943-1945* («... il *Grande Diario* di Guareschi sarà una lettura indimenticabile. Per quel che mi riguarda, ne sono rimasto soggiogato. Ho riscoperto la stessa emozione che, tanti anni fa, mi aveva imposto *Se questo è un uomo* di Primo Levi»), Rizzoli, Milano 2008, pp. V-X.

Pansa, G. (*cfr.* **Cabona, M.**)

Panzeri, F. *Guareschi? Uno scrittore da promuovere in serie A*, da «Agorà» («Avvenire»), 3 novembre 2005, p. 30.

Pantucci, G. *I nostri autori tradotti in inglese sono soltanto tre su mille*, da «Leggiamo» (supplemento de «La Notte»), 8-9 ottobre 1964.

Paoletti, P. M. *Guareschi a casa sua*, da «Settimo Giorno», 3 luglio 1958.

Paoletti, P. M. *Guareschi sta scrivendo un'autobiografia immaginaria*, da «Settimo Giorno», 27 novembre 1960.

Paradisi, R. *Giovannino Guareschi – Secondo Bocca fu il Baffo a processare Einaudi e De Gasperi*, da «Libero», 29 luglio 2009, p. 36.

Paradiso, R. *Ciao Giovannino, uomo libero di un mondo piccolo che non c'è più* («Giovannino, nel cuore di chi è cresciuto con i suoi racconti, le sue favole metropolitane, con i suoi motti, con la sua poetica visione del mondo e degli uomini, ci starà sempre a ricordare che la quotidianità va vissuta con passione, onestà, con senso di responsabilità, coraggio, con sentimento, lo stesso che lui metteva in ogni cosa facesse...»), da «Elementi 15», dicembre 2008-marzo 2009, pp. 52-55.

Parente, M. (*Cfr.* **Dotti, C.**)

Parlato, G. *Guareschi, il «Bertoldo» e la crisi del 1943*, inedito, 1995.

Parlato, G. *La società italiana degli anni '40 e '50 negli scritti di Guareschi* (*cfr.* **AA.VV.** *Un «Candido» nell'*Italia provvisoria – *Giovannino Guareschi e l'Italia del «mondo piccolo»*, pp.117-135).

Parlato, G. (*cfr.* **Bartolini, S.**)

Parmiggiani, S. *Mondo perduto*, da *Mondo piccolo* – Fotografie di Paolo Simonazzi, Umberto Alemandi & C, Torino 2010, pp. 16-20.

Pasquino, G. (*Cfr.* **Porqueddu, M.**)

Pavec, J-M. *Fernandel s'apprête à être Sganarelle en Espagne...»*, intervista a Fernandel (parlando di GG: «A mon avis nous avons là le Molière de l'époque. C'est vivant, c'est humain et c'est si drôle... Voyez-vous, ce bonhomme-là dispose d'un comique traduisible dans toutes les langues. Il est unique en son genre.»), da «Le Provençal 175, Marseille, 8 luglio 1955.

Pederiali, G. *Un monumento non si nega a nessuno: da don Camillo a...*, da «Libero», 10 giugno 2001.

Pedretti, P. *Peppone e il triangolo*, dalla «Gazzetta di Parma», 30 settembre 1990.

Pedrinelli, A. *Don Camillo, un bell'esempio che va imitato ancora oggi*, da «La Padania», 21 novembre 2000.

Pellegrino, G. (& Fasanella, G.) *La guerra civile.* («Il genio di Giovannino Guareschi ha reso perfettamente il clima dell'epoca attraverso le storie di Peppone e don Camillo, molto meglio di quanto abbiano fatto tanti storici di professione»), Rizzoli – BUR, Milano 2005, p. 29.

Pellegrinotti, M. *Il regolamento carcerario e la detenzione di Guareschi*, dalla «Gazzetta di Parma», 5 settembre 1968.

Pellegrinotti, M. *Guareschi e il mondo delle prigioni*, Grafiche STEP, Parma 1975.

Pennacchi, A. dichiarazione rilasciata a Pietrangelo Buttafuoco nell'articolo: *Fini, killer di padri*, («Giovannino Guareschi è un grande. E non tanto per quello che ci ha lasciato nei suoi libri ma per i film di Peppone e don Camillo, (...) l'intera opera immortale dove il racconto della sua destra, quella del suo profondo anticomunismo, è reso come materia viva nel risultato: nella rappresentazione della fatica di tutti di restare uniti. Uniti nella diversità. Prima degli interessi dei singoli, e delle aziende, vale l'interesse del popolo. E questo lo voleva Guareschi. E così pure Palmiro Togliatti») da «Panorama», 12 agosto 2010.

Pensotti, A. *Guareschi è tornato nel suo Mondo piccolo*, da «Oggi», n. 28, 1955.

Perfetti, F. *Ma don Camillo la spunta sempre*, da «Il Settimanale» n. 6, 8 febbraio 1978.

Perfetti, F. *Guareschi, il "mondo piccolo" e la "politica grande"* (cfr. **AA.VV.** *Un «Candido» nell'Italia provvisoria – Giovannino Guareschi e l'Italia del «mondo piccolo»*, pp.15-19).

Perry, A.R. *Giovannino Guareschi: an Overview of Scholarly Attention in the United States*, da *L'universo di Mondo piccolo*, numero speciale del periodico della Famiija Pramzana «Al pont äd mez», dicembre 2001, pp. 49-55.

Perry, A.R. *Freedom of imprisonment: Giovannino Guareschi adds the Primacy of Conscience*, Italian culture, Vol. 20 1-2 (2001-2002), pp. 67-78.

Perry, A.R. *Giovannino's secret weapon: the German Lager and Guareschi's use of reason as humor*, da *Italian Quartely-Department of Italian, The State University of New Yersey Rutgers* n. 153 154 – Summer-Fall 2002, pp. 39-53.

Perry, A.R. *«Guareschi's Anger»*, da *Incontri con il cinema italiano*, a cura di Antonio Vitti, Salvatore Sciascia Editore, 2003, pp. 159-186.

Perry, A.R. *«No, niente appello!»: How De Gasperi sent Guareschi to prison*, da «The Italianist» – 25 – Cambridge University, 2005, pp. 239-259.

Perry, A.R. *The don Camillo stories of Giovannino Guareschi – A humorist Portrays the Sacred*, University of Toronto Press Incorporated 2007.

Perry, A.R. *Guareschi's Dismay: the Making of Duvivier's Don Camillo.* («Of the many B-series films shown frequently on Italian television. The Don Camillo series continues to offer steady entertainment.»), da *Incontri culturali da oltre oceano* a cura di Antonio Vitti, Metauro Edizioni, Pesaro 2008, pp. 153-180.

Perry, A.R. *«C'era una volta la prigionìa»: Guareschi's Resistance in the* Favola di Natale, da «Italica – Journal of the American Association of Teacher of Italian», Volume 86 n. 4, Winter 2009, pp. 623-650.

Pesci, F. *La libertà di Giovannino Guareschi*, da «La Notizia» (Guidizzolo) n. 79, agosto 2009, pp. 36-37.

Pesci, F. *Memoria e speranza, il sogno europeo*, da «La Notizia» (Guidizzolo) n. 80, ottobre 2009.

Pesci, F. *Il sole politico di Guareschi*, da «La Notizia» (Guidizzolo) n. 81, dicembre 2009, p. 35.

Pesci, F. *Ridere delle dittature... è possibile?*, da «La Notizia» (Guidizzolo) n. 82, febbraio 2010, p. 39.

Pessis, P. *Don Camillo au paradis* ("processo" a Fernandel sulla soglia del Paradiso: tra i testimoni Guareschi...), StudioCanal Video 2004.

Petacco, A. *Dear Benito, caro Winston*, Mondadori, Milano 1985.

Petacco, A. *La disfida Guareschi – De Gasperi*, da «Il Tempo», 5 ottobre 1993, p. 25.

Pezzani, E. *Vita vagabonda e avventurosa di Giovannino Guareschi*, dalla «Gazzetta di Parma», 10 e 17 marzo 1952, p. 3.

Pezzuto, V. *Applausi e sputi - Le due vite di Enzo Tortora*, libro-intervista a E. Tortora: «"Tu l'hai conosciuto Guareschi?" "E come no. Di lui conservo ancora una recensione splendida che fece a un mio libretto (...) Quando morì molti intellettuali italiani (specialisti in viltà) non ebbero neppure il coraggio di farsi vedere al suo funerale".», Sperling & Kupfer, Milano 2008, p. 120.

Piasenti, P. *Giovannino Guareschi come l'ho conosciuto nei Lager nazisti*, Ambrosini & C., Verona 1988.

Picardo, G. (*cfr.* **Bruni, P.**)

Piccardo, S. *Idee per una presentazione di Giovannino Guareschi*: («La sua fortuna letteraria è sempre stata a dir poco scarsa, in quanto Guareschi non si è mai sentito intellettuale e non ha mai scritto nulla per gli intellettuali»), da «Città di Vita» n. 5, settembre-ottobre 2004, pp. 459-464.

Piccoli, G. *Pianeta Guareschi. Viaggio attorno ai cinquant'anni di don Camillo e Peppone*, da «Alto Adige», 13 giugno 1996.

Pillon, G. *L'enciclopedia [Treccani] degli errori*: «... e Guareschi che è chiamato Giovanni detto Nino. Si tratta di una inesattezza perché Guareschi si chiama proprio Giovannino», da «Candido» n. 40, 1961.

Pillon, G. *Speciale da Roma*, da «Il Fogliaccio» n. 5, 1990.

Piras Trombi, E. *Giovannino Guareschi e la* Favola di Natale *- Il Socrate italiano del 900*: «Questa sua coerenza e intransigenza morale a non accettare nel suo lavoro scorciatoie, ingerenze e compromessi di sorta – uniti a un carattere sanguigno e verace – lo ha portato a inimicarsi tutta la classe politica italiana, fino all'emarginazione dallo stesso mondo editoriale nazionale.», da «Lo Studente Errante», dicembre 2008, p. 12.

Pisanò, G. *Voleva battersi ancora*, da «Il Secolo d'Italia», 28 febbraio 1981.

Pizzi, C. *Mondo piccolo, mondo esportabile*, (intervista a Egidio Bandini), da «New Parma» n. 2, marzo-aprile 2009, pp. 68-71.

Placido, B. *Qualunquisti e viaggiatori*, da «la Repubblica», 6 marzo 1981.

«Politico (Il)» *da* La campagna del settimanale «Candido», Università degli Studi, Pavia, aprile 1954.

Porqueddu, M. *Pasquino: era meglio far vedere tutto*, intervista a Gianfranco Pasquino sulla "Rabbia" tagliata: («Bertolucci avrebbe dovuto lasciare nel film restaurato anche i commenti di Guareschi. Credo che il pubblico debba poter leggere, o guardare, o decidere da solo se qualcosa gli piace oppure no.»), dal «Corriere della Sera», 31 agosto 2008, p. 41.

Porzio, D. *L'agrario Giovanni[no] Guareschi*, da «Oggi», n. 27, 1953.

Pozzoni, I. *Brevi osservazioni sulla nozione di "cultura" in Giovannino Guareschi*, «Fermenti», Fermenti Editrice, Roma, n.234, XXXVIII, 2009, pp. 45-47.

Preda, G. *Il "Chi è" del Borghese*, Ed. Il Borghese, 1961, p. 340.

Preda, G. *Lettera aperta a Guareschi*, da «Il Borghese», 19 ottobre 1961.

Predieri, A. *Giovannino Guareschi*, dall'«Osservatore della Domenica», Città del Vaticano, 4 agosto 1968, p. 18.

Procaccini, V. *Guareschi, esempio di coerenza:* («Guareschi non è solo il creatore di don Camillo e Peppone, ma è autore poliedrico che meriterebbe maggiore attenzione, dopo essere stato trattato con sufficienza dai critici ufficiali.»), da «Voce di Popolo», 28 novembre 2008, p. 14.

Pronzato, A. (don) *Il Natale di un uomo libero*, da «Missione Salute» n. 6/93, pp. 14-17.

Pronzato, A. (don) *Alla ricerca delle virtù perdute*, da «Missione Salute» n. 1/94, pp. 14-16; n. 2/94, pp. 14-16; n. 3/94, pp. 14-15.

Pronzato, A. (don) Conferenza (testo) tenuta a Cademario (Svizzera) in occasione della Manifestazione in ricordo di GG, settembre 1994.

Pronzato, A. (don) *Giovannino (don Camillo) Guareschi*, introduzione al *Breviario di don Camillo*, Rizzoli, Milano 1994.

Pronzato, A. (don) *La nostra bocca si aprì al sorriso* (il libro è dedicato, in epigrafe, a «Giovannino Guareschi maestro di umorismo»), Gribaudi, Milano 2004, pp. 297-307.

Pronzato, A. (don) «Pensar non nuoce – Il Crocifisso scomparso: non c'è ma c'è. Coscienza critica più che oggetto ornamentale» (scritto in occasione della rimozione del Crocifisso dalle Scuole di Ofena), inedito, 2004.

Pronzato, A. (don) *Polonia: sarà una Pasqua fra due Papi:* («Quando Guareschi andò a Czestochova»), da «Riflessioni» («Corriere del Ticino»), 15 aprile 2006.

Pronzato, A. (don) *Riconciliazione [con Giovannino] per interposte persone*, da *Stelle sul mio cammino*, Gribaudi Editore, Milano 2006, pp. 302-304.

Pronzato, A. (don) *Il don Camillo di Guareschi – Un prete come si deve*, Gribaudi Editore, Milano 2008.

Pullini, C. *Ennio Flaiano e il Novecento letterario:* («Flaiano non va confuso con l'umorismo dei vignettisti (...) da Mosca a Guareschi...»), da *Parabole del romanzo italiano* (Ottocento e Novecento), Genesi Ed., Torino 1997 p. 328.

Punzi, V. *Quei luterani conquistati da Benedetto:* («... una comunità di strani protestanti che si ispirano a don Camillo...»), da «Tempi», 19 maggio 2010, pp. 44-45.

Quaglieni, P.F. *Guareschi a cent'anni dalla nascita:* («Superati gli anni delle fratture e delle incomprensioni, delle rigidezze e delle scomuniche, bisogna rileggere Guareschi senza servirsi delle lenti colorate dalle simpatie o dalle antipatie politiche.»), da «Libro Aperto» n. 55 ottobre-dicembre 2008, p. 125.

Quaranta, B. *Il pensiero libero di Giovannino Guareschi*, da *Giovannino Guareschi – vignette per "La Notte" 1964/1965:* («Non esitò ad avvertire – e a denunciare – il tonfo dei valori, le tarme che rosicchieranno – che già avevano cominciato a rosicchiare – la pianta uomo»), Il Pennino, Torino 2004, pp. 8 9 (*cfr.* **Aloi, D.**).

Quarantotto, C. *La «Rabbia» di P.P.P.*, da «Il Borghese», 25 aprile 1963.

Quarantotto, C. *La rabbia di don Camillo: Guareschi e il cinema* (*cfr.* **AA.VV.** *Un «Candido» nell'*Italia provvisoria – *Giovannino Guareschi e l'Italia del «mondo piccolo»*, pp.137-146).

Raboni, G. *Il suo peccato capitale non fu la destra. Fu il non saper scrivere*, dal «Corriere della Sera», 11 dicembre 1992.

Raboni, G. *Un Nobel alla Merini. Perché no?*, dal «Corriere della Sera», 19 maggio 1996, p. 25.

Raboni, G. *No, nessun «contrordine» su Guareschi*, da «Cultura e Spettacolo» («Corriere della Sera»), 27 marzo 2000.

Radius, P. *Don Camillo e Peppone, due ragazzi di cinquant'anni*, da «Famiglia Cristiana» n. 21/1996, p. 139.

Ragusa, S. *Giovannino il teologo*, da «Tracce – Litteræ Communionis», gennaio 2001, pp. 72, 73.

«RAI International online» *Giovanni[no] Guareschi: il diavolo e l'acqua santa*: («Giulio Ferroni ha avanzato l'ipotesi che la lettura dei racconti costituenti la saga di don Camillo sia resa oggi godibile soprattutto tramite il ricordo dei film che Julien Duvivier e Carmine Gallone... trassero dai testi di Giovanni[no] Guareschi servendosi di un duo di meravigliosi attori») http://www.italica.rai.it/index.php?categoria=libri&scheda=guareschi.

Rava, E. *Che cosa pensano i giovani d'oggi*, da «Paese Sera», 5 giugno 1964.

Ravasi, G. *I cappotti russi*: («Nel racconto di Guareschi... un aspetto da sottolineare. Ogni morte può essere un seme di vita, come diceva Gesù del chicco di grano»), da «Agorà» («Avvenire»), 15 gennaio 2006.

Reggiani, L. *Don Primo Mazzolari e Giovannino Guareschi: singolare confluenza di sentimenti, di coerenza e fedeltà nella loro testimonianza essenziale*, dal libro *Dalla storia voci di speranza*, Ed. Fantigrafica, Cremona 2000, pp. 233-240, 275-280.

Regione Lombardia *Da «Bertoldo» a «Candido»* – *Inventario della collezione Minardi* (catalogo contenente le 1757 tavole di disegni originali di Guareschi, Mondaini, Mosca e Palermo + un nucleo documentario. Tutto catalogato in forma cartacea e in un CD allegato), Fondazione Arnoldo e Alberto Mondatori, Via Riccione 8 – 20156 Milano tel. 0239273061, info@fondazionemondadori.it.

Rendina, M. *L'«equivoco» Guareschi*, da «Vitalità», Torino, settembre 1968, pp. 92, 93.

Rescaglio, A. *Il fascino dei tempi e la sfida delle idee* – *Il mondo umano ed intellettuale di Giovannino Guareschi. Nuove pagine per scoprire l'immagine di uno scrittore di razza*, Pubblicazioni del Gruppo Culturale «Al Dodas», San Daniele Po (CR) 1996, pp. 67-69.

Rescaglio, A. *I contadini di Giovannino Guareschi*, da «Il Po» n. 3 marzo 2007, pp. 44-45.

Ricossa, S. *Come si manda in rovina un paese*, Rizzoli, Milano 1995.

Righetto, R. *Il piccolo Guareschi*, da «Avvenire», 26 aprile 1988.

Rizza, J. *La tonaca di don Camillo sarà indossata da Fernandel. Il regista Duvivier girerà in Emilia un film tratto dal popolare libro di Guareschi*, da «Oggi» n. 33, 16 agosto 1951.

Rizzi, L. *Era un patriota e un uomo «vero»*, dalla «Gazzetta di Parma», 22 agosto 1968.

Rizzi, L. Testo della relazione per il Convegno di Praglia (PD) in occasione del 25° anniversario della scomparsa di GG, Abbazia di Praglia, 12 giugno 1993.

Rizzoli, A. *«Il mio vecchio grande amico Guareschi lascia...»*, da «Candido» n. 45, 10 novembre 1957, p. 3.

Rocca, C. *Il poeta della Bassa*, da «Studi Cattolici» n. 468, febbraio 2000.

Romano, S. Risposta al lettore Lino Bianco su Guareschi querelato da De Gasperi, da «Lettere al Corriere» («Corriere della Sera»), 23 settembre 2009; risposta ad A.&C. Guareschi, *idem*, 26 settembre 2009; lettera di A.&C. Guareschi a Sergio Romano del 29 settembre e di sollecito del 6 novembre inviata alla signora Iside Frigerio curatrice della rubrica di Sergio Romano; risposta alla lettera di A.&C. Guareschi di Sergio Romano, *idem*, del 20 novembre 2010.

Roncalli, M. *Giovanni XXIII nel ricordo del segretario Loris F. Capovilla – Intervista di Marco Roncalli*, San Paolo, Milano 1994.

Roncalli, A.G. : «Nota lieta oggi. Il Presidente Auriol mi ringrazia con festosa lettera personale del dono che gli feci del *Piccolo mondo di don Camillo* che ha letto con immenso piacere», da *Anni di Francia 2: Agende del nunzio, 1949-1953*, edizione critica e annotazione a cura di Étienne Fouilloux, Istituto per le Scienze religiose, 2004, pp. 496-497.

Ronchi, A. L. *Guareschi: la complessità di un semplice* (dall'intervista a Giuseppe Parlato: «Una riscoperta dunque s'impone da parte di quella "maggioranza silenziosa" che del suo messaggio probabilmente è l'erede»), «Cultura e Spettacolo» dal «Giornale di Brescia», 23 marzo 2004 p. 25.

Rossi, I. *Nei dintorni di don Camillo – Guida al «Mondo piccolo» di Guareschi*, Rizzoli, Milano 1994.

Rossi, I. *Appunti sull'uso didattico del libro* Nei dintorni di don Camillo, *ibid.*

Sabbadini, F. *Un film che non convince: «Don Camillo»*, da «Palestra del Clero», 1° settembre 1952, pp. 809-811.

Salvá, M. F. *Guareschi y los limites del humorismo*, da «Cristianidad» (Spagna) n. 223, 224, 1 e 15 luglio 1953.

Salvá, M. F. *El humorismo es el amor*, da «Momento» (Spagna) n. 27, 20 agosto 1953.

Salvalaggio, N. *Mettiamo un fiore sulla tomba dell'umorismo*, da «Libero», 7 febbraio 2006, p. 9.

Sanguineti, T. *Il neorealismo secondo Guareschi da Umberto D. a Dina M.*, da *Le burrascose avventure di Giovannino Guareschi nel mondo del cinema*, MUP Editore, www.mupeditore.it, pp. 224-283.

Sanguineti, T. *GG colonialista piuttosto che razzista*, news.cinecitta.com/news.asp?print=true&id=26420

Sanguineti, T. *A proposito de "La Rabbia" di Giovannino Guareschi: 1)* «L'*Italia provvisoria* è un libro alla maniera di Méliès e non di Lumière. Lampi e non documenti... un libro situazionista e presituazionista, costruito sul principio linguistico del détournement. In questo *pamphlet* indecifrabile fazioso e datato (e quindi non rieditabile perché segreto)...» *2)* (intervista a Furio Scarpelli) "Guareschi era veramente candido. Aveva una sincerità vera e un candore agricolo. Non era una maschera. Era astioso, era ripiccoso".», dall'opuscolo illustrativo allegato al DVD «La Rabbia» www.rarovideo.it.

Santagata, M. (*cfr.* **Casadei, A.**)

Santambrogio, L. *Con il suo embrione Giovannino capì tutto*, da «Libero», 26 gennaio 2008, pp. 26-27.

Sapienza, L. (*Cfr.* **Mazzolari, P.**)

Sapienza, L. (padre) *Torniamo al Vangelo - Riflessioni sulla liturgia della Parola* (citazioni di GG a pp. 18, 51), Edizioni Rogate, Roma 2009.

Saporetti, C. *Guareschi e la Guaréschia*, testo della conferenza tenuta alla Casa della Cultura di Barcellona il 21 ottobre 1993.

Sargeant, W. *Anti-communist Funnyman*, da «Life» (USA), 10 novembre 1952.

Sartori, I. *Quel piccolo mondo nella Bassa padana*, da «Paese Sera», 8 aprile 1986.

Sartori, I. *Guareschi: la rivincita - Sdoganato lo scrittore scomodo*, da «Il Secolo XIX», 27 aprile 2008, p. 13.

Scarpelli, F. (*Cfr.* **Sanguineti, T.**)

Schiaretti, M. *Inutile allarmarsi: chi parlerà di don Camillo fra un paio d'anni?*, da *Don Camillo e il signor sindaco Peppone*, di **AA.VV.**, Collana LibriArena www.arenadelsole.it pp. 109-153.

Schreiber, G. *I militari italiani internati nei Campi di Concentramento del Terzo Reich 1943-1945*, Industria Poligrafica Arte della Stampa, Roma 1992.

Schwartz, B.D. *Pasolini Requiem*, Marsilio, Venezia 1995.

Sciffo, A. *Come leggere un libro e perché – L'altra letteratura*: («... una persona che desidera il bene non può... mettere Eco o Calvino o Moravia allo stesso livello di un Dostoevskij, o un Manzoni, di un Chesterton o un Guareschi: i primi non hanno ciò che rende scrittore uno scrittore, la *pietas*»), da «Il Timone» n. 11, gennaio-febbraio 2001, pp. 46.

Sciffo, A. *Romanzi storici per riconoscere un volto amico* («Di Guareschi tutto è buono ma bisogna fare in fretta: presto i ragazzi non lo comprenderanno più. Consiglio innanzitutto *La scoperta di Milano* oppure *Lo zibaldino*»), da «Il Timone», n. 20, luglio-agosto 2002, p. 47.

Scoppola, P. *Tra Guareschi e Pasolini spunta Fabbri*, da «Letture», dicembre 1994.

Sechi, L. («Quando "Il Giornale" ... commemora nel settimo anniversario della morte Giovanni[no] Guareschi, un uomo che ha dedicato la maggior parte della sua vita alla denigrazione dell'antifascismo e della Repubblica...»), citazione tratta da *L'Eskimo in redazione - Edizione aggiornata*, di Michele Brambilla, Edizioni Ares, Milano 2010, pp. 81-85.

Seebo K.W. *Kriegsende und Nachrichkiegszeit* («Einer der italienischen Inhaftierten war Giovannino Guareschi»), da *Eine Stadt im Landkreis Celle Von der Nachkriegszeit bis in die Gegenwart*, Stadt Bergen, 2007 pp. 15-16.

Seewald, P. (*Cfr.* **Benedetto XVI & Seewald, P.**)

Serra, M. *Guareschi assomiglia a Pasolini*, da «Cuore» n. 186, 13 agosto 1994.

Serra, M. *E tutto ritornerà terra*, introduzione a *Don Camillo*, supplemento a «Cuore» n. 186, 27 agosto 1994.

Serra, M. *Serra, l'ateo che sta con don Camillo*. («Amo molto Guareschi. Nel suo mondo piccolo, c'era una visione panica della natura, quasi divinizzata, che coinvolgeva tanto il prete quanto il sindaco comunista.»), intervista di Brunetto Salvarani, da «Agorà» («Avvenire»), 11 agosto 2010, p. 23.

«Settimana del clero» *Satana borghese – Una lettera spalancata all'idioma dell'ambiguità*, 21 aprile 1963.

Sgarbi, V. *Giovannino a tutto tondo*, prefazione al catalogo *Sculture satiriche dal "Mondo piccolo" di Giovannino Guareschi*, di Maurizio Zaccardi, MUP Editore 2008.

Simili, M. *Giovanni Guareschi l'ultimo arrabbiato*, da «La Sicilia», 24 luglio 1968.

Simonazzi, A. *Il grande Giovannino Guareschi e quell'«Italia meschina»*, dalla «Gazzetta di Parma», 2 settembre 2007.

Simonelli, L. *I quaderni segreti, le lettere e gli scritti inediti di Guareschi*, da «La Domenica del Corriere» (serie), settembre 1984.

Siniscalchi, C. *Andreotti: «La legge truffa ci avrebbe fatto bene»:* (Andreotti: «le lettere [di De Gasperi] di Guareschi delle quali egli a mio parere conosceva la falsità...»), da «Libero», 18 febbraio 2007 + lettera di A&CG a Siniscalchi con richiesta di documentazione probante.

Sisti, E. & Grignaffini, A. & Grignaffini, G. *Nella dispensa di don Camillo - L'oste Giovannino Guareschi e la cucina della Bassa*, Guido Tommasi Editore, Milano 2008.

Soffici, C. *La vita dello scrittore scomodo spiegata ai maturandi:* («talmente scomodo da essere stato rimosso dalla cultura letteraria ufficiale»), «Album Cultura e Spettacolo» da «Il Giornale», 22 luglio 2004, pp. 24-25 (+ lettera di A&CG a Caterina Soffici). *Cfr.* **Guareschi, G.** Lettera all'Istituto tecnico G. Beccelli di Civitavecchia.

Sofri, A. *Una fiaba del papà di don Camillo:* («... Mi sembra difficile che Guareschi potesse già conoscere *Il piccolo principe*. Si ha l'impressione di trovarne delle assonanze nel viaggio del suo piccolo protagonista...»), da «Panorama» n. 20, 15 maggio 2003, p. 258.

Solari, A. G. *Guareschi uno e due*, da «Lo Specchio», 4 agosto 1968.

Sommaruga, C. *Meglio morire da schiavi. Anatomia di una resistenza nei Lager nazisti*, da «Studi Piacentini» (Ist. Storico della Resistenza di Piacenza), Casa ed. Vicolo del Pavone, Piacenza 1988, p. 202.

Sommaruga, C. *Cinquant'anni di bibliografia (1945-1995) sull'internamento e la deportazione dei militari italiani nel Terzo Reich nel 1943-1945*, Archivio dell'Internamento Sommaruga, Milano 1996.

Sommaruga, C. *Lettera aperta a Sofri* (commento al suo articolo *Una fiaba del papà di don Camillo*), da «Rassegna» n. 5, Roma, maggio 2003, p. 13.

Soncini, E. *I rossi e il nero – Peppone, don Camillo e il ricordo del dopoguerra italiano*, Lupetti Editore, Milano 2009.

Specchia, F. *«Sto organizzando la mia eutanasia* (dall'intervista a Luciano de Crescenzo: domanda «De Crescenzo, ma chi crede di essere, Borges? I suoi in fondo son libelli arraffati all'epica classica, copiati...»; *risposta* «... dicevano lo stesso di Guareschi, che metto sullo stesso piano di Borges. Anzi Guareschi era un filino meglio»), «Gli inaffondabili» da «Libero» 17 ottobre 2004, p. 13.

Spicuglia, M. *Peppone e Pinocchio a tu per tu con il Cardinale [Biffi]*, da «QN-Quotidiano Nazionale», 19 giugno 2005, p. 25.

Spinazzola, V. *Il segreto di don Camillo: un falso «dialogo» qualunquista*, da «Vie Nuove», 23 dicembre 1965.

Spinazzola, V. *Oltre il Novecento*, da *Tirature '99*, p. 15.

Spinazzola, V. (*Cfr.* **Carnero, R.**)

Stadt Bergen, Kurt W. Seebo, Druckhaus Harms, Groß Oesingen 2007, p. 15.

Stagnaro, C. *Guareschi, il libertario della Bassa*, rubrica «Il Cappellaio matto», da «IdeAzione» n. 3 maggio-giugno 2003, pp. 146-158.

Stagnaro, C. *Ma già una volta a Via Solferino* (citazione e commento de «La grana demografica» di Guareschi sulla limitazione delle nascite), da «IdeAzione» n. 4 luglio-agosto 2003, pp. 145-155.

Stagnaro, C. *Mondo piccolo nasce a Trigoso* (una bella favola legata all'infanzia di Guareschi), Bastogi, agosto 2003.

Sughi, C. *Guareschi al bando per eccesso di verità* (risposta a un lettore: «... per la critica ufficiale... resta una mezza figura relegata altezzosamente fra gli autori ritenuti troppo facili...»), da «Il Resto del Carlino», Bologna, 2 novembre 2003.

Sughi, C. *Don Camillo e Peppone, i rivali galantuomini:* («Alla fine scopri che il sindaco sovversivo e il prete reazionario sono della stessa pasta, gente leale, galantuomini, rivali ma mai nemici...»), da «Il Resto del Carlino», 13 luglio 2008, p. XXXII.

Sughi, C. *Nel piccolo mondo di don Camillo e Peppone:* («... l'impareggiabile "commedia umana" creata da Giovannino Guareschi è un lungo, colorato viaggio dentro l'umanità, le sue speranze, le sue debolezze, i suoi ideali, la sua concretezza.»), da «Il Resto del Carlino», 22 luglio 2008, p. XXXIV.

Susta, E. *Giovannino Guareschi uomo e scrittore,* testo della relazione fatta agli scolari della Scuola Media di Isola Dovarese (CR) in occasione dell'inaugurazione della Mostra antologica «Tutto il mondo di Guareschi», 22 maggio 1993.

Tagliavini, P. *Ripensando G. Guareschi: oltre l'umorismo; Il lungo viaggio di Mondo piccolo; Peter Pan a Marore,* da *L'universo di Mondo piccolo* – Numero speciale del periodico della Famiija Pramzana «Al pont àd mez», dicembre 2001, pp. 39-47; 89-96; 135-138.

Tamburrino, G. (padre) Omelia del 22 luglio 2008 – S. Maria Maddalena – tenuta nell'Abbazia benedettina di Praglia (PD) nella S. Messa in suffragio di GG in occasione del 40° anniversario della sua morte.

Tedeschi, M. *Il vero Giovannino,* da «Il Borghese», 1° agosto 1968.

«The Times» – (Literary Supplement) *Behind wire* (recensione a *My secret diary* di GG), London, ottobre 1958.

Tinozzi-Mehrmand, N. (*Cfr.* **Magistro, E.**)

Tompkins, P. *Dalle carte segrete del Duce* – *Momenti e protagonisti dell'Italia fascista nei National Archives di Washington,* Marco Tropea Editore, Milano 2001, www.saggiatore.it, pp. 360-369.

Tondelli, P. V. *Ricordando fascinosa Riccione,* volume realizzato in occasione della Mostra omonima, Grafis Edizioni, 1990.

Tondelli, P. V. *Un Weekend Post-Moderno,* Bompiani, Milano 1990.

Tonini, E. (mons.) Tra i due vinse Guareschi, intervista a cura di Marco Marozzi, da «la Repubblica», 3 giugno 2001.

Torelli, G. *Solo, tra i suoi Re,* da «Grazia», 3 febbraio 1963.

Torelli, G. *Il sogno di un Re in esilio,* da «Grazia», 4 agosto 1963.

Torelli, G. *Andava in giro con lo schioppo per non sembrare sentimentale,* da «Grazia», 14 agosto 1968.

Torelli, G. *La Parma voladora,* Camunia, Firenze 1996, p. 436.

Torelli, G. *Il marxista che non aveva letto Marx,* da *Qua la mano don Camillo – La teologia secondo Peppone,* a cura di Alessandro Gnocchi e Mario Palmaro, Àncora Editrice, Milano 2000.

Torelli, G. *Guareschi. Venti milioni di libri,* dalla «Gazzetta di Parma», 7 ottobre 2000.

Torelli, G. *1949: Guareschi, secondo piano, via Pinturicchio 25, casa d'affitto, Milano nella nebbia,* da *L'universo di Mondo piccolo* – Numero speciale del periodico della Famiija Pramzana «Al pont àd mez», dicembre 2001, pp. 7-10.

Torelli, G. *Padre Lino – fortemente indiziato di santità:* («Guareschi imposta un suo delizioso racconto intitolato "Roba del 1922" su Padre Lino...»), Àncora Editrice, Milano 2004, pp. III 98-99.

Torelli, G. *I baffi di Guareschi – Ritratto a mano libera dell'inventore di don Camillo*, Àncora Editrice, Milano 2006.

Torelli, G. *Quest'altr'anno Guareschi ne compirebbe 100*, dal «Notiziario della Banca Popolare di Sondrio» n. 103 – aprile 2007, pp. 132-137.

Torelli, G. *I figli conservano, i nipoti sbaraccano*, dal «Notiziario della Banca popolare di Sondrio, n. 110 agosto 2009, pp. 48-49.

Torelli, G. *I bei giorni di una polemica [Montanelli - GG] "a salve"*, da *Non avrete altro Indro - Montanelli raccontato con nostalgia*, Àncora Editrice, Milano 2009, pp. 57-76.

Tornelli, A. *Roncalli nei suoi diari segreti non parlò mai dei bimbi ebrei*: («Tra le curiosità, infine, ci sono gli apprezzamenti per il *Don Camillo* di Giovannino Guareschi che il Nunzio dona al presidente francese...»), «Album Cultura & Spettacoli», da «Il Giornale», 23 gennaio 2005, p. 19.

Tornelli, A. *Ecco il diario segreto del Papa più amato – Ammirava Giovanni[no] Guareschi*: («Scriveva: "In casa sono un po' preso dalla lettura di *Don Camillo* di Guareschi" confida al suo diario Roncalli il 14 gennaio 1952 rivelando la sua passione per questi libri. "È a suo modo qualcosa di fine e di ammirevole"...»), da «Dipiù» n. 11, 21 marzo 2005, pp. 34 35.

Torno, A. *La scomparsa dell'anima: non sappiamo più cos'è.* (citazione del racconto «Commercio» di GG), dal «Corriere della Sera», 9 settembre 2003, p. 1 e segg.

Tortora, E. *Il capitano coraggioso*, dalla «Gazzetta di Parma», 22 agosto 1968.

Tosio, R. *Cento anni fa nasceva Giovannino Guareschi, il creatore di don Camillo e Peppone*, dall'«Almanacco del Grigioni Italiano», 2008, pp. 53-59.

Traina, G. (parlando di Guido Conti, scrittore che valorizza in «Palazzo Sanvitale» numi tutelari come «Zavattini, Bertolucci, Guareschi, D'Arzo, Bevilacqua, Pasolini, Tondelli. Nomi assai diversi ma tutti utili» aggiunge: «... anche quando sopravvalutati come nel caso di Guareschi»), «Stilos» («La Sicilia»), n. 26, 2044.

Travaglio, M. *Guareschi, adorabile italiano*: («Guareschi è uno dei narratori più raffinati che abbiamo mai avuto, nonostante la semplicità elementare e contadina della sua prosa, o forse proprio per quella.»), da «La Stampa», 3 ottobre 2008, p. 73.

Tritto, P. *Il destino di Giovannino Guareschi* (biografia di G. con una lucida e insolita rivisitazione della vicenda G. – De Gasperi), Altre Muse Editore, Matera 2003.

Tritto, P. *La fuga di Herbert Kappler*: («Nel gennaio 1944 i soldati di Kappler bloccarono a Roma un uomo travestito da prete. Sequestrarono all'uomo delle carte... un foglio di carta intestata della Segreteria di Stato del Papa... era stato scritto da Alcide De Gasperi, allora ancora poco conosciuto, per sollecitare un bombardamento di Roma da parte dell'aviazione alleata al fine di spingere la popolazione a insorgere contro i tedeschi. Questa storia l'ha raccontata un ufficiale della Repubblica di Salò che si chiamava Enrico De Toma», da http://www.webalice.it/paolotritto/

Truzzi, A. *Le vite di Guareschi*, da «Il Secolo d'Italia», 12 maggio 1996.

Turrini, L. *Enzo e Giovannino, una corsa in Ferrari*, da «Il Resto del Carlino», 24 luglio 2006.

«Tuttolibri» («La Stampa») *Hanno votato in diecimila: il Gattopardo è il più riuscito, Don Camillo il più amato* (referendum sui personaggi dei romanzi negli ultimi cent'anni), 30 luglio 1989.

Ugolino (*cfr.* **Broglia, A.**)

Ungari, A. *Un conservatore scomodo – Leo Longanesi dal fascismo alla Repubblica*, Casa Editrice Le Lettere, Firenze 2006, pp. 57-58.

«Unità» (l')» *«Gente così»* recensione: («È un film di Guareschi. Guareschi è l'anima di un giornale che con le sue menzogne congenite e il suo costante atteggiamento di sporcizia morale, si è attirato il disprezzo di tutte le persone serie e oneste. Questo film è quel giornale sullo schermo.»), 1949.

«Unità (l')» *Adunata romana di «geni» fascisti*, 9 maggio 1962.

«Unità (l')» (editoriale) *È morto Giovanni Guareschi... lo scrittore che non era mai sorto*, Milano, 23 luglio 1968.

http://uomovivo.blogspot.com/2006 *Chesterton e Giovannino Guareschi 2 - La democrazia dei morti.*

«Vaglio (Il)» *Guareschi raccontato dai figli*, dicembre 2008, pp. 4-8.

Valponte, G. M. *Il signorguareschi*, da «La Corda», Torino, ottobre 1952.

Van Koek, K. *Chi è Giovannino Guareschi: «Giovannino (letteralmente Johnny) Guareschi...*, da «World Digest», Londra, settembre 1954.

Vanzina, E. *L'umorismo di Guareschi*: («Perché in Italia non esiste più un Giovanni[no] Guareschi?... Ho proprio goduto rileggendo Guareschi [*Lo Zibaldino*]. Non per ragioni ideologiche come potrebbe pensare qualche imbecille. Ho goduto per puro piacere letterario. Le ideologie vanno, vengono, tornano, deludono. Le parole di un uomo intelligente, invece, rimangono.»), da «Il Messaggero» 30 novembre 2008, p. 43.

Varni, A. *«... Ho dedicato alla rovina del "Corriere" la intera notte di sabato...»*, prefazione al volume *Guareschi al «Corriere» 1940-1942*, Fondazione Corriere della Sera, 2007.

Vasile, T. *Guareschi interpretato da Sanguineti* («Gli interventi di Guareschi eran quelli di un battitore libero, non obbediva a nessuna disciplina se non a quella della sua coscienza»), da quaderniradicali.com, 23 giugno 2008.

Vasselli, S. *La cucina di Don Camillo - Ricette, Menu e Vini dal mondo di Guareschi*, Àncora Editrice, Milano 2008.

Vedovato, G. *Guareschi, De Gasperi e il bombardamento di Roma*, da «Forum», («Avvenire»), 7 febbraio 2009.

Venè, G. F. *Don Camillo, Peppone e il compromesso storico*, Sugarco Edizioni, Milano 1977.

Venè, G. F. *L'ideologia piccolo-borghese*, Marsilio, Venezia 1980.

Veneziani, M. *Due baffi in Paradiso*, prefazione del libro *Guareschi, l'eretico della risata*, di Marco Ferrazzoli, Costantino Marco Ed., Lungro (CS), 2001 www.costanet.it/marcoeditore.

Ventrone, A. *Il nemico interno*, Donzelli editore, Roma 2005, pp. 53, 176, 270.

Venuti, L. *Gli scandali della traduzione* ("storia" delle traduzioni USA e inglesi delle opere di Guareschi), Guaraldi, Rimini 2005, pp. 155-188.

Vesco, A. *Adalbert Seipolt, lo scrittore benedettino tedesco che insegna a chiedere al Signore «il dono dell'umorismo»*, da «Il Nostro Tempo», 8 ottobre 1964.

Vetro, N. G. *Divagazioni padane*: («... È alla penna di Guareschi che bisogna lasciare le descrizioni del clima, dell'ambiente, della gente, pagine che hanno fatto conoscere in tutto il mondo questo lembo di terra...»), da «Palazzo Sanvitale» n. 10/2003 p. 74.

Vial, É. *L'Italie par Eric Vial, Du 18 avril au «scelbisme»*: («Guareschi fourni à la DC un slogan de poids, "Dans l'isoloir, dieu te voit, pas Staline".»), da *La Démocratie aux États-Unis d'Amerique et en Europe - 1918-1989*, Cned/Sedes/HER 1999.

Vial, É. *Guerres, société et mentalités – L'Italie au premier XX siècle*, Éditions Seli Arslan, Paris 2003, pp. 239, 244.

Vicentini, G. *La capacità di far nascere un sorriso tra i reticolati*, da «Il Tempo», 30 maggio 1989.

Vietti, V. *L'uomo candido:* («Bertolucci a Venezia lo ha accusato di razzismo. Ma Giovannino Guareschi per una vita ha superato condanne e insulti.»), da «Il Foglio Quotidiano», 13 settembre 2008, p. IV.

Vigliero Lami, M. *Giovannino, Zvanì e Giosuè – Piccole divagazioni su Guareschi, Pascoli e Carducci*, da «Il Fogliaccio» n. 13, aprile 1994.

Villani, A. *Il cielo sotto (viaggio insolito, obliquo e sentimentale nelle terre verdiane)*, Edizioni Il Foglio, 2008.

Villari, S. *I nostri ospiti: Giovanni[no] Guareschi*, da «Österreichische Schulfunk», marzo 1996, pp. 54-56.

Visentin, T. *La favola di Guareschi:* («*La Favola di Natale:* la grande esclusa della letteratura per l'infanzia»), da *La voce scritta – Laboratorio sulle strutture della fiaba e della letteratura infantile fra tradizione e modernità*, a cura di Matilde Dillon Wanke, Bergamo University Press, Edizioni Sestante 2003, pp. 197-241.

Vitali, A. *Il mio mitico Baffone*, «Speciale Guareschi», inserto de «La Provincia», Como, 11 febbraio 2003, p. VII.

Vitali, A. (*Cfr.* **Borgia, P.F.**)

Vittadini, G. *Se Guareschi ci bacchetta:* («Guareschi raccontava e racconta di uomini fatti di peccato originale e di peccati confessati, di fede semplice e profonda, di anelito alla giustizia, di carità praticata»), «Renzo a Milano», da «Tempi» n. 3, 15 gennaio 2004.

Volland, R. (*cfr.* **Borgen, W.**)

Vonmetz Schiano, G. *Molti insulti, molto onore*, da «Alto Adige», 31 luglio 1988.

Wasley, S. *Don Camillo non si ferma*, da «Libelle», Bruxelles, 7 dicembre 1954.

Werner, H. *Il Cristo di Guareschi continua a sorridere e a purificarci con il suo amore*, da «Die Stimme der Gemeinde», Berlino, ripreso da «Candido», n. 39, 1954, p. 10.

Wertmüller, L. *Senza ironia. siamo geni cretini:* («Sciascia affermava che il migliore ritratto dell'Italia l'aveva fatto Guareschi. Guareschi aveva uno spiccato senso d'umanità. Purtroppo è stato molto maltrattato dalla sinistra. È questo, della sinistra, uno dei peccati più gravi.»), intervista di Romolo Paradiso a Lina Wertüller, da «Elementi», n. 13, aprile 2008, pp. 50-52.

Wertmüller, L.A. dichiarazione rilasciata al prof. Alan R. Perry rispondendo ad alcune sue domande sul suo film "Il decimo clandestino" tratto da un racconto di Guareschi: «Ho una profonda passione per Guareschi e di tutti gli aspetti della sua letteratura, soprattutto adoro la sua ironia e condivido profondamente un giudizio che mi diede Sciascia sul nostro Giovannino: "Peppone e don Camillo sono il più preciso ritratto degli italiani". È un grande narratore ironico della famiglia italiana, e i suoi racconti hanno spesso quella marcia in più, anzi dovrei dire ala in più, che è dono delle favole.»

Willings, D. *The Don Camillo Review*, numeri 1999-2001.

Winiarek, R. *Giovanni[no] Guareschi Przebywali w Częstochowie*, da «Gazeta Częstochowska», 8-14 febbraio 2001.

Zaccardi, M. *Sculture satiriche del "Mondo piccolo" di Giovannino Guareschi*, MUP Editore, Parma 2008, www.mupeditore.it.

Zanfini, A. *Alcide De Gasperi. Fu tutta gloria?*: («Ma con Guareschi, come la mettiamo?»), da www.lastradaweb.it, 21 dicembre 2003.

Zavoli, S. *Pasolini, Guareschi e il revisionismo di oggi*: («Giovanni[no] Guareschi, espressione di una "destra reale" e "interprete di un'Italia che non era la nostra", come l'ha definita Gianfranco Pasquino sul "Corriere" di domenica, però "ricco di umanità, con elementi di autentica passione, ironia e autoironia"»), dal «Corriere della Sera», 3 settembre 2008, p. 40.

TESI
elenco in ordine cronologico delle tesi conosciute

Concari, A. *La vita e le opere di Giovannino Guareschi*. Tesi di Laurea in Lettere Moderne, Facoltà di Lettere e Filosofia, Università Cattolica del Sacro Cuore di Milano, relatore prof. Mario Apollonio. Anno Accademico 1969-1970.

Croce, E. *L'opera di G. Guareschi tra romanzo popolare e ideologia piccolo borghese*. Tesi di Laurea in Materie letterarie, Facoltà di Magistero, Università degli Studi di Padova, relatore prof. Cesare De Michelis. Anno Accademico 1975-1976.

Castagnetti, M. *Cinema e letteratura popolare negli anni Cinquanta: la saga di don Camillo*. Tesi di Laurea in Storia e Critica del Cinema, Università Cattolica del Sacro Cuore di Milano, relatore prof. Francesco Casetti. Anno Accademico 1990-1991.

Majoli, I. *L'opera di Guareschi: il mondo umano, poetico e spirituale di uno «scrittore» e di un uomo «vero»*. Tesi di Laurea in Pedagogia, Facoltà di Magistero, Università Cattolica del Sacro Cuore di Milano, relatore prof. Antonio Mazza Tonucci. Anno Accademico 1991-1992.

Stringa, R. *Il padrone sono me – Angelo Rizzoli e il cinema 1934-1970*. Estratto di Tesi di Laurea, Facoltà di Economia politica, Università Commerciale «Luigi Bocconi» di Milano, relatore prof. Marzio A. Romani. Anno Accademico 1991-1992, pp. I-III, 146-170.

Tomasi, V. *Giovannino Guareschi e il sentimento del tragico*. Diplomatarbeit aus Literaturwissenschaft, Leopold Franzens Universität Innsbruck, Herrn o. Univ. prof. Hans J. Müller, Institut für Romanistik, giugno 1992.

Tavacca, A. *I film di don Camillo*. Tesi di Laurea della Facoltà di Magistero, Università degli Studi di Parma, relatore prof. Roberto Campari. Anno Accademico 1993-1994.

Amigoni, G. *«Don Camillo» di Guareschi: un'analisi linguistica*. Tesi di Laurea in Lettere Moderne, Facoltà di Lettere e Filosofia, Università Cattolica del Sacro Cuore di Milano, relatore prof. G. A. Papini. Anno Accademico 1994-1995.

Dotti, A. (*cfr.* **Guidetti, G.**)

Dzieciolowka, M. *Il linguaggio di Giovannino Guareschi*. Tesi di Laurea in Lingua e Letteratura italiana, Università di Varsavia, supervisione della prof. Elizbieta Jamrozic. Anno Accademico 1994-1995.

Gallo, A. *Lettere a Giovannino Guareschi: 1947-1953*. Tesi di Laurea in Storia Contemporanea, Facoltà di Lettere e Filosofia, Università degli Studi di Bologna, relatore prof. Luciano Casali. Anno Accademico 1994-1995.

Guidetti, G. (& Dotti, A.) *Giovannino Guareschi e la difesa dei valori umani e cristiani.* Prof. Francesco Salvarani. Studio Teologico Interdiocesiano di Reggio Emilia, Guastalla, Modena, Nonantola, Carpi. Anno Accademico 1994-1995.

Visentin, L. *Evangelizzare.* («*Le piacerebbe avere in parrocchia un prete come don Camillo?*») Estratto di Tesi di Qualificazione in Dottrina Sociale, Istituto Regionale di Pastorale, Padova, docente prof. Fabio Longoni. Maggio 1995.

Bianchi, F. *«Candido» di Guareschi nell'Italia del dopoguerra – 1945-1948.* Tesi di Laurea d'indirizzo politico sociale, Facoltà di Scienze Politiche, Università di Perugia, relatore prof. Giuseppe Gubitosi. Anno Accademico 1995-1996.

Bigliardi, S. *Il caso Guareschi.* Tesi di Laurea in Lettere Moderne, Facoltà di Lettere e Filosofia, Università degli Studi di Parma, relatore prof. Carmine Ventimiglia. Anno Accademico 1995-1996.

Morgano, L. *La Rabbia (1963) di Giovannino Guareschi.* Tesi di Laurea della Facoltà di Lettere e Filosofia, Università degli Studi di Pavia, relatore prof. A. Lino Peroni. Anno Accademico 1995-1996.

Boselli, A. *Giovannino Guareschi giornalista: le battaglie politiche di «Candido» contro De Gasperi.* Tesi di Laurea in Lettere Moderne, Facoltà di Lettere e Filosofia, Università degli Studi di Milano, relatore prof. Rita Cambria, correlatore prof. Maurizio Punzo. Anno Accademico 1996-1997.

Fasola, O. *Da Giovannino Guareschi a Julien Duvivier, «Don Camillo» (1952) e «Il ritorno di don Camillo» (1953).* Tesi di Laurea della Facoltà di Lettere e Filosofia, Università degli Studi di Pavia, relatore prof. A. Lino Peroni. Anno Accademico 1996-1997.

Simonelli, L. *Giovannino Guareschi: tra ricordi e racconti di vita familiare.* Tesi di Laurea in Lettere, Facoltà di Lettere e Filosofia, Università Cattolica del Sacro Cuore di Milano, relatore professor Enrico Elli. Anno Accademico 1996-1997.

Koch, O. *Kultur als Überlebenshilfe – Giovannino Guareschi als «Italienischer Militärinteenierter» (IMI).* Neuere Sprach – und Literaturwissenschaften Fachrichtung 8.2 – Romanistik, Universitat des Saarlandes, Saarbrücken Fachr. 8.2, prof. Susanne Kleinert, Januar 1997.

Prevoz, C. *Giovannino Guareschi e la rivoluzione ungherese del 1956.* Tesi di Laurea, Pázmáni Péter Katolikus Egyetem. Bölcsészettudományi Kar 1997 (Ungheria), relatore prof. György Domokos.

Cherchi, R. *Raccontare un mondo: Giovannino Guareschi e la Bassa Padana.* Tesi di Laurea, Facoltà di lettere e Filosofia – Corso di laurea in Lettere Moderne, Università degli Studi di Cagliari, relatore prof. Giuseppe Marci. Anno Accademico 1997-1998.

Palli, C. *Il lessico nel Don Camillo di Guareschi.* Tesi di Laurea in Materie letterarie, Facoltà di Scienze della Formazione, Università degli Studi di Bologna, relatore professor Fabio Marri. Anno Accademico 1997-1998.

Trainotti S. *Anticomunismo viscerale: Giovannino Guareschi, «l'anarchico sentimentale».* Tesi di Laurea in Lettere, Facoltà di Lettere e Filosofia, Università degli Studi di Trento, relatore prof. Gianni Isola. Anno Accademico 1997-1998.

Fasani, C. *Lingua, stile, comicità e umorismo del primo Guareschi (1941-1944).* Memoria di licenza in Lettere, Facoltà di Lettere, Università di Friburgo (Svizzera). Anno 1998.

Wolther, I. *Die didaktische Intention im Werk Giovannino Guareschis.* Tesi di Laurea, Fachbereich angewandte Sprach – und Kulturwissenschaft in Germersheim della Johannes Gutenberg Universität di Mainz (Germania). Referent: Univ. Prof. dr. Wolfgang Pöckl, korreferent: dr. Giulio Gilmozzi. Prüfungstermin: SS 1998.

Lusson, C. *Giovannino Guareschi, un homme, un journaliste, un écrivain dans la tempête*. Tesi di Laurea in Lingue Moderne, Université «François Rabelais» di Tours (Francia), relatrice prof.ssa Terrile. Anno accademico 1998-1999.

Turcato, C. *L'industria dell'umorismo nell'anteguerra: il «Bertoldo»*. Tesi di Laurea in Lettere, Facoltà di Lettere e Filosofia, Università Cattolica del Sacro Cuore di Milano, relatore prof. Fausto Colombo. Anno Accademico 1998-1999.

Alberini, G. *Mondo Candido 1946-1951: la lingua di Guareschi dalla cronaca all'invenzione*. Tesi di Laurea in Storia della Grammatica e della Lingua Italiana, Facoltà di Lettere e Filosofia – Corso di Laurea in Lettere Indirizzo Moderno Filologico, Università degli Studi di Bologna, relatore prof. Fabio Marri. Anno Accademico 1998-1999.

Coretti, F. *La satira politica in Guareschi e nel «Candido»*. Tesi di Laurea in Lettere, Facoltà di Lettere e Filosofia, Università degli Studi di Trento, relatore prof. Corrado Donati. Anno Accademico 1998-1999.

Kurat I. *Die Rezeption von Don Camillo und Peppone in deutschprachigen Raum*. Diplomarbeit zur Erlangung des akademischen Grades einer Magistra der Philosophie an der Geisteswissen schaftlichen Fakultät der Karl-Franzens-Universität Graz (Austria) vorgelegt von Iris Kurat am Institut für Übersetzer-und Dolmetscherausbildung Begutachter: o. Univ.-Prof. dr. Erich Prunc, Betreuende Assistentin: Univ.-Lekt. dr. Michaela Wolf – Graz, im April 1999.

Rocchi, A. *La produzione del comico. A proposito di Giovannino Guareschi*. Tesi di Laurea in Lettere Moderne, Facoltà di Lettere e Filosofia – disciplina della tesi Poetica e Retorica, Università degli Studi di Bologna, relatore prof. Paolo Bagni. Anno Accademico 1999-2000.

Carlevaro, M. *Giovannino Guareschi e il «Candido»*. Tesi di Laurea in Scienze Politiche, Facoltà di Scienze Politiche, Università degli Studi di Milano, relatore prof. Ada Gigli Marchetti, correlatore prof. Roberto Chiarini. Anno Accademico 1999-2000.

Vettorato, A. *«La favola di Natale» – Osservazioni psicoanalitiche sulla relazione tra favola e umorismo in un campo di concentramento*. Tesi di Laurea in Psicologia, Facoltà di Psicologia, Università degli Studi di Padova, relatore prof. Cristina Esposito. Anno Accademico 1999-2000.

Crespi, S. *Giovannino Guareschi best-seller americano*. Tesi di Laurea in Lingue e Letterature Straniere – Indirizzo Storico Culturale, Facoltà di Lingue e Letterature Straniere, Università degli Studi di Bergamo, relatori prof. Daniele Rota e Angela Locatelli. Anno Accademico 1999-2000.

Balestrieri, G. *Guareschi e la Destra italiana attraverso le pagine di «Candido» dal 1945 al 1948*. Tesi di Laurea in Scienze Politiche, Facoltà di Scienze Politiche, Università degli Studi di Milano, relatore prof. Roberto Chiarini. Anno Accademico 1999-2000.

Alfonsetti, C. *Brescello: tra Diavolo e l'Acqua Santa – Analisi delle diverse censure su «Don Camillo» ed «Il ritorno di don Camillo»*. Tesi di Laurea in Lettere Moderne – Indirizzo Storia e Critica del Cinema, Facoltà di Lettere e Filosofia, Università degli Studi di Torino, relatore prof. Dario Tomasi. Anno Accademico 2000-2001.

Baglieri, S. *Don Camillo sullo schermo*. Tesi di Laurea nel corso di Laurea di Lettere e Filosofia, facoltà di Scienze della comunicazione della Libera Università «Maria SS Assunta» (LUMSA) di Roma, relatore prof. Claudio Siniscalchi, correlatore prof. ssa Daniella Iannotti. Anno Accademico 2001-2002.

Minicocci, D. *Mondo Piccolo: un efficace ossimoro. Giovannino Guareschi: un viaggio nell'universo di don Camillo e Peppone.* Tesi di Laurea del corso di Laurea in Lettere, facoltà di Lettere e Filosofia dell'Università degli Studi di Roma Tor Vergata, relatore prof. ssa Cristiana Lardo, correlatore prof. Andrea Gareffi. Anno Accademico 2001-2002.

Cambiaghi, A. *"Mondo piccolo" di Guareschi: un'analisi geografica.* Tesi di Laurea del corso di Laurea in Lettere della Facoltà di Lettere e filosofia dell'Università degli Studi di Milano, relatore prof.ssa Elisa Bianchi, correlatore prof.ssa Ghilla Roditi. Anno Accademico 2001-2002.

Guareschi, A. *La satira come forma della libertà costituzionale di manifestazione del pensiero.* Tesi di Laurea della Facoltà di Giurisprudenza dell'Università degli Studi di Parma, relatore prof. Antonio D'Aloia. Anno Accademico 2001-2002.

Martini, P. *Un giornalista, uno scrittore, un uomo, l'IMI 6865: Giovannino Guareschi.* Tesi di Laurea nel corso di Laurea di Scienze della Formazione dell'Università Statale di Genova, relatrice prof. ssa Anita Ginella, correlatrice prof.ssa Grazia Benvenuto. Anno Accademico 2002-2003.

Mercatanti, L. *Duecento parole sospese in aria – Giovannino Guareschi scrittore... ma non solo.* Tesi di Laurea del corso di Laurea in Scienze politiche, Facoltà di Scienze Politiche dell'Università degli Studi di Firenze, relatore prof. Giovanni Bechelloni. Anno Accademico 2002-2003.

Marzagalli, L. *Universale umano e lessico familiare: coscienza del cristianesimo in Giovannino Guareschi.* Tesi di Magistero nel Corso di Magistero pedagogico-didattico dell'Istituto Superiore di Scienze Religiose di Milano, relatore prof. Pierangelo Sequeri. Anno Accademico 2002-2003.

Casamatti, G. *L'opera grafica di Giovannino Guareschi: dall'umorismo surreale del «Bertoldo» alla satira del «Candido».* Tesi di Laurea, Facoltà di Lettere e Filosofia dell'Università degli Studi di Parma, relatore prof. Gloria Bianchino, correlatore prof. Vanja Strukelj. Anno Accademico 2002-2003.

Biasioli, A. *Il mondo piccolo di don Camillo: da Giovannino Guareschi a Julien Duvivier.* Tesi di Laurea, Facoltà di Lettere e Filosofia dell'Università degli Studi di Padova – Dip. Discipline linguistiche comunicative e dello Spettacolo, relatore prof. Gian Piero Brunetta, correlatore prof. Alberto Zotti Minici. Anno Accademico 2002-2003.

Marè, E. *Parma, e non solo, nella "Bohème" di Giovannino Guareschi.* Tesi di Laurea del Corso di Laurea in Lettere Moderne, Facoltà di Lettere e Filosofia dell'Università degli Studi di Ferrara, relatore prof. Anna Folli, correlatore prof. Filippo Secchini. Anno Accademico 2002-2003.

Locatelli, L. *Applicazione della comunicazione multimediale on-line per la promozione internazionale di Brescello attraverso l'analisi del Peppone di Giovannino Guareschi.* Tesi di Laurea del Corso di Laurea in Scienze della formazione e della Comunicazione dell'Università degli Studi di Bergamo, relatore prof. Francisco Cipolla Ficarra, correlatore prof. Gustav Adolf Pogatschnigg. Anno Accademico 2002-2003.

Targa, F. *L'analisi di don Camillo di Giovannino Guareschi e l'uso dei nuovi media di comunicazione interattiva per la sua diffusione in diverse lingue.* Tesi di Laurea del Corso di Laurea in Scienze della formazione e della Comunicazione dell'Università degli Studi di Bergamo, relatore prof. Francisco Cipolla Ficarra, correlatore prof. Gustav Adolf Pogatschnigg. Anno Accademico 2002-2003.

Visentin, T. *La guerra dei bottoni, sulla letteratura per ragazzi, il fascismo e la guerra* (con un capitolo dedicato a «*La Favola di Natale*: la grande esclusa dalla letteratura per l'infanzia»). Tesi di Laurea, Facoltà di Lingue e Letterature Straniere dell'Università degli Studi di Bergamo, relatore prof. Matilde Dillon Wanke, correlatore prof. Margherita Bernard. Anno Accademico 2003-2004.

Dagani, B. *I paratesti cinematografici del film "Don Camillo e l'onorevole Peppone".* Tesi di Laurea del Corso di Laurea in Scienze dei Beni Culturali, Facoltà di Lettere e Filosofia dell'Università degli Studi di Milano, relatore prof. Raffaele De Berti, correlatore prof. Giannalberto Bendazzi. Anno Accademico 2003-2004.

Ferrari, M. *Il Mondo piccolo di Giovannino Guareschi.* Tesi di Laurea del Corso di Laurea in Lettere Moderne – Letteratura Italiana Contemporanea, Facoltà di Lettere e Filosofia dell'Università degli Studi di Bologna, relatore prof. A Bertoni, correlatore prof. Fabio Marri. Anno Accademico 2003-2004.

Noseda, V. *Radio B90. Un'esperienza di comunicazione in ambito concentrazionario.* Tesi di Laurea, Facoltà di Scienze Politiche dell'Università degli Studi di Roma Tre, relatore prof. Fortunato Minniti, correlatore prof. Luigi Goglia. Anno Accademico 2003-2004.

Maniscalchi, P. *Giovannino Guareschi cronista della Bassa.* Tesi di Laurea del Corso di Laurea in Scienze della Comunicazione – Indirizzo Giornalismo – Letteratura italiana, Facoltà di Scienze della Formazione, Università degli Studi di Palermo, relatore prof. Antonio Iurilli. Anno Accademico 2003-2004.

Frontera, S. *"L'altra Resistenza". I militari italiani internati a Wietzendorf.* Tesi di Laurea, Facoltà di Sociologia, Indirizzo Socioantropologico e dello Sviluppo, Università degli Studi di Roma «La Sapienza», relatore prof. Lucio Zani, correlatore prof. Sandro Setta. Anno Accademico 2003-2004.

De Cesare, M. *Guareschi, il «Candido» e Trieste 1953-1954.* Tesi di Laurea del Corso di Laurea in Lettere, Facoltà di Scienze Umanistiche dell'Università degli Studi di Roma «La Sapienza», relatore prof. Mirella Serri, correlatore prof. Giorgio Patrizi. Anno Accademico 2003-2004.

Soncini, E. *La memoria tra testimonianze familiari e narrazioni mediali: Don Camillo e Peppone.* Tesi di Dottorato di Ricerca in Comunicazione e nuove tecnologie, Facoltà di Scienze della Comunicazione e dello Spettacolo, Università IULM di Milano, coord. del Dottorato prof. Marino Livolsi. Anno Accademico 2003-2004.

De Marsanich, A. *Giovannino Guareschi, lo scrittore.* Tesi di Laurea in Studi Italiani, Facoltà di Lettere e Filosofia dell'Università degli Studi di Roma «La Sapienza», relatore prof. Walter Pedullà. Anno Accademico 2003-2004.

Sartorelli, M. *L'umorismo critico di Giovannino Guareschi scrittore civile negli anni Quaranta.* Tesi di Laurea in Lettere Moderne, Facoltà di Lettere e Filosofia, Università del Sacro Cuore di Milano, relatore prof. Enrico Elli. Anno Accademico 2004-2005.

Pesci, F. *Trilogia del prigioniero – Giovannino Guareschi e l'esperienza del Lager.* Tesi di Laurea del Corso di Laurea in Lettere, Facoltà di Lettere e Filosofia dell'Università Cattolica del Sacro Cuore di Brescia, relatore prof. Giuseppe Langella. Anno Accademico 2004-2005.

Mazzocchi, D. *Il discorso politico di Giovannino Guareschi: una analisi empirica – Giovannino e la Vispa Teresa.* Tesi di Laurea della Facoltà di Scienze Politiche dell'Università degli Studi di Pavia, relatore prof. Flavio Chiapponi. Anno Accademico 2005-2006.

Rossi, A. *L'invenzione del vero. Storia e politica nella narrativa di Giovannino Guareschi.* Tesi di Laurea del corso di Laurea in Scienze Politiche e delle Relazioni Internazionali della Facoltà di Scienze Politiche dell'Università Cattolica del Sacro Cuore di Milano, relatore prof. Paolo Colombo. Anno Accademico 2005-2006.

Caliandro, C. *Guareschi e l'umorismo "Una dannata faccenda".* Tesi di Laurea del Corso di Laurea in Traduzione e Interpretazione – Indirizzo Traduzione, Facoltà di Lingue e Letterature Straniere della Libera Università degli Studi «San Pio V» di Roma, relatore prof. Simonetta Bartolini. Anno Accademico 2005-2006.

Pellegatta, P. *"Il marito in collegio" (1944) di G. Guareschi: una lettura narratologica.* Tesi di Laurea del Corso di Laurea Triennale in Lettere Moderne della Facoltà di Lettere e Filosofia dell'Università degli Studi di Milano, relatore prof. Luca Clerici. Anno Accademico 2005-2006.

Orlando, A. *«Candido»: un giornale controcorrente.* Tesi di Laurea, Facoltà di Scienze Politiche dell'Università degli Studi di Padova, relatore prof. Giampietro Berti, Anno Accademico 2005-2006.

Ciferri, D. *Giovannino Guareschi: «Candido» e* Don Camillo *nell'Italia provvisoria.* Tesi di Laurea in Storia contemporanea, Corso di Laurea in Lettere Moderne, Facoltà di Lettere e Filosofia dell'Università degli Studi di Macerata, relatore prof. Michele Millozzi, Anno Accademico 2006-2007.

Emiliani, S. *Diffamazione e critica storica e politica: il caso De Gasperi-Guareschi.* Tesi di Laurea in Diritto Penale II, Facoltà di Giurisprudenza - Corso di Laurea specialistica in Giurisprudenza dell'Università «Alma Mater Studiorum» di Bologna, relatore prof. Gaetano Insolera. Anno Accademico 2006-2007.

Ferri, A. *"Il decimo clandestino": da Guareschi alla Wertmüller.* Tesi di Laurea del Corso di Laurea triennale in Beni Artistici, Teatrali, Cinematografici e dei nuovi media della Facoltà di Lettere e Filosofia dell'Università degli Studi di Parma, relatore prof. Roberto Campari, correlatore prof. Paolo Vecchi. Anno Accademico 2006-2007.

Musmeci, R. *Per una lettura di Mondo piccolo di Giovannino Guareschi (1948-1953).* Tesi di Laurea in Letteratura Italiana Moderna e Contemporanea, Facoltà di Lettere e Filosofia dell'Università degli Studi di Catania, relatore prof. Giuseppe Savoca. Anno Accademico 2006-2007.

Sanmarco, E. *Comicità linguistica in umoristi del Novecento.* Tesi di Laurea del corso di Laurea in Scienze della Comunicazione, Facoltà di Lettere e Filosofia dell'Università degli Studi di Bologna, relatore prof. Maria Luisa Altieri Biagi. Anno Accademico 2000-2001.

Serafini, P. *Don Camillo e Peppone. Da personaggi letterari a modelli sociali e politici.* Tesi di Laurea del Corso di Laurea triennale in scienze della Comunicazione scritta e ipertestuale della Facoltà di Lettere e Filosofia dell'Università degli Studi di Parma, relatore prof. Antonio Parisella, correlatore prof. Matteo Truffelli. Anno Accademico 2006-2007.

Aceti, R. *"Gente così" di Fernando Cerchi: primo adattamento del* Mondo piccolo *di Giovan-*

nino Guareschi. Tesi di Laurea del Corso di Laurea in Lingue e Letterature straniere, Facoltà di Lingue e Letterature straniere dell'Università degli Studi di Bergamo, relatore prof. Stefano Ghislotti. Anno Accademico 2007-2008.

Albi, M. *Il dopoguerra di Giovannino Guareschi. Guareschi e il difficile rapporto con l'Italia repubblicana.* Tesi di Laurea in Storia contemporanea del Corso di Laurea in Lingue e Culture europee, Facoltà di Lettere e Filosofia dell'Università degli Studi di Modena e Reggio Emilia, relatore prof. Fabio Degli Esposti. Anno Accademico 2007-2008.

Pesci, F. *«Stefania tra i Boeri» - Un inedito di Giovannino Guareschi dalla filologia all'analisi testuale.* Tesi di Laurea specialistica Corso di Laurea Specialistica in Filologia Moderna, Facoltà di Lettere e Filosofia dell'Università Cattolica del Sacro Cuore Sede di Brescia, relatore prof. Giuseppe Langella. Anno Accademico 2007-2008.

Albertini, D. *La fortuna editoriale di Giovannino Guareschi: un fenomeno anomalo nel panorama italiano.* Tesi di Laurea del Corso di Laurea specialistica in Editoria e Comunicazione multimediale, Facoltà di Lettere e Filosofia dell'Università degli Studi di Verona, relatore prof. Giancarlo Volpato. Anno Accademico 2008-2009.

Bertero, C. *Il sorriso amaro di Giovannino: l'efficace semplicità dell'umorismo guareschiano in* Mondo piccolo – Don Camillo. Tesi di Laurea in Letteratura italiana del Corso di Laurea in Lettere, Facoltà di Lettere e Filosofia dell'Università degli Studi di Torino, relatore prof. Davide Dalmas. Anno Accademico 2008-2009.

Blau, C. *La sceneggiatura di Don Camillo (1952) di Julien Duvivier.* Tesi di Laurea del Corso di Laurea Triennale in Lettere Moderne, Facoltà di Lettere e Filosofia dell'Università degli Studi di Milano, relatore prof. Tomaso Subini. Anno accademico 2008-2009.

Bouffand, J-M. *Quand* Mondo piccolo – Don Camillo *devint* Le Petit Monde de don Camillo – *Circonstances et conséquences*. Mémoire présenté à l'Ecole de Traduction et d'Interprétation pour l'obtention du Master en traduction, mention traduction spécialisée, directeur de mémoire M. Pierre Dido, Juré M. Marco Sabbatini, Université de Genève, Juin 2008.

Farneti, M. *Gli scritti familiari di Guareschi nella Scuola primaria d'oggi.* Tesi di Laurea in Linguistica Italiana del Corso di Laurea in Scienze della Formazione Primaria Indirizzo Elementare, Facoltà di Scienze della Formazione dell'Università «Alma Mater Studiorum» dell'Università di Bologna, relatore prof. Fabio Marri, correlatore prof. Maurizia Cotti. Anno Accademico 2008-2009.

Morè, L. *«Non muoio neanche se mi ammazzano». G. Guareschi internato militare.* Tesi di Laurea in Storia Contemporanea del Corso di Laurea in Lettere, Facoltà di Lettere e Filosofia dell'Università degli Studi di Roma Tor Vergata, relatore prof Francesco Piva, correlatore prof. Gianluca Fiocco. Anno Accademico 2008-2009.

Serafini, P. *Giovannino Guareschi e il mondo cattolico italiano attraverso le pagine del* «Candido» (1945-1961). Tesi di Laurea del Corso di Laurea specialistica in giornalismo e cultura editoriale, Facoltà di Lettere e Filosofia dell'Università degli Studi di Parma, relatore prof. Giorgio Vecchio, correlatore prof. Daniele Marchesini. Anno Accademico 2008-2009.

Silvestri, E. *Mondo piccolo – Don Camillo: problemi di traduzione dall'italiano al francese.* Corso di Laurea in Mediazione Linguistica e Culturale, Facoltà di Interpretariato e Traduzione della Libera Università degli studi «San Pio V» di Roma, relatore prof. Simonetta Bartolini. Anno Accademico 2008-2009.

Spagnoletti, G. *La vita di Giovannino Guareschi e le sue opere negli Stati Uniti: riflessioni sulla sociologia e sulla fortuna delle traduzioni.* Tesi di Laurea del Corso di Laurea in Scienze Linguistiche, Facoltà di Scienze Linguistiche e Letterature Straniere dell'Università Cattolica del Sacro Cuore di Brescia, relatore prof. Massimo Ferrari, correlatore prof. Gianluca Gallinari. Anno Accademico 2008-2009.

Paco, V. *«Non muoio neanche se mi ammazzano» - Guareschi, il comunicatore che ha cambiato l'Italia.* Corso di Laurea in Linguaggio dei Media, Facoltà di Lettere e Filosofia dell'Università Cattolica del Sacro Cuore di Milano, relatore professor Marco Lombardi, Anno Accademico 2008-2009.

Demi, C. *La lingua di Giovannino Guareschi tra religione, popolo, poesia.* Prova finale in Linguistica Italiana, Corso di Laurea Studio in Operatore Culturale/Esperto in Scienze dell'Educazione, Facoltà di Scienze della Formazione dell'Università «Alma Mater Studiorum» di Bologna, relatore prof. Fabio Marri, correlatore prof. Alberto Bertoni. Anno Accademico 2009-2010.

Le note biografiche, l'elenco cronologico delle opere e la bibliografia essenziale sono a cura del «Club dei Ventitré», associazione che vuole essere un punto di riferimento per tutti gli amici di Giovannino Guareschi.

La Segreteria del «Club dei Ventitré» è a disposizione di tutti per informazioni e per la consultazione del materiale elencato, disposto sia in ordine alfabetico che cronologico, e integrato da una serie di altri elementi (note di colore, curiosità, aneddoti).

Club dei Ventitré – 43010 Roncole Verdi (PR)
Tel. 0524/92495
Fax 0524/91642
Mailbox pepponeb@tin.it
dominio: http://www.giovanninoguareschi.com

Finito di stampare nell'aprile 2011 presso
il Nuovo Istituto Italiano d'Arti Grafiche - Bergamo
Printed in Italy